HANDBOOK OF

# Critical Care & Emergency Ultrasound

## 중환자 및 응급 환자 초음파 핸드북

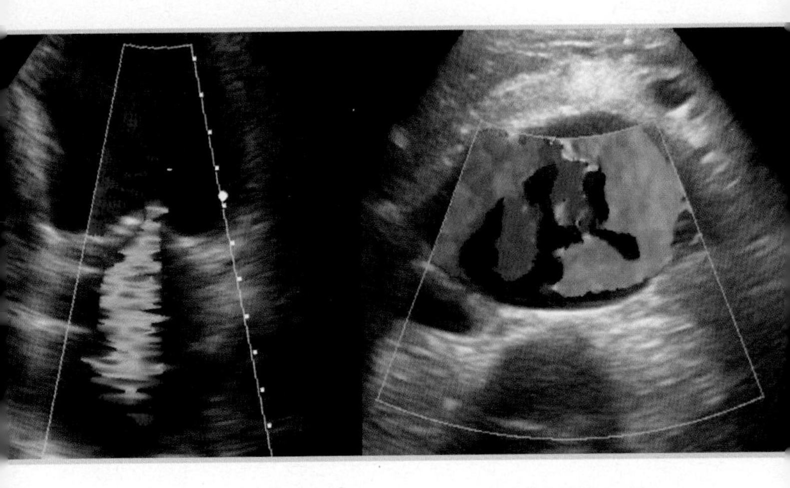

Kristin A. Carmody · Christopher L. Moore · David Feller-Kopman

문재영 | 박명린 | 박재석 | 하상욱

Handbook of Critical Care and Emergency Ultrasound, 1st Edition



1 2 3 4 5 6 7 8 9 10 KJ 20 18

Original: Handbook of Critical Care and Emergency Ultrasound, 1st Edition © 2011
By Kristen A. Carmody, Christopher L. Moore, David Feller-Kopman
ISBN 978-0-07-160489-5

This authorized Korean translation edition is jointly published by McGraw-Hill Education Korea, Ltd. and Koonja Publishing Co. This edition is authorized for sale in the Republic of Korea

This book is exclusively distributed by Koonja Publishing Co.

When ordering this title, please use ISBN 979-11-5955-377-6 (93510)

Printed in Korea

# 중환자 및 응급 환자 초음파 핸드북

첫째판 1쇄 인쇄 | 2018년 10월 2일
첫째판 1쇄 발행 | 2018년 10월 11일

지 은 이 Kristin A. Carmody, Christopher L. Moore, David Feller-Kopman
옮 긴 이 문재영, 박명린, 박재석, 하상욱
발 행 인 장주연
출 판 기 획 김도성
편집디자인 박은정
표지디자인 김재욱
발 행 처 군자출판사(주)
등록 제4-139호(1991. 6. 24)
본사(10881) **파주출판단지** 경기도 파주시 회동길 338(서패동 474-1)
전화 (031)943-1888 팩스 (031)955-9545
홈페이지 | www.koonja.co.kr



ISBN 979-11-5955-377-6

정가 35,000원

## 역 자

문재영 충남대학교병원 중환자의학/호흡기내과 전문의

박명린 충남대학교병원 입원전담전문의

박재석 계명대학교 동산의료원 호흡기내과 전문의

하상욱 한림대학교병원 중환자의학/응급의학과 전문의

## 감 수

하영록 분당제생병원 응급의학과 전문의(응급영상의학회 회장)

김지박 부천세종병원 심장내과 전문의

## 읽기 전에

의학은 끊임없이 변화하는 학문이다. 새로운 연구와 임상 경험으로 지식은 끊임없이 축적되므로, 치료법 또한 변화하기 마련이다.

저자들은 집필 당시 표준으로 인정되던 정보를 제공하고자 하였고, 신뢰할 수 있는 근거자료들을 확인하였다. 하지만 오류의 가능성 및 의학은 계속 진보한다는 점 때문에 이 책의 출판에 연관된 모든 당사자 역시 여기에 담긴 정보가 정확하고 완벽하다고 장담할 수는 없다. 또한, 이 책에 제시된 오류가 있거나 생략된 정보로 인해 발생하는 결과에 무한한 책임이 있다고도 볼 수 없을 것이다.

독자분들께 본 책에 포함된 근거 자료 외에도 다른 정보를 확인해보기를 당부드린다. 예를 들어, 이 책에 소개된 약물의 일반적 정보나 금기증, 권고용량 변동 여부 등을 판단하기 위해서는 약물의 상품정보를 확인해야 한다. 이는 신제품 또는 자주 사용하지 않는 약물일 경우 특히 중요하다.

## 머리말

지난 수십 년 동안 의료용 초음파 기술은 진일보하였다. 경제적이고 안전한 검사법으로서, 이동식 초음파는 이제 다양한 전공분야에 걸쳐 진단과 시술에 필요한 이미지를 제공하는 도구로 널리 사용되고 있다. 다만 초음파는 사용자의 능력에 좌우되는 기술이므로, 그 한계와 가능성을 정확하게 이해하는 의료인이 사용하여야 유용하고 효과적이다.

초음파 사용에 있어 중환자의학 및 응급의학 영역에서 공통점이 있다. 두 영역 모두 치명적인 중증 환자 치료를 담당하며, 의료진은 초음파를 이용하여 진단 및 초음파 유도 시술과 같은 응급치료를 한다는 것이다.

이 설명서는 중환자실과 응급실 환경에서 현장 진단(point-of-care) 초음파를 손쉽게 사용할 수 있도록 실용적인 안내자 역할을 할 것이다. 이 책을 통해 응급실과 중환자실 의료진이 초음파에 대한 풍부한 지식을 습득하고, 환자 치료에 초음파를 보다 잘 활용할 수 있기를 희망한다.

## 추천사

현대의 의료환경은 날로 변하고 있습니다. 의학기술의 발달로 작은 생리적 변화를 감당하지 못하는 노령 환자와, 면역저하 환자가 증가하고 있습니다. 이들의 생리학적 변화의 원인을 조기에 인지하고 적시에 치료가 시행될 수 있도록 하는 것이 환자들의 예후를 향상시키는 데 매우 중요합니다.

초음파는 크기가 작아지고 경량화되면서 환자들이 있는 중환자실이나 응급실 등 어디에서나 검사가 가능해 졌고, 머리부터 발끝까지 적용이 가능하며, 비침습적이며, 환자들이나 의료진들에게 방사능 피복을 걱정할 필요가 없기 때문에 다른 검사방법보다는 장점이 많은 검사입니다. 초음파의 도움으로 의료진은 환자의 생리적 변화에 대한 원인을 환자 옆에서 곧바로 평가할 수 있게 되었습니다. 합병증의 위험이 큰 침습적인 시술을 안전하게 마치는 데에 도움을 받고, 또한 치료에 대한 반응을 평가함으로써 안전하고 신속하며 정확한 치료를 제공할 수 있게 되었습니다. 이제는 중환자실이나 응급실에서 의료진에게는 초음파를 이용하여 주요 장기의 해부학적 그리고 기능적 변화를 평가하는 능력은 선택이 아니라 필수 요건이라고 감히 말하고 싶습니다.

그런 의미에서 이번 충남대학교 의과대학 문재영 교수팀이 번역한 "Handbook of Critical Care and Emergency Ultrasound" 책의 발간은 매의 시의적절하다고 생각됩니다. 중환자 응급 초음파에 대한 변변한 교과서가 없는 실정에서 가운에 넣고 다닐 수 있어 환자 침상 옆에서 찾아볼 수 있으며, 내용이 간결하게 정리가 되어 있지만 포괄적인 내용을 담은 책이 필요했는데 그런 의미에서 이 책은 그런 조건을 잘 충족시킬 수 있는 책이라고 생각합니다.

이 책의 특징은 각 부분별로 꼭 알아야 하는 내용만을 눈에 잘 들어오게 정리를 해 놓았고, 사진들도 알아보기 쉽게 배치되어 있으며, 특히 초보들이 흔하게 하는 실수까지 짚어주고 있어 처음 중환자 응급의학 분야에서 초음파를 접하는 사람에게는 매우 유용할 것으로 생각됩니다. 좀 더 깊이 있는 공부를 하고 싶은 사람에게는 도움이 될 만한 참고문헌까지 제시하고 있습니다.

아무쪼록 이 책이 여러분이 중환을 보는 능력을 키우는 데에 도움이 되어 많은 환자들이 혜택을 봤으면 좋겠습니다.

수고해 주신 충남대학교 문재영 교수님팀의 노고에 감사하다는 말씀 전합니다.

2018년 9월

전 응급중환자 영상학회 회장, 삼성서울병원 중환자의학과 **서지영**

## 역자 서문

이제 대학병원에서 초음파가 없는 응급실이나 중환자실은 상상할 수 없다. 최근 '안전'이 사회적 이슈가 되었지만, 훨씬 오래 전부터 응급의학과 중환자의학의 영역에서 환자 안전은 핵심 의제 중 하나였다. 역자들이 수련하던 몇 년 전까지만 해도 중환자실에서 시행하던 초음파검사에 보험수가가 책정되어 있지 않았지만 '환자 안전'의 중요성을 일찌감치 인식하고 있던 병원 덕분에 우리는 초음파의 중요성을 몸소 경험하고 느낄 수 있었다. 당시에는 비록 한 대뿐인 이동형 초음파 기기를 여러 중환자실이 함께 쓰는 상황이었지만, 응급환자나 중환자에게 초음파의 위력은 절대적이었다. 출혈경향이 있고 시술 실패에 따른 위험 부담이 큰 중환자가 중심정맥관 삽입이 시급한 상황에 처해 있을 때, 환자의 침상 바로 옆에서 시행할 수 있는 초음파를 이용하면 이러한 어려움을 무사히 그리고 신속하게 해결할 수 있었다.

중환자와 응급환자의 진료에서는 영상의학 전문의에게 의뢰하여 시행하는 일반적인 초음파검사 방법과 사뭇 다르게 초음파를 이용한다. 중환자실이나 응급실에서 혈역학적으로 불안정한 환자를 검사실로 옮기는 것은 위험이 따른다. 심장, 복부, 골반 등 장기 마다 서로 다른 전문의에게 부탁하여 상세한 검사를 하려다 치료에 필요한 골든 타임을 놓칠 수도 있다. 응급의학과 중환자의학에서는 저혈압이나 호흡곤란 등 환자가 호소하는 문제의 원인을 초음파로 빠르게 감별 진단하여 치료결정에 필요한 시간을 단축하고 안전한 시술을 유도하기 위해 초음파를 이용한다. 따라서 이 분야에서 수련하는 의사들이 초음파를 배우고 훈련하는 방법과 이를 위한 교재도 달라야 한다. 역자들이 이 책(원서)을 접하기 전까지 시중에서 접했던 초음파 교재들에는 이러한 접근 방법이 빠져있어 아쉬움이 컸다.

이 책은 중환자와 응급환자 진료에 참여하는 의사들을 위한 체계적인 초음파 안내서이다. 아마 국내에서는 유일한 우리말 참고서가 될 듯하다. 책은 네 부분으로 구성되어 있다. '기본 이론편'에서는 초음파의 원리와 이용에 관한 기본적인 지식을 얻을 수 있다. 이미 초음파에 익숙한 사람이라면 건너뛰어도 좋다. 초심자라 할지라도 책의 첫 페이지부터 펼쳐놓고 공부하듯 읽는 방법은 피하길 권한다. 이 책을 제대로 이해하려면 마지막 '요약 및 실전편'부터 빠르게 살펴보는 것이 좋다. 그 다음에는 주머니에 넣어두자. 그리고 초음파가 필요한 환자를 만나게 되었을 때 책을 펼쳐 관련한 '응용편'이나 '초음파 술기편'을 찾아보자. 틈틈이 궁금한 부분을 찾아서 읽어 보는 것도 좋겠다.

역자들이 이 책을 번역하자고 뜻을 모았던 때가 2012년이었던 것으로 기억한다. 바쁜 일정과 부족한 경험 탓에 시행 착오를 겪으며 책이 나오는데까지 오랜 시간이 걸렸다. 여전히 볼 때마다 번역의 부족함과 부끄러움을 느낀다. 완벽하지 않지만 이 분야에 헌신하고자 하는 후배들을 위해 이제는 내어놓아야 할 때라고 변명하는 역자들을 너그러이 이해해주길 바란다. 책으로 빛을 볼 수 있도록 애써준 군자출판사 김도성과장님과 직원들, 특별히 후배 박명린 선생에게 감사 인사를 전한다.

2018년 9월

역자 일동

# 목 차

## PART 01 기본 이론편



## PART 02 응용편

## PART 03 술기편



## PART 04 요약 및 실전편

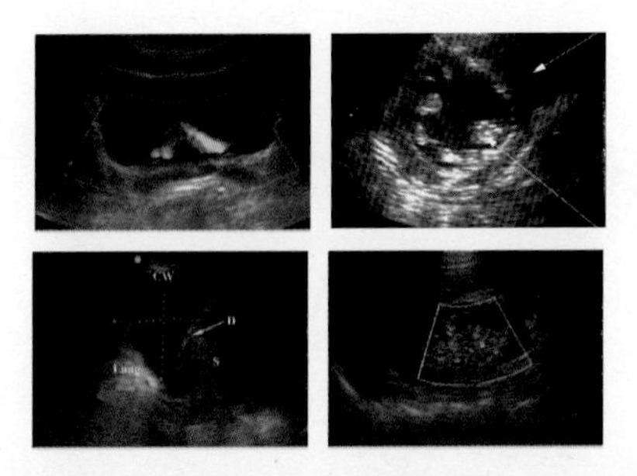

# PART 01 기본 이론편

# 1 응급 및 중환자 초음파

## 서문

초음파는 오랫동안 안전하고 정확한 영상진단방법으로 인정받고 있다. 지난 수십 년 동안 장비, 교육, 초음파 응용 프로그램은 발전되었고, 현장진단(point-of-care, POC) 도구로써 이용이 확대되었다. 특히 중환자 치료와 응급실 환경에서, 의사와 환자 모두에게 도움이 된다는 근거는 충분하다.

## 역사

초음파는 1960년대 임상에서 사용되기 시작하였고, 1970년대에 다양한 전문영역에서 이용되기 시작했다. 초기 초음파 장비는 부피가 크고 고가였을 뿐 아니라, 복잡하고 사용하는 데에 많은 시간이 소요되었다. 1980년대 후반, 초음파 장비의 발전으로 현장진단 초음파가 가능해졌다. 장비는 소형화되고, 이동이 가능해져 환자의 침대 옆으로 쉽게 옮겨갈 수 있게 되었다. 또한 향상된 이미지, 더 나은 영상, 더욱 간편한 영상 전송과 저장 기술이 적용된 저렴한 장비가 계속해서 개발되고 있다.

유럽에서 현장진단 초음파 사용에 관한 초기 연구들이 1970년대 발표되었다. 이 연구들은 급성 외상 환자에서 외과 의사가 비정상 체액(free fluid)을 찾아내기 위해 초음파를 사용한 것을 설명한 것이다. 1988년, 미국의 응급의학 의사인 데이비드 플러머는 환자의 침상 바로 옆에서 초음파검사를 이용하는 것이 관통상을 입은 외상 환자의 생명을 구하는데 도움이 될 수 있음을 보고하였다. 1993년 '외상 환자를 위한 복부 초음파(focused abdominal sonography in trauma)'를 위한 국제적 합의 회의에서 FAST라는 용어가 처음 탄생하였으며, 후에 '초음파 외상 집중 평가(focused assessment with sonography in trauma)'로 확대되었다. FAST 진단법으로 외상 환자에서 혈액복막(hemoperitoeum), 혈흉(hemothorax), 혈심낭(hemopericardium)의 신속한 진단이 가능하게 되었다. FAST 기법은 널리 사용되어, ATLS (Advanced Trauma Life Support) 프로토콜에 삽입되었다.

응급의학 분야는 상대적으로 일찍 초음파를 현장진단에 도입하였다. 1994년 미국응급의학회(SAEM)는 수련의 초음파 교육을 위한 '표준교육과정'을 발간하였다. 2001년 미국대학응급의학의사회(ACEP)는 '응급 초음파 지침'을 발표하면서 현장검사(bedside exam)를 시행할 적응증, 검사의 범위에 관한 권장 사항, 질 확보방법, 서류절차 및 응급의학과 의사가 익혀야 할 적절한 수행능력과 표준에 관한 사항을 포함하였다. 이후 향상된 기술과 새로운 응용 프로그램을 반영하여 2008년에 지침을 개정하였다.

특히 중심정맥관 시술과 같은 침습적 시술을 위해 중환자실 환경에서 현장진단 초음파를 이용하였다. AHRQ (the Agency for Healthcare Research and Quality)는 초음파유도 중심정맥관 시술을 의료과오를 줄일 수 있는 최고의 방법의 하나로 선정하였다. 최근에는 중환자 치료영역에서 진단 및 시술을 위한 현장진단 초음파 사용에 대한 관심이 증가하고 있다. 미국중환자의학회(SCCM, the Society of Critical Care Medicine)는 초음파 사용의 이점을 인정하고 중환자실에서 초음파 사용에 대한 권장교육지침을 개발하였다. 또한 ACGME (the Accreditation Council for Graduate Medical Education)는 중환자의학 전임의 과정의 하나로 초음파 교육을 요구하고 있다. 차이는 있지만, 중환자 치료 및 응급실 환경에서 현장진단 초음파의 사용은 많은 유사점을 갖고 있다. 이 책을 통해 초음파를 사용하는 방법과 관련하여 임상적으로 유용한 정보를 제공하고자 한다.

## 철학

현장진단 초음파의 핵심은 이것이 특정한 '예/아니오' 질문에 답하기 위한 목표 지향적 검사(또는 일련의 목표를 위해 집중화된 검사), 또는 환자의 치료에 직접적인 영향을 주는 시술유도(보조)라는 점이다. 의료인은 현장진단 초음파를 환자 문진 및 신체검진과 함께 통합적으로 이용하여야 한다.

응급 현장진단 초음파는 영상의학과, 부인과(gynecology), 또는 심장내과처럼 협진 서비스를 통해 시행하는 검사와는 다르다. 이들 전문영역은 일반적으로 장기(organ) 중심의 포괄적인 초음파검사를 수행한다. 게다가 현장진단 초음파는 집중적, 제한적, 그리고 목표지향적 검사이다. 즉, 일반적으로 '예' 또는 '아니오' 형식의 단순한 질문에 답하기 위한 것이다: '복통이 있는 노인 환자에서 대동맥류(aortic aneurysm)가 있는 걸까?' 또는 '통증과 저혈압이 있는 젊은 여자에게 자궁외임신(ectopic pregnancy)이 있는 걸까?' 이러한 경우들은 치명적일 수 있는 상태에서 적절한 때에 초음파를 사용하여 치료를 앞당기고 예후를 향상할 수 있는 예시이다.

협진의사가 시행하는 초음파는 특정 상황에서만 적용할 수 있지만, 현장진단 초음파는 많은 장점이 있다. 협진의사가 시행하는 초음파는 일반적으로 환자를 치료 중인 곳에서 초음파검사 기사가 있는 장소로 이송하게 되며, 이미지를 전송하여 검사자가 아닌 다른 사람이 해석한다. 이 과정의 모든 단계가 지연될 수도, 쉽게 시행되지 못할 수도 있다. 환자를 치료하고 있는 곳에서 다른 곳으로 이송하는 것은 시간과 자원을 소모하고, 위태로운 상태의 환자는 더 위험해질 수 있다. 환자의 침대 옆에서 시행하는 초음파는 치료에 대한 환자의 반응을 감시하기 위해 필요할 때마다 여러 번 반복해서 시행할 수도 있다. 많은 경우, 현장 초음파검사를 이용하면 진단적 복막세척(diagnostic peritoneal lavage) 등과 같은 침습적일 수 있는 검사나 이온화 방사선(ionizing radiation)을 이용한 영상의학적 검사 등 추가적인 검사의 필요성을 줄일 수 있다.

현장진단 초음파검사의 다른 장점은 여러 가지 목표 지향적인 질문을 한 번의 초음파검사로 알 수 있다는 점이다. 특히 징후나 증상이 몇 가지 잠재적으로 심각한 병인 때문일 때 유용하다. 현장진단 초음파는 응용 프로그램 간에 쉽게 전환이 되므로, 종종 두 명 이상의 협진의를 거치지 않고는 할 수 없는 검사가 가능하다. FAST 검사가 좋은 예로, 복부, 골반, 흉부, 심장의 관찰이 하나의 검사과정으로 통합되었다. 이처럼 설명되지 않는 저혈압, 호흡 곤란, 또는 가슴 통증의 원인을 확인하기 위해 몇 가지 목표지향적 응용 프로그램을 결합할 수 있다.

진단 기능뿐만 아니라, 초음파는 침상에서 시행하는 침습적 시술에 매우 큰 도움이 된다. 이 같은 시술에는 심막천자(pericardiocentesis), 흉강천자(thoracentesis), 복부천자(paracentesis), 중심정맥관 삽관(central line placement) 등 매우 침습적이거나 어려운 말초정맥관 삽입과 같은 시술도 포함된다. 시술을 위한 초음파 유도는 성공률을 높이고, 합병증을 줄이며, 불안정한 환자의 치료를 앞당길 수 있다.

## 범위

ACEP는 사용 목적에 따라 현장진단 초음파검사 분류를 다음과 같이 제시하고 있다.

- *심폐소생술을 위한 초음파*: 심장 활동(심근수축)의 여부를 확인하기 위해 심장 마비와 같은 상황에서 사용하는 경우.
- *진단을 위한 초음파*: 응급 상태를 진단하기 위해 환자의 침상 옆으로 이동하여 현장에서 사용하는 경우.
- *증상 또는 징후 확인을 위한 초음파*: 환자의 주된 증상/징후에 따라 검사해야 하는 장기(organ)에 관한 특정 알고리즘을 사용하는 것. 예를 들어, 이유를 알 수 없는 저혈압이나 호흡곤란을 호소하는 환자의 진단과정을 설명하는 것.
- *시술 유도 초음파*: 침습적 시술을 위해 사용하는 경우. 이는 시술에 따른 위험을 낮추기 위한 것이다. 예를 들어, 중심정맥관 삽입의 경우 초음파 유도를 이용하면 첫 시도의 성공률을 높이고, 초음파 유도를 하지 않은 시술보다 합병증을 줄일 수 있다.
- *치료 또는 모니터를 위한 초음파*: 특정 시술의 성공 여부를 확인하기 위해 사용할 수 있다. 가령 초음파를 이용하여 하대 정맥의 허탈 증거가 있는 저혈압 환자에게 정맥 내 수액 투여 후 치료 변화를 추적하여 의사가 추가 치료 여부를 결정하는 데 도움이 된다.

위에서 설명한 현장진단 초음파의 분류에 따라, 2008년 ACEP 지침에서는 중증 환자에서 이용할 수 있는 11가지 핵심 응급초음파검사를 포함하였으며, 다음과 같은 주요 검사를 응급상황에서 사용할 수 있는 검사로서 제시하였다:

1. 외상(FAST)
2. 자궁내 임신(intrauterin pregnancy, IUP)
3. 복부 대동류(abdominal aortic aneurysm, AAA)
4. 심장검사
5. 담도(biliary)검사
6. 요로(urinary tract)
7. 심부정맥혈전증(deep vein thrombosis, DVT)
8. 연부조직(soft tissue) /근골격(musculoskeletal)
9. 흉부
10. 안구
11. 시술유도

이러한 각 응용 프로그램에 사용되는 특정 방법과 기술은 다음 장에서 설명하고 있다. 여전히 새롭게 등장하는 응용 프로그램도 있지만, 최근 주목을 받는 검사들은 다음과 같다:

- 고급 심초음파
- 경식도 심초음파
- 장(장중첩증(intussusception), 충수염(appendicitis), 유문협착(pyloric stenosis), 게실염(diverticulitis), 작은창자막힘(small bowel obstruction))
- 부속기 병리(adnexal pathology)
- 고환 초음파
- 경두개도플러(transcranial doppler)
- 대조 연구

## 목표 지향적 현장 초음파

매우 분주한 중환자 치료 및 응급 진료 현장에서 의사는 한 번에 여러 환자를 처리할 수 있어야 한다. 이 때문에 적절한 환자에게 현장진단 초음파를 사용하는 것이 중요하다. 중증 환자 및 응급 환자에서 현장진단 초음파를 이용하는 방식은 앞서 개념과 범위에 대해 언급하였다. 근거가 확립된 임상 상황에서 현장진단 초음파를 사용할 필요가 있다.

다음 지침은 의사가 어떤 환자에게 현장진단 초음파를 사용해야 하는지 결정하는 데 도움을 줄 것이다.

1. 현장진단 초음파가 '예' 또는 '아니오' 질문에 답이 될 수 있는가?

- AAA (복부 대동맥 동맥류)인가?
- IUP (자궁 내 임신)인가?
- 외상 환자에게(복막강(peritoneal cavity) 내) 비정상 체액(free fluid)이 있는가?
- 심낭 삼출이 있는가?

현장진단 초음파를 이용하면 환자 바로 옆에서 이러한 질문에 신속하게 답을 찾을 수 있으나, 모든 상황에 적용되지는 않는다. 만일 질문이 좀 더 복잡하다면, 더 철저한 조사가 필요하다. 예를 들어, 임신이 아니지만 질 출혈(vaginal bleeding)이 있는 환자에게 현장진단 초음파를 하는 것은 의료진에게 도움이 되지 않는다. 이 검사는 '예' 또는 '아니오' 질문에 답을 주지 못하기 때문에 응급 현장진단 초음파의 범위를 벗어난다.

### 2. 현장진단 초음파는 제한적이고 목표지향적인가?

특정 질병이 의심되는 경우, 초음파검사는 신속하게 평가할 수 있는 특정 장기에 국한되어야 한다. 가령, 급성 담낭염이 의심되는 우상복부(right upper quadrant, RUQ) 통증을 가진 환자에서는 담낭 검사를 시행해야 하고, 담도계 질환이 아닌 경우 인접해 있는 신장과 흉부에 대한 검사를 진행해야 한다. 하지만 현장검사로 간 또는 췌장에 관한 포괄적인 평가를 할 수 없다. 초음파검사는 명백하게 목표지향적이어야 한다. '환자는 급성 담낭염(cholecystitis)이 있는가, 또는 없는가?' 하는 질의는 검사를 수행하는 의사의 의사 결정 과정에 영향을 미친다. 포괄적인 평가는 중증치료 또는 응급 초음파의 범위 밖이다. 진단이 신속하게 이루어지지 않을 경우, 환자는 좀 더 포괄적인 초음파검사 또는 현장진단 초음파 이외의 검사가 필요할 수 있다.

### 3. 현장진단 초음파는 의심 진단을 확인하려는 방법인가?

의사가 어떤 질환을 확인하거나 배제 진단하기 위해 초음파검사를 처방할 경우, 최초의 초음파검사는 환자 바로 옆에서 시행되어야 한다. 그 검사로 합당한 소견을 찾을 경우, 적절한 협진 서비스를 보다 신속하게 의뢰할 수 있으며, 영상의학과 검사를 기다리지 않고도 환자 치료를 앞당길 수 있다. 반대로 현장진단 초음파가 병리 근거를 찾지 못했다면, 컴퓨터단층촬영(CT)과 같은 다른 검사 방법이 더욱 적합할 것이다.

### 4. 활력 징후가 불안정한 환자의 현장진단 초음파

초음파는 진단이 불명확하고 (혈역학적으로) 불안정한 환자를 평가할 수 있는 탁월한 방법이다. 예를 들어, 병력을 확인할 수 없고 신뢰할 만한 신체 검사를 할 수 없는 저혈압, 저산소증, 빠른맥(tachycardia), 또는 의식 변화가 있는 환자는 현장 검사가 가능한 구역 밖으로 안전하게 이송할 수 없다. '불안정한 외상 환자에서 복막강 내 출혈 또는 심낭내출혈이 있을까?', '임신상태이면서 저혈압인 젊은 여성에서 파열된 자궁외임신(ruptured ectopic pregnancy)을 나타내는 소견이 있을까?', '저산소증과 빠른맥이 동반된 환자의 심초음파에서 우심실 긴장의 증거가 있을까?', '복통과 저혈압이 있는 노인환자에서 동맥류 파열이 있을까?' 하는 등의 점검은 즉각적인 현장진단 초음파검사로 즉시 도움을 얻을 수 있는 예시이다.

### 5. 시술유도 현장진단 초음파

침습적인 시술을 수행하기 위해 실시간 초음파 유도를 사용하는 것은 현재 여러 상황에서 표준치료가 되었다. 바늘이 목표 구조물에 접근할 때 바늘을 시각적으로 보여주는 것은 최초 시도의 성공률을 높이고, 시술 시간을 단축하며, 다른 구조물에 대한 손상을 막는 등 환자의 안전에 있어 장점이 있다. 초음파 유도를 사용하는 시술로는 현재 다음과 같은 것들이 있다: 심막천자, 흉강천자, 복부천자, 중심정맥관 삽입, 신경차단술(nerve block), 관절흡인(joint aspiration), 말초 정맥 라인 등이 있으며 앞으로 더 많이 응용될 것이다.

### 6. 특정 알고리즘과 현장진단 초음파의 통합

중증 또는 응급 상황의 환자 중에는 진단이 불명확한 경우가 있다. 초음파는 환자의 증상 발현 수분 이내에 감별진단을 좁히는 데 도움이 된다. 환자의 주 증상에 기반한 특정 알고리즘이 있다. 예를 들어, 구분되지 않는 복부 통증이 있는 환자에서, 현장진단 초음파를 신속하게 이용하여 복막강 내 비정상 체액, 복부동맥류(AAA), 급성 담낭염, 또는 수신증(hydronephrosis)을 배제할 수 있다.

저혈압 환자의 경우, 초음파로 복막강 내 비정상 체액 및 복부동맥류를 확인할 수 있다. 심기능 장애와 삼출을 배제하기 위해 심초음파를 수행하고, 하대정맥(inferior vena cava) 검사를 통해 신속히 볼륨(volume) 상태를 평가할 수 있다.

가슴 통증과 호흡곤란을 호소하는 환자에서는 삼출액이나 간질성 부종(interstitial edema) 여부로 폐를 평가하고, 심장 기능과 삼출, 우심실 긴장 여부를 초음파를 이용해 알 수 있다.

의사가 환자의 주 증상에 따라 가능한 감별 진단을 체계화할 수 있다면, 이러한 알고리즘에 따라 초음파를 이용하여 정확한 진단을 돕고 치료를 앞당길 수 있다.

현장진단 초음파가 이를 수행하고 해석하는 의사에 의존하게 되는 위험은 언제나 있다. 현장진단 초음파 결과에 근거한 임상 상황에서는 그 현장에서 가장 경험이 풍부한 의사가 결정을 내려야 한다. 진료 현장에서 초음파 사용의 이점은 전문 교육과 균형을 맞춤으로써 얻을 수 있다.

ACEP와 같은 대부분의 전문 조직은 학생, 전공의, 전문의를 위한 훈련과 교육 방법에 대한 지침을 제공하고 있다. 결국, 초음파 소견과 관련하여 의구심이 드는 경우, 가장 경험이 풍부한 임상의에게 통보하여 확진검사 필요성 여부에 대해 자문을 받도록 한다.

## 결론

의사가 수행하는 현장진단 초음파의 응용과 범위는 확대되고 있다. 의사들은 과거와는 달리 여러 장기뿐만 아니라 다양한 증상에 대해 폭넓게 초음파검사를 이용하고 있다. 새로운 기술, 이동성, 가용성 증대, 향상된 저장 기능으로 다양한 전문분야에서 초음파의 사용이 필수가 되었고, 현재 응급실과 중환자실에서 수행하는 많은 시술의 표준이 되었다. 초음파의 진단 기능과 시술유도(procedural guidance)에 더하여 초음파는 치료적 중재를 감시하는 비침습적 방법을 제공한다. 현장진단(POC) 초음파는 적절한 이해, 교육 및 훈련을 통해 중증 치료 및 응급 치료 환경에서 신속한 치료를 가능하게 하는 손쉽고 비침습적이며 재현 가능한 방법이다.

### | 추가로 읽을 자료 |


American College of Emergency Physicians Policy Statement, Emergency Ultrasound Guidelines. http://www.acep.org. Accessed Oct 2008:1−38.

Joseph AP. Emergency ultrasound: the scope of practice. Ultrasound. 2007:15(4):229−235.

Kendall JL, Hoffenberg SR, Smith RS. History of emergency and critical care ultrasound. Crit Care Med. 2007:35(5):S126−S130.

Kirkpatrick AW, Sustic A, Blaivas M. Introduction to the use of ultrasound in critical care medicine. Crit Care Med. 2007:35(5):S123−S125.

Neri L, Storti E, Lichtenstein D. Toward an ultrasound curriculum for critical care medicine. Crit Care Med. 2007:35(5):S290−S304.

# 2 초음파의 기초

## 초음파 물리학

초음파는 기계적 파형의 투과(transmission)와 반사(reflection)로 영상을 만들어낸다. 초음파의 주파수(frequency, f)는 단위 초당 파장(wavelength, λ)의 수이고 헤르츠(Hz)로 측정된다(그림 2-1). 인간이 들을 수 있는 영역은 20~20,000 Hz 범위이지만, 초음파는 20,000 Hz 또는 20 킬로헤르츠(kHz) 이상의 범위이다. 대부분 의료용 진단 초음파검사에서는 2~20 메가헤르츠(MHz)의 주파수 영역을 사용한다.

초음파의 주파수는 초음파 탐촉자(transducer) 안에 있는 크리스탈(crystal)에 의해 정해지는 것으로 음파가 통과하는 매질에는 영향을 받지 않는다. 현대의 탐촉자들은 대부분 광대역 주파수들을 포함하거나 주파수 조정이 가능하다. 전파속도(propagation speed, c)는 주어진 매질(medium)을 통해 초음파가 얼마나 빨리 이동하는지를 나타낸다. 주파수

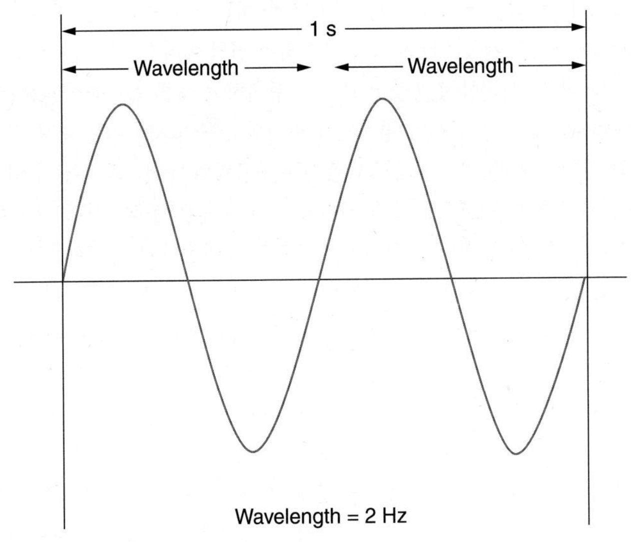


그림 2-1 헤르츠(hertz)는 초당 파동의 수를 의미한다.

와는 다르게, 전파속도는 음파가 통과하는 매질에 의해 결정된다. 공기에서의 파장 속도가 대략 330 m/s 정도인 것에 반해 액체나 조직에서의 파장속도(wave velocity)는 대략 1,540 m/s (조직에 따라서 다양하기는 하지만) 정도이다. 주파수와 파장, 그리고 전파속도의 관계는 c = f λ라는 등식으로 나타낼 수 있다. 주파수는 일정하므로, 파장은 전파속도에 따라 직접 변할 수 있다(예, f = c/λ). 그러므로 전파 속도가 증가하면 역으로 파장이 증가한다. 조직에서 음파의 속도가 변화하면 영상의 대비도(contrast)와 해상도(resolution)를 결정하는 파장이 달라지게 된다.

초음파 파형의 출력은 단위 시간 동안에 조직을 통과하는 에너지의 양을 의미하고 와트(watt)로 나타낸다. 좀 더 세련된 기기들은 출력을 조정할 수 있는 반면에, 단순한 초음파 기기들은 출력이 고정되어 있다. 이러한 기기들을 사용할 때에는 높은 출력(>1 W)이 세포와 조직에 손상을 일으킬 수 있으므로, 원하는 영상에 필요한 가장 낮은 강도의 출력을 이용해야 한다. 이러한 원칙을 일반적으로 ALARA (As Low As Reasonably Achievable)라고 부른다.

## 초음파 영상 생성

탐촉자는 한 형태의 에너지를 다른 형태로 변환한다. 압전 탐촉자(piezoelectric transducer)는 탐촉자의 머리 부분에 있는 강유전체(ferroelectric)의 진동(vibration)을 유발하여 전기 에너지를 기계적 에너지로 변환한다. 이러한 진동들이 조직을 통과하고 다른 음향저항(acoustic impedance)을 띄는 조직의 경계에서 반사되어 돌아오면 이는 다시 전기적인 신호로 변환된다. 그래서 탐촉자는 초음파의 송신기와 수신기 역할을 동시에 하게 된다. 두 조직 사이에 경계가 높은 음향저항이 있으면, 대부분의 초음파는 탐촉자로 다시 반사되어 돌아온다. 만약 두 물질들이 동일한 음향저항을 가지면, 그 경계에서는 반향을 일으키지 않는다. 일반적으로 초음파 파동(pulse)의 일부만이 반사되고, 대부분은 빔 라인을 따라 흘러가지만 분산되거나 굴절된다.

초음파 파동(또는 반향)이 조직을 통해 전파됨에 따라 빔 안에 있는 에너지는 산란(scatter)과 흡수(absorption)로 점차 약해진다. 약화의 정도는 주파수와 초음파 빔이 이동하는 매질에 영향을 받는다. 연조직 내에서 초음파 에너지는 흡수와 산란이 일어나게 되고, 이러한 약화는 직접 주파수에 비례하게 된다. 그래서 신체 깊숙이 있는 구조물들을 영상화하기 위해

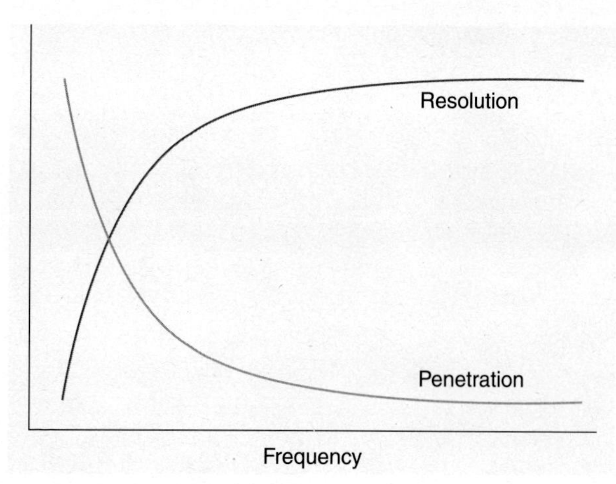


그림 2-2 투과성에 대한 주파수와 해상도의 관계.

서는 저주파 탐촉자가 요구된다. 고주파 탐촉자는 축 방향 해상력(axial resolution)이나 빔 축을 따라 위치한 두 사물을 구별하는 능력이 뛰어나다. 외측 해상력(lateral resolution)은 탐촉자의 초점 영역(후에 설명) 및 빔의 폭에 의해 결정된다. 이상적인 탐촉자는 좋은 해상도를 제공하고, 심각한 약화 없이 필요한 깊이를 통과할 수 있는 충분한 주파수를 만들어 낼 수 있어야 한다(그림 2-2). 반면, 액체에서는 초음파 에너지는 심각할 정도로 흡수나 산란이 생기지는 않지만, 약화가 일어나게 되는데 이의 정도는 주파수의 제곱에 비례한다.

## 화면에서의 초음파 영상의 외형

수신된 반향 신호는 B-모드(brightness mode)(그림 2-3, 위) 또는 M-모드(motion mode)(그림 2-3, 아래)로 표시된다. M-모드는 B-모드 영상의 단일 선상에서 시간(X-축)에 따른 반향 신호의 움직임(Y-축)을 나타내고, 이는 심장 판막이나 태아의 심박동수와 같이 빠르게 움직이는 구조물의 크기와 거리를 정확히 측정하는 데 사용된다. B-와 M-모드의 화면 밝기를 결정하는 것은 반향 신호의 진폭(데시벨로 측정되는)이며, 반향의 크기는 음파가 반사된 지점의 각도, 목표물의 속성과 밀도의 상관관계로 결정된다. B-모드 영상은 초음파 빔의 축에 수직 방향으로 초음파 파동이 스캐닝되면서 만들어지는데 이러한 영상은 초당 20~40 프레임(frame)의 빠른 속도로 인간의 눈에는 연속된 것처럼 보이게 된다.

에코발생도(echogenicity)는 반향을 나타낼 수 있는 조직의 능력을 말

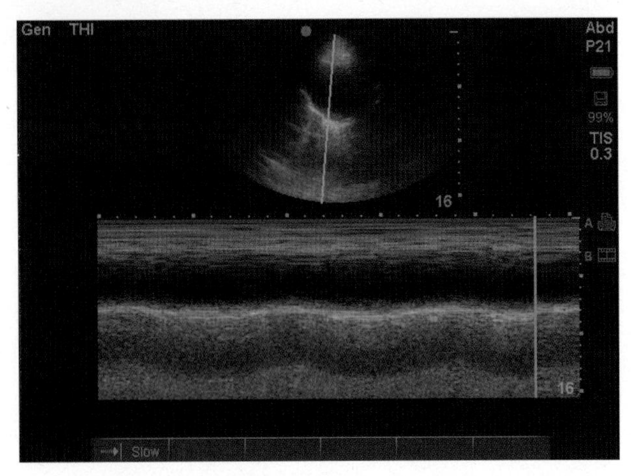


그림 2-3 윗 그림: B 모드. 아래 그림: M 모드.

한다. 이것은 주로 조직의 음향저항과 밀도에 의해 결정되는데 간과 콩팥과 같은 조직들은 등에코성(isoechoic)이라 한다. 지방, 혈액, 체액처럼 초음파 에너지를 흡수하는 조직들은 저에코성(hypoechoic), 초음파 파형을 많이 반사시키는 경향이 있는 것들은 고에코성(hyperechoic)이라 한다. 뼈는 초음파 에너지를 상당히 흡수하기도 하면서 분산시키기도 한다(후에 설명). 공기는 거의 99%의 초음파 파장을 반사하기 때문에 파장을 깊게 투과시키려면 초음파 탐촉자에 겔(gel)이나 다른 유체등을 함께 사용하여야 한다. 그렇게 하더라도 골막(periosteum)이나 폐와 같이 공기가 찬 구조물의 뒤에 있는 영상을 얻는 것은 굉장히 어렵다. B–모드에서의 회색조 영상(gray scale)은 흑–백 연속체에서의 반향 능력의 범위를 의미한다.

초음파 화면에 보이는 영상은 수신된 반향의 진폭(amplitude)이나 증폭(gain)을 조절함으로써 좀 더 희거나 검게 보인다. 이것은 라디오 수신기에서 볼륨을 조절하는 것과 유사하다(수신된 신호가 스피커를 통하기 전에 증폭된 것과 같음). 영상의 밝기를 증가시키는 유일한 다른 방법은 기기의 출력을 증가시키는 것이다. 시간–증폭 보상(time–gain compensation)은 반향들이 깊이 있는 구조물들에서 더욱 약해지더라도 똑같이 밝게 보일 수 있도록 깊이에 따른 증폭치를 조정할 수 있는 능력을 말한다.

모든 주파수들은 기본 주파수의 배음(harmonics) 또는 정수 배와 연관되어 있다. 예를 들어, 제2배음은 제1배음(기본 주파수)의 두 배의 주파수를 갖는다. 초음파가 조직을 지날 때, 고차의 배음으로 구성된 주파수 요소 때문에 약간의 왜곡현상이 일어나게 된다. 배음은 기본 주파수보다 높은 주파수이므로 약화의 대상이 된다. 조직 배음 영상(tissue harmonic imaging, THI)은 기본 주파수로 인해 표면 구조물에서 발생하는 반사와 분산을 최소화 함으로써 외측 해상력을 향상하는데 이용된다.

## 도플러

도플러 효과는 음원을 향하여 이동하는 관찰자에 의해 인지되는 주파수와 파장의 변화를 나타낸다. 음원이 수신기로부터 가까워지면 파장은 짧아진다. 마찬가지로, 수신기로부터 음원이 멀어지면 파장은 길어진다. 파장은 주파수에 반비례(속도가 동일하다면)하기 때문에, 상대속도가 0일 때 음원에서 발생하던 것과는 다른 주파수를 관찰자가 감지하게 될 것이다.

도플러 효과를 이용하는 초음파 모드는 연속-파형(continuous-wave, CW), 펄스-파형(pulsed-wave, PW), 컬러-유량(color-flow), 그리고 파워 도플러(power doppler)가 있다. CW 도플러는 연속적으로 음파를 생성하고 반향을 감지하여 협착이 있는 심장 판막을 통과하는 빠른 혈류를 관찰할 때 주로 이용된다. PW 도플러는 기본적인 펄스-에코(pulse-echo) 기전을 이용하여 특정 구역의 정보를 분석할 수 있다. 하지만, 투과와 수신이 간헐적으로 이루어지기 때문에, 특정 흐름의 방향과 속도를 기계가 오판할 수도 있어서 속도 제한이 필요하다. 이 속도 제한을 펄스 반복 주파수(pulse repetition frequencty, PRF)와 같은 의미인 Nyquist 한계(Nyquist limit)로 정의한다. PRF는 송신기에서 초당 방출되는 펄스의 수를 의미한다. Nyquist 한계에 도달하게 되면 PW 도플러에서 되돌이 현상(aliasing)이 발생할 것이다. 이 되돌이 현상은 상대적으로 낮은 표본화율(sampling rate)에 의해 방향이 반대로 바뀌는 것을 말한다. PW 도플러에서 잘려진 파형의 꼭대기나 끝 부분은 반대쪽 기저면에서 보이게 된다. 결론적으로 빠른 유속을 측정하려면 CW 도플러를 이용해야 한다.

컬러-유량 도플러는 흐름의 상대 속도와 방향을 보여주는 영상을 만든다. 탐촉자 쪽으로 다가오는 흐름은 붉은색으로, 탐촉자로부터 멀어지는 흐름은 푸른색으로 표시된다. 붉은색을 동맥혈로, 푸른색을 정맥혈로 오인해서는 안된다. 그리고 목표물이 초음파 빔에 직각 방향(perpendicular to beam)으로 움직이면 도플러 주파수의 변경이 일어나지 않는다. 반면에, 파워 도플러는 흐름의 방향 대신 오로지 속도만을 분석

한다. 따라서 파워 도플러는 작은 혈관과 느린 유속을 관찰할 때 컬러-유량 도플러보다 민감하다.

## 기본 사용

모든 초음파 기기들은 전원, 압전 탐촉자, 그리고 반향 신호를 시각적인 영상으로 바꾸는 컴퓨터 프로세서로 구성된다. 압전 탐촉자는 간단한 단순-구성 디스크 탐촉자(simple single-element disc transducer)와, 환상(annular) 탐색자(probe), 선형(linear) 탐색자, 부채꼴(sector) 탐색자, 위상-배열(phased-arrays) 탐색자 그리고 라디알 탐색자(radial probe) 등을 포함한 몇 가지 형태로 구분된다. 이들 탐색자들은 빔의 집중, 패턴, 그리고 전기적 조향 능력이 각각 다르다.

반향의 크기는 픽셀의 밝기를 결정하고, 화면에서 픽셀의 위치는 원점으로부터 되돌아오는 반향의 깊이(심도, depth)에 의해 결정된다.

라디알 탐색자를 제외한 모든 탐촉자들은 검사자가 탐색자의 방향을 눈으로 확인할 수 있도록 화면의 표식과 일치하는 식별자(identifier)가 있다. 컴퓨터 기술의 발달로 탐촉자에 따라서 여러 가지 기능(출력과 초점)을 자동으로 설정하는 것이 가능하게 되었다.

초음파 기기에는 여러 가지의 손잡이, 버튼, 다이얼이 있으며, 최근에는 이러한 제어 장치의 역할을 설명하는 knobology라는 단어까지 생겼다. 환자 정보(성명, 의무기록번호)와 동영상 및 영상을 저장하고, 심도와 대비도 및 증폭을 제어할 수 있도록 검사자가 기기의 knobology를 아는 것이 중요하다. 또한 많은 기기들은 거리 측정뿐만 아니라 제태 연령(gestational age), 부피, 심박출량(cardiac output) 계산과 같은 복잡한 계측까지 할 수 있다.

## 초음파 허상

B-모드 영상에서는 초음파 허상을 정확하게 해석하는 것이 필요하다. 앞서 말한 것처럼 체액은 초음파 에너지를 약화시키지 않는다. 체액이 가득한 공간 내부에 있는 구조물들은 음향 증강(acoustic enhancement)(그림 2-4)이 생겨 조직의 특성과 깊이를 기준으로 예측된 것보다 밝게 보인다. 음향 음영(acoustic shadowing)은 음향 증강과 반대되는 효과로 갈비뼈 음영, 담석, 그리고 고형 종양 등의 간섭 구조물이 강하게 초음파 에너지(그림 2-5)를 저하시킬 때 전형적으로 나타난다.

뼈, 공기, 횡격막 또는 바늘과 같은 구조물은 강한 반향을 만들어 탐색

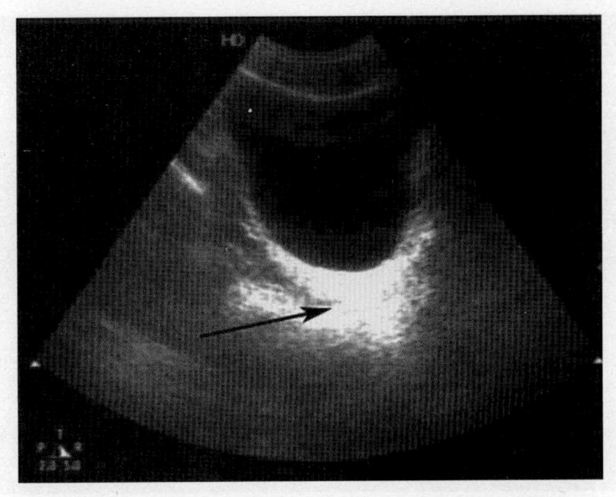

**그림 2-4** 방광 후벽의 신호를 강화시키는 음향 증강(검은색 화살표).

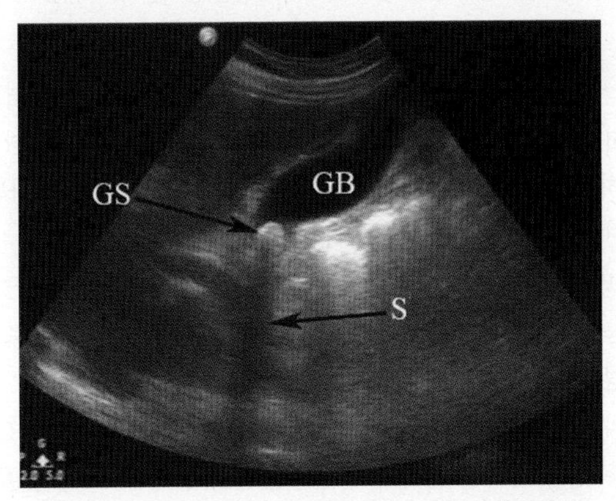


**그림 2-5** 초음파 빔을 차단하는 담낭석(GS)에 의해 발생한 음향 음영(S).

자를 측면 방향으로 이동하더라도 지속적으로 반향을 만든다. 이로 인해 길고, 휘어진, 고에코성 선이 만들어지는데, 이것을 측엽 허상(side lobe artifact)이라고 한다. 이러한 허상은 탐촉자가 강한 반사면 사이의 거리만큼 곡선반지름을 갖는다. 거울상 허상은 횡격막 같은 강한 반사면을 만났을 때 발생한다. 이는 같은 거리에 허상을 만들어내고, 반사면보다 깊은 위치에서는 탐촉자의 위치에 따라 사라져버린다(그림 2–6).

굴절 허상(refraction artifact)은 음파 투과 속도가 서로 다른 두 매질을 통과할 때 발생한다. 이것은 체액으로 채워진 쓸개나 방광의 가장자리와 고형 장기의 경계면에서 흔하게 관찰된다. 어두운 부분 또는 '음영'은 이 경계로부터 아래쪽으로 확장되어 나타나고, 이것은 '경계 허상(edge

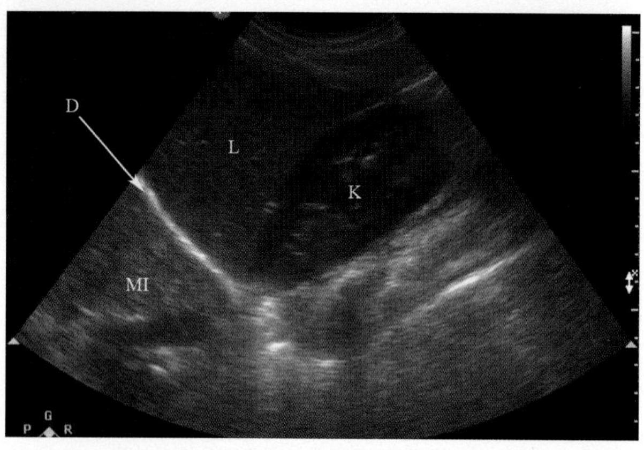


**그림 2-6** '거울상 허상'을 나타내는 그림. 흉곽내 공간에서 횡격막(D) 위에 간(L)의 거울상(MI)이 있다. 이는 흉막 공간 안에 체액이 없음을 알려준다. K: 신장

artifact)' 또는 '외측 낭성 음영(lateral cystic shadowing)'로 알려져 있다. 이러한 허상을 담석의 음영으로 오해하지 말아야 한다(11단원 참고).

반향 허상(reverberation artifact)은 좁은 간격을 음파가 반사되었다가 다시 전진할 때 발생한다. 초음파가 공기나 금속에 부딛히면 이러한 구조물 보다 먼 곳에 고에코성의 선이 가늘고 반복적으로 나타난다. 이런 허상은 보통 '혜성 꼬리(comet tail)' 또는 '링 다운(ring down)'으로 불린다. 공기의 경우에는 좀 더 불규칙한 가는 선들로 이루어진 '지저분한(dirty)' 혜성 꼬리가 보이게 된다. 바늘, 가이드와이어 또는 이물질과 같은 금속 물체는 좀 더 규칙적인 간격의 선들을 만들어서 시술 시 바늘 끝의 위치를 파악하는데 도움이 된다.

흉부 초음파검사에서 흔히 보이는 두 개의 반향허상은 'A'와 'B' 선이다. 여기서 'A' 선은 갈비뼈 사이 공간에서 보이는 피부–흉막 거리와 동일한 간격에 반복되는 고에코성의 가로선(horizontal line)이다(그림 2–7). 'B' 선 또는 혜성–꼬리 허상은 흉막 표면에서 시작되어 희미해짐 없이 화면의 끝까지 수직으로 펼쳐져 보인다(그림 2–8). 'B' 선은 호흡에 따라 움직이며, 'A' 선을 화면에서 지울 수도 있다.

마지막으로, 검사자는 진짜 허상은 아니지만, 외과적 드레싱 재료나 비만과 같은 해부학적인 제한점, 또는 부적절한 겔로 인한 영상도 알고 있어야 한다. 적절한 영상을 얻기 위해서는 여러 단면에서 살펴보고, 검사하고자 하는 목표에 탐촉자를 가장 가깝게 하기 위해 환자의 체위를 조작하는 과정이 필요할 수도 있다.

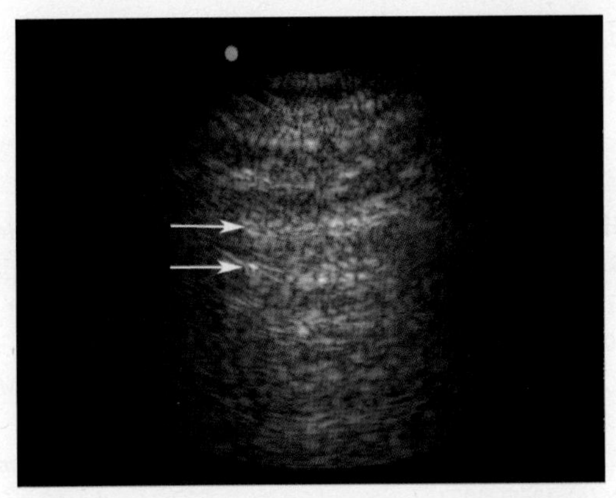

그림 2-7 흉막 선으로부터 생긴 'A'선이 반향허상을 나타냄(화살표).

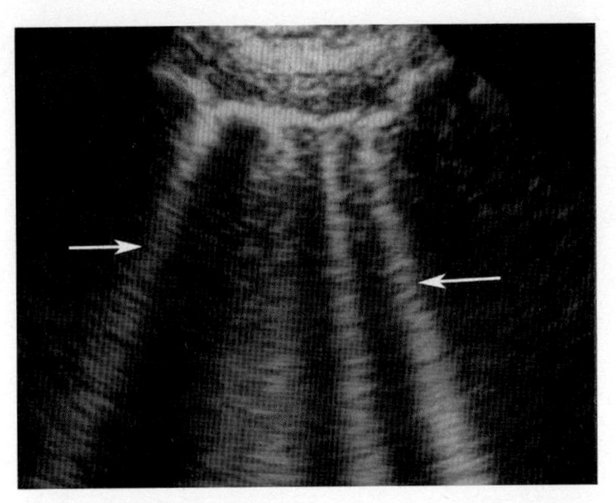

그림 2-8 'B'선(혜성 꼬리 허상)(화살표).

## 결론

초음파를 자신의 주된 술기로 삼기 전에 검사자는 영상의 생성 및 조작법을 비롯한 초음파 영상의 기본적인 물리적 원칙들을 이해하는 것이 필요하다. 도플러 영상을 이해하는 것과 허상을 해석하는 것 역시 중요하다. 초음파 이미지의 '황금률(golden-rules)'은 다음과 같다. 1) 하나의 영상만 가지고 해석을 내리지 말 것. 2) 영상에 보이는 이미지가 항상 실제하는 것은 아님. 3) 보이지 않는다고 실제로 존재하지 않는 것은 아님. (참조 Kossoff 2000.) 오로지 연습과 반복을 통해서만 초음파검사의 유용성을 최대한 활용할 수 있다.

| 추가로 읽을 자료 |

Aldrich JE. Basic physics of ultrasound imaging. *Crit Care Med.* 2007 May;35(suppl 5):S131–S137.

Kossoff G. Basic physics and imaging characteristics of ultrasound. *World J Surg.* 2000 Feb;24(2):134–142.

Lawrence JP. Physics and instrumentation of ultrasound. *Crit Care Med*. 2007 Aug;35(suppl 8):S314–S322.

Scanlan KA. Sonographic artifacts and their origins. *Am J Roentgenol*. 1991 June;156(6):1267–1272.

Smith RS, Fry WR. Ultrasound instrumentation. *Surg Clin North Am*. 2004 Aug;84(4):953–971.

# 3 초음파의 방향성

## 도입

초음파 방향성(ultrasound orientation)은 현장진단 초음파검사 시 확인되는 구조물들을 이해하는 데 필수적이다. 여기에는 두 가지 핵심이 있다; 화면에 표지자(indicator)가 어디에 위치하는지, 그리고 탐색자(probe)와 표지자 및 환자의 방향은 어떻게 설정해야 하는지. 2장에서 언급했던 바와 같이, 일반적인 초음파 영상은 이차원의 평면으로, 움직이는 영상을 만들어내기 위해 짧은 시간 동안에 여러 번 만들어지는 프레임들로 구성된다.

초음파 방향성이 어려운 이유는 이차원의 평면이 세 가지의 표준 단면(시상(sagittal), 횡(transverse) 또는 관상(coronal)) 방향뿐만 아니라 이들 단면 사이에 비스듬한 방향으로 삼차원의 물체를 관통하는 방법까지 이해해야 하기 때문이다. 하지만, 다양한 접근 방향들을 통해 영상을 얻을 수 있다는 점은 초음파검사의 우수한 장점 중 하나로, 검사자가 방향성을 이해해야만 이러한 장점을 취득할 수 있게 된다.

### 표지자-화면 방향성(INDICATOR-TO-SCREEN ORIENTATION)

초음파검사에서 표지자-화면 방향성은 일반적인 방사선 영상에서와 마찬가지로 두 가지 규칙을 따른다:

1. 화면의 가장 위 부분은 탐색자와 가깝다. 화면의 가장 아래 부분은 탐색자에서 멀리 떨어져 있는 구조물을 나타낸다.
2. 화면의 왼쪽 부분은 표지자라고 표시된 탐색자의 측면과 일치한다.

심장 전문의가 실시하는 초음파검사 영상에서는 두 번째 규칙과는 반대되는 원칙이 적용될 수 있는데, 이는 이후에 다시 다룰 것이다.

표지자는 요철과 홈의 형태로 제조업체들에 따라서 다양한 차이가 있다. 검사자는 검사를 실시하기 전에 본인이 사용할 기기의 방향성을 확인하는 것이 중요하다. 이는 표지자가 될 것으로 생각되는 탐색자의 측면에

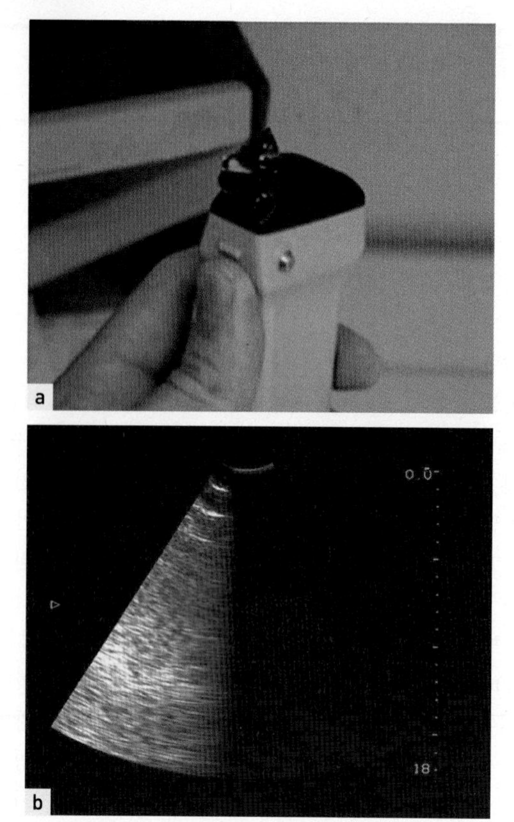


그림 3-1 (a) 탐색자 면에 겔이 도포되어 있는 상태에서 표지자 위에 엄지가 놓여 있음. (b) 일반적인 영상의 방향에서 화면에 무엇이 나타나야 하는지를 보여줌.

소량의 겔(gel)을 바르고, 화면의 왼쪽이 겔이 묻은 측면과 일치하는지를 확인함으로써 알 수 있다(그림 3-1a 와 b).

## 표지자-환자 방향성(INDICATOR-TO-PATIENT ORIENTATION)

우선 표지자-화면 방향성을 이해하고 확인한 뒤에, 검사자는 탐색자를 환자에게 접촉시켜 영상이 화면에 나타나게 한다.

화면의 윗부분에는 탐색자가 위치한 곳과 가까이 있는 구조물들이 보일 것이고, 아랫부분에는 탐색자로부터 멀리 떨어져 있는 구조물들이 보일 것이다. 화면의 왼쪽에는 표지자 방향에 있는 구조물들이 보일 것이다.

검사자는 자신의 바로 앞에서 탐색자를 쥐고 표지자를 검사자의 왼편을 향하도록 위치시킨다. 이 방법으로 화면의 왼쪽이 검사자의 왼쪽이 되는지 확인할 수 있다.

검사자가 환자의 오른편에 있을 때, 표지자를 검사자의 왼쪽(환자의 머리 쪽(cephalad))을 향하게 함으로써 시상면(sagittal plane) 영상을 얻게 될 것이다. 횡단면 영상에서는 검사자가 환자의 발 쪽에서 환자를 올려다 보는 방향에서 화면의 왼쪽을 환자의 오른쪽에 대응하는 구조물로 생각하면 된다.

대부분의 초음파검사는 표지자(화면의 왼쪽)를 환자의 오른쪽, 환자의 머리 쪽, 또는 이 방향들의 90도 이내에서 시행된다.

## 해부학적 단면들

표준적인 해부학적 단면(anatomic plane)들에는 세 가지가 있다(그림 3-2):

- 횡(또는 축(axial))
- 시상(또는 세로(longitudinal))
- 관상(또는 정면(frontal))

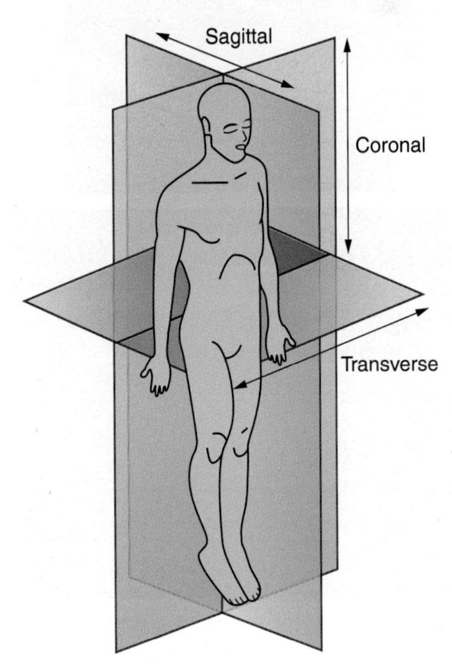


그림 3-2 해부학적 단면들. 시상(세로), 횡(축), 그리고 관상(정면).

## 횡 단면

횡 단면 또는 축 단면은 표지자를 환자의 오른쪽(환자의 발 쪽에서 환자를 올려 봤을 때 검사자의 왼쪽)으로 위치시키면서 환자의 앞면(보통 복부 또는 골반)에 탐색자를 놓고 영상을 얻는다(그림 3-3a).

이 방향에서 앞쪽의 구조물들은 화면의 위쪽에, 뒤쪽의 구조물들은 화면의 아래쪽에 나타날 것이다. 환자의 오른쪽에 있는 구조물들은 화면의 왼쪽에, 환자의 왼쪽에 있는 구조물들은 화면의 오른쪽에 보이게 될 것이다(그림 3-3b).

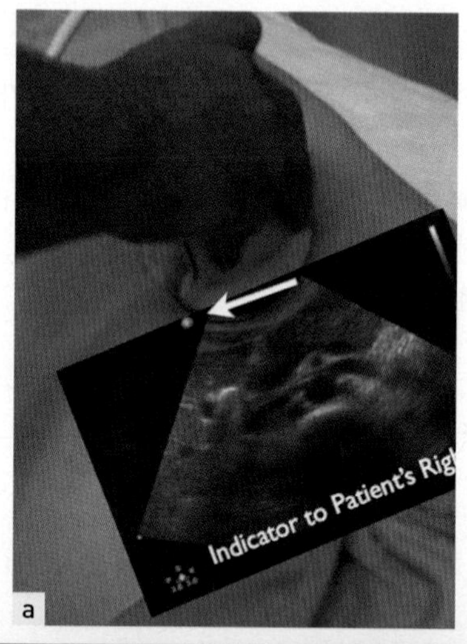


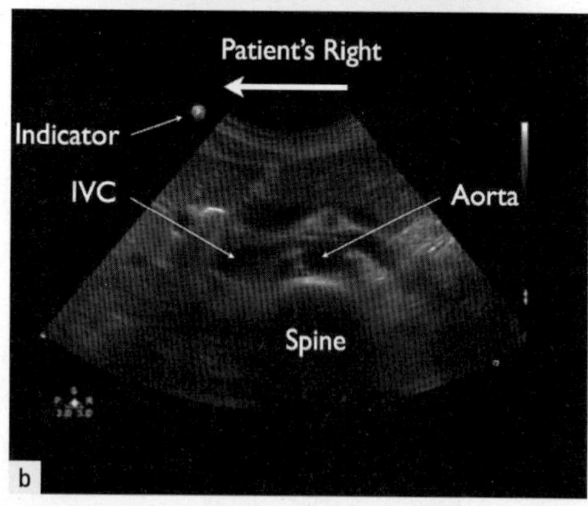


**그림 3-3 (a)** 대동맥의 횡단면 영상에서, 표지자가 오른쪽을 향한 상태로 탐색자가 검상 돌기와 배꼽 사이에 위치해 있다. **(b)** 영상은 CT와 유사하게 환자의 발 쪽에서부터 올려다 보는 것으로 생각될 수 있다.

## 시상 단면

시상 단면은 표지자를 환자의 머리 쪽(검사자가 침대의 오른쪽에 있을 때 검사자의 왼쪽)으로 위치시키면서 환자의 앞면에 탐색자를 놓고 영상을 얻게 된다. 이 영상은 횡 단면 영상에서 탐색자를 시계방향으로 90도 회전시킴으로써 얻을 수 있다(그림 3-4a).

마찬가지로 앞쪽의 구조물들은 화면의 위쪽에, 뒤쪽의 구조물들은 화면의 아래쪽에 나타날 것이다. 환자의 머리 쪽은 화면의 왼쪽, 환자의 다리(꼬리) 쪽은 화면의 오른쪽에 보인다(그림 3-4b).

## 관상 단면

관상 단면은 표지자를 환자의 머리 쪽으로 위치시키면서 탐색자를 환자

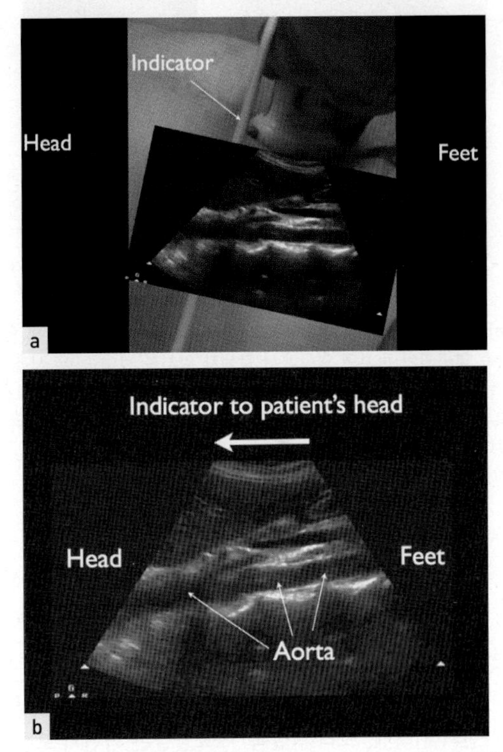


**그림 3-4 (a)** 표지자가 머리 쪽을 향한 채로 탐색자가 복부 앞쪽에 위치한 것을 보여줌. 또한, 이는 검사자가 환자의 오른쪽에 서서 표지자가 검사자의 왼쪽에 위치한 상태의 초음파 단면으로 볼 수 있다. **(b)** 화면에 영상이 어떻게 나타날 지를 보여줌(구조물들이 표시된 채로).

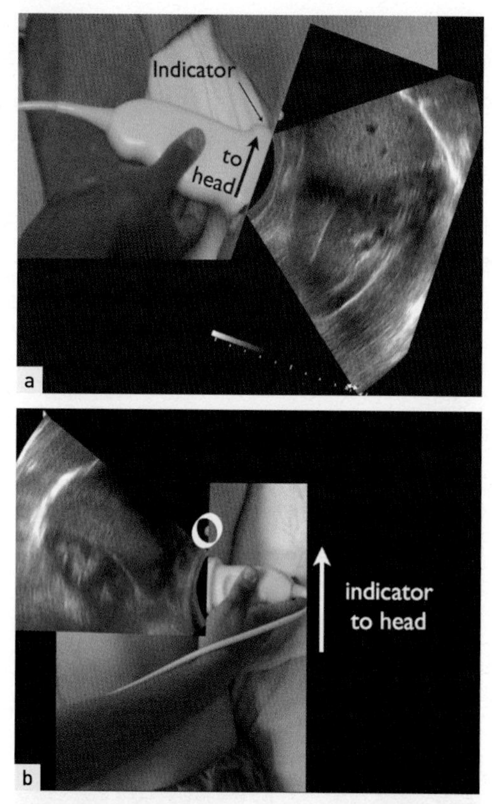


**그림 3-5 (a)** 우측 옆구리의 관상면 영상에서 탐색자가 어떻게 위치해 있는지를 보여줌. **(b)** 왼쪽 옆구리의 관상면 영상에서 탐색자 위치를 보여줌. 두 사례 모두, 표지자는 머리 쪽(보여지는 화면의 왼쪽)을 향한다. 결과 영상은 **(c)**와 **(d)**에 나타난다. 두 영상에서 모두 횡격막이 화면의 왼쪽에 유사하게 나타나지만, 화면의 위 쪽은 옆구리의 오른쪽이나 왼쪽임을 주지하라.

의 오른쪽이나 왼쪽 옆구리에 놓아 영상을 얻게 된다(그림 3-5a와 b). 만약 탐색자가 환자의 오른쪽에 있으면, 오른쪽은 화면의 위쪽에, 왼쪽은 화면의 아래쪽에 보인다(그림 3-5c); 만약 탐색자가 환자의 왼쪽에 있다면, 왼쪽은 화면의 위쪽에, 오른쪽은 화면의 아래쪽에 보인다(그림 3-5d). 두 경우 모두, 표지자는 환자의 머리를 향해야 하므로 머리 쪽 구조물들은 화면의 왼쪽에, 꼬리쪽(발쪽) 구조물들은 화면의 오른쪽에 나타난다.

이 단면은 신장과 아래쪽 흉부를 비롯한 간-신 공간(hepatorenal space), 비-신 공간(splenorenal space) 검사에 가장 많이 이용된다.

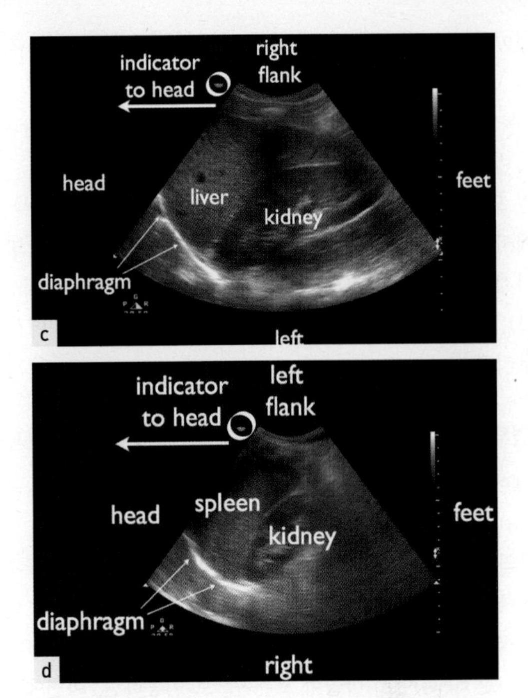


그림 3-5 <계속>

## 탐색자 조정하기 : 경사 단면(OBLIQUE PLANES)

일단 탐색자를 환자에 올려 놓으면, 최적의 영상을 얻기 위해 몇 가지 방향으로 탐색자의 위치를 조정해야 한다. 어떤 경우에는 경사 단면 영상을 얻기 위해 다음과 같은 조작들을 조합하여 최적의 영상을 확보한다. 특히 심장 영상(심초음파)에서 갈비뼈 사이로 검사를 할 때 적용된다.

세 가지의 기본적인 조작법이 있다:

- *기울이기(Angling or tilting the probe)*: 탐색자를 한 곳에 두고 탐색자의 단면을 상하좌우로 기울여 보라. 영상의 단면을 부챗살 모양으로 펼치면, 각 단면들이 표준 단면의 축을 기준으로 기울여진다(예를 들어, 횡단면에서 상하로 기울이기 또는 시상면에서 좌우로 기울이기). 이것은 이차원의 단면을 이용하여 삼차원의 물체를 완전하게 영상화하는데 효과적인 방법이다. 영상이 일단 확보되고 나면, 탐색자를 슬라이딩 또는 이동시키기 전에 이렇게 기울여봄으로써 양질의 영상(view)을 얻도록 해야 한다.

- *슬라이딩 또는 이동시키기(Sliding or moving the probe)*: 각도와 표지자 방향을 동일하게 유지하면서, 탐색자를 상하좌우로 이동해보라. 특히 복부나 골반 검사 시 깊숙이 있는 구조물들을 관찰하기 위해서 부드럽지만 확실하게 압력을 가하는 것이 필요하다.
- *회전 또는 돌리기(Rotating or turning the probe)*: 탐색자를 같은 위치에서 동일한 각도의 단면을 유지한 채 표지자를 시계 방향 또는 반시계 방향으로 회전시켜 보라(예를 들어, 횡단면에서 시상면 방향으로). 탐색자의 회전은 대부분 시상면과 횡단면 사이에서 90도로 이루어진다.

## 특수한 경우: 내경 정맥(INTERNAL JUGULAR VEIN) 중심정맥관

내경 정맥에 중심정맥관을 삽입할 때에 임상의는 침상의 머리 쪽에서 환자의 발을 바라보는 위치에 있게 된다.

초음파의 단면을 통해 바라보는 방향 원칙을 유지하면서, 표지자는 일반적인 방향과는 반대로 환자의 왼쪽을 향해야 한다. 이렇게 함으로써, 바늘의 움직임이 화면상의 위치와 일치된다; 즉, 횡단면(혈관의 단축 영상(short-axis view))에서 바늘이 오른쪽으로 이동하면, 화면에서도 똑같이 오른쪽으로 이동한다.

## 특수한 경우: 심장 영상

심초음파는 특수한 방향성을 갖는다. 심장이 비스듬하게 위치된 복잡한 삼차원 구조일 뿐만 아니라, 심장전문의들이 사용하는 표지자-화면 방향성의 규칙이 다른 초음파검사와는 반대이기 때문이다(표지자는 왼쪽이 아니라 화면의 오른쪽에 표시됨).

두 가지 규칙이 근본적으로는 일치하지만, 심장 검사가 다른 통합적 검사(FAST 검사처럼)의 일부분이거나, 일반 초음파와 심장 초음파검사를 병행할 때 혼란이 발생할 수 있다. 응급 및 중환자 치료에서 흔히 발생하는 상황이다.

이 책은 현장진단 초음파를 실시하는 임상의들에게 심초음파를 포함한 모든 검사들에서 똑같은 방향성을 유지하도록 권고한다.

심장 영상에 최적화된 특정 기계에서 특정 프리셋(preset)을 만드는 것이 도움이 되겠지만, 표지자는 화면의 왼쪽에 보이도록 설정해야 한다.[1]

---

1 이 책에서는 심장을 검사할 때에도 표지자가 화면의 왼쪽에 보이도록 설정하도록 권장하지만, 실제 우리 의료현장에서는 화면의 오른쪽에 나타나게 하는 것이 흔하다.

## 특수한 경우: 질초음파

경질초음파검사는 질 내부로 접근하여 영상을 얻기 때문에 검사자가 혼란에 빠질 수 있다. 어떤 검사자는 규칙1(p.21)을 바꾸어 화면의 아래 부분에 탐색자에서 가장 가까운 구조물이 나타나도록 한다. 이렇게 하면 골반에 대한 직관적 감각이 생기게 할 수도 있지만, 다른 검사에서의 화면과는 정반대이므로, 이 설명서에서는 다루어지지 않을 것이다.

검사를 시작하기 앞서 방향성을 확인하는 것이 중요하다. 표지자는 화면의 왼쪽에 나타나야 하고, 검사자는 삽입 전에 표지자 위에 엄지를 올려 놓는다.

표지자(엄지)는 시상면 영상을 얻기 위해 위쪽을, 또는 관상면 영상을 얻기 위해 환자의 오른쪽을 향해야 한다.

표지자가 환자의 오른쪽을 향하는 것이 관상(누워 있는 환자의 침상에 평행하게)방향인 것에 반해, 화면의 왼쪽 즉, 환자의 오른쪽에 위치한 구조물들이 보이는 점은 복부 초음파에서의 횡단면 영상과 동일하다.

## 요점(KEY POINT)

방향성은 초음파를 이해하는데 있어서 매우 중요하다.

화면의 위 부분은 탐색자로부터 가까운 구조물을, 아래 부분은 멀리 있는 구조물을 보여준다.

규칙에 따라서, 일반적인 검사에서 탐색자 위에 있는 표지자는 화면의 왼쪽에 표시된다. 반대되는 규칙이 심장초음파에서 이용되기는 하지만 이 책에서는 다루지 않는다.

표지자는 보통 환자의 머리 쪽이나 오른쪽을 향한다. 검사자가 환자의 오른쪽에서 검사를 할 때, 이것은 검사자의 왼편에 대응하는 것으로 횡단면 방향으로 환자의 발에서부터 올려다보거나 시상면 방향으로 환자를 가로질러 관찰할 때 가능하다.

어떤 검사와 시술들은 방향성에 대해서 특별히 고려해야 할 사항들이 필요할 수도 있다.

| 추가로 읽을 자료 |

Moore C. Current issues with emergency cardiac ultrasound probe and image conventions. *Acad Emerg Med*. 2008;15:278–284.

# 4 탐색자 선택, 기계 조작, 장비

## 도입

초음파검사를 이해하려면 초음파의 물리학과 방향성에 관해 기초적인 이해가 반드시 필요하다. 하지만 초음파 기계를 앞에 두고 좋은 영상을 나타내려면 어떤 탐색자(probe)를 선택할지, 어떤 버튼을 누를지(간혹 기계 조작학이라는 뜻의 'knobology'라고 함)에 관한 결정이 필요하다.

이번 장에서는 탐색자의 기초와 선택, 초음파 기계에서 볼 수 있는 일반적인 조작 버튼들에 관한 내용을 다룰 것이다. 상당히 일반적인 조작이지만 기계에 따라 차이가 있어, 될 수 있으면 환자를 검사하기 전에 자신이 사용하는 기계를 익히는 시간이 필요하다. 덧붙여 몇 가지 부가적 장비와 영상의 저장 및 전송에 관해서도 설명할 것이다.

## 탐색자 선택

탐색자는 일반적으로 탐색자 표면의 크기와 형태에 따라 구분된다. 검사에 따라 하나 이상의 탐색자를 사용해야 적절한 검사가 되는 경우도 일부 있겠지만, 각각 상황에 맞게 탐색자를 선택하는 것이 좋은 영상을 얻는 데 필수적이다. 응급 및 중환자 초음파검사를 시행할 때 기본적으로 선형(linear), 곡선형(curvilinear), 위상 배열형(phased array)의 탐색자를 사용한다. 선형 탐색자는 일반적으로 주파수가 높아 얕은 조직과 혈관을 관찰할 때 더 좋은 영상을 나타낼 수 있어 혈관형 탐색자라고도 불린다. 곡선형 탐색자는 복부 영상을 나타내기 위해 표면이 넓고, 주파수가 낮지만, 때로 내강 영상(endocavitary imaging)을 얻기 위해 초음파 빔의 배열이 세밀하고(더 넓은 시야), 주파수가 높은 것도 있다. 위상 배열형 탐색자는 인접하여 배열된 전기 조향 빔(electrically steered beam)으로 영상을 만들어 내며, 하나의 지점에서 시작되어 영상을 만들기 때문에 심장 초음파에서와 같이 갈비뼈 사이 공간을 통한 검사에 유용하다.

곡선형과 위상 배열형 탐색자는 탐색자로부터 가까운 부분은 더 좁게,

멀리 떨어진 부분은 더 넓게 영상을 만들어 부채꼴(혹은 파이 모양(pie-shaped))형태로 보이게 한다. 반면, 선형 탐색자는 일반적으로 화면에 직사각형의 영상을 만들어 낸다.

## 직렬 선형 배열 탐색자(STRAIGHT LINEAR ARRAY PROBE)

직렬 선형 배열 탐색자(그림 4-1a)는 몸의 표면으로부터 가까운 부분을 관찰하기 위해 고안되었다. 크리스탈 진동자는 탐색자의 평평한 머리부분 내에 선형으로 배열되어 있고, 일직선 형태의 초음파를 발생시켜 직사각형의 영상으로 보인다(그림 4-1b). 주파수가 높아서(5~13 MHz) 해상도가 뛰어나지만, 투과력은 떨어진다. 그래서 이러한 형태의 탐색자는 몸의 표면으로부터 인접한 구조물의 관찰과 초음파 유도 시술에 적합하다.

- 혈관(중심 혹은 말초)

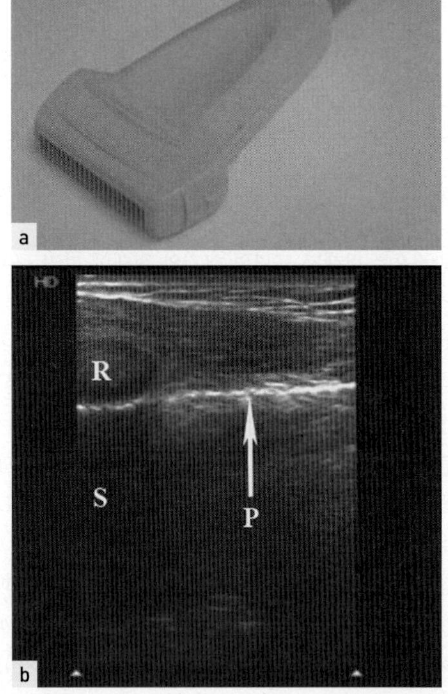


**그림 4-1** 선형 탐색자**(a)**. 선형 탐색자를 이용한 폐 영상**(b)**. 선형 탐색자에 의해 직사각형 형태로 화면에 나타나는 것에 주목. R: 갈비뼈, P: 흉막 선, S: 갈비 음영.

- 심부정맥혈전증
- 피부와 연부조직 농양, 이물질
- 근골격계 - 인대, 뼈, 근육
- 고환(testicular)
- 급성충수염(acute appendicitis)
- 기흉에서 흉막 선(pleural line) 검사, 간질액
- 안구 초음파
- 기타 시술(관절 천자, 복부 천자, 흉막 천자, 신경차단 등)

## 곡선형 탐색자(CURVILINEAR ARRAY PROBE)

곡선형 혹은 볼록(convex) 탐색자(그림 4–2a)는 심부 구조물을 관찰하는 데 사용된다. 크리스탈 진동자는 곡선 형태의 표면에 배열되어 있고, 초음파 빔이 부챗살 모양으로 뻗어 나가 탐색자의 표면보다 영상의 시야가

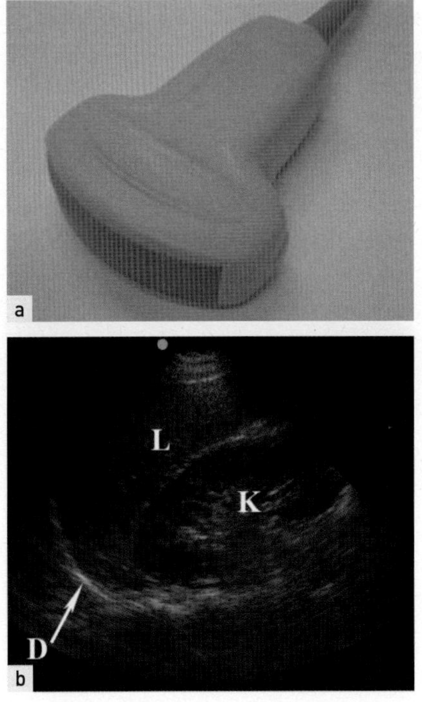


**그림 4-2** 곡선형 탐색자**(a)**. 곡선형 탐색자를 이용한 우상복부 영상**(b)**. 곡선형 탐색자에 의해 부채꼴 모양으로 화면에 나타난다. L: 간, K: 신장, D: 횡격막.

더 넓게 보인다. 이렇게 만들어진 영상은 부채꼴 형태로 화면에 나타난다(그림 4-2b). 주파수는 1~8 MHz의 범위라서 투과력은 좋지만, 해상도는 떨어진다. 복부와 골반의 초음파검사에 가장 흔히 이용되며, 근골격계 검사나 표면에서 멀리 떨어진 구조물의 영상이 필요한 시술, 비만 환자를 검사할 때 어느 정도 유용하게 사용할 수 있다.

- 복부 대동맥
- 담도/담낭/간/췌장
- FAST검사에서의 복부
- 신장과 방광 검사
- 복부를 통한 골반 검사

## 내강 탐색자(ENDOCAVITARY PROBE)

내강 탐색자(그림 4-3a)는 곡선형 탐색자와 같이 표면이 곡선으로 이루어져 있으나 곡선형 탐색자에 비해 주파수가 더 높다(8~13 MHz). 탐색자가 길게 배치되어 있어 강 내로 삽입하여 관찰하고자 하는 구조물에 근접하여 영상을 얻을 수 있다. 곡선형 표면으로 되어 있어 거의 180도까

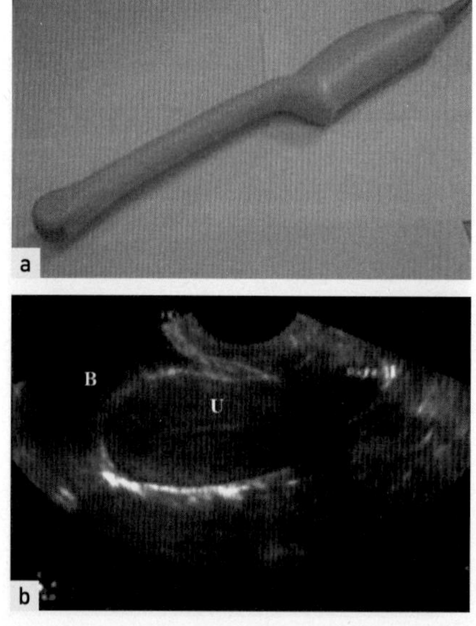


그림 4-3 내강 탐색자(a). 내강 탐색자를 이용한 질 내 초음파 영상(b). 내강 탐색자도 부채꼴 모양으로 화면에 나타나며 곡선형 탐색자보다 넓은 시야를 제공하는 것에 주목. U: 자궁, B: 방광.

지 시야가 넓고, 주파수가 높아서 높은 해상도의 영상을 제공한다(그림 4−3b). 대부분 부인과 검사에 사용되지만 편도 주위 농양의 관찰을 위해 구강 내에 삽입하여 검사할 수도 있다.

- 경질초음파(transvaginal ultrasound)
- 구강 내(편도) (Intraoral (tonsilar)) 검사

## 위상 배열형 탐색자

위상 배열형 탐색자(그림 4−4a)는 크리스탈 진동자가 서로 인접하여 모여있다. 크리스탈 진동자에 적용된 전기 파동의 시간은 서로 다르고, 진동 방식으로 작동한다. 발생한 음파는 한 지점으로부터 시작되어 부챗살 형태로 퍼져 나가게 되어, 부채꼴 모양의 영상을 만들어 낸다(그림 4−4b). 곡선형 탐색자에 비해 작고, 평평한 표면으로 이루어져 이를 이용하면 갈비뼈 사이나 작은 공간 사이에서 좀 더 쉽게 검사할 수 있다.

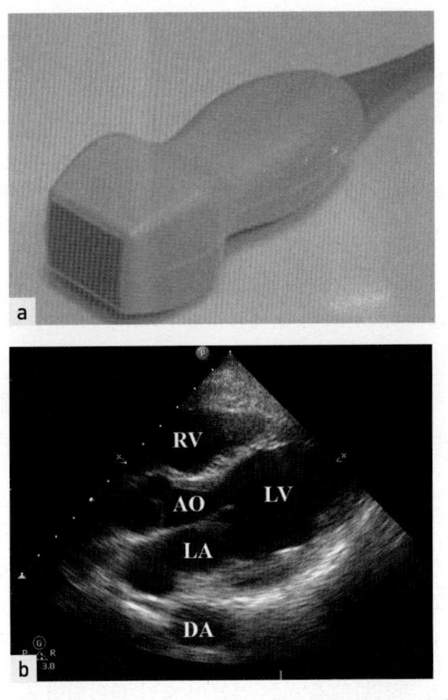


**그림 4-4** 위상 배열형 탐색자**(a)**. 위상 배열형 탐색자를 이용한 심장의 흉골연장축도(parasternal long axis view) **(b)**. 하나의 점으로부터 초음파가 발생하여 퍼져 나가 부채꼴 모양으로 화면에 나타난다. RV: 우심실, AO: 대동맥 출구, LV: 좌심실, LA: 좌심방, DA: 하행대동맥.

주파수는 2~8 MHz의 범위이나 심장 초음파에 적합하도록 더 높게 조정되는 것이 일반적이다. 복부와 골반 검사, 초음파 유도 시술을 위해 주파수를 더 낮게 조정하여 사용할 수도 있다.

- 심장 영상
- 옆구리나 우상복부에서 갈비뼈 사이를 통한 영상
- 곡선형 탐색자가 없을 때 복부 검사에 사용

## 기계 조작(KNOBOLOGY)

대부분의 초음파 기계들은 일부 공통적인 특징이 있지만, 서로 다른 제조사에 따라 몇 가지 디자인의 차이가 있다. 검사하기 전 특정 기계의 세부사항을 미리 익혀 준비해야 한다. 초음파 기계의 조절판에는 영상의 조정과 저장에 사용되는 다양한 버튼과 조절 손잡이가 있다.

### B-모드 영상의 조절

B-모드(기본, 회색조 혹은 2차원 영상모드)는 화면에 흑백 영상으로 나타난다.

**기계 프리셋(preset)** 대부분 기계는 관찰하고자 하는 신체부위에 따라 영상이 자동으로 조정되게 미리 설정되어 있다. 프리셋이란 최적의 영상을 나타내기 위해 관찰부위에 따라 특정한 증폭(gain)과 출력(power) 조절, 초점 영역(focal zone), 화면 발생률(frame rate), 기타 설정 등이 미리 프로그램화되어 있다.

예를 들어 심장 초음파는 더 좋은 영상을 나타내기 위해 애초에 화면 발생률이 높게 조정되어 있다. 검사를 시작하기 전에 적절한 프리셋을 선택해야 한다.

**심도(depth)** 심도 조절이란 신체를 어느 정도의 깊이로 관찰할지 조절하는 것으로 탐색자에서 멀리 떨어진 영역을 화면에 나타낼 수 있다. 심부 소견을 놓치지 않을 정도로 깊게 조절하여 검사를 시작하는 것이 중요하다(그림 4-5a). 관찰하고자 하는 부분이 일단 확인되면 심부 영역을 먼저 검사하고, 중요부위에 초점을 맞추기 위해 심도를 낮출 수 있다. 심도를 낮추게 되면 얕은 구조물은 확대되어 해상도가 높아진다. 너무 높게 설정하면 불필요한 부분이 넓어질 수 있다(그림 4-5b). 또한, 심도가 깊을수

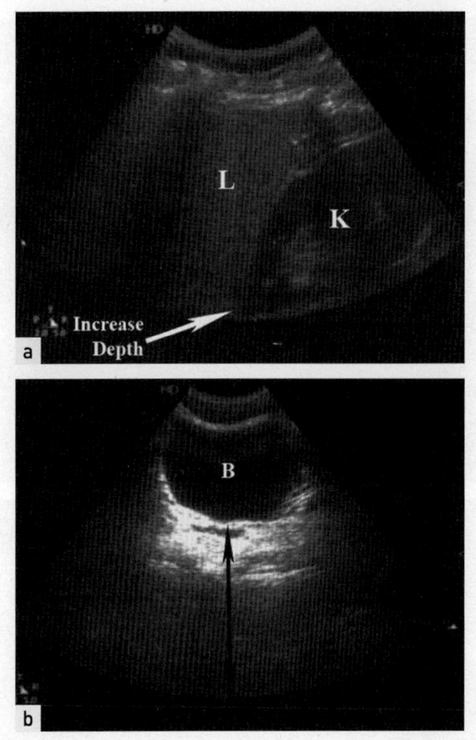


**그림 4-5** 깊이를 너무 얕게 설정한 우상복부 영상**(a)**. 이 영상에서 간(L)과 콩팥(K)이 얕게 보이며 장기 전체가 화면에 보이지 않는 것에 주목. 골반 영상 **(b)**은 깊이를 너무 깊게 설정하여 방광(B) 아래에 불필요한 영역(화살표)이 너무 많이 남아 있다.

록 초음파가 반사되어 돌아오는 시간이 길어져 영상의 질과 화면 발생률에 영향을 줄 수 있다. 일반적으로 깊이는 목표 영역의 윗부분 3분의 2를 화면의 4분의 3 정도로 차지하게 조절한다.

**증폭(gain)** 증폭이란 반사된 빔을 기계가 어느 정도로 받아들일지 조절하는 것이다. 증폭을 높이게 되면 반사된 빔의 세기가 증가되어 더 밝은 영상으로 보이게 된다. 반대로 증폭을 낮추면 화면에 나타나는 영상이 더 어두워질 것이다(그림 4-6a). 화면 전체의 증폭을 한꺼번에 조절(overall gain)하거나 반사된 빔이 돌아오는 시간에 따라 증폭을 조정(time-gain compensation, TGC)하여 각각의 깊이에 따라 증폭을 조절할 수 있다. 시간증폭조정은 좌우로 밀 수 있는 손잡이들이(TGC slider) 세로로 관찰부위의 깊이에 대응하여 배열되어 있거나 근거리 증폭과 원거리 증폭 조절

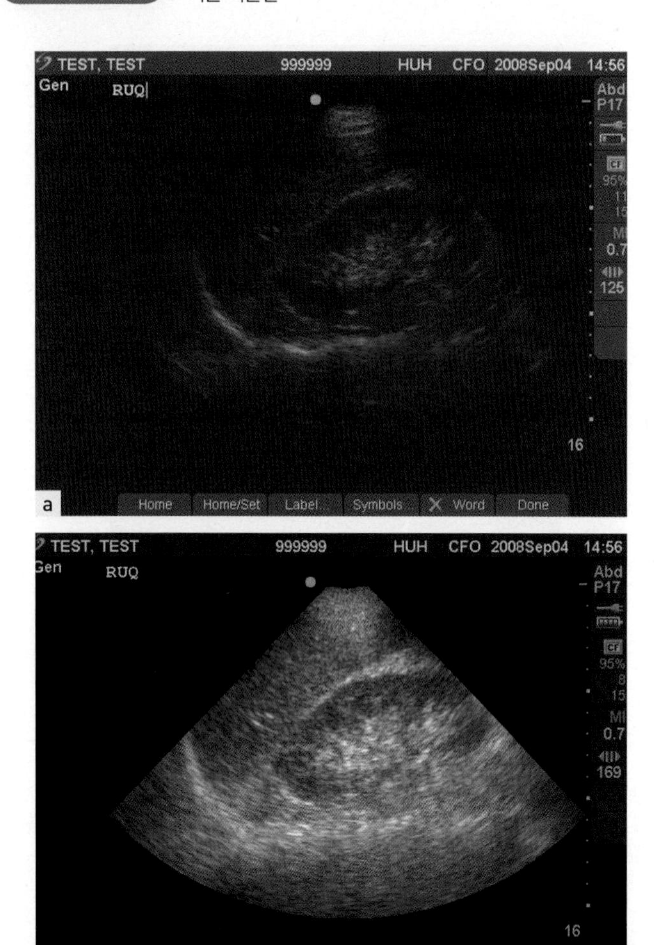


**그림 4-6** 증폭을 다르게 조절한 우상복부 영상. 영상 **(a)**는 너무 어두워 증폭을 증가시킬 필요가 있다. 영상 **(b)**는 너무 밝아서 복수와 같은 중요한 소견이 보이지 않을 수 있어 전체적인 증폭을 감소시켜야 한다.

버튼으로 단순하게 구분된 것도 있다.

적절한 증폭은 영상의 질을 좋게 할 수 있지만, 너무 높게 증폭을 하면 불필요한 신호(noise)가 증가하고 화면이 더욱 하얗게 나타나 관찰하고자 하는 부분이 명확하게 보이지 않을 수 있다(그림 4-6b). 또한, 증폭을 너무 높게 하면 비정상 체액과 같은 중요한 소견이 눈에 띄지 않을 수 있다. 이런 실수는 초보자에서 자주 일어나고, 특히 후방에 음향증가가 발생하는 방광과 같은 액체가 채워진 구조물은 특이소견을 놓칠 수 있다. 반면, 시간증폭보정 손잡이 중 하나를 지나치게 왼쪽으로 움직여 너무 낮게 증폭하면 영상의 일부분이(특히 영상의 중간 부분) 어둡게 변해 무에코 부분으로 보여, 이를 액체로 오인할 수 있다. 따라서 검사를 시행하기 전에 시간증폭조정 손잡이가 제대로 정렬되어 있는지 확인해야 한다.

증폭은 화면이 지나치게 밝아지거나 어두워지지 않게 하여 영상을 명확하게 나타낼 정도로만 조절해야 한다(그림 4-2b). 근래 출시된 다수의 초음파 기계에는 자동으로 영상의 증폭을 적절하게 조절해 주는 영상 최적화 버튼이 있다. 증폭을 필요 이상으로 높게 조절하지 않도록 검사실의 불빛을 어둡게 하는 것도 도움이 된다.

**확대(zoom)** 확대 버튼은 화면에 나타난 특정 부분을 확대할 때 사용한다. 영상은 더 크게 보이지만 확대한 부분의 해상도는 변하지 않는다. 일반적으로 검사자가 크기와 위치를 조절할 수 있는 사각형 영역으로 확대하고자 하는 화면 일부를 선택하면 그 부분이 확대된다. 이 기능은 심부 영역의 관찰 또는 자궁 내 임신, 총담관과 같은 작은 구조물을 검사할 때 유용하다. 우선 화면의 영상을 적절한 깊이로 조절하고 이후에 특정 영역을 확대해야 한다.

**초점(focus)** 초점 조절이란 이미 정해진 깊이에서 외측 해상력을 최적화하는 것을 뜻한다. 어떤 대상에 대해 가장 좋은 해상력이 있는 곳은 초음파 빔의 폭이 가장 좁은 부분인 초점 구역이다. 대부분 화면에서 초점이 맞춰진 영역은 화면 외측에 작은 표지나 화살표로 표시된다. 초점은 흔히 특정한 상황에 대해 미리 설정되어 있지만, 관찰하는 부위에 따라 조절할 필요가 있다. 초점 구역은 특히 담석이 의심될 때 담석의 음영(shadow)을 유도하는 데 중요하다.

**조직 배음(tissue harmonics)** 초음파가 물체에 반사되면 기본 주파수(fundamental frequency)뿐만 아니라 기본 주파수의 정수배가(2배, 4배 등) 되는 배음 주파수(harmonic frequency)도 돌아온다. 배음 주파수는 기본 주파수보다 높은 주파수이기 때문에 음파의 약화(감쇄)가 적고, 산란이 적으며 곁엽허상(side lobe artifact)도 적어 명확한 영상을 만들어 낸다. 특히 액체와 조직 사이의 접촉면을 명확하게 나타낼 수 있다. 대부분의 초음파 기계는 조직 배음 영상(tissue harmonic imaging, THI) 버튼이 있어 탐촉자(transducer)가 이러한 배음을 이용할 수 있게 한다. 배음 영상은 심장 영상에 가장 많이 이용된다.

**강약 범위(dynamic range)** 강약 범위란 화면에 나타내는 반사된 초음파의 범위이고 단위로 데시벨(dB)을 사용한다. 강약 범위가 높으면 화면에 나타낼 수 있는 초음파 강도의 범위가 더 넓어져 영상의 명암을 잘 표현하기(영상이 부드러워지기) 때문에 일반적으로 높은 강약 범위로 설정하는 것이 바람직하다. 그러나 강약 범위가 높아지면 허상이 증가할 수 있다. 강약 범위는 초음파 기계의 프리셋으로 애초에 설정되어(예: 심장 초음파 프리셋의 강약 범위는 복부 초음파보다 더 높다.) 있지만 검사자가 조절할 수도 있다.

**화면 발생률(frame rate)** 동적인 혹은 움직이는 초음파 영상은 사실 단지 정지된 영상을 연속적으로 나타내어 움직이는 것처럼 보이게 하는 것이다. 화면 발생률은 1초당 화면에 나타나는 정지된 영상의 수이고 단위로 헤르츠(Hz)나 초당 화면 수(frame per second)로 표현한다. 높은 화면 발생률은(30~40 Hz) 심장 초음파를 할 때 심장이 빨리 움직이기 때문에 중요하다. 낮은 화면 발생률은 각각의 영상을 좀 더 잘 표현하지만, 영상의 움직임이 자주 끊어지게 된다. 화면 발생률은 일반적으로 최대로 높게 설정되어 있지만, 검사자가 낮게 조절할 수 있다.

## 기타 모드

**M-모드(motion-mode)** M-모드는 실제 움직이는 것을 화면에 시간 경과에 따라 나타내기 위해 이용된다. 1차원적으로 주사된 선상에 있는 움직임은 수직축(vertical axis)에 나타나고, 경과 시간은 수평축(horizontal axis)에 나타난다(그림 4-7). M-모드는 도플러 영상과 혼동하지 않도록 B-모드 영상과 함께 화면에 나타난다. M-모드 버튼을 누르고 M-모드 검사선을 B-모드 영상의 움직이는 대상 위로 옮긴다. 심장 판막과 태아의 심장 활동을 관찰할 때 가장 흔히 사용되며, 기흉이 의심되는 환자에서 호흡에 따른 하대정맥의 변화를 측정하기 위해 사용할 수 있다.

**도플러(doppler)** 심근의 움직임을 측정하는 조직 도플러(tissue Doppler)가 있지만, 일반적으로 도플러는 혈액의 속도를 측정하기 위해 사용되며, 음파의 주파수 변화를 이용하여 검사한다. 가장 흔히 사용되는 도플러 방

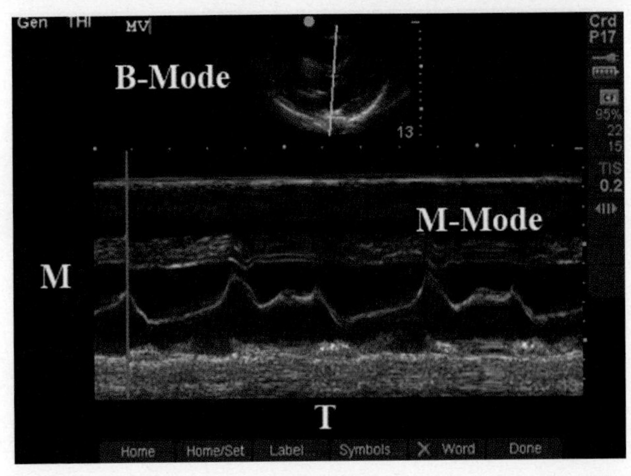


**그림 4-7** M-모드를 이용한 심장 영상. 상부 영상은 B-모드에서 관찰되는 심장의 흉골연장축도이며, M-모드 검사선이 이첨판을 지나고 있다. 하부 영상은 이첨판의 움직임을 Y 축으로, 시간 경과를 X 축에 나타낸 영상이다.

식들에는 컬러–유량 도플러(color–flow Doppler, CFD), 파워 혹은 혈관 도플러(power or angio Doppler), 스펙트럼 도플러(spectral Doppler[펄스–파형 도플러(PW)와 연속–파형 도플러(CW)])가 있다.

컬러 도플러는 탐색자로 다가오는 움직임은 적색으로, 멀어지는 움직임은 청색으로 나타낸다(그림 4–8). 컬러 유량 도플러는 혈관을 확인하거나 혈관을 주위 다른 조직과 구별할 때 이용한다.

파워(혈관) 도플러는 대상의 내부에 존재하는 유량을 측정할 수 있지만, 방향성은 측정할 수 없다. 이 방법 또한 주파수의 변화에 근거하여 유량의 존재를 알아내지만 하나의 색으로(흔히 주황색) 표현하므로 탐색자로 다가오는 것인지 멀어지는 것인지는 구별할 수 없다. 컬러 도플러보다 파워 도플러는 적은 유량에 대해 민감도가 높고, 각–의존(angle–dependent)이 적다. 따라서, 유량이 적은 고환과 같은 부분을 관찰할 때 유용하다. 그러나 민감도가 높기 때문에 탐색자의 작은 움직임에도 이동 허상(motion artifact)이 흔하게 나타날 수 있다. 파워 도플러는 요관 협착을 감별하기 위해 방광 내 요류(urinary bladder jet)를 확인할 때도 유용하다(그림 4–9).

스펙트럼 도플러는 유량의 속도를 Y 축에, 시간 경과를 X 축에 나타낸다. 간헐파형 도플러(그림 4–10)는 관심 영역(특정 부분)의 유속을 측정할 수 있지만 측정할 수 있는 최대 유속에는 한계가 있다(Nyquist limit: 간

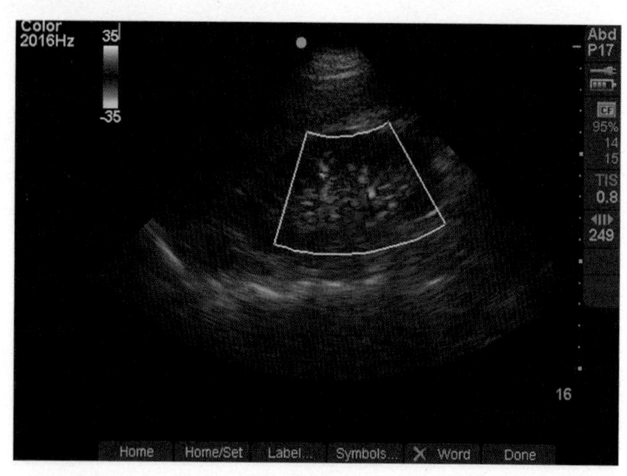


그림 4-8 이 영상은 컬러-유량 도플러를 이용해서 신장의 혈류를 검사한 것이다. 적색은 탐색자로 다가오는 것이며, 청색은 탐색자로부터 멀어지는 것을 의미한다.

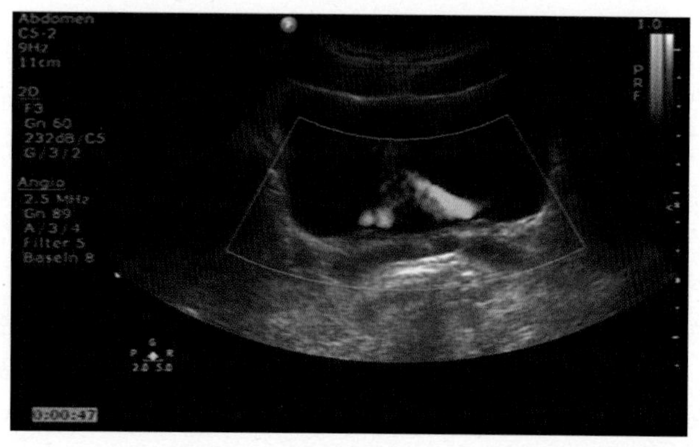


그림 4-9 이 영상은 파워(혈관) 도플러로 방광 내부의 요류(urinary jet)를 관찰한 것이다. 양쪽으로 요류가 관찰되어 요로 폐쇄가 없다는 것을 의미한다.

혈파형 도플러로 측정할 수 있는 최대 속도, 2장 참고). 반면 연속파 도플러는 검사선상에 놓인 최대 유속을 측정할 수 있어(특정 부분의 유속은 알 수 없음.) 판막 협착과 같은 유속이 높은 부분에서 사용한다(그림 4-11).

## 도플러 영상의 조정

**펄스 반복 주파수(Pulse Repetition Frequency, PRF) 혹은 척도(Scale)** 펄스 반복 주파수(혹은 척도로 기계에 표시)의 조정은 유속에 대한 도플러

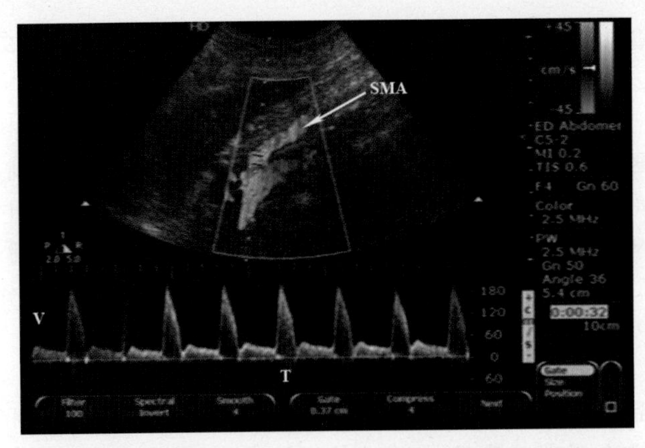


**그림 4-10** 위창자간막동맥(superior mesenteric artery, SMA)을 간헐파형 도플러로 관찰한 영상. 상부 영상은 색깔로 나타나는 위창자간막동맥이다. 간헐파형 도플러의 검사선이 동맥강내에 위치한다. 하부 영상은 유속을 Y 축에 시간 경과를 X 축에 나타낸 것이다.

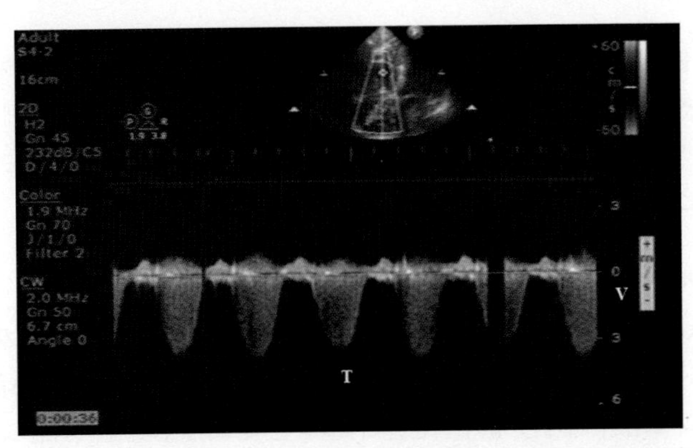


**그림 4-11** 연속파 도플러로 삼첨판 역류 환자를 관찰한 영상. 상부 영상은 심장을 심첨4방도로 관찰한 것이며 연속파 도플러 검사선이 역류되는 삼첨판 혈류 위에 위치한다. 하부 영상은 삼첨판 역류의 유속을 Y 축에 시간 경과를 X 축에 나타낸 것이다. 도플러에서 만들어진 파형이 기준선 밑에 있으며, 이는 탐색자로부터 멀어지는 것을 의미한다. 연속파형 도플러는 빠른 유속도 검출해 낼 수 있어, 판막을 지나는 와류가 있을 때 사용된다.

의 민감도를 조정하는 것이다. 낮은 펄스 반복 주파수는 척도를 낮아지게 하여 유속에 대한 민감도를 높일 수 있지만 되돌이 허상(aliasing artifact)이 더 많이 생길 수 있다. 척도는 일반적으로 컬러 도플러와 파워 도플러에 상응하는 색상으로 화면 외측에 표시되며 스펙트럼 도플러에서도 Y

축을 따라 표시된다. 컬러 도플러 척도의 최소치는 대략 5 cm/s 정도이며, 연속파형 도플러의 최대치는 6 m/s 정도이다.

**도플러 증폭(doppler gain)** 기본적인 B-모드(2차원 영상)와 유사하게 도플러도 증폭을 조정할 수 있다. 도플러 증폭을 증가시키면, 반사되어 돌아오는 신호가 증폭되어 색이 진해지거나 스펙트럼 신호가 강해지게 된다. B-모드에서와 같이 증폭을 너무 높게 하면 불필요한 신호와 허상이 많이 나타난다.

**기준선(baseline)** 도플러는 탐색자에 대해 가까워지는지 멀어지는지 나타낼 수 있다. 흔히 컬러 도플러나 스펙트럼 도플러에서 기준선(zero)은 척도의 중앙(스펙트럼 도플러에서는 Y 축의 중앙)에 위치한다. 탐색자에 가까워지는(positive) 혹은 멀어지는(negative) 유량만 나타내려면, 기준선을 내리거나 올리면 된다.

**월 필터(wall filter)** 필터는 흔히 컬러 도플러와 파워 도플러에서 사용되며 신호를 조정해서 특정 유속 이하의 낮은 유속을 화면에 나타나지 않게 할 수 있다. 필터를 높게 설정하면 허상은 줄일 수 있지만, 유속이 낮은 부분은 볼 수 없게 된다.

### 기계 조작과 영상의 저장

**정지(freeze)** 정지 버튼은 정지된 화면을 보려고 할 때 사용하며 움직이는 영상으로부터 하나의 정지된 영상을 갈무리(capture)할 수 있다. 대부분의 초음파 기계는 정지 버튼을 누르기 전 몇 초 동안의 연속적인 고정 영상을 미리 갈무리하여 두기 때문에 버튼을 누른 다음 미리 갈무리된 여러 장의 정지 영상 중 원하는 것을 선택할 수 있다. 정지 영상을 얻은 후 화면에 글자를 첨가하고, 특정 부분을 측정하거나 계산할 수도 있으며, 원하는 영상을 저장하거나 인쇄할 수도 있다.

**계측(calculation)** 모든 초음파 영상에 대해 단순 측정과 같이 기초적 계측은 가능하지만 다른 복잡한 계측은 프리셋을 이용하여 계산할 수 있다. 예를 들어 초음파 프리셋을 산부인과 검사 모드로 설정하면 태아 심박수와 임신 주수를 계산해 낼 수 있어 초음파검사를 할 때 적절한 프리셋을 선택하는 것이 중요하다.

**영상의 저장**(acquiring images) 초음파 영상은 갈무리하여 기록하거나 전송하게 된다. 동적인 영상을 정지시켜 갈무리하고 이후 기록, 저장, 보관 등의 버튼 중 적절한 것을 선택한다. 동영상(혹은 cineloop)은 영상을 몇 초 동안 정지시키지 않고 저장하는 기능이다.

근래 대부분의 초음파 기계들은 디지털 영상으로 내부 하드디스크에 저장한 후 무선통신이나 유선을 연결하여 저장디스크나 네트워크와 같은 영구 저장소로 전송할 수 있다. 또한, 필요하면 용량이 큰 장시간의 동영상을 외부 비디오테이프나 DVD에 저장할 수 있다.

의료 디지털 영상 및 통신(digital imaging and communications in medicine, DICOM)은 영상 저장 방식의 표준이며, 초음파 기계에 추가 항목으로 선택할 수 있다. 비록 영상을 전송, 저장, 출력하는 다른 많은 방식이 있지만 DICOM을 사용하는 의료 영상 저장 전송 시스템(picture archival communication system, PACS)이 표준방식으로 인정되고 있다.

## 부가 장비

### 매개 물질(COUPLING MEDIA)

음파는 공기보다 액체에서 더 잘 전도되기 때문에 초음파 영상을 보기 위해 탐색자의 표면과 조직 사이에 매개 물질이 반드시 있어야 한다. 가장 보편적으로 사용되는 것은 겔(gel)이지만 받침 패드(standoff pad)와 수조(water bath)도 사용할 수 있다.

겔은 물을 기초로 만들어진 매개체이며 따뜻하게 가온하면 환자가 더 편하게 느낄 수 있다. 겔은 환자에게 직접 바르거나 탐색자 표면에 먼저 바른 이후 사용하며, 접촉 허상을 피할 수 있다. 점막이나 열린 상처, 무균 시술을 위해 사용할 때는 반드시 무균 겔을 사용해야 한다. 무균 겔은 "Sulgilube"와 같이 일반적인 겔 패키지에 포함되어 있거나 무균 탐색자 커버 키트에 포함되어 있다.

얕은 구조물은 음파가 가까운 곳에 반사되어 탐색자에 또 다시 반사되는 다중반사현상이 발생하는 반향허상이 있어 겔을 사용하여 검사하기 어렵다. 겔 패드를 탐색자와 관찰 부분이 있는 피부 사이에 놓고 검사를 하면 외측 해상도와 영상의 질이 좋아진다. 겔 패드는 구매하여 사용할 수 있고, 직접 만들어 사용할 수도 있으며, 수액 백을 사용할 수도 있다.

얕은 구조물을 관찰할 때 수조를 사용할 수도 있다. 손이나 발이 검사할 부분이라면 수조 속에 검사할 부분을 넣고 수면에 탐색자를 위치시켜

검사하게 된다. 수조를 사용하면 영상의 해상도가 좋아지고, 피부에 직접 접촉하지 않고 검사를 할 수 있어 환자를 더욱 편하게 할 수 있다.

### 탐색자 덮개

탐색자 덮개(cover 또는 sheath)는 탐색자가 오염되지 않도록 하여 잠재적인 감염으로부터 환자를 보호할 수 있다. 무균 탐색자 덮개는 중심정맥관 삽입, 관절 흡인, 감염의 위험이 있는 시술 시에 사용할 것을 권장한다. 소독되지 않은 탐색자 덮개는 질 내(endovaginal) 혹은 편도 주위 농양의 검사와 같이 점막과 접할 때 사용하며 비라텍스성(nonlatex) 콘돔을 사용해야 한다. 말초정맥관의 삽입과 농양의 절개 및 배농을 할 때 테가덤(TegadermTM)이나 장갑과 같은 다른 커버도 오염을 방지하는데 도움이 된다. 어떤 종류의 덮개이든 안쪽과 바깥쪽에 모두 겔을 사용하여야 한다.

### 탐색자 세척

탐색자와 연결선은 검사 전, 후로 씻어야 한다. 물과 비누를 사용하여 씻으면 눈에 보이는 오염물을 대부분 제거할 수 있다. 기본적인 소독은 스프레이를 구매해 적절하게 사용할 수 있다. 높은 수준의 소독(high-level disinfection, HLD)이 필요할 때는 더욱 철저한 방법으로 소독해야 하며, 일반적으로 강 내에 탐색자를 사용한 경우 권장된다. 그러나 탐색자 커버를 사용하여 검사했다면 적절한 기본 소독으로 충분하다는 의견도 있다. 높은 수준의 소독은 환기 덮개가 설치된 지정된 소독 장소에서 일정 시간 동안 소독할 물건을 화학물질(예; Cidex)에 넣어 두는 방식을 이용한다.

### 말초정맥 카테터

일반적으로 사용하는 말초정맥 카테터의 길이는 1.25인치로 심부정맥의 접근은 어려울 수 있다. 통상 초음파를 이용한 말초정맥 카테터 삽입에는 길이가 최소 1.75인치에서 2인치 이상 되는 카테터를 사용하도록 권장한다.

### 수건

작은 수건을 기계와 함께 준비해 놓으면 검사 후 환자의 몸과 탐색자, 기계에 묻은 겔을 닦는데 도움이 된다.

**| 추가로 읽을 자료 |**

Goldberg RL, Smith SW, Mottley JG, Ferrara KW. Ultrasound. In: Bronzino JD, ed. *The Biomedical Engineering Handbook*. Florida, FL: CRC Press; 2006: chap. 65,1–23.

Hecht C, Wilkins J. Physics and image artifacts. In: Ma OJ, Mateer JR, Blaivas M, eds. *Emergency Ultrasound.* New York, NY: McGraw–Hill Companies, Inc; 2008:49–63.

Roberts PJA, Williams J. Imaging with ultrasound. In: Roberts PJA, Williams J, eds. *Farr's Physics for Medical Imag.* 2nd ed. London: W.B. Saunders Company; 2007.

Rose JS, Bair AE. Fundamentals of ultrasound. In: Cosby KS, Kendall JL, eds. *Practical Guide to Emergency Ultrasound*. Philadelphia, PA: Lippincott Williams & Wilkins; 2006:27–41.

Scruggs W, Fox C. Equipment. In: Ma OJ, Mateer JR, Blaivas M, eds. *Emergency Ultrasound*. New York, NY: McGraw–Hill Companies, Inc; 2008:15–47.

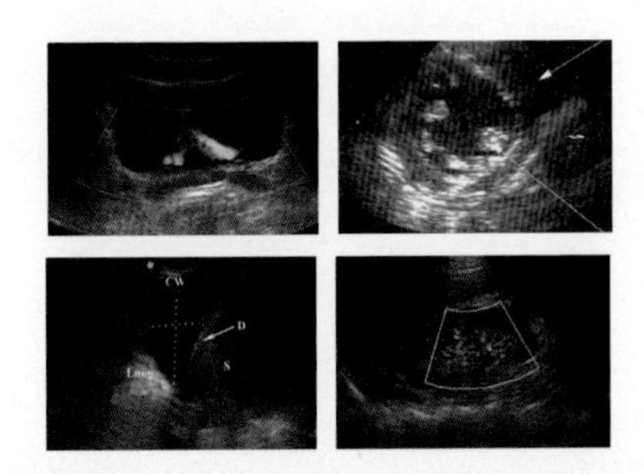

# PART 02 응용편

# 5 대동맥

## 배경지식 및 검사의 적응증

성인에서 복부 대동맥류(abdominal aortic aneurysm, AAA)의 발생률은 2~4%로, 이 중 약 10%는 65세 이상에서 발생한다. 특히 흡연 및 고혈압 등의 혈관 질환 위험 요인이 있을 때 유병률이 더욱 높아진다. AAA의 남녀 발생 비율은 8:1이고, AAA는 적어도 하나 이상의 위험 요인이 있는 남성 노인의 10%에서 동반될 수 있다.

이와 연관된 이환율과 사망률을 낮추기 위해서는 신속하고 정확한 진단이 중요하다. 초음파검사는 AAA를 진단하는데 빠르고 신뢰성이 높은 방법으로 알려져 있다. 대동맥 전체를 확인할 수 있다면 초음파검사의 민감도(sensitivity)와 특이도(specificity)는 확연히 높아진다.

AAA 파열은 미국에서 주된 사망 원인의 하나이다. 파열은 사망률이 50%를 넘을 정도로 아주 치명적이다. 대부분의 파열은 초음파로 확인하기 어려운 부위인 후복막강(retroperitoneum)에서 일어나기 때문에 초음파검사는 파열을 확인하는데 민감한 방법은 아니다. 안정적인 환자에서는 CT가 동맥류의 범위와 누출이나 파열의 존재를 확인하는데 가장 유용하다. 초음파검사가 동맥류 파열의 발견에 뛰어나지는 않지만, 혈역학적으로(hemodynamically) 불안정한 환자에서 치료를 앞당기는데 도움이 된다고 알려져 있다. 증상을 동반한(복통, 옆구리 통증, 요통) 혈역학적으로 불안정한 환자에서 동맥류의 존재는 누출이나 파열을 의미할 수 있으므로 즉각 수술적 중재를 서둘러야 한다.

초음파검사로 대동맥 박리를 확인할 수도 있다. 초음파검사만으로 박리를 배제해서는 안되지만(민감도가 좋지 않기 때문), 피판(flap)이나 가강(false lumen)이 확인되었을 때에는 특이도가 높다. 특히, 흉부 대동맥류와 박리는 심초음파를 이용해 확인할 수 있는 치명적인 응급 상황으로 심낭 삼출이나 심낭탐폰(tamponade)의 원인이다. 대동맥 병변 확인에는 조영증강 CT, MRI, 경식도 심초음파(transesophageal echocardiography, TEE)가 주로 이용된다.

다음과 같은 상황에서 복부 대동맥 감별을 위한 초음파 평가를 해보아야 한다:

- 감별되지 않는 저혈압, 쇼크 또는 실신이 있는 환자
- 감별되지 않는 복통, 옆구리 통증 또는 요통이 있는 노인 환자

## 탐색자 선택과 기술적 고려사항

### 주파수의 범위가 3.5~5.0 MHz인 곡선형 탐색자

주파수가 낮고 투과력이 좋아 비만 환자나 장내 가스가 과도한 경우에 유용하다.

### 조직 배음 영상(TISSUE HARMONIC IMAGING)

조직 배음은 영상을 선명하게 하여 대동맥 및 연관된 심부 혈관 영상 개선에 도움이 된다.

### 초점 영역

초점 영역은 대동맥의 깊이에 맞추도록 한다. 이는 영상의 측면 해상도를 높여준다.

### 컬러-유량 도플러

컬러-유량 도플러는 혈류를 탐지하여 복부에 존재할 수 있는 다른 허상들로부터 혈관을 구분하는데 도움이 된다. 빔이 혈류에 수직으로 조사되어 화면에 색이 부족한 것으로 잘못 나타나는 것을 방지하기 위해 탐색자를 기울이는 것이 중요하다. 그리고, 펄스 반복 주파수(pulse repetition frequency, PRF, 음계(scale)로도 알려짐)를 낮추거나 컬러 증폭량을 올리면 컬러 유량 탐지에 도움이 된다.

### 시간-증폭 보상

시간-증폭 보상(time-gain compensation, TGC)은 영상의 원위부 증폭을 증가시킨다. 이는 원위부로부터 되돌아오는 신호를 밝게 증강시켜 명확한 영상을 만들어낸다. 해부학적으로 검사가 어려운 비만 환자에서 유용하다.

### 심도

적절한 심도에서 검사를 시작하는 것이 중요하지만, 일단 지표가 확인되면 검사할 구조물이 화면의 약 3/4를 차지하도록 심도를 줄여야 한다. 영상의 심도가 너무 깊거나 얕으면 위치 파악이 어렵다.

### 흉부 대동맥 영상

흉부 영상 검사 시 조직 배음 영상에 특화된 위상 배열형의 심장 검사용 탐색자를 이용한다.

## 정상 초음파 해부학

### 흉부 대동맥

대동맥은 대동맥 판막 원위부의 좌심실 유출로(left ventricular outflow tract, LVOT)에서 기시한다. 대동맥 뿌리와 하행 흉부 대동맥은 경흉부 심초음파의 흉골연장축도(parasternal long axis view)에서 일반적으로 가장 잘 보인다. 하행 대동맥은 이 책의 심초음파 단원에서 설명되어 있듯 심장의 뒤쪽에서 관찰된다. 일부 환자에서는 대동맥 궁이 흉골상절흔도(suprasternal notch view)에서 보이기도 한다. 경동맥을 따라 아래로 내려가면 상완두 동맥(brachiocephalic artery)과 대동맥 궁이 합쳐짐을 확인할 수 있으나, 이는 폐, 기관, 정맥 구조물 때문에 실제로는 확인하기 어렵다.

### 복부 대동맥

대동맥이 T12 높이에서 횡격막으로 들어가게 되면 거기서부터는 복부 대동맥이다. 이는 척추의 바로 앞에서 전방으로 굴곡이 이루어지며 아래쪽으로 주행한다.

**지표들** 횡단면 영상에서, 탐색자의 표지자가 환자의 우측을 향하도록 한다. 이렇게 하면, 척추체(vertebral body)가 원위부로 음영을 형성하는 밝고, 굽은 고에코성의 구조물로 나타난다. 이는 척추 징후로 불리우며, 복부 대동맥을 확인하는데 필요한 지표(landmark)들 중 하나이다. 정상적인 대동맥은 단면이 원형으로 척추의 앞에 위치하며 화면에서는 오른쪽(환자의 왼쪽)에 나타난다. 두 번째로 중요한 지표는 하대정맥(inferior vena cava, IVC)으로 역시 같은 화면에서 확인 가능하며, 화면의 왼쪽에 대동맥에 인접하여 원형 또는 눈물방울 모양으로 나타난다. 그러므로 복부 대

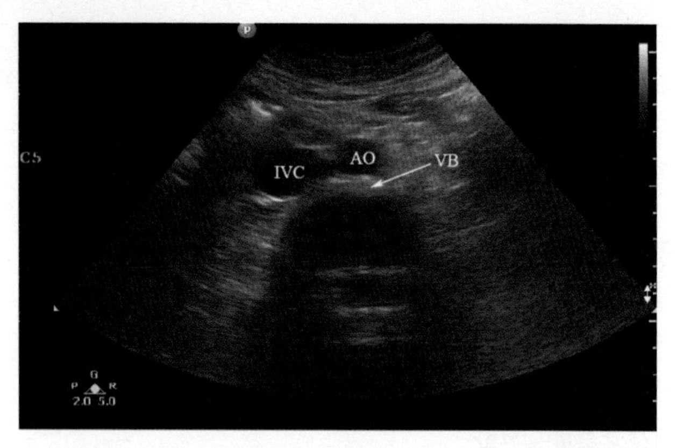


그림 5-1 가로면 영상에서의 대동맥과 지표들. AO: 대동맥, IVC: 하대정맥, VB: 척추체.

동맥을 정확하게 확인하고, 흔히 저지르는 실수를 피하기 위해서는 척추와 하대정맥을 일차적으로 파악해야 한다(그림 5−1).

**근위부 대동맥** 복부 대동맥에서 확인 가능한 첫 번째 분지는 복강 동맥(celiac trunk)이다. 이는 앞쪽에 위치하여 비장 동맥(splenic artery) (화면의 오른쪽을 향해 주행), 총간동맥(common hepatic artery) (화면의 왼쪽을 향해 주행), 그리고 좌위동맥(left gastric artery) (일반적으로 초음파에서는 관찰되지 않음)으로 분지를 낸다. 횡단면 영상에서, 복강 동맥과 그 두 분지들은 '갈매기 징후(seagull sign)'를 만드는데 비장과 총간동맥이 갈매기의 날개를 형성한다(그림 5−2).

다음으로 관찰되는 분지는 위창자간막동맥(superior mesenteric artery, SMA)으로 근위부 대동맥의 앞에서 분지하여 복강동맥의 원위부로 주행한다. 횡단면 영상에서, SMA는 'mantle clock'과 유사한 모양으로 고에코성의 지방 조직에 둘러싸인 둥근 형태로 관찰된다(그림 5−3). 복강동맥과 SMA는 탐색자를 시계방향으로 90도 회전시켜 표지자가 머리를 향하게 하면 세로 또는 시상 영상에서 확인 가능하다(그림 5−4).

또한 이 지점에서, 좌신정맥과 비장정맥이 보이게 된다. 좌신정맥은 대동맥과 SMA 사이에서 대동맥의 앞을 통과하여 하대정맥으로 진입한다. 비장 정맥은 SMA 앞을 지나 하대정맥의 바로 앞쪽에 원형 구조물로 보이는 간문맥으로 들어간다(그림 5−5).

신동맥은 영상에서 확인하기가 어려운 편이지만, 앞선 지점과 동일한 위치 또는 SMA보다 약간 원위부에서 확인 가능하다. 횡단면 영상에서,

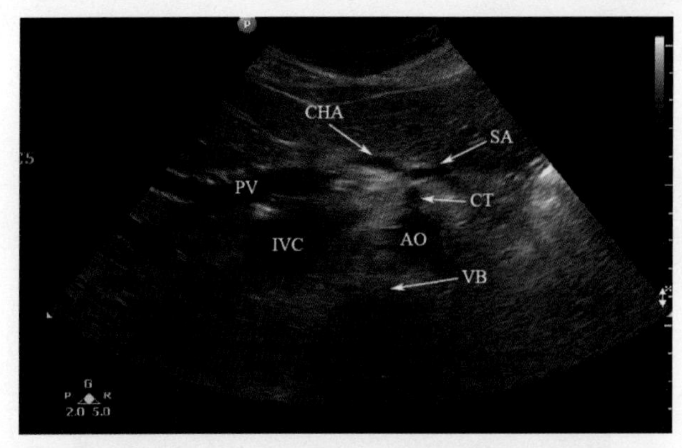


**그림 5-2** 복강 동맥과 그 분지들을 동반한 근위부 대동맥의 가로면 영상(seagull sign). AO: 대동맥, IVC: 하대정맥, PV: 간문맥, CT: 복강 동맥, SA: 비장 동맥, CHA: 총간 동맥 , VB: 척추체.

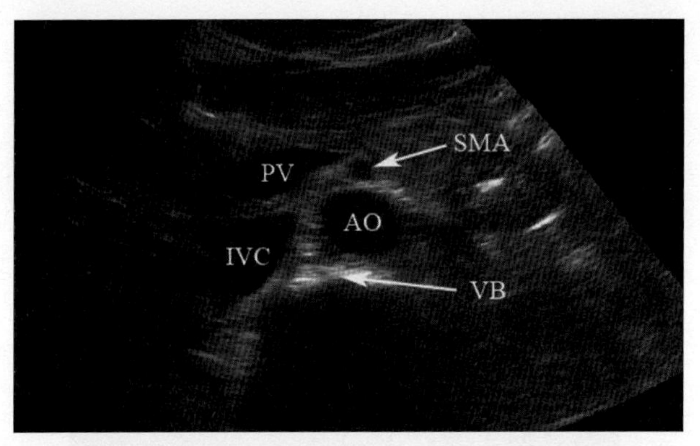


**그림 5-3** 위창자간막동맥 높이에서의 근위부 대동맥의 가로면 영상. AO: 대동맥, IVC: 하대정맥, VB: 척추체, SMA: 위창자간막동맥, PV: 간문맥.

신동맥이 화면의 왼쪽 또는 오른쪽에서 대동맥으로부터 뻗어나가는 것이 관찰되기도 한다. 우신동맥은 보통 하대정맥의 뒤쪽으로 통과하며 시상면 영상에서 하대정맥 뒤에 작은 원형으로 흔히 나타난다.

**중간-대동맥** 근위부 대동맥을 검사한 뒤, 상부의 혈관들이 사라질 때까지 탐색자를 기울이거나 좀 더 꼬리 방향으로 이동시킨다. 중간-대동맥 높이에서는 척추, 대동맥, 하대정맥만 확인 가능하다. 다시 한번 이 지점에서 횡단면과 세로 방향으로 대동맥을 살펴본다.

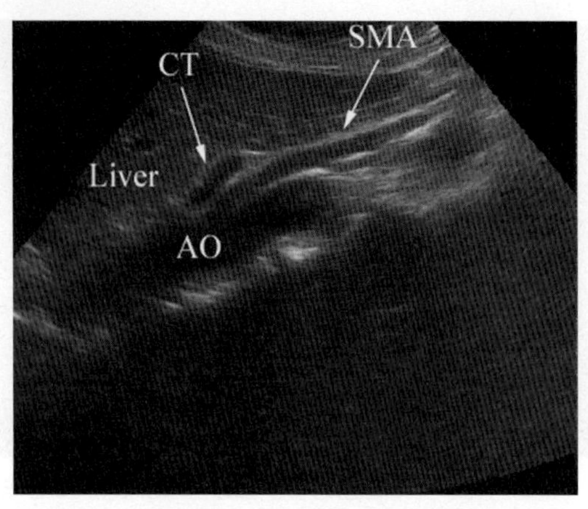


그림 5-4 대동맥과 그 분지들의 근위부 세로면(시상면) 영상. AO: 대동맥, SMA: 위창자간막동맥, CT: 복강 동맥.

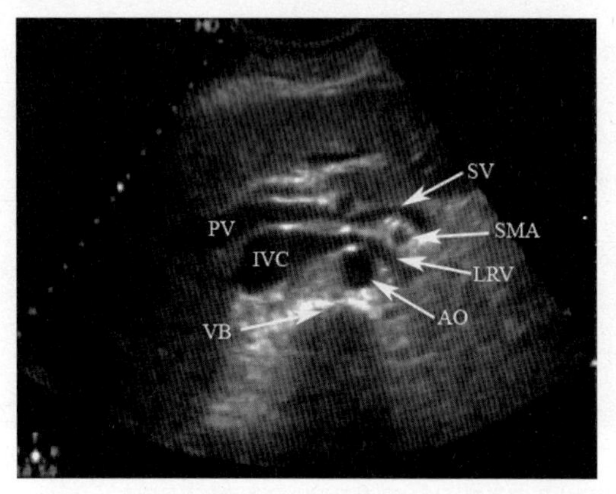


그림 5-5 좌신정맥과 비장 정맥 높이에서의 대동맥 가로면 영상. VB: 척추체, IVC: 하대정맥, AO: 대동맥, LRV: 좌신정맥, SMA: 위창자간막동맥, SV: 비장정맥, PV: 간문맥.

**원위부 대동맥** 원위부 대동맥은 배꼽 높이인 L4 지점에서 총장골동맥(common iliac artery)들로 이분된다. 이 지점 아래에서 대동맥은 탐색자를 어떻게 위치시키더라도 관찰이 어렵다. 장골동맥들(iliacs)은 화면의 오른쪽에서, 하대정맥은 화면의 왼쪽에서 관찰되며, 둘 다 척추체 앞에 위치한다.

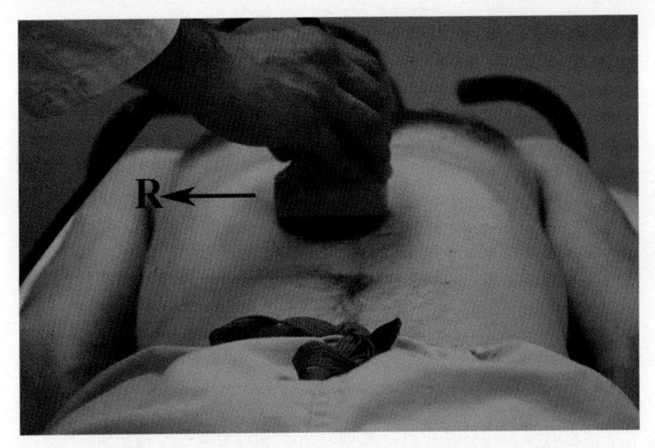


그림 5-6 검상 돌기 바로 아래 복부에서의 탐색자 위치. 표지자는 환자의 오른쪽을 향하고 영상은 가로면 방향에서 얻어진다.

## 검사 프로토콜

### 횡단면 영상

표지자가 환자의 오른쪽을 향하도록 탐색자를 검상 돌기(xiphoid process) 바로 아래쪽 복부에 위치시켜 근위부 횡단면 영상을 얻으면서 검사를 시작한다(그림 5-6).

### 난이도가 높은 환자

일반적으로 비만 환자는 검사가 힘들다. 장내 가스를 옆으로 밀어내게끔 탐색자로 부드럽고 지속적으로 압력을 가하는 것이 영상 확보를 위한 요령이다. 일부 환자에서는 오른쪽 옆구리를 통한 관상면 영상에서 대동맥이 가장 잘 보이는 경우도 있다.

### 지표의 확인

영상을 방해하는 장내 가스를 제거하기 위해 검상 돌기 아래를 탐색자로 단단히 누른다. 그 다음, 지표들(척추, 하대정맥)이 시야에 들어올 때까지 탐색자를 머리와 꼬리 방향으로 기울여본다(그림 5-1 참고). 만약 척추와 하대정맥이 쉽게 확인되지 않는다면, 탐색자를 적절한 영상을 얻거나 배꼽에 도달할 때까지 압력을 가하고 흔들면서 꼬리 방향으로 슬라이딩한다.

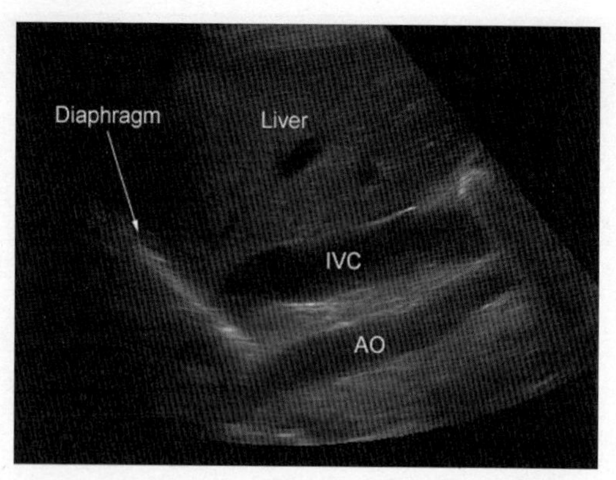


그림 5-7 대동맥과 하대정맥의 관상면 영상. IVC: 하대정맥, AO: 대동맥.

## 세로방향(시상) 영상

횡단면 영상에서 대동맥과 지표들이 일단 확인되면, 화면에 대동맥이 나타나도록 유지한 채 탐색자를 천천히 시상(세로)면 방향으로 회전시킨다. 표지자가 환자의 머리를 향하도록 탐색자를 시계방향으로 90도 회전하면 된다. 횡단면 영상에서 하대정맥과 비교하며 대동맥을 정확하게 인지해야 하며, 탐색자를 회전시킬 때 하대정맥이 장축 방향에서 대동맥으로 오인되지 않게 영상을 유지해야 한다.

앞쪽에 대동맥이 잘 보이지 않는다면, 환자의 자세를 변경해보는 것이 도움된다. 가능하다면 장내 가스를 밀어내는데 도움이 되는 왼쪽 측와위로 자세를 변경해본다. FAST 검사와 유사하게 탐색자를 환자의 오른쪽 옆구리에 위치시킨 후 관상면 영상에서 대동맥을 확인하는 것도 가능하다(그림 5–7).

## 흉부 대동맥

흉부 대동맥에 대한 검사는 흉골연장축도를 포함하며, 자세한 것은 이 책의 심초음파 단원에 설명되어 있다. 흉골상절흔도는 시행하기가 까다로운 편이다: 표지자를 환자의 오른쪽을 향하게 한 상태에서 미세볼록(microconvex) 또는 위상 배열 탐색자를 흉골 위에 위치시킨다. 확장이나 박리 여부를 확인해야 하는 우총경동맥(common carotid artery)은 대동맥궁을 향해 아래로 주행한다. 대동맥 박리 때 상대정맥과 대동맥 궁 사이의 경계를 혼동하지 않도록 주의해야 한다.

### 영상 프로토콜

복부 대동맥에 대한 검사는 위로는 복강 축(celiac axis)에서부터 아래로는 장골 이분 부위(iliac bifurcation)까지 두 가지 단면을 이용해 영상화와 계측을 완벽하게 실시한다.

직경이 최대인 지점에서 횡단면과 시상면으로 측정한다. 측정은 대동맥 축에 수직방향에서 실시하며, 한쪽 바깥 벽에서부터 반대쪽 바깥 벽까지 범위로(내강의 직경만 측정하지 않는다.) 대동맥 전체를 확인한다. 측정 시 혈관 벽을 포함할 때에는 내강 안의 혈전들을 혈관 벽의 경계로 오인하고 혈관 크기를 과소평가할 수 있으므로 주의한다. 하복부 통증이 동반되거나 의심되는 특정 병인이 있다면, 대동맥류의 증거뿐만 아니라 장골 동맥에 대한 검사까지 시행해야 한다.

일부 환자들에게서는 검사가 어려울 수 있고, 드물게는 복부 대동맥이 전혀 보이지 않을 수도 있다. 이런 경우에는 그 결과를 문서에 남기도록 하고 만약에 임상적으로 무엇인가가 충분히 의심되는 상황이라면 CT검사를 진행한다.

검사의 적응증이 되는 경우, 흉골연장축도로 대동맥 기시부를 측정하고 하행 흉부 대동맥과 심막을 확인함으로써 흉부 대동맥 검사를 시작한다. 흉골상절흔도로도 대동맥 궁을 파악할 수 있다. 만약 경흉부 초음파에서 대동맥류나 박리가 보이지 않는 데도 임상적으로 의심이 된다면, 경식도 심초음파, MRI, CT와 같은 좀더 확실한 검사를 실시하도록 한다.

## 초음파검사에서의 이상 소견

### 복부 대동맥류

대동맥의 크기가 3.0 cm를 초과하거나 근위부 대동맥 직경의 1.5배가 넘는 경우는 동맥류가 존재하는 것으로 판단한다. 앞서 영상 프로토콜에서 기술했듯이, 동맥류의 측정은 대동맥 전체를 포함하여 최대 직경 지점에서 두 단면(횡단면과 시상면)으로 시행해야 한다(그림 5-8).

대동맥류에는 두 가지의 기본적 형태가 있다: 방추형(fusiform) 그리고 소낭형(saccular). 복부 대동맥류 대부분은 방추형으로 이때에는 대동맥의 한 부분이 확장되어 있다. 방추형 동맥류는 죽상경화의 성상으로 대동맥의 원위부를 침범한다. 소낭형 동맥류는 흔하지는 않지만, 횡단면 영상 단독 검사만으로는 놓칠 수도 있음을 기억해야 한다. 따라서 두 단면을 이용한 대동맥 영상화가 중요하다.

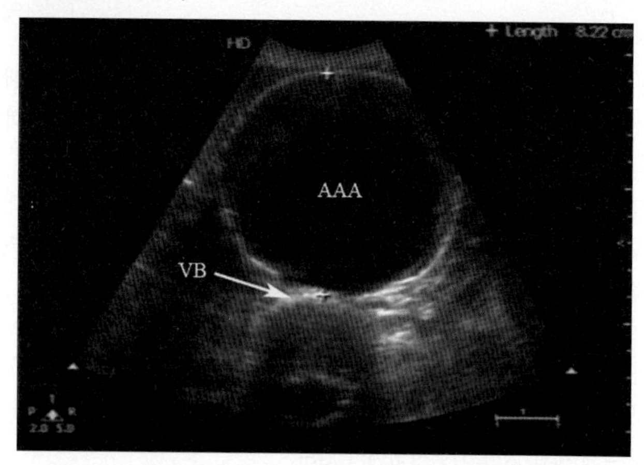


**그림 5-8** 방추형 복부 대동맥류의 가로면 영상. AAA: 복부 대동맥류, VB: 척추체.

많게는 40% 정도 신장 위(suprarenal)의 대동맥을 침범하기는 하지만, 대부분의 동맥류(>90%)는 신장 아래(infrarenal) 대동맥을 침범한다. 신장 동맥을 확인함으로써 신장 위 또는 신장 아래 대동맥류로 분류가 가능하고, 이는 수술적 접근 시에 중요하다. 몇몇 환자에서는 신장 동맥이나 근위부 대동맥의 확인이 어려울 수 있으므로, 동맥류의 형태와 위치 분류에는 CT 검사가 더 정확하다. 신장 위 부분 동맥류가 일반적이지는 않지만 드물게 발생하기도 하므로, 복부 대동맥에 대한 검사는 항상 근위부와 원위부를 포함해야 한다.

복부 대동맥은 아래로는 이분 부위까지 검사하여야 하며, 만약 장골 동맥이 관찰 가능하다면 이들도 측정해야 한다. 장골 동맥류는 직경의 크기가 1.5 cm가 넘는 경우에 대동맥류가 존재하는 것으로 본다.

대동맥류의 크기는 일년에 약 0.3~0.4 cm의 속도로 증가하며, 대동맥이 커질수록 이 현상은 가속화된다. 대동맥 직경이 5.0 cm에 다다르면, 파열의 위험성은 연간 5%이고, 직경이 커질수록 이 위험성 또한 증가하므로 가능하다면 신속한 처치가 필요하다.

### 파열된 AAA

대동맥류의 파열은, 일반적으로 후복막강에서 일어난다. 동맥류의 누출은 간헐적 혹은 천천히 후복막강 쪽 출혈로 일어나게 되며, 갑자기 파열되는 경우도 있다. 신속한 진단과 수술적 중재에도 파열이나 누출 시 사망률은 50%를 넘는다. 초음파는 AAA 파열 감지에는 좋은 방법이 아니

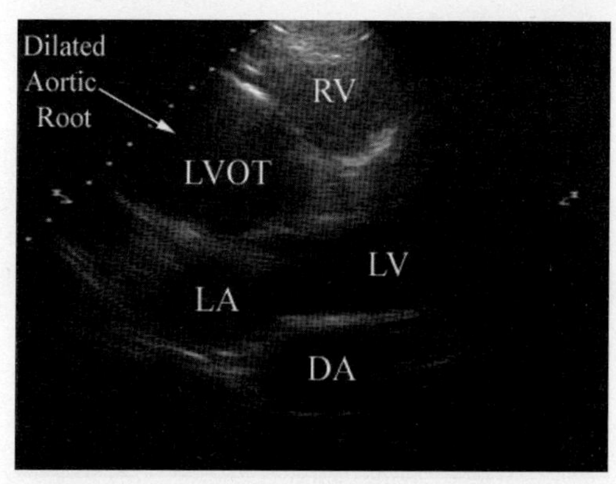


**그림 5-9** 흉부 대동맥류를 보여주는 흉골연장축도(parasternal long axis view). LVOT: 좌심실유출로, RV: 우심실, LA: 좌심방, LV: 좌심실, DA: 하행 대동맥.

다. 출혈이 광범위하여 초음파로 관찰이 될 정도면 후복막강 내 신장 주위(보통 왼쪽)에 비균일한 혈전이 보이게 된다. 때때로 동맥류는 복강 내(introperitoneal)로 파열되기도 하며 이때에는 초음파에서 복막강 내 비정상 체액(free fluid)의 형태로 관찰된다. 이러한 상황은 대체로 환자에게 치명적이다.

## 흉부 대동맥류

흉부 대동맥류(thoracic aortic aneurysm)는 직경이 4 cm가 넘는 경우에 양성으로 판정한다. 이때 직경은 대동맥 뿌리 또는 하행 대동맥을 흉골연장축도나 흉골상절흔도를 통해 측정한다(그림 5-9).

## 대동맥 박리

대동맥 박리(aortic dissection)는 동맥류와 동반되거나 그와 별개로 발생할 수 있다. 박리는 초음파에서 흔히 관찰되는 것은 아니지만, 관찰되는 경우에는 대동맥 혈류를 따라 내강을 가로지르는 피판의 형태로 나타난다. 컬러-유량 도플러 영상은 가성 내강(false lumen)으로부터 진성 내강(true lumen)을 감별하는데 이용된다. 초음파검사는 박리에 민감하지는 않지만, 명확하게 보이는 경우에는 특이적이다; 그러나, 동맥류에서는 혈전의 가장자리가 때로는 박리 피판처럼 나타날 수도 있다. 컬러-유량 도플러와, 피판의 비운동성 소견은 박리로부터 혈전을 구분하는데 도움이 된다(그림 5-10 그리고 5-11).

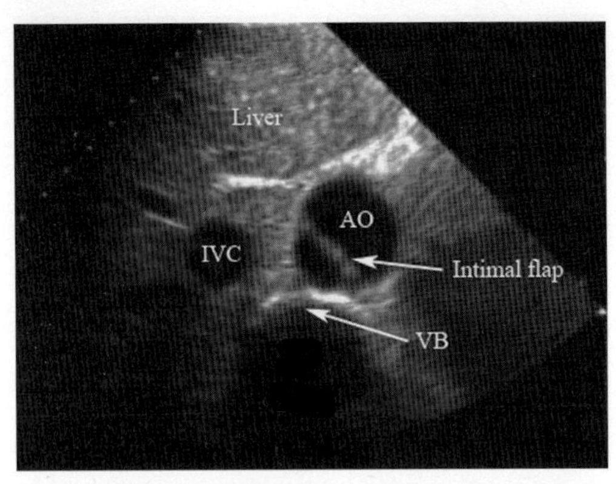


그림 5-10 피판을 동반한 복부 대동맥 박리의 가로면 영상. AO: 대동맥, IVC: 하대정맥, VB: 척추체.

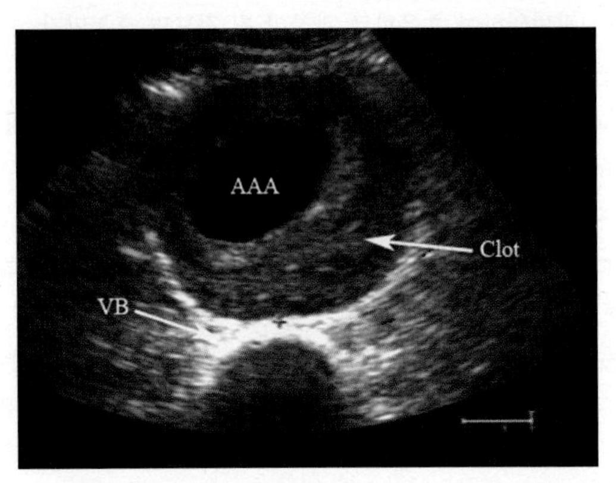


그림 5-11 큰 혈전을 동반한 복부 대동맥류의 가로면 영상. AAA: 복부 대동맥류, VB: 척추체.

## 흔히 저지르는 실수들

### 환자의 체형과 장내 가스

복부 대동맥을 영상화할 때 검사자가 처음으로 맞닥뜨리게 되는 방해물은 비만과 장내 가스이다. 이 두 요인 때문에 많게는 5%의 환자에서 적절한 영상을 얻지 못한다. 비만 환자에서는 적절한 탐촉자와 주파수를 설정(투과성이 좋은 저주파수의 곡면형 탐색자)하고 영상을 명료하게 해주는 조직 배음을 이용하는 것이 좋다. 장내 가스는 탐색자로 복부에 확실하게 압력을 가하거나 환자를 좌측와위를 취하게 함으로써 옆으로 걷어낼 수 있다.

## 대동맥이 적절하게 확인되지 않는 경우

만약 지표가 불명확하다면 대동맥 확인이 불가능할 수도 있다. 지표들은 적절한 심도의 횡단면 영상에서 가장 확실하게 나타난다. 척추체와 하대정맥은 횡단면 영상에서 확인되어야 하며, 이 영상이 화면의 3/4정도를 차지하도록 깊이(심도)를 조절한다.

하대정맥을 대동맥으로 오인할 수도 있다. 만약 대동맥 대신 하대정맥을 검사한다면 동맥류를 놓치게 될 것이다. 횡단면 영상에서 하대정맥과 비교하면서 대동맥을 확인하고 시야를 대동맥에 고정한 채로 시상면 영상으로 전환하여 이러한 실수를 피할 수 있다. 하대정맥은 대동맥보다 벽이 얇고, 간 정맥들과 합류하여 우심방으로 연결된다. 하대정맥도 박동성을 띄지만, 파동성의 정맥 박동과 호흡에 따른 다양성이 대동맥의 동맥성 박동과는 다르므로 단지 박동성의 존재만으로 하대정맥을 배제하거나 대동맥으로 판단해서는 안된다. 마른 환자에서는 하대정맥이 탐색자의 압력으로 눌릴 수도 있다.

## 부정확한 측정 방법들

내강과 혈관 벽이 검사에 포함되지 않는 경우 대동맥의 크기가 과소평가될 수 있다. 앞서 언급했듯이, 대동맥은 수직 방향에서 바깥 벽과 반대쪽의 바깥 벽까지 죽상경화(atherosclerosis)나 혈전을 포함하여 전반적으로 평가되어야 한다. 이렇게 폭넓게 대동맥을 측정한다면 검사의 민감도가 올라가 AAA를 놓치지 않게 된다. 혈관 축에 수직 방향이 아니라 경사면(oblique plane)으로 측정이 이루어지면 대동맥의 크기가 과대평가 될 수도 있다.

## 체액을 함유한 구조물을 대동맥으로 오인

체액이 있는 구조물들은 정상 또는 동맥류가 있는 대동맥으로 오인되기도 한다. 신장과 간 또는 췌장의 낭종이나 가성낭종(pseudocyst), 그리고 방광 및 담낭의 경우가 이에 해당한다. 이렇게 체액을 함유한 구조물들이 병적이고, 크기가 크며, 통증을 유발하거나 비정상적으로 위치해 있다면 더욱 문제가 될 수 있다. 여러 지표들을 이용하고, 체액을 함유한 구조물을 따라가 확인해 봄으로써 이런 실수들을 방지할 수 있다. 컬러-유량 도플러를 확인하면 대동맥에서는 색을 띄는 혈류가 보이고 다른 체액을 함유한 구조물들은 이 현상이 보이지 않으므로 감별에 도움이 된다.

## 기타

그 밖에 가능한 실수로는 대동맥을 하대정맥이나 다음과 같은 저에코성의 상황들로 오인하는 것이다; 대동맥 누출; 혈전을 동반한 대동맥류를 박리로; 대동맥을 불완전하게 확인하여 신장 위, 장골, 또는 소낭형 동맥류를 놓침. 두 단면으로 완전하게 대동맥을 영상화하는 방법과, 만약 영상화가 불완전하지만 임상적으로 대동맥류가 의심되는 경우에는 CT검사를 진행함으로써 이러한 실수를 방지할 수 있다.

## 임상진료에서 대동맥 현장진단 초음파의 활용

임상에서 설명되지 않는 저혈압 환자를 검사할 경우 대동맥 초음파검사를 꼭 실시하도록 한다. 또한 노인, 복통, 요통, 또는 옆구리 통증을 호소하는 AAA의 위험 요인을 가진 다른 환자들에서도 대동맥 초음파검사를 확인해야 한다. 초음파검사는 환자 도착 후 수분 이내에 다른 소생술(resuscitation)들과 더불어 동시에 시행할 수 있다. 초음파검사는 이러한 상황에서 증상의 다른 원인들을 빠르게 찾아내거나 협진을 가능하게 하여 동맥류를 의심하고 배제하는데 매우 신뢰성이 높다.

무증상이거나 안정적인 환자에서 동맥류를 초음파로 확인하였다면, 대동맥 병변의 범위를 상세히 기술하기 위해서 일반적으로 조영 증강 CT검사와 같은 확진 검사를 진행한다. 이러한 환자는 CT, MRI, 대동맥조영술, 또는 경식도 초음파검사와 같은 확진 검사를 받아야 한다. 만약 증상이 있는 환자의 초음파에서 동맥류가 관찰되고, 쇼크의 징후가 명백하다면, 다른 검사들 때문에 수술적 치료가 지체되어서는 안 된다. 앞서 설명한 임상 상황이 요약된, 안정/불안정적 환자에 대한 알고리즘이 그림 5-12에 나타나있다.

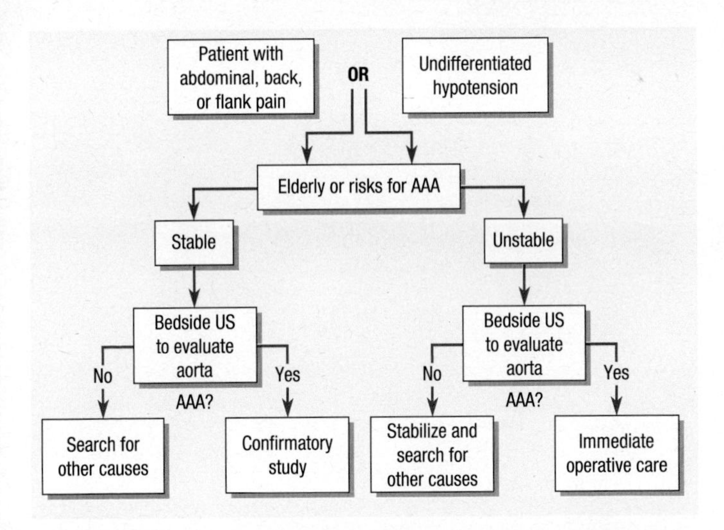


**그림 5-12** 복통, 요통, 또는 옆구리 통증을 호소하는 안정적이거나 불안정한 환자, 혹은 감별되지 않는 저혈압을 나타내는 환자에서의 초음파검사 알고리즘.

## | 추가로 읽을 자료 |

Costantino TG, Bruno EC, Handley N, et al. Accuracy of emergency medicine ultrasound in the evaluation of abdominal aortic aneurysm. *J Emerg Med.* 2005;29(4):455–460.

Fojtik J, Costantino TG, Dean AJ. The diagnosis of aortic dissection by emergency medicine. *J Emerg Med.* 2007;32(2):191–196.

Kuhn M, Bonnin RL, Davey MJ, et al. Emergency department ultrasound scanning for abdominal aortic aneurysm: accessible, accurate, and advantageous. *Ann of Emerg Med.* 2000;36(3):219–223.

Lederle FA, Johnson GR, Wilson SE, et al. Prevalence and associations of abdominal aortic aneurysm detected through screening. *Ann of Intern Med.* 1997;126(6):441–449.

Tayal V, Graf CD, Gibbs MA. Prospective study of accuracy and outcome of emergency ultrasound for abdominal aortic aneurysm over two years. *Acad Emerg.* 2003;10(8):867–887.

# 6 심장

## 배경지식 및 검사의 적응증

심초음파는 여러 종류의 초음파검사 중에서 완벽하게 숙달하기 가장 어려운 검사이다. 하지만, 임상의들은 목표지향적인 검사를 통해 의료현장에서 다음의 중요한 의문들을 빠르고 정확하게 진단하고 해결할 수 있다.

- 심장 펌프 기능은 어떠한가?
- 심장 주위에 심각한 양의 체액이 관찰되지는 않는가?

이러한 기본적인 평가 이외에도 중환자나 응급환자를 진료할 때 심장 초음파검사로 여러 가지 정보를 얻을 수 있다. 단, 검사자의 경험에 따른 신뢰성을 고려하여야 한다. 이러한 한계를 이해하고, 가능하다면 자문의의 의견을 구하는 협진도 필요하다.

심장 초음파는 심낭삼출이 의심되는 경우를 비롯하여 흉통, 호흡곤란, 빠른맥, 저혈압, 또는 실신을 보이는 환자들에게 적용할 수 있고, 흉부 관통상에서도 매우 유용하다. 또한 심정지 또는 심정지가 임박한 상황에서도 무수축 전기활성(pulseless electrical activity, PEA)의 가역적인 원인들을 빠르게 파악하는데 도움이 될 수 있다. 흉부 X선 검사에서 심장 비대 소견은 심부전이나 심낭삼출을 의미하기 때문에 이는 현장에서 바로 심초음파를 시행할 적응증이 된다. 이 두 질환은 일반적인 진찰을 통해서는 감별하기 어렵지만 심초음파를 이용하면 쉽게 진단이 가능하여 적절한 치료를 할 수 있다.

환자 치료에 해답을 줄 수 있는 여러 종류의 목표지향적인 검사들이 있고, 심초음파는 이런 검사 알고리즘에 쉽게 이용될 수 있다. 초음파 외상 집중 평가(focused assessment by sonography for trauma, FAST) 검사의 개념은 심초음파뿐만 아니라 복막강, 골반, 늑막강의 목표지향적인 검사들을 포괄한다. 설명되지 않는 저혈압(25장)과 호흡곤란(26장)에서도 현장진단 심초음파검사는 진단적 알고리즘에 포함되어야 한다.

이번 단원은 현장 진단 검사로 손쉽게 시행될 수 있는 경흉부 초음파

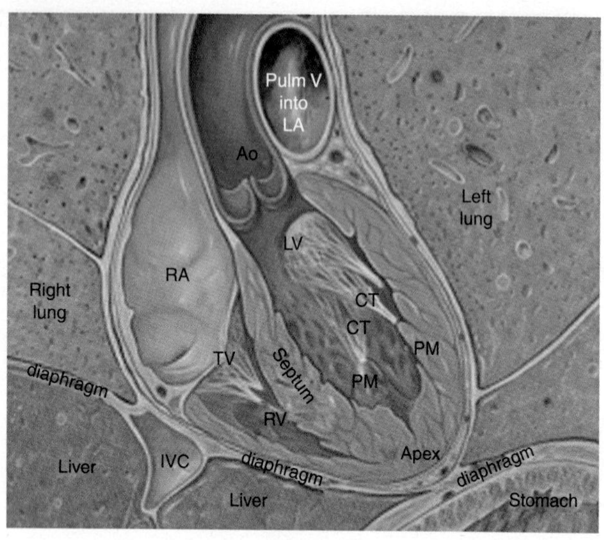


**그림 6-1** 심장 해부도, 관상면. 하대정맥(IVC)은 간의 뒤쪽을 통해 우심방(RA)으로 주행한다. 혈액은 삼첨판(TV)을 통해 우심실(RV)로 진입된다. 폐동맥판(그림에는 없음)을 통과하고 우심실을 나와 폐로 순환된 혈액은 폐정맥(pulm V.)을 통해 심장의 좌심방(LA)로 다시 돌아온다. 혈액은 힘줄끈(CT)에 의해 유두근(PM)에 부착되어 있는 승모판을 통과하여 좌심실(LV)로 들어간다. 전신 순환으로 진입하기 위해서 혈액은 대동맥(Ao)을 통과하여 좌심실을 빠져나간다. 기저부가 판막과 심방을 포함하고 있는 반면에, 심첨부는 좌측 엉덩이를 향해 있다(Patrick J. Lynch, medical illustrator; C. Carl Jaffe, MD, cardiologist.).

(transthoracic echo, TTE)에 초점이 맞춰져 있다. 해부학적, 병리학적 개념이 같은 경식도 초음파(transesophageal echo, TEE)는 기관삽관이 이루어진 중환자를 대상으로 더욱 좋은 영상과 진단적 민감도를 검사자에게 제공할 수 있는 장점이 있지만, 침습적이고, 기술적으로도 어려우면서, 특수한 장비가 필요하고, 진정과 기도관리에 신경을 써야 하는 단점이 있다.

## 일반적인 초음파 해부학

심장은 기저부(base)와 첨부(apex)로 이루어진 원뿔 모양이다(그림 6-1, 6-2a 그리고 b). 기저부는 판막과 심방을 포함하고 있으며, 오른쪽 어깨를 향하면서 뒤쪽에 자리잡고 있다. 첨부는 심실이 있는 곳으로, 왼쪽 엉덩이를 향하면서 비스듬하게, 앞쪽에 위치하고 있다. 그러므로, 오른쪽 어깨로부터 왼쪽 엉덩이를 향하는 선이나 단면이 심장의 '장축'이 된다.

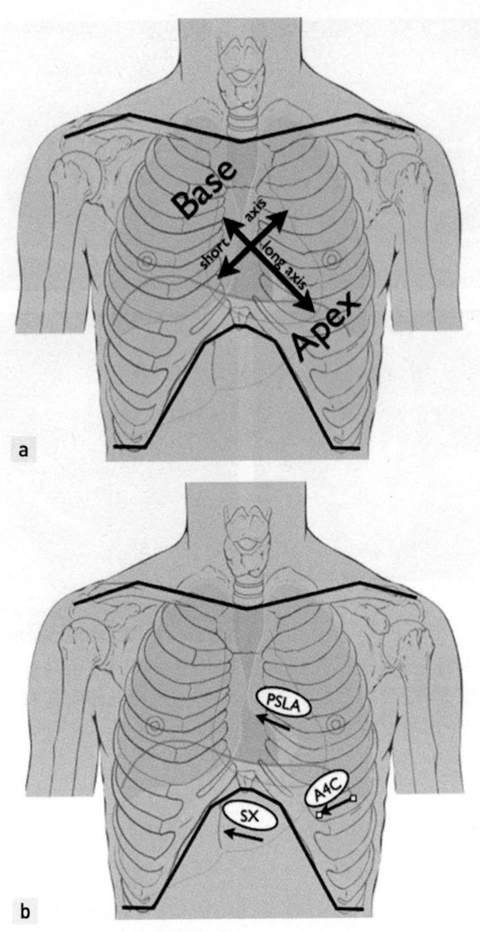


**그림 6-2** 흉곽에서의 탐색자 위치. 화살표는 응급/중환자의학에서 일반적으로 사용하는 표지자 방향인 왼쪽을 가리키고 있다. **(a)** 장축은 기저부에서 심첨부로 진행한다(오른쪽 어깨에서 왼쪽 엉덩이로). 단축은 그것과 수직이다(왼쪽 어깨에서 오른쪽 엉덩이로). **(b)** 흉골연장축(PSLA)도는 세 번째 갈비뼈 사이 공간에서 확인된다. (심장 전문의가 사용하는 흉골연장축도 영상을 얻기 위해서는 표지자를 180도(4시방향) 회전 시킨다: 흉골연단축도(PSSA)는 반시계 방향으로 90도 회전하여 얻을 수 있다. 간을 시양창으로 얻을 수 있는 검상하(SX)도. 첨부에서의 심첨4방(A4C)도(Patrick J. Lynch, medical illustrator; C. Carl Jaffe, MD, cardiologist.).

장축으로부터 수직 방향이 되는, 즉 왼쪽 어깨로부터 오른쪽 엉덩이를 향하는 선이나 단면이 '단축'이 된다. 기하학적인 구조를 생각해봤을 때, 초음파의 단면이 원뿔의 축을 통과하면 삼각형의 결과물(장축영상(long-axis view))(그림 6-3a)이 만들어지고, 이 축의 수직방향을 통과하게 되

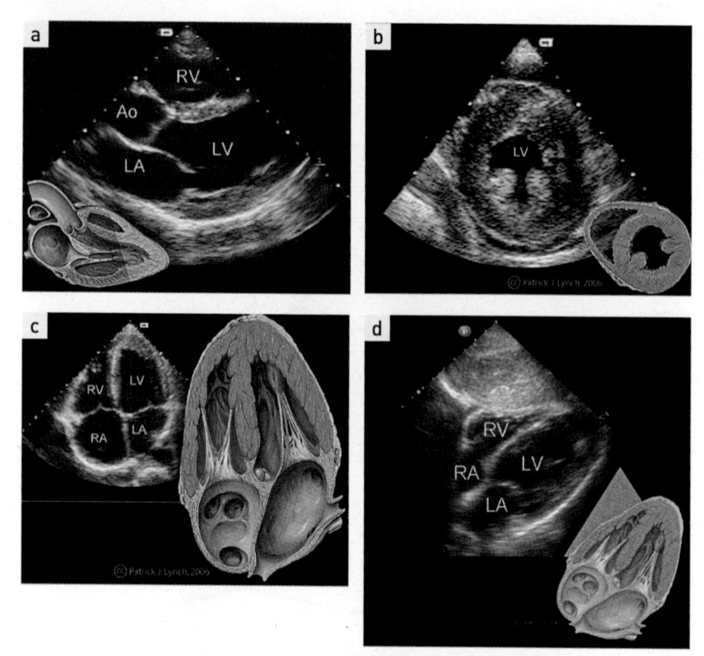


**그림 6-3** 기본적인 심장 단면 영상. **(a)** 흉골연장축도(PSLA)를 보여준다. **(b)** 흉골연단축도(PSSA)를 보여준다, 유두근을 주목하라. **(c)** 심첨4방도(A4C)를 보여준다. **(d)** 검상하도(SX)를 보여준다. (Patrick J. Lynch, medical illustrator; C. Carl Jaffe, MD, cardiologist.)

면 원형의 결과물(단축영상(short–axis view) 또는 심장의 '도넛' 모양(그림 6–3b)이 만들어진다.

혈액은 하대정맥(inferior vena cava, IVC)으로부터 우심방으로 들어가고, 이후 삼첨판(tricuspid valve)을 통해 우심실(right ventricle, RV)로 들어간다. RV는 다른 심장 구조물들보다 앞쪽에 위치(창상이나 총상이 가장 빈발)하고, 또한 간에 인접하여 관찰될 수 있다. 간정맥(hepatic vein)은 간 내부에서 확인이 가능하고, IVC를 거쳐 최종적으로는 심장까지 이어진다. RV는 압력이 낮고 유순도(compliance)가 높은 원뿔 형태의 방(chamber)으로, 근육질의 좌심실(left ventricle, LV)을 둘러 싸는 초승달 모양이다.

혈액은 폐정맥(TTE에서는 보기 힘듦)으로부터 좌심방(left atrium, LA)으로 흘러간다. LA는 심장에서 가장 뒤쪽에 있는 구조물이고 식도의 바로 앞쪽에 위치하며, 이는 TEE로 확인할 수 있다. 승모판(mitral valve)은 전엽(anterior leaflet)과 후엽(posterior leaflet)을 가지며 힘줄끈(chordae tendinae)을 통해 두 개의 유두근(papillary muscle)에 부착되어 있다. 유두근은 심장 초음파에서 두드러지게 보일 수 있기 때문에 혈전으로 착각해서는 안 된다.

혈액은 심장의 중심부에, 우심방보다 위쪽에 위치한 대동맥판(aortic valve)의 세 가지 첨판(cusp)을 통과하여 LV 바깥으로 이동하게 된다. 대동맥 뿌리(aortic root)는 흉골연(parasternal) 영상에서 가장 잘 보인다. 흉골상부(suprasternal) 영상을 얻을 수 없는 경우, 흉골연 영상에서 시야를 하방으로 기울여 심장과 흉추 사이에 있는 하행대동맥(descending aorta)을 관찰할 수 있다.

## 탐색자 선택과 기술적 고려사항

심초음파 영상은 다른 검사들보다 기계의 성능과 탐색자의 선택/구성에 크게 좌우된다. 곡면 탐색자(curvilinear probe)로 기본적인 심장 영상(예를 들어 심정지 상황이나 FAST 검사 시 심장 움직임이나 다량의 심낭삼출을 확인하고자 할 때)을 얻을 수 있는 반면에, 위상-배열탐색자(phased-array probe, 일반적인 echo probe)를 사용하면 좀 더 양질의 영상을 확보할 수 있다. 이 탐색자는 표면의 크기가 작은데, 일반적으로 신체에 닿는 부분이 납작한 정사각형 모양이고 주파수는 2에서 5 MHz 정도이다. 빔은 전기적으로 조향되고, 화면의 맨 위 지점부터 영상이 생성된다. 이러한 좁은 시작점 덕분에 영상을 갈비뼈 사이에서 더욱 쉽게 얻을 수 있게 된다. 광대역 영상과 조직배음(tissue harmonics)을 사용하면 영상의 질을 향상시킬 수 있다.

더욱 높은 동적구역(dynamic range(심장 내막을 확인하기 위해 높은 대비도가 제공됨)), 그리고 적절한 지속성과 화면 전환율(frame rate(높은 화면 발생률은 움직이는 구조물을 보는데 중요함))을 얻을 수 있도록 심장 설정(cardiac setting)을 조절하는 것이 중요하다.

오랜 관습 때문에, 심장 전문의들은 일반적인 복부 및 산과적 검사의 표지자 방향과는 반대의 표지자 방향을 사용한다. 즉, 심장 프리셋(cardiac preset)을 선택하면 표지자(indicator)가 보통 화면의 오른쪽으로 바뀌어 나타나는 것(일반적인 초음파에서 화면의 왼쪽에서 보이는 것과는 달리)을 의미한다. 표지자의 방향은 보통 화면에서 기계의 로고나 점으로 표시되고, 탐색자 위에 겔을 도포하여 표지자 쪽을 확인할 수 있다. 이 단원에서는 표시자의 일관성을 위해 심초음파검사에서도 표시자를 화면의 왼쪽에 놓고 설명한다.

앞서 말한 것처럼, 서로 다른 규칙들 때문에 심장 전문의들이 시행하는 심초음파검사법과 앞으로 이 장에서 설명할 심초음파검사법 사이에는 혼란이 발생할 수 있다. 표지자/화면 방향이 반대인 것 이외에도, 단면 영상(view)을 얻는 표지자의 방향도 반대로 설정된다. 저자들이 강조하는 세 가지의 일차적 시야창(window)[흉골연, 검상하/늑골하(subxiphoid/subcostal), 그리고 심첨(apical)]들 중에서 심장 전문의들이 시행하는 흉골연장축도 및 단축도(parasternal long-axis (PSLA) and short-axis (PSSA) view)는 이 단원에서 화면상에 '역전'되어 나타난다; 즉, 심 초음파의 흉골연장축도에서 심장의 첨부는 실제로 보이듯이 화면의 오른쪽에서 확인된다.

이런 설정이 불편하면 심초음파 프리셋으로 변경하여 처음부터 표지자가 화면 오른쪽에 표시되도록 한 후 검사할 수 있다. 단, 다른 부위의 현장진단 초음파검사와 프리셋을 일치시키고, 손과 눈의 조화(hand-eye coordination)를 만들어내기 위해서 이 책에서는 심초음파검사도 일반초음파 프리셋으로 시행하기를 추천한다. 흉골연장축도에서 표지자를 환자의 오른쪽 어깨 쪽으로 향하게 하는 것은 다른 현장 진단 초음파의 방향성과 심초음파검사가 일치되어 혼란이 적을 것이다. 하지만 심장 전문의가 사용하는 영상이 필요할 때에는 반대로 흉골연장축도에서 표지자가 환자의 왼쪽 엉덩이를 향하게 될 수도 있다. 표지자가 장축에 대해 4시 방향을 가리키는 것이다. 동일한 구조물들이 어느 쪽이든 영상에 나타날 것이다(추가로 읽을거리에서 응급 심장 초음파 표지자와 검사규칙에 대한 현안들을 참고).

## 검사에 대한 부가적인 정보 및 프로토콜

TTE에서는 세 가지의 기본적인 시야 창이 있다. 여기에는 흉골연(장축과 단축)도, 심첨 4방(apical four chamber (A4C) view)도, 검상하/늑골하(4방(four chamber)와 시상(sagittal))도가 포함된다.

탐색자의 신체 위에서의 위치는 그림 6-2a와 b(표지자의 방향에 따라서) 및 그림 6-3(결과 영상)에 표시되어 있다.

### 흉골연(장축과 단축)도

흉골연장축도(EM/CC 방향)는 표지자를 오른쪽 어깨를 향하게 한 상태

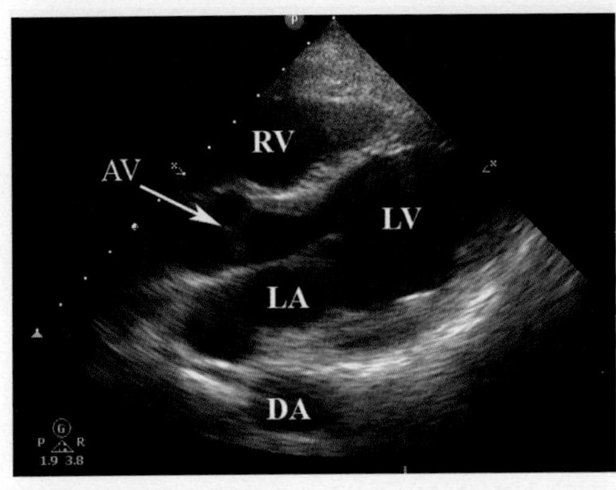


**그림 6-4** 정상 흉골연장축(PSLA)도. RV : 우심실, LV : 좌심실, LA : 좌심방, AV : 대동맥판, DA : 하행 대동맥.

로 흉골 왼쪽의 셋째 또는 넷째 갈비사이공간(intercostal space)에 탐색자를 위치시켜 얻을 수 있다. 연필을 쥐듯이 탐색자를 쥐고서 엄지손가락을 표지자 위에 올려놓는다. RV(앞쪽으로), LA, 승모판, LV(cavity), LV 유출로(outflow tract)와 하행 대동맥을 관찰하여야 한다(그림 6-3a와 6-4 참고). 흉골연 단면도를 얻을 때에는 가능하다면 환자가 날숨을 쉬게 하고, 왼쪽으로 돌아눕게 하는 것이 도움이 된다. 흉골연장축도는 LA, LV, 대동맥 유출로를 평가하는데 좋은 단면도이며 가장 안정적으로 얻을 수 있는 시야 창이다.

흉골연단축도(parasternal short axis (PSSA) view)는 탐촉자를 반시계 방향으로 90도 회전시켜서 표지자가 오른쪽 엉덩이를 향하게 하여 얻을 수 있다(그림 6-3b와 6-5 참고). 초음파 단면은 흉골연단축도의 주된 네 가지 높이로 심첨부에서 기저부까지 기울일 수 있다: 심첨부 높이, LV 유두근 높이, 승모판 높이(이 단면도에서 승모판은 '물고기입' 모양을 하고 있음), 대동맥판 높이(심장의 중심에서 세 개의 대동맥 첨판이 'Mercedes' 표시로 보임). 흉골연단축도는 LV의 수축 능력을 확인하는데 아주 우수하다.

## 심첨4방도

심첨4방도는 세 가지의 기본 시야창들 중에서 연속하여 영상을 얻기가 가장 어렵다. 하지만, 심첨4방도를 정확하게 얻을 수만 있다면 삼첨판, 승모판과 네 개 심방심실(chamber) 모두에 대한 좋은 정보들을 얻을 수

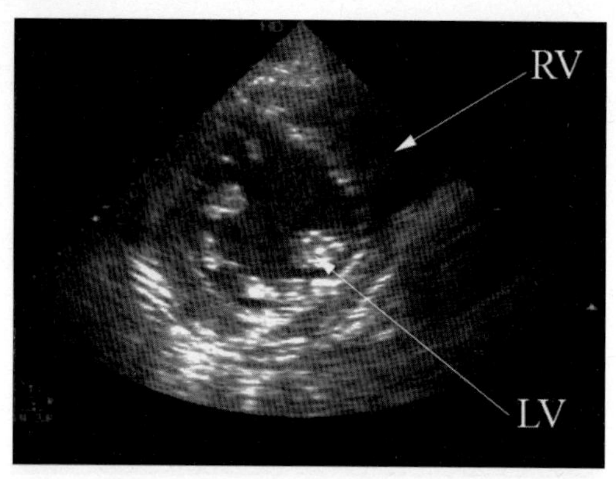


**그림 6-5** 유두근 높이에서의 정상 흉골연 단축(PSSA)도. RV : 우심실, LV : 좌심실.

있다. 이 단면도를 얻을 때에는 환자를 왼쪽으로 돌아눕혀서 심장을 흉벽쪽으로 가게 하는 것이 도움이 된다. 표지자가 오른쪽/천장 방향을 향하게 한 채로 탐색자를 환자 유두의 바로 아래 또는 바깥쪽(여성의 경우 유방의 아래)에 올려 놓는다. 탐색자의 단면은 갈비뼈들 사이에 가슴 속으로의 방향과 직각이 이루어져야 한다. 정확한 영상을 확보하면 심실들이 합쳐지는 심첨부가 화면의 위 부분에, 심실중격(interventricular septum)이 화면 중간에 수직으로 떨어지고, 심방은 아래 부분에 나타나야 한다(그림 6-3c와 6-6 참고). 흔히, 탐색자가 너무 안쪽에 놓이게 되면 중격이 화면에서 기울여져 보이게 된다. 가능하면, 정확하게 심첨4방도를 얻고자 할 때 탐색자는 바깥쪽으로 이동하여야 한다. 심첨4방도는 상대적인 방의 크기를 확인할 때, 그리고 LV의 기능을 평가할 때에 탁월하다.

## 검상하/늑골하(4방)도(SUBXIPHOID/SUBCOSTAL (FOUR CHAMBER))

검상하 또는 늑골하단면도는 표지자에 엄지손가락을 올려 놓은 상태로 이를 환자의 오른쪽으로 향하게 하여 얻게 된다. 심장과 왼쪽 가슴 안으로 탐색자를 기울이면서 약간 오른쪽으로 이동시키면, 간(liver)이 시야창을 확보하는데 도움이 된다. 간정맥과 IVC은 우심방으로 연결되어야 한다. 이 시야창(window)의 질 높은 영상은 탐색자를 갈비뼈의 아래 경계에서 확실하게 위아래로 누름으로서, 그리고 환자가 가능하다면 숨을 크게 들이마신 상태에서 검사하여 얻을 수 있다. 검상하/늑골하4방도에는 우심방, 삼첨판, RV(간에 인접하여), LA, 승모판, 그리고 LV가 나타난다(그림 6-3d와 6-7 참고). 이런 검상하/늑골하 단면도는 탐색자와 가장

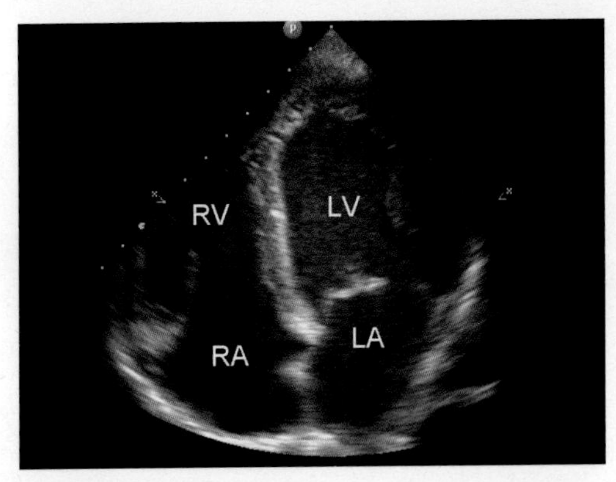


**그림 6-6** 정상 심첨4방(A4C)도. RV : 우심실, LV : 좌심실, RA : 우심방, LA : 좌심방.

가까운 심막의 맨 아래쪽을 영상화하기 때문에 심막액을 감지하는데 선호된다.

검상하/늑골하4방도는 표지자를 환자의 머리 쪽을 향하게 돌림으로써 검상하/늑골하 시상도(sagittal view)로 전환될 수 있다. 심장으로 연결되는 경로를 따라 IVC가 보여야 한다. 이것은 IVC를 시각화하여 환자의 체액 상태(fluid status)를 평가하는데 선호되는 방법(8장)이면서, 심낭의 가장 아래 부분을 효과적으로 보여주기도 한다.

심장의 완전한 영상을 확보하기 위해 가능한 세 가지 시야창을 모두 이용하여야 한다. 하지만, 일부 환자들에게서는 특정 시야창이 다른 것들보다 좋을 수도 있고, 때때로 특정 시야창을 얻을 수 없을 때도 있다. 예를 들어, 만성폐쇄성폐질환(chronic obstructive pulmonary disease, COPD) 환자는 과도하게 확장된 폐가 흔히 심장을 복부 쪽으로 밀어서, 이때에는 검상하 시야창이 우수할 수 있지만 흉골연 단면도에서는 제한이 따르게 된다. 비만이나 복통 시에는 정반대의 상황이 만들어지기도 한다. 세 가지 시향창을 모두 확보하지 못하는 경우는 거의 없다. 몇몇의 환자들에서는 세 가지 시야 창은 아니지만 '하 흉골연/고 검상하/내측 첨부 시야창(low parasternal/high subxiphoid/medial apical window)'처럼 복합적인 시야창으로 검사자가 필요한 정보를 얻을 수 있다.

체액 상태 확인을 위한 IVC의 평가(8장에서 다룸)는 심장검사에서 중요한 부가적인 검사이다.

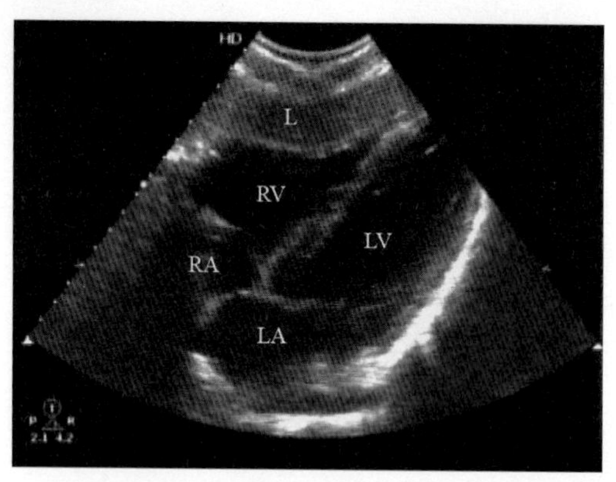


그림 6-7 정상 검상하(SX)도. RV : 우심실, LV : 좌심실, RA : 우심방, LA : 좌심방, L: 간.

## 초음파검사에서의 이상 소견

현장 진단초음파검사를 할 때, 세 가지 기본적인 질문에 대한 해답을 얻어야 한다:

- 심각한 심낭 삼출이 있는가?
- LV가 잘 기능하는가?
- 심장 우측에 부하(right-sided strain)가 걸리는 소견이 있는가?

이것을 가리켜 'EEE' 접근법이라 지칭하기도 한다: 삼출(effusion), 박출(ejection (LV의 기능)), 그리고 동등성(equality (RV<LV)).

### 삼출

정상적인 심장은 심낭(pericardium)과 심내막(endocardium) 사이에 심장 박동 시 윤활액 역할을 하는 10 cc가량의 장액성 체액을 가지고 있다. 악성종양, 요독증, 외상, 그리고 다른 원인들로 인해 심장 주위 공간에 액체(심낭삼출)가 형성될 수 있다. 심낭 삼출은 심장 외부에서 압박을 가해서 심장안으로 혈액이 채워지는 것을 방해하여 심혈관계 허탈(심낭탐폰(tamponade))을 유발한다. 신체가 삼출에 견딜 수 있는 능력은 삼출이 생기는 속도에 달려 있다. 창상의 경우 소량의 심낭액 때문에 급성 심낭탐폰이 발생할 수 있는 반면에 악성종양에 의한 삼출은 오랜 기간에 걸쳐서 심각할 정도로 커질 수 있다.

삼출은 보통 심낭의 아래(inferior pericardium)쪽에 고이게 된다. 삼출

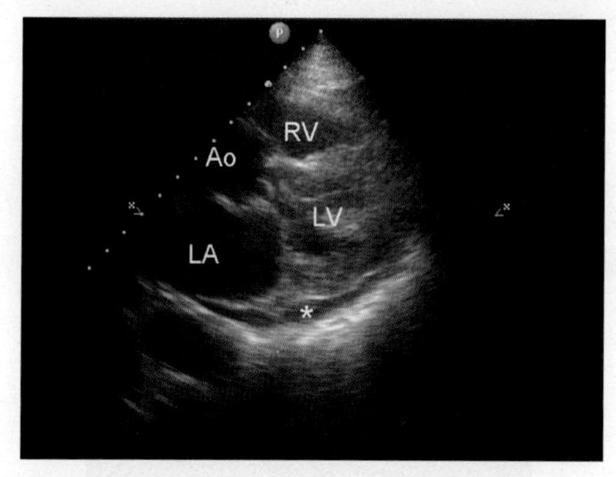


**그림 6-8** 흉골연장축도에서 확인되는 소량의 심낭 삼출(*).

의 위치가 국한되어 나타나는 경우도 있기는 하지만, 다량의 삼출은 심장을 둘러싸는 경향이 있다. 삼출은 보통 심낭과 심실벽 사이에 검은 줄무늬로 나타난다(그림 6-8). 삼출의 양이 무시될 수 있을 정도로 적을 때에는 초음파상에 작은 주머니 모양의 검은 액체의 형태로 확인되기도 한다. 삼출의 크기에 등급을 매기는 여러 가지 방법들이 있는데, 삼출의 크기를 평가하는 것은 약간 주관적이다. 대부분, 심막액으로 찬 최대 주머니의 크기는 이완기 때에 다음과 같이 분류된다:

- 소량(small): <1 cm
- 중등증(moderate): 1~2 cm
- 다량(large): >2 cm

필자의 병원(Yale−New Haven Hospital Emergency Department)에서는 삼출을 '심각하지 않은 삼출(no significant effusion)'± (미량의 삼출 포함), '소량의 삼출(small effusion)'± (<1 cm), 또는 '중등도에서 다량의 삼출(moderate−to−large effusion)'± (>1 cm)로 분류한다.

삼출은 아래쪽에 모이기 때문에, 검상하/늑골하 단면도가 삼출에 대해서 가장 민감도와 특이도가 높다. 이 단면도에서는 RV 벽면과 심막(보통 간 주위에 인접하여) 사이에 검은 줄무늬로 삼출이 보이게 될 것이다. 이는 검상하/늑골하 4방 또는 시상 시야창에서 관찰된다. 흉골연 단면도에서, 삼출은 LV 벽(심막 아래쪽) 뒤에 검은 줄무늬로 보이게 된다. 흉골연 단면도에서 앞쪽에서만 보이는 삼출을 과대 평가할 수 있으므로 주의하자(그림 6−9와 오류, 아래쪽). 심첨4방도에서는 삼출은 심장을 둘러 싸

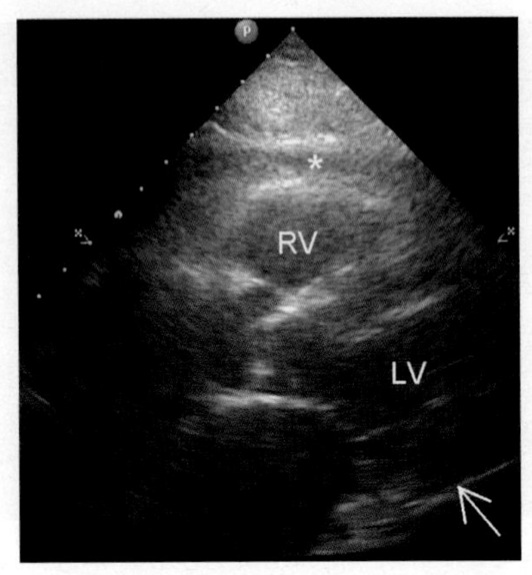


**그림 6-9** 지방 패드가 동반된 흉골연장축도. 저에코성(어두운)의 공간(*)이 존재하지만, 이는 완벽하게 무-에코성인 것은 아니다. 좌심실(LV)과 뒤쪽 심외막(화살표)사이에 삼출은 관찰되지 않는다. 영상이 움직이면, 앞쪽의 저에코성 영역은 이완기 때 거의 사라진다.

는 형태로 보인다.

심낭탐폰은 임상적 진단으로 삼출로 인해 혈역학적 허탈이 있을 때를 말한다. 심낭탐폰은 우측 심장으로 혈액이 채워지는 것을 방해한다. 심낭탐폰을 진단할 때 현장 진단 초음파가 가능하다면 Beck의 삼징(Beck's triad [저혈압, 경정맥 확장(JVD), 그리고 '작은' 심음]의 임상적 의미는 없어지게 된다. 심낭탐폰을 시사하는 초음파적 소견은 이완기 동안 우심방과 우심실이 눌리는 우측 심장의 허탈이다(그림 6-10). 심실이나 심방이 수축하는 것을 이완기 허탈로 잘못 해석하지 않도록 주의한다. 또한 IVC가 허탈되지 않고 꽉 차 있는 것처럼 보이는 것은 정맥혈이 심장으로 환류되지 못하고 있음을 의미한다(JVD와 초음파적으로 같은 의미). PW 도플러에서 호흡에 따라 승모판 진입 혈류 속도의 변화량을 확인하는 것은 심낭탐폰을 진단하는 고급 기술이다(기이맥(pulsus paradoxus)과 초음파적으로 같은 의미).

심낭탐폰으로 진단되었거나 심낭탐폰이 임박했을 때의 첫 번째 치료는 정맥으로 수액을 주입하여 전부하(preload)를 높이는 것이다. 이 방법으로 혈역학적 문제가 해결되지 않는 경우에는 심막천자(pericardiocentesis)를 응급으로 시행할 수 있다. 초음파 유도로 심막천자를 실시한다. 바늘을 진입시키는 방법은 늑골하 또는 흉골연 접근 중 한 가지가 될 수 있겠고, 동적 또는 정적 초음파 감시를 이용할 수 있다. 어느 경우든, 보통 피부에서

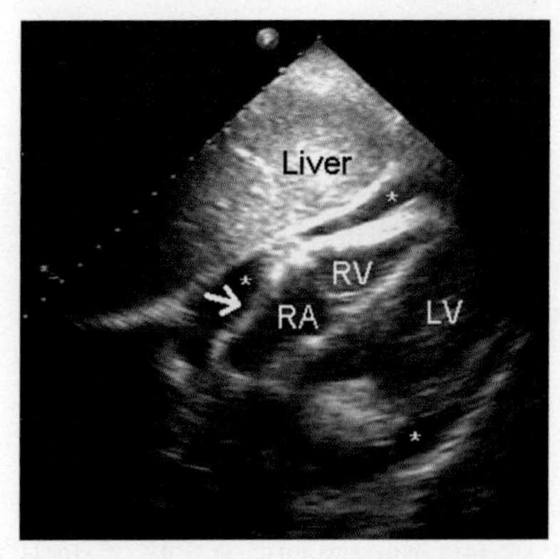


**그림 6-10** 심낭탐폰 때의 검상하도. 심낭 삼출이 주변부(*)로 확인 되며 화살표가 우심방(RA)이 허탈되어 있음을 보여준다(가리비 모양 'scalloping').

가장 가깝게 삼출이 모여있는 곳을 초음파로  확인하고, 천자 위치와 바늘 각도를 결정한다. 시술 시에는 가능하다면 적절한 크기의 도관(catheter)이 포함된 심막천자용 '도구세트(kit)'와 셀딩거방법(Seldinger technique)을 이용한다.

## 좌삼실 기능

심장 초음파는 수십 년 동안 심장 기능의 중요한 척도인 심박출율(ejection fraction, EF)을 비침습적으로 평가하는데 이용되었다. EF는 55% 이상을 정상으로 정의하고, 진단, 예후 및 치료에 대한 정보를 제공한다. 심초음파로 EF를 결정하는 여러 알고리즘들이 있기는 하지만, 대부분의 경우는 경험이 풍부한 검사자에 의한 시각적 계측이 여러 알고리즘들과 동등하거나 오히려 더 나을 수 있다. 목표 지향적 훈련을 거친 검사자도 정확하게 심장의 수축 기능을 분류할 수 있다. 필자는 기능을 '정상'(EF >50%), '경도에서 중등도로 저하'(EF 30~50%), 또는 '심각한 저하'(EF <30%)로 나누기를 추천한다. 때때로 LV는 심실 내부를 거의 완전히 비워내는 과역동(hyperdynamic) 상태일 수도 있는데, 이것을 빠른맥(EF는 정상이지만 심박수가 빠른)과 혼동되어서는 안된다. 과역동상태의 심장은 탈수나 패혈증 때 나타날 수 있고 수액을 이용한 치료가 필요함을 의미한다.

LV의 기능을 정확하게 확인하기 위해서 되도록 세 가지 기본 시야창과 단면 모두에서 심장을 평가해야 한다. 부분적인 벽-움직임이상(wall-motion abnormality)이 있는 경우, 한 단면도만으로 좌심실 기능을 평가하는 것은 부정확할 수 있기 때문이다.

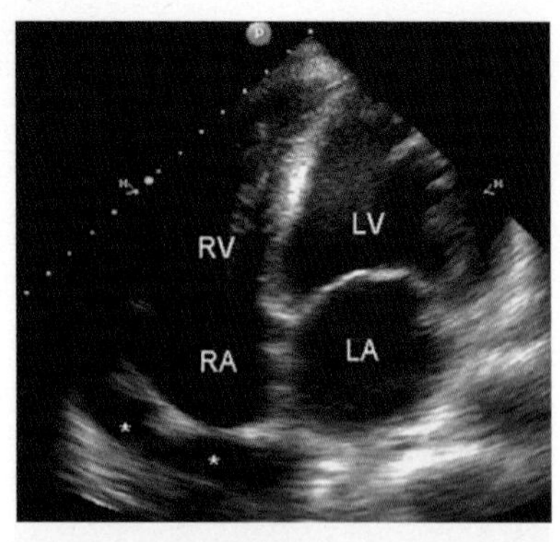


**그림 6-11** 확장성 심근병증 때의 심첨4방도. 움직이는 영상에서 저하된 좌심실(LV) 기능을 보여준다. 측면에 센티미터 표시를 주목. LV (> 5.2 cm) 그리고 좌심방 (LA, > 4.0 cm)이 확장되어 있다. 울혈성 심부전에 의한 우측 흉막 삼출(*)을 주목. RV : 우심실, RA : 우심방.

LV의 기능을 분류할 때에, 검사자는 LV의 내막에 주의를 집중해야 한다. 조직 배음 영상은 이 경계를 확인하는데 매우 도움이 된다. 정상 심장은 심근이 대칭적인 두께로 수축해야 한다. 유두근 높이에서의 흉골연 단축도는 LV가 '도넛'모양으로 잘 보이고, 심장 둘레의 수축을 평가하는데 우수하다. 흉골연장축도나 심첨4방도에서 승모판의 움직임이 적은 것은 기능이 좋지 않음을 의미하는 반면, 승모판이 힘차게 움직이는 것은 기능이 양호함을 의미한다. LV의 전체적인 크기는 수축 기능 부전과 연관된다. LV의 내강은 흉골연장축도에서 장축에 수직 방향으로 측정되는데 이완기 때 최대 직경이 5.2 cm를, 그리고/또는 수축기 때 3.9 cm를 초과할 경우 심장 비대를 의미하게 된다(그림 6-11).

울혈성심부전(congestive heart failure, CHF) 환자에서 수축 기능이 정상인 경우도 흔하다. LV가 쉽게 이완되지 않는다면, 정상 심 박출율(수축 기능 정상)임에도 불구하고 혈액의 재충만이 제한되어 이완기능 부전에 의한 CHF가 발생할 수 있다. 이완기능부전을 평가하기 위해 승모판의 펄스 파형 검사와 승모판 고리의 조직 도플러 검사가 필요하다.

부분적인 LV 벽 움직임 이상(LV wall-motion abnormality)은 이전에 벽 움직임이 정상이었다면 급성허혈(ischemia)을 진단하는데 도움을 주지만, 만성적인 반흔 또는 각 차단(bundle branceh block)을 포함한 전도 이상이 있는 경우에도 관찰될 수 있음에 주의해야 한다. 부분적인 LV 벽 움직임 이상의 판단에는 검사자의 풍부한 경험이 필요하며, 미세한 벽 움직임의 이상 여부를 판단하는 것은 검사자들 사이에서도 다를 수 있다.

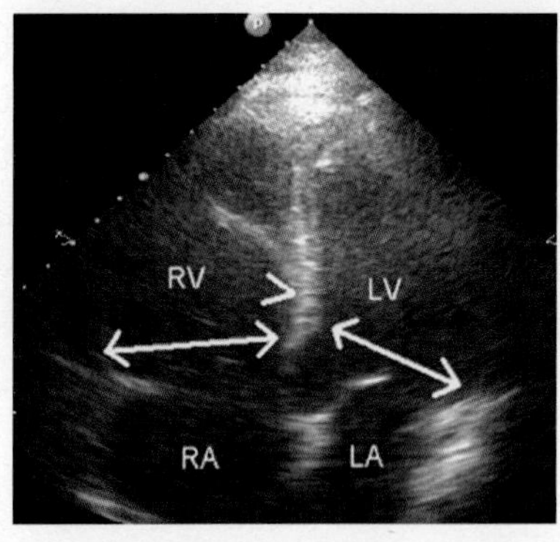


**그림 6-12** 우심실(RV) 이완기에서 심첨4방도. 확장기 때의 RV 크기는 판막 끝에 대해서 수직방향으로, 그리고 가로 질러서 측정했을 때 질적으로 그리고 양적으로 좌심실(LV)보다 크다. RV에서 LV(화살표 머리) 안으로 중격이 약간 휘어져 들어감에 주목. RA : 우심방, LA : 좌심방.

## 동등성(우 심실 긴장성(RV STRAIN))

RV 긴장성의 존재는 호흡곤란, 흉통 또는 저혈압 환자에서 진단 및 예후를 판단하는데 중요한 정보를 제공할 수 있다. 정상 심장에서, 이완기 때 판막의 끝 부분들 사이의 거리로 측정된 RV:LV의 비율은 0.6 미만 이어야 한다. 정상적으로 저압/고유순도를 나타내는 RV이지만, RV의 압력이 증가하게 되면 LV 쪽으로 확장하게 된다.

간편한 검사와 특이도를 최대로 높이기 위해서, 필자는 RV:LV의 비율이 질적으로 평가했을 때 1:1나 그 이상일 경우 RV의 긴장성이라 부르길 추천한다. 이는 심첨4방도에서 이완기 때에 삼첨판과 승모판의 끝 부분들 사이를 계측함로써 얻을수 있다(그림 6-12).

RV 압력 과부하의 다른 징후들에는 RV의 저운동성, 평평하거나 'D-모양'의 심실 중격, 그리고 심실 중격의 모순적 움직임(paradoxical septal motion)(예를 들어, 이완기 초기에 중격이 LV 안으로 활처럼 휘어짐)이 있다. RV 심첨부의 운동은 '보존(sparing)'된 반면, 다른 부위는 운동이 저하(hypokinesis)되는 '맥코넬 징후(McConnell's sign)'는 폐색전증(pulmonary embolism)으로 인한 급성 RV 긴장성의 특징적인 소견이다. 좀 더 고차원적으로 RV의 압력을 측정하는 기술은 연속 파형 도플러를 사용하여 삼첨판 역류(tricuspid regurgitation)(전형적으로 RV의 압력 과부하 시 존재)의 최고 속도(V)를 계측하는 것이다. 압력의 변화량은 $\Delta P = 4 \times V^2$로 정의되는 수정된 베르누이 공식(Bernoulli equation)을 사용하여 구할 수 있다. 삼첨판 역류속도가 3 m/s 이상(변화량이 36 mmHg 이상)이면 높아진 것이다.

RV의 긴장성은 급성일 수도 있고 만성일 수도 있다. 만성적인 RV 긴장성의 특징은 RV의 비대(RV 자유 벽>5 mm)와 과도하게 상승된 RV 압력이고, 주로 COPD, 수면무호흡증, 또는 폐 고혈압으로 인해 발생할 수 있다. 증상의 급격한 발생과 급성 RV 긴장성을 보이는 환자에서는 폐색전증을 의심해보아야 한다.

## 다른 소견들

흉부 대동맥 뿌리(thoracic aortic root)와 하행 흉부 대동맥의 크기 측정, 심방의 크기 측정, 그리고 좌심실비대(left ventricular hypertrophy, LVH) 유무와 같은 평가는 상당히 간단하게 시행할 수 있다.

흉부 대동맥 뿌리는 흉골연장축도에서 대동맥 판 바로 뒤쪽에서 가장 잘 보인다. 정상적인 대동맥 뿌리는 4.0 cm 미만이다. 대동맥 박리(arotic dissection) 진단에 민감하지는 않지만, 박리로 인한 대동맥 피판(aortic flap)이 관찰될 수도 있다(그림 6-13). 흉통과 함께 심낭 삼출이 있을 때에는 근위부 대동맥 박리를 감별하기 위해 즉각 검사를 시행해야 한다. 하행 흉부대동맥은 흉골연장축도에서도 확인이 가능하다. 일부의 환자들에서, 흉부 대동맥 궁(thoracic aortic arch)은 흉골상절흔도(suprasternal notch view)에서 탐색자를 흉골의 바로 위쪽에서 가슴 안쪽으로 기울임으로써 관찰된다. 경동맥은 아래로 대동맥궁으로 연결된다. 인접해 있는 상대정

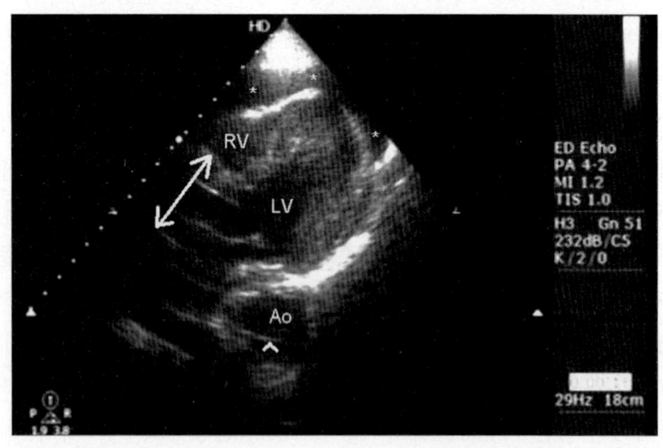


**그림 6-13** 심낭 삼출을 동반한 대동맥 박리 때의 흉골연장축도. 대동맥 뿌리는 확장되어 있다(화살표, >4.0 cm). 중등도에서 대량의 심낭 삼출이 보인다(*). 박리된 피판(화살표 머리)과 함께 하행 대동맥(Ao)이 뒤쪽에 보인다. 피판은 움직이는 영상에서 더욱 명확하다. RV : 우심실, LV : 좌심실.

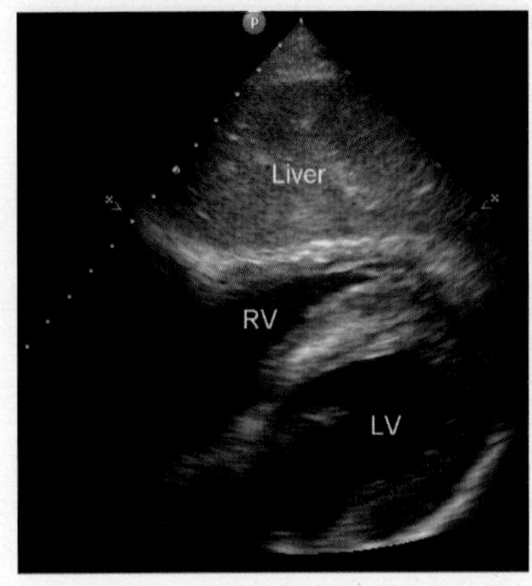


**그림 6-14** 좌심실 비대(LVH). 우심실(RV)과 좌심실(LV) 사이의 좌심실(LV) 중격과 LV 후벽이 둘 다 1.2 cm을 넘는다.

맥(superior vena cava)을 대동맥 피판으로 오인할 수 있으므로 주의하자.

LA는 또한 흉골연장축도와 심첨4방도에서 손쉽게 관찰된다. 직경이 4.0 cm를 넘을 때 LA의 확장을 의미한다(그림 6-11 확인).

LVH 진단에서 심초음파는 심전도보다 더욱 민감하고 특이적인 검사이다. 이완기 때에 LV 중격의 두께가 1.2 cm 이상이면 LVH가 있다는 것을 짐작할 수 있다(그림 6-14). 특히 젊은 남자에서 중격의 LVH가 실신과 함께 발견되면, 운동 시 치명적일 수 있는 특발성 비후성 대동맥 판하 협착(idiopathic hypertrophic subaortic stenosis, IHSS)을 의심해야 한다.

가끔씩 심방이나 심실 때로는 판막에 연결되는 종괴가 보일 수 있다. 이는 혈전, 종양(보통 점액종(myxoma)), 그리고 심내막염(endocarditis)에서의 증식(vegetation)과 감별이 필요하며, 심장 전문의에게 검사를 의뢰해야 한다. 허상(artifact)과 유두근이 심장 종괴로 오인될 수 있음에 주의해야 한다.

판막, 심박출량(cardiac output), 그리고 심내 압력의 평가가 필요할 수 있다. 검사자가 정확한 진단을 내리기 위해서는 이 책에서 다룰 범위는 아니지만 도플러의 사용법을 이해하고 있어야 한다.

## 흔히 저지르는 실수들

### 심낭삼출로 착각할 수 있는 지방조직

정상 체액이나 심낭/심외막 지방조직을 삼출로 착각하지 말아야 한다(그

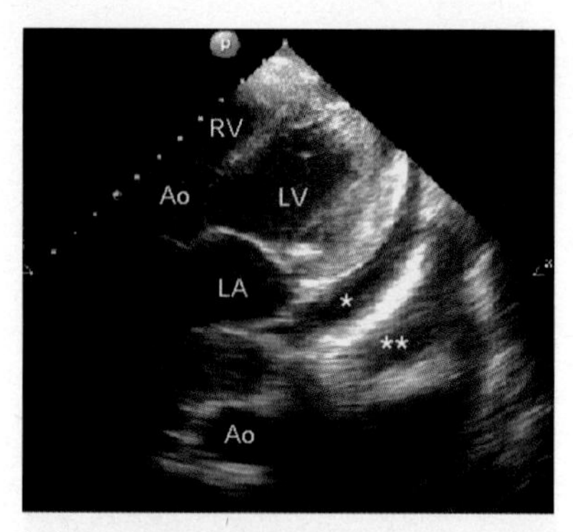


그림 6-15 심낭 및 흉막 삼출에서의 흉골연장축도. 심낭 삼출(*)은 고에코성의 심막에 의해 흉막 삼출(**)과 구분된다. 화면의 아래 부분에 하행 대동맥(Ao)을 주목. Note descending aorta (Ao) in lower part of the screen. RV : 우심실, LV : 좌심실, LA : 좌심방.

림 6-9). 초음파 기계가 발달함에 따라서 미량의 체액이나 지방 때문에 심장 주위에 저 에코성의 공간이 보이는 것은 흔한 일이다. 이것을 대량 심낭 삼출로 오인할 가능성은 낮고, 안정적인 환자에서는 심장전문의에게 심초음파검사를 의뢰하면 되지만, 불안정한 환자에서는 오진이 큰 문제가 될 수 있다. 특히, 불안정한 외상 환자에서 과대 평가된 심낭 삼출은 불필요한 시술을 초래할 수 있다. 보통 사망이 임박하게 되는 심장 파열을 제외하고, 둔상에서 삼출이 생기는 경우는 극히 드물다.

지방 조직은 저에코성으로 나타나지만 삼출과는 다르게 보통 약간의 에코발생도(echogenicity)도 보인다. 지방 패드나 미량의 삼출은 심장의 이완기 때에 보이지 않는다. 심낭이나 심 외막에서 지방패드가 보이는 가장 흔한 위치는 흉골연 단면도의 전면부이다. 삼출은 아래쪽이나 뒤쪽에 모이기 때문에, 만약 저에코성의 공간이 흉골연장축도의 앞쪽에서만 보인다면, 검사자는 그러한 소견을 심낭 삼출의 확실한 근거라고 섣불리 판단하지 말아야 한다. 가능하다면, 추가로 검상하 단면도를 확인해 보아야 한다.

## 흉수를 심낭 삼출로 오인

흉수(pleural effusion)를 심낭 삼출로 오인하지 않도록 주의해야 한다(그림 6-15). 특히 왼쪽 흉강에 다량의 흉수가 있는 경우에 이는 LV에 인접하여 보일 수 있기 때문이다. 흉골연장축도에서 가장 잘 보이는 하행 대동맥은 흉수를 심낭액과 감별하는데 도움이 될 수 있다. 흉수는 하행 대동맥을 따라 뒤쪽에 보이는 반면에, 심낭액은 LV와 하행 대동맥 사이에서 관찰된다. 흉수가 의심되면, 흉강을 평가하기 위해 옆구리의 관상 단면도를 확인해야 한다(7장 참고).

### 병변으로 착각할 수 있는 허상

허상은 심장 초음파검사에서 곁엽(side lobe)과 거울상의 형태로 흔히 보인다. 곁엽 허상(2장 참고)은 내강들 중 하나의 안쪽에 고에코성의 구역을 만들 수 있다. 이것은 경계가 불명확한 구역으로 혈전으로 오인해서는 안 된다. 거울상은 심낭과 같은 강한 반사체(reflector) 뒤에서 심장이나 판막의 움직임을 허구로 만들어낼 수 있다.

## 임상진단에서 심장초음파의 활용

심장 초음파는 독립적인 검사 방법으로 이용되기도 하고, 흉부 영상검사에서 일련의 검사들의 한 부분으로서 알고리즘 안에 포함될 수도 있다. 일반적으로 현장 진단 심초음파는 심각한 심낭 삼출의 확인뿐만 아니라, 흉통, 저혈압, 호흡곤란 또는 빈호흡과 같은 증상이 특히 악성종양과 같은 위험 요인들과 함께 동반된 경우에도 좋은 적응증이 된다. 심초음파는 심정지 상황에서 매우 가치가 있고, 심막천자와 심장 조율(cardiac pacing)과 같은 응급 심장 시술에도 도움이 될 수 있다.

FAST 검사는 외상 환자에서 복부, 골반, 흉부 영상뿐만 아니라 심초음파까지 포함하는 통합적 검사의 좋은 예이다(24장). 저혈압과 호흡곤란 시 심초음파의 유용성은 25장과 26장에서 기술하였다.

능숙한 검사자에게 있어서 심장 초음파는 매우 가치있는 도구이다. 하지만, 검사자는 현장진단 심장 초음파검사의 한계를 인식하여야 하며, 포괄적인 검사가 필요한 경우 심장 전문의에게 의뢰해야 한다.

| 추가로 읽을 자료 |

Kaplan A, Mayo PH. Echocardiography performed by the pulmonary/critical care medicine physician. *Chest*. 2009 Feb;135(2):529–535.

Kimura BJ, Bocchicchio M, Willis CL, et al. Screening cardiac ultrasonographicexamination in patients with suspected cardiac disease in the emergency department.*Am Heart J*. 2001 Aug;142(2):324–330.

Moore C. Current issues with emergency cardiac ultrasound probe and image conventions. *AcàdEmerg Med*. 2008; 15(3): 278–284.

Plummer D, Brunette D, Asinger R, et al. Emergency department echocardiography improves outcome in penetrating cardiac injury. *Ann Emerg Med*. 1992;21(6): 709–712.

The Yale Atlas of Echocardiography. http://www.yale.edu/imaging/echo_atlas/contents/index.html. Accessed December 31, 2010.

# 7 흉부

## 배경지식 및 검사의 적응증

흉부 초음파검사는 흉막, 폐 그리고 흉벽의 질환들을 검사하는데 유용하다. 흉부 초음파의 주요 장점은 현장진단이 손쉽다는 점, 방사선 노출이 없다는 점, 시술 중 실시간 유도(guide)가 가능하다는 점이다. 전통적으로 흉부 초음파검사는 흉수 평가에 국한되었으나, 최근 작고·간편한 기기들을 이용할 수 있게 되면서, 검사 영역이 확장되고 있다. 흉부 초음파는 흉수 진단뿐만 아니라 성상을 파악하는데 흉부 방사선검사보다 우월하며, 흉강 천자와 흉막 생검과 같은 침습적인 시술에도 필수적이다.

흉부 초음파검사는 응급실 및 중환자실에서 흉강천자(thoracentesis)와 중심정맥관 삽입의 흔한 합병증인 기흉(pneumothorax)을 신속하게 진단하는데 도움이 되고, 흉부 방사선검사에서 불확실한 음영으로 보일 수 있는 경화(consolidation), 무기폐(atelectasis) 및 흉수(pleural effusion)를 감별하는데 도움이 된다. 또한 흉막과 흉벽의 병리학적 소견을 검사하는데 유용하다. 간질액을 시사하는 흉막 허상들(B−lines) 또는 '폐 로켓(lung rockets)')은 폐부종이나 급성호흡곤란증후군(acute respiratory distress syndrome, ARDS)을 판단하는데 도움을 준다. 중환자실에서 의료진이 흉부 초음파검사로 신속하고 반복적으로 환자를 평가할 수 있어 CT 검사를 위한 환자 이송 등 여러 위험요소를 줄일 수 있게 되었다.

현장진단 흉부 초음파검사는 다음과 같은 상황에서 실시해야 한다:

- 구분되지 않는 호흡곤란, 저산소혈증, 또는 흉통 환자
- 폐 검진에서 호흡음이 감소된 환자
- 흉수, 폐 침윤(infiltrate), 그리고 경화를 감별
- 흉강천자와 같은 흉부 시술의 실시간 유도

## 탐색자의 선택과 기술적 고려사항

### 주파수의 범위가 7.5~10 MHz 인 선형 탐색자

고주파의 탐촉자는 검사의 심도가 줄어드는 대신에 좋은 해상도를 제공한다. 표면에 위치한 흉벽 구조물의 영상화에 이용한다.

### 구역 탐색용 또는 주파수의 범위가 3.5~5 MHz 인 볼록-배열(CONVEX-ARRAY) 탐색자

표면의 저주파 탐색자는 폐와 흉막의 병변을 평가하는데 이용된다. 특히 전기적으로 조향된 빔을 이용하여 점에서 생성되는 구역 영상을 만들어 내는 위상-배열 탐색자는 갈비뼈들 사이로 시야창을 확보하는데 이상적일 수 있다. 또한 이러한 탐색자들은 적절한 근거리 해상도와 투과 깊이를 가지고 있어 만족스러운 영상을 얻을 수 있다.

### 시간-운동 모드(M-모드)

시간-운동 모드(M-모드)은 시간에 따라서 X축상에 일차원의 선으로 움직임을 표시한다. 이는 기흉이 있을 때 사라지는 폐 미끄러짐(lung sliding)을 확인하는데 유용하다(해변 징후(seashore)).

### 컬러-유량 도플러(COLOR-FLOW DOPPLER)

컬러-유량 도플러 영상은 흉벽의 혈류 또는 경화된 폐나 무기폐의 혈류를 감지할 때 이용될 수 있다. 컬러-유량 도플러는 폐 조직 내에 나타날 수 있는 다른 구조들로부터 혈관을 구분하는 데 도움이 된다. 또한 파워 도플러는 흉막의 미끄러짐(pleural sliding)을 확인할 수 있다(파워 미끄러짐(power slide) 징후).

### 탐색자 설정

간단한 흉수를 확인할 때에는 복부 설정(abdominal setting)으로 하는 것이 일반적이다. 심장 설정(영상이 더욱 대비되어 나타남)에서 흔히 보이는 낮은 강약 범위(dynamic range)/낮은 지속도(persistence)는 폐 허상의 영상에서 폐 로켓을 좀 더 효과적으로 나타낸다. 가능하다면 조직 배음 영상도 도움이 될 수 있다. 컬러-유량 또는 파워 도플러를 이용할 때, 허상 없이 혈류를 나타내기 위해서 축적이나 파동 반복 주파수(PRF)는 낮추고, 증폭은 증가시킬 필요가 있다.

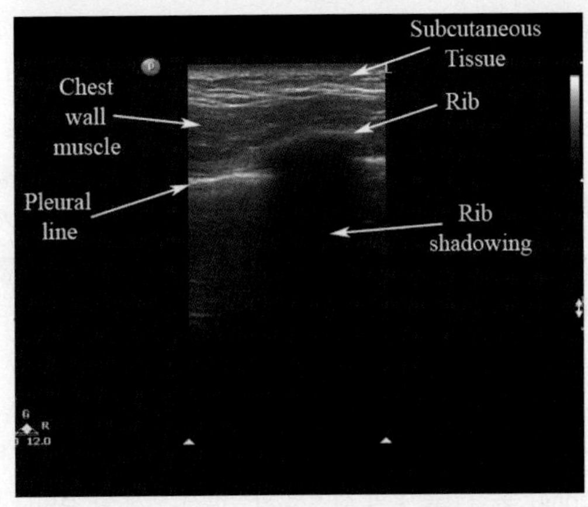


**그림 7-1** 흉부 초음파에서 보이는 지표들: 갈비뼈와 갈비 음영 사이의 흉막선. 갈비뼈 앞쪽에서 피하 조직과 흉벽 근육을 쉽게 확인할 수 있다.

## 정상 초음파 해부학

### 갈비뼈와 갈비뼈 음영

흉부 초음파검사에서 확인되는 첫 번째 구조물인 갈비뼈는 다른 중요한 구조물들의 지표 역할을 한다. 다른 뼈들과 마찬가지로, 갈비뼈는 멀리 있는 구조물을 향해서 투과되는 초음파 신호를 차단한다. 갈비뼈는 앞쪽에 있는 반원형의 고에코성 구조물로 화면의 맨 윗부분에서 보인다. 빔이 갈비뼈들을 투과할 수 없기 때문에, 갈비뼈로부터 발산되는 무에코성의 구역으로 보이는 음영이 갈비뼈 뒤에 형성된다. 갈비뼈와 그 음영들은 벽측(parietal)과 장측(visceral) 흉막을 식별하는 지표가 된다(그림 7-1).

### 흉벽과 흉막

7.5~10 MHz의 고해상도 탐색자를 이용하면 흉벽과 흉막의 여러 층에 대한 세밀한 영상을 얻을 수 있다. 흉막에 대한 초음파검사는 갈비뼈와 공기로 차 있는 폐의 영향을 받는다. 공기가 초음파에 대해 강력한 반사체 역할을 하는 반면에, 갈비뼈는 음영 허상을 만들어내면서 음파들을 흡수하여 정상적으로 공기로 차있는 폐를 직접 영상화 할 수 없다. 정상적인 흉막은 흉벽과 공기로 찬 폐 사이에 에코를 형성하는 선으로 나타난다(그림 7-1 참고). 세로방향의 단면도에서 위 쪽 갈비뼈, 흉막 선, 그리고 아래쪽 갈비뼈가 연결되어 독특한 '박쥐 징후(bat sign)'로 나타난다. 장측

흉막과 벽측 흉막은 두께가 0.2~0.4 mm밖에 되지 않아 각각을 구분하기 어렵다. 늑골 흉막 전체는 적절한 검사 기법을 바탕으로 시각화할 수 있다. 종격동(mediastinal) 흉막과 대부분의 횡격막 흉막은 공기로 찬 폐의 간섭으로 영상화할 수 없다. 그러나 흉수가 있거나, 무기폐나 경화와 같이 폐에 공기가 정상적으로 차 있지 않는 경우, 초음파검사가 가능하다. 그리고 이런 상태에서는 심장의 일부분이나 대혈관들도 폐를 통해서 보일 수 있다. 횡격막은 호흡의 움직임과 더불어 에코를 형성하는 구조물로 보이게 된다.

폐의 미끄러짐(lung sliding)은 기흉을 배제할 수 있는 핵심적인 소견이다. 초보 검사자가 감지하기에는 힘들 수 있지만, 연습을 통해서 '반짝이는(shimmering)' 움직임을 흉막 선에서 확실하게 보게 될 것이다. 폐의 미끄러짐은 장측 흉막이 벽측 흉막에 대해 움직이는, 호흡에 따른 폐의 역동학적(respirophasic) 움직임으로 자발호흡 및 기계호흡 환자 모두에게서 관찰된다.

## 폐 허상들

폐는 공기로 채워져 있기 때문에, 경화가 없다면 직접 보이지 않는다. 대신 흉막의 경계면에서 발생하는 허상들을 주로 이용한다. 다른 검사들에서는 허상들은 방해가 되지만, 흉부 초음파검사에서는 진단에 도움이 될 수 있다.

흔히 보이는 폐 허상에는 두 종류가 있다: A–선과 '혜성–꼬리' 허상들; 두 가지 형태 모두 반향(reverberation) 허상의 종류이다(표 7–1 참고). 수평 허상(horizontal artifact)으로 알려지기도 한 A–선은 갈비뼈 음영들 사이에서 흉막 선이 반복되는 모양으로 나타난다(그림 7–2). A–선의 존재는 정상으로 간주되며, B–선이나 '폐 로켓'이 보일 때는 관찰할 수 없다.

혜성–꼬리 허상은 공기와 체액의 작은 경계면에서 발생하는 반향허상의 한 종류이다. 이 허상은 흉막 선에서 시작되는 고에코성의 수직선으로 나타난다. 주된 혜성 꼬리로는 Z–선과 B–선 이렇게 두 가지가 있다. Z–선은 화면상에서 멀리 떨어진 곳까지는 미치지 않는 점점 희미해지는 고에코성의 선이며, 정상적인 일반인들에게서 관찰되는 경우도 있다. B–선은 흉막 선에서 시작하여 희미해짐 없이 화면의 끝까지 확산되는, 명확히 확인되는 형태의 허상이다. B–선으로 인해 A–선이 화면에서 보이지 않고, 폐 미끄러짐과 함께 움직인다. 단일의 B–선 또는 폐 의존 부위

**표 7-1** 흉부 초음파에서 폐 허상들

| Term | Description |
|---|---|
| Horizontal artifact (A-lines) | Horizontal echogenic line between rib shadows that represents the repetition of the pleural line. Seen in normal lung. |
| Comet-tail artifact (Z-lines) | Tapering vertical echogenic line that does not reach the edge of the screen. Often seen in normal patients. |
| Comet-tail artifact (B-lines) | Vertical echogenic reverberation artifact arising from the pleural line, spreads to the edge of the screen without fading, moves with the lung. Presence excludes pneumothorax. A single B-line or several in the dependent portion of the lung may be normal. Multiple B-lines ( "lung rockets" ) are pathologic. |

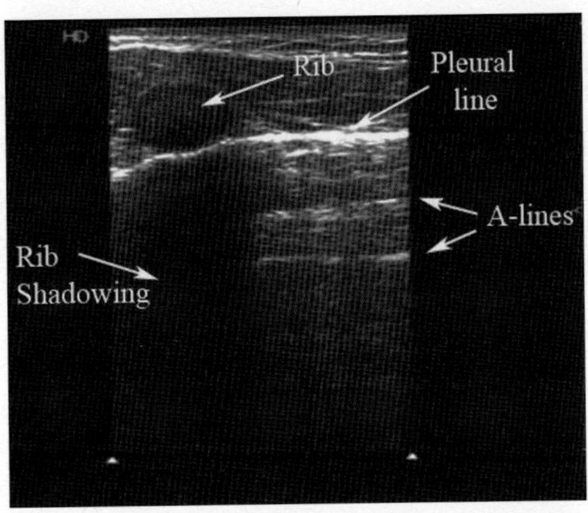


**그림 7-2** 갈비뼈 음영들 사이에서 반복되는 흉막 선을 나타내는 A-선, 또는 수평 허상.

(dependent portion)에서 여러 개의 B–선이 정상인에서도 관찰될 수 있다. 하지만, 폐의 앞/윗 부분에서 관찰되는 여러 개의 B–선은 보통 '폐 로켓'이라 불리며, 이는 병리적인 변화이다. B–선의 진단적 유용성은 아래에 설명하였다(그림 7–3).

## 유용한 정보와 검사 계획

흉부 초음파검사는 일반적으로 목표 지향적이다. 흉부 초음파검사는 응

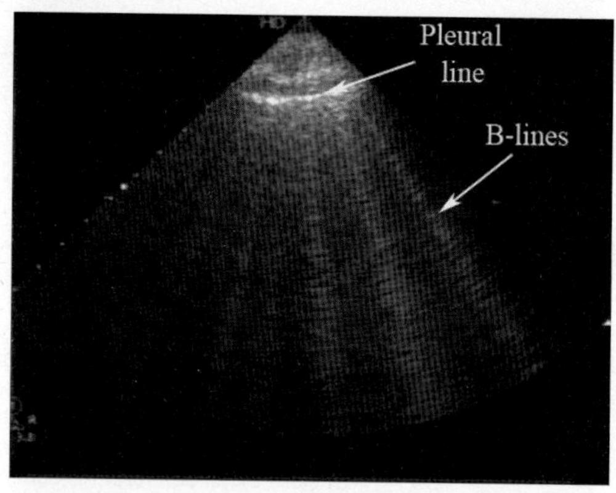


**그림 7-3** B-선 또는 혜성-꼬리 허상, 수직, 에코발생도의, 광선-유사, 잔향 허상을 보여준다. 여기에는 다섯 가지 특징이 있다: 흉막 선에서 기시, 형태가 명확, 화면의 가장자리를 향해 뻗어나감, A-선을 사라지게 함, 그리고 폐 미끄러짐과 함께 움직임.

급 환자를 진료할 때 기흉, 흉수 또는 흉강천자의 실시간 유도에 이용한다. 중환자 진료에서도 비슷한 용도로 흉부 초음파검사를 사용하지만, 추가적으로 흉부 방사선검사나 CT 검사에서 보이는 음영의 특징을 확인하기 위해서도 이용한다. 이상적인 환자의 자세는 검사자가 무엇을 확인하고자 하는지 환자가 순응적인지 안정 상태인지 등과 같은 여러 요인들의 영향을 받는다.

## 환자와 탐색자의 위치

환자가 앉아 있는 상태로 양 팔을 위로 올린 자세에서 앞쪽과 뒤쪽 흉부의 검사가 가능하다. 위중하고, 똑바로 앉을 수 없는 환자들은 똑바로 눕거나 측와위 자세를 취한 상태에서 한 사람 또는 여러 명의 보조자들이 환자를 보조하여 지지한 상태로 검사를 진행할 수 있다.

관례적으로 탐색자의 표지자는 머리 쪽을 향하게 되고 그에 상응하는 표시는 화면의 위쪽 왼쪽 구석에서 나타낸다. 그래서, 전형적인 흉부 초음파 영상의 위치는 머리 쪽이 왼쪽이 되고 꼬리 쪽(caudad)이 오른쪽이 된다. 갈비뼈 사이의 공간들을 통해 폐의 표면을 영상화하기 위해서 탐색자를 갈비뼈들을 피해서 종방향 또는 횡방향으로 움직이면서 검사한다. 횡격막에 인접한 폐의 일부분은 FAST 검사에서와 유사하게 우상복부 및 좌상복부와 같은 복부 시야창을 통해 검사할 수 있다.

기흉을 평가할 때는, 공기는 폐의 가장 높은 부위에 위치하기 때문에

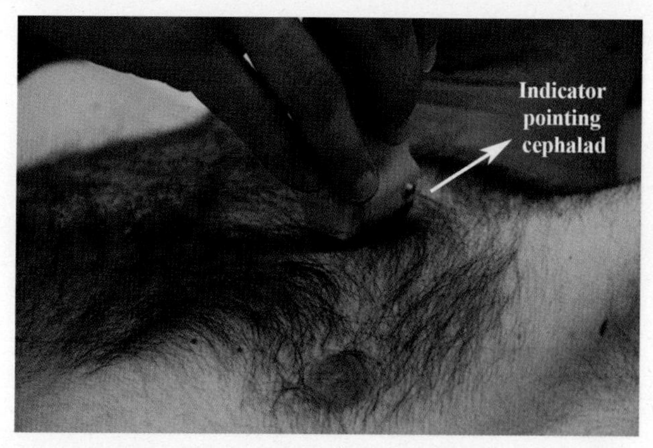


**그림 7-4** 기흉을 평가할 때에 올바른 탐색자 위치 탐색자의 표지자는 정중액와선의 폐의 가장 높은 위치에서 환자의 머리를 향한다.

환자가 반듯하게 누워 있는 자세가 가장 좋다. 검사를 시작할 때에 탐색자를 쇄골중간선(midclavicular line) 위에서 표지자가 머리 쪽을 향하도록 시상 방향으로 위치시킨 후 폐의 가장 높은 부위를 검사한다(그림 7–4). 이 시야에서 벽측흉막(parietal pleura)과 장측흉막(visceral pleura)의 미끄러짐(sliding)을 평가하여야 한다.

이상적으로 흉수를 확인하는 데는 FAST 자세에서 우상복부 및 좌상복부와 유사하게 복부 시야와 곡면 탐색자를 이용하는 것이 가장 좋다. 이러한 시야를 통해, 밝은 고에코성으로 보이는 횡격막 상부에서 체액이 무에코성 또는 저에코성 영역으로 보인다(그림 7–5). 흉수는 선형의 고주파 탐색자를 이용하여 앞서 기흉에서 설명했던 것과 동일한 위치에서 흔히 확인할 수 있다. 이 위치에서, 흉막의 층들 사이에 흉수를 나타내는 무에코성 또는 저에코성의 영역을 볼 수 있다.

X선이나 CT 검사에서 보이는 음영의 특징을 파악하기 위해서 환자와 탐색자는 명확하게 확인되지 않는 구조물을 가장 잘 볼 수 있는 곳에 위치하도록 해야 한다.

초음파 유도 흉강천자는 상체를 세우고 앞으로 구부린 상태로 탐색자를 등 뒤쪽에 갖다대고 시행하는 것이 가장 좋다. 이 자세에서는 뒤쪽의 폐와 배출될 흉수를 파악하기 위해서 환자의 등을 통해 폐를 관찰한다. 이 시술에 대한 상세한 설명은 18장에 기술되어 있다.

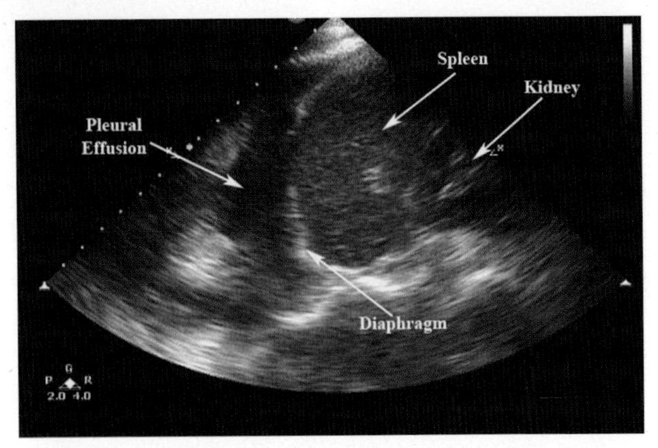


그림 7-5 중등도 크기의 저에코성 흉수, 횡격막, 비장, 그리고 신장을 보여준다. 이는 좌상복부에서 관상면 방향으로 곡선형 탐색자로 얻어진 영상이다.

### 지표 확인하기

탐색자를 시상 방향에서 환자의 흉부에 위치하여 갈비뼈와 그에 상응하는 음영 지표들을 확인하여야 한다. 갈비뼈는 약간의 고에코성의 구조로 초음파 빔을 막아서 그 뒤로 무에코성의 음영을 만들어내는, 곡면의 형태로 나타난다(그림 7-1 참고). 이상적으로, 적절한 흉부 영상은 그에 상응하는 뒤쪽 음영들과 함께 두 갈비뼈를 시각화하여 얻는다. 벽측과 장측 흉막은 이러한 두 갈비뼈 지표들 사이에서 미끄러지는 것을 볼 수 있다.

## 초음파검사에서의 이상 소견

### 흉수

흉부 초음파검사는 흉수가 흉부 방사선검사에서 확인되거나 신체 검사에서 의심이 될 때 실제 존재 여부를 확인하는데 이용할 수 있다. 초음파검사는 흉부 방사선검사에서 불확실한 음영(opacification)으로 보일 수 있는 무기폐, 폐실질 질환과 흉수를 감별할 수 있기 때문에 흉부 방사선검사보다 우월하다. 또한 초음파검사로 소방이 형성된 흉수(loculated pleural effusion)와 흉막 비후(pleural thickening)를 구분할 수 있다. 일어서서 촬영하는 흉부 방사선검사에서는 흉수가 50~100 mL은 되어야 확인이 가능한 반면, 흉부 초음파검사는 20 mL만 있어도 흉수를 확인할 수 있다.

흉수의 진단은 흉수의 특징적인 동적 징후(dynamic sign)들과 함께 벽

**표 7-2 흉수의 초음파 동적 징후**

| Term | Description |
| --- | --- |
| Floating lung | Floating movement of atelectatic lung within a pleural effusion. This is helpful to confirm the liquid nature of the suspected effusion. |
| Curtain sign | Movement of aerated lung into the field of view during inspiration, intermittently obscuring underlying effusion. |
| Sinusoid sign | Seen in M-mode when the visceral pleura moves toward parietal pleura during inspiration. Helps to distinguish liquid nature of anechoic shadow. |
| Plankton sign | Swirling motion of echogenic debris within pleural effusion. |

측 흉막과 장측 흉막의 경계들 사이에서 액체의 무에코성 구역을 확인하면 된다(표 7-2 확인). 이러한 징후들에는 무기폐의 퍼덕임(floating lung or lung flapping), 체액의 호흡 단계에 따른 변화, 섬유소(fibrinous) 가닥의 물결 모양 움직임, 체액에서 찌꺼기(plankton sign)의 소용돌이 모양 움직임이 해당한다. 흉수의 경계들은 인접한 횡격막, 폐, 간, 비장, 콩팥, 심장/심막, 척추, 대동맥, 그리고 하대정맥을 확인하여 정한다(그림 7-5 참고). 간과 비장은 횡격막 아래에서 확인한다. 흉수에 인접한 폐는 무기폐일수도, 경화일 수도, 또는 공기가 통해 있을 수도 있다. 통기가 된 폐는 A-선 또는 B-선과 같은 허상들로만 간접적으로 확인된다. 일부의 무기폐를 일으키는 소량의 흉수에서는, 통기된 폐가 '커튼 징후(Curtain sign)'를 만들어내며 흡기 시 검사 시야 내로 이동한다. 흉수가 존재하는 경우, M-모드를 이용하면 흡기 시에 장측 흉막이 벽측 흉막 쪽으로 이동함을 나타내는 '사인 징후(sinusoid sign)'를 확인할 수 있다(그림 7-6).

흉부 초음파검사로 흉수의 부피를 소량, 보통, 대량으로 기술할 수 있다. 초음파검사는 흉수의 부피를 추정하는데 측와위 흉부 방사선검사보다 두 배 정도 정확한 것으로 알려져 있다.

흉수는 추가적으로 에코형성 정도에 따라 무에코성(anechoic), 복합 무격막성(complex nonseptated), 복합 격막성(complex septated), 또는 균일한 에코성(homogeneously echogenic)으로 구분한다(그림 7-7과 7-8); 장측 흉막과 벽측 흉막 사이에 에코가 없는 공간이 있는 경우 무에코성, 무에코성의 흉수 안에 에코가 형성되는 물질이 보이는 경우 복합 무격막성, 흉수 안쪽에 격막의 거미줄 모양을 형성하는 섬유소 가닥이 있는 경우 복합 격막성, 그리고 벽측과 장측 흉막사이의 공간이 동일하게 에코를

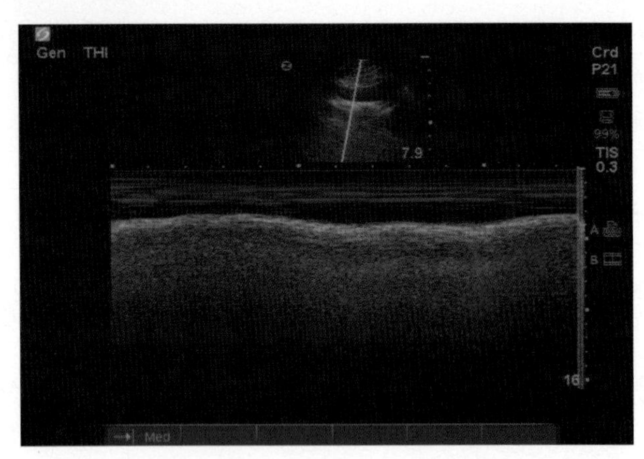


**그림 7-6** 소량인 흉수의 합성 2D-모드 영상과 M-모드 영상. 2D-모드 영상에서는 커서가 흉벽을 가로질러 놓이고 흉벽과 폐 공기 음영 사이에 있는 무에코성의 영역을 보여준다. M-모드 영상은 흉수의 존재를 확정 짓는 '사인 징후'로 불리는 흉벽을 향한 폐의 호흡에 따른 역동학적 움직임을 나타낸다.

형성하면 균일한 에코성이다. 에코발생도가 고에코성인지, 동질에코성인지, 저에코성인지 결정하는 것은 간이나 비장의 에코발생도와의 비교를 통해 이루어진다. 흉수의 특징을 이러한 하위 클래스로 나누는 것은 삼출액(transudate)과 여출액(exudate)을 구별하는 데 도움이 된다. 무에코성 흉수는 삼출액일 수도, 여출액일 수도 있지만, 삼출액은 무에코성이다. 복합 무격막성, 복합 격막성, 균일한 에코성의 유형은 사실상 대부분 여출액이다. 두꺼워진 흉막이나 폐실질 병변과 연관된 초음파적 소견은 또한 여출액을 시사한다.

초음파형성 소용돌이 패턴(echogenic swirling pattern)은 호흡 움직임이나 심장 박동에 따라서 흉수 안에서 떠다니는 수많은 입자들이 소용돌이 치는 것이다. 균일한 에코발생도의 흉수는 고형 병변(solid lesion)과 때때로 혼동되기도 하는 혈흉과 농흉(empyema)에서 보인다. 고형 병변과 혈흉과 농흉의 감별점은 일반적으로 호흡에 따라 모양이 변하거나 에코를 형성하는 물질을 포함하는 것이다. 드물게 세포 성분들이 헤마토크릿 징후라 불리는 패턴으로 흉강의 아래쪽에서 보이기도 한다.

열이 있는 중환자에서 악성종양이 없는 경우, 복합 흉수가 있을 때에는 부폐렴성 흉수(parapneumonic effusion)나 농흉을 의심해야 한다. 농흉은 보통 복합 비격막성(상대적으로 고에코성), 복합 격막성, 또는 균일한 에코성으로 나타난다. 흉부 초음파검사는 복합 흉수에서 격막과 가닥을

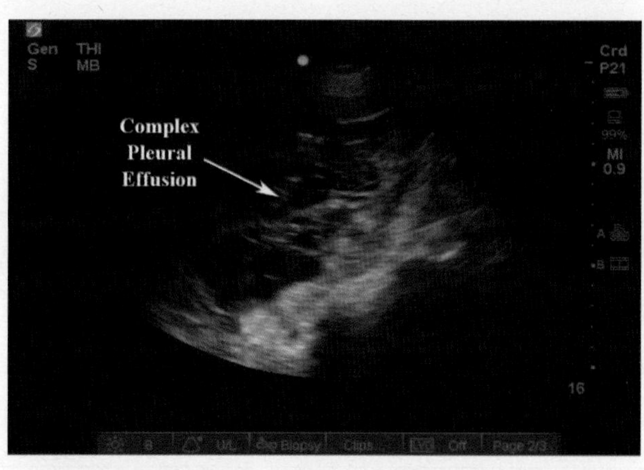


**그림 7-7** 복합 무격막성 흉수로 이 소견들은 악성 중피종에 의한 것이다.

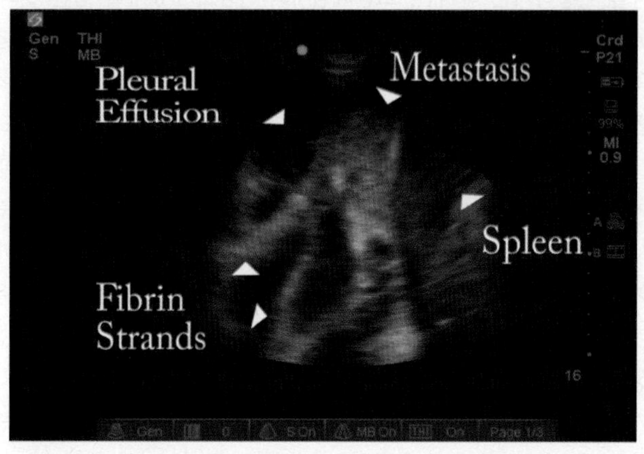


**그림 7-8** 섬유소 가닥을 동반한 복합 격막성 흉수 횡격막의 흉곽측에 신세포암으로부터 전이된 병변이다. 비장은 전이성 병변 바로 아래에서 확인된다.

확인하는 데 있어서 흉부 CT보다 우월하다. CT에서 확인되지 않는 이러한 소견들은 삽관 배액(tube drainage)의 어려움을 시사한다.

## 기흉

흉부 초음파검사는 앙와위로 촬영한 흉부 방사선검사보다 높은 민감도, 그리고 편의성 때문에 최근 임상에서 기흉을 신속히 진단하는데 흔히 이용되고 있다. 특히 외상 환자와 기계 호흡 환자에서 신속히 기흉을 확인하는 것은 필수적이다. 외상 시 기흉 진단을 위해 앙와위로 흉부 방사선

표 7-3 기흉에서 초음파의 동적 소견들

| Term | Description |
|---|---|
| Lung sliding | Respirophasic movement at the pleural line caused by inspiratory excursion of lung. Its presence excludes pneumothorax at the area under the probe. |
| Seashore sign | Lung sliding in M-mode is depicted by wave-like pattern located above the pleural line and a sand-like pattern below it. With a pneumothorax, this sign is replaced by the "stratosphere sign" showing only the motionless layer of the chest wall. |
| Lung point sign | Indicates the area in which the lung intermittently comes in contact with the chest wall during inspiration with a slight increase in lung volume. It is 100% specific for pneumothorax. |

검사를 이용하기는 하지만, 초음파검사의 민감도가 80%를 넘는 것과 비교하면 민감도가 40%밖에 되지 않는다. 앙와위 흉부 방사선검사는 전면부의 큰 기흉을 놓칠 수도 있다. CT검사는 기흉을 진단하는데 표준적인 방법이며, 초음파검사로는 CT에서 발견되는 작은 기흉을 놓칠 수도 있다; 하지만, 전면부의 폐 미끄러짐의 존재는 심각한 폐 허탈을 배제할 수 있어 불필요한 흉관 삽관을 사전에 차단할 수 있다. 그리고, 흉부 초음파검사를 침습적인 시술 전후에 실시하여 시술과 연관된 기흉을 신속히 배제하거나 폐 허탈을 확인할 수 있다. 허탈된 폐의 존재를 평가하기 위해서는 초음파에서 기흉의 동적 징후들(표 7-3 참고)을 알고 폐의 초음파 허상들을 정확히 해석해야 한다.

기흉의 중요한 초음파적 소견은 벽측과 장측 흉막 사이에 있는 공기로 인하여 폐 미끄러짐이 보이지 않는 것이다. 폐 미끄러짐이 있다는 것은 대량의 기흉을 확실히 배제할 수 있다. 그리고, 흉부의 전면, 측면, 후면에서 폐 미끄러짐을 평가하는 것은 기흉의 크기를 정량화하는데 도움을 준다. 심각한 유착에 의해 제한이 되지 않는다면 공기는 흉곽의 가장 윗부분으로 이동하게 될 것이다. 그러므로, 작은 기흉에서 환자가 누워 있는 상태라면, 폐 미끄러짐은 흉부의 전면부에서만 소실될 것이다. 또한, 누워있는 외상 환자에서, 쇄골 중간선에 인접하게 시상 위치로 탐촉자를 두어 폐의 가장 높은 위치를 우선적으로 검사해야 한다(그림 7-4 참고). 대량의 기흉에서는 폐 미끄러짐이 측면과 후면에서도 사라질 수 있음에 주의해야 한다.

폐 미끄러짐은 특이한 징후가 아니라 기흉 말고도 다른 상황에서도 사

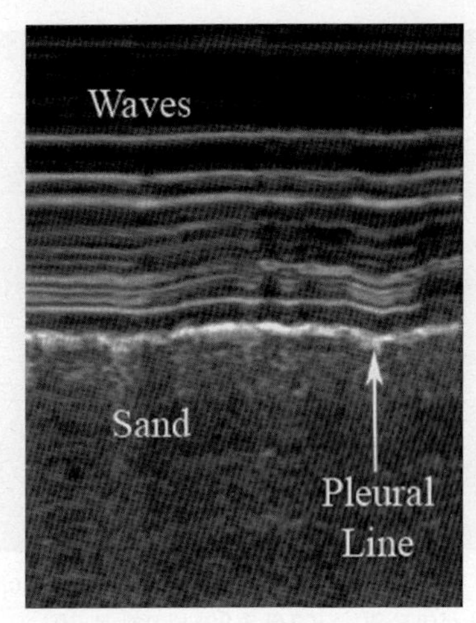


**그림 7-9** '해변징후' M-모드 영상; M-모드 영상에서 흉막 선 위에 위치한 파도 모양의 패턴과, 그 아래에 만들어질 수 있는 해변 모래 모양의 패턴 사이에 명확한 구분을 보여주고 있다.

라질 수 있다. 흉막 결합(pleural symphysis)(벽측 흉막들의 유착, 보통 흉막유착술(pleurodesis) 후 발생), 흉막 섬유화, 무기폐와 같이 폐 유순도가 감소하거나, 만성폐쇄성폐질환에서의 작은 기종, 폐 좌상과 같은 경우에서도 폐 미끄러짐이 관찰되지 않을 수 있다. 이러한 폐 미끄러짐이 없는 환자들에서는 A–선(그림 7–2 참고)을 평가하여 보완한다. 폐 미끄러짐이 없는 환자들에서 A–선의 존재는 기흉에 대한 초음파검사의 특이도를 94%까지 높일 수 있다. 또한 폐와 함께 움직이는 B–선들이 존재한다면, 100%의 음성예측도(그림 7–3 참고)로 기흉이 아님을 시사한다.

폐 미끄러짐은 또한 M–모드 초음파검사에 의해서도 평가될 수 있다. 시간–움직임 모드에서 흉막 선 위쪽에 위치하는 파도 모양의 패턴과 아래쪽에 위치하는 해변모래 모양의 패턴(seashore sign)으로 명확히 구분된다. 이것을 '해변 징후'(그림 7–9)라고 한다. 이것은 흉벽의 움직이지 않는 층과 그 아래에서 호흡시 역동학적으로 움직이는 폐의 패턴을 묘사한 것이다. 이런 해변 징후가 기흉 환자에서는 흉막 사이의 공기로 인해 하부의 폐 움직임이 사라져 '성층권 징후(stratosphere sign)'로 대체된다(그림 7–10).

폐 포인트 징후(lung point sign)은 기흉에 가장 특징적인 징후이다. 폐 포인트 징후는 흡기 동안 흉벽에 폐가 간헐적으로 접촉할 때 발생하는 것으로 이는 기흉의 가장자리를 나타낸다. 이는 흉막 선에서 폐 미끄러짐이

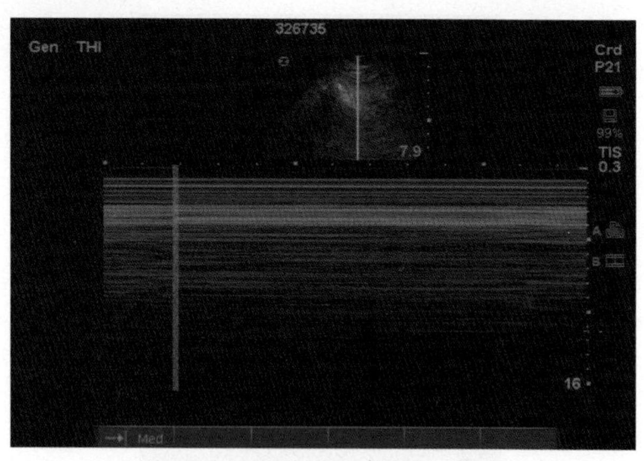


**그림 7-10** '성층권 징후'를 나타내는 M-모드 영상: 폐 미끄러짐이 없어서 앞선 해변 모래 모양의 영역이 보이지 않는다(**그림 7-9**와 비교해 볼 것).

없을 때 흡기 동안의 미끄러짐으로 간단히 대체되어 실시간으로 관찰될 것이다. 여러 개의 갈비 사이 공간들의 시각화가 폐 포인트를 확인하는데 필요하다. 이 징후가 있다면, 기흉에 대한 특이도는 100%이다. 폐 포인트 징후는 또한 기흉의 크기를 표시하고 추정하는데 사용될 수 있으며, 기흉의 진행이나 호전 여부를 순차적으로 확인하는데 도움이 되기도 한다.

## 흉막에 기초한 병변들

흉부 초음파검사는 흉부 CT 또는 일반적인 방사선검사로 위치가 확인된 흉막 병변들의 특징을 파악하는데 이상적이다. 흉부 CT는 흉막 비후와, 흉막과 흉벽을 침범하는 종괴들을 발견하는데 더 민감한 검사이다. 흉막 비후는 흉수 또는 폐기종에 동반되어 조직의 두꺼운 껍질처럼 보인다. 양성 흉막 비후는 흉벽과 갈비뼈들을 침범하지 않으며, 공기가 들어찬 폐와 명확한 경계를 이룬다. 종양이 침범하게 되면 넓고, 불규칙한, 결절성의 벽측, 또는 장측 흉막의 비후가 보이게 된다. 흉부 초음파검사는 흉벽을 평가하는데 흉부 CT보다 월등한 민감도와 특이도를 갖는다.

전이성 결절들은 에코발생도(echogenic)이며 둘러싸고 있는 조직이나 흉수와의 경계가 명확하다(그림 7-8 참고). 흉막의 암종증(carcinomatosis)은 파종된 종양이 작기 때문에 초음파로 발견하기 어렵다. 그리고, 장측 흉막의 암종증은 더욱 발견하기 어려운데 이는 폐 표면으로부터 발생하는 반향 허상 때문이다. 원발 악성종양을 앓고 있는 환자의 경우, 흉수와 결절, 또는 얇은 천과 같은 비후들이 조합된 소견들은 전이성 병변을 강하게 시사한다. 중피종(mesothelioma)에서는 보통 결절과 함께 흉막의 광범위하고 불규칙한 비후와 대량의 흉수를 함께 관찰할 수 있다(그림 7–7 참고).

## 경화

폐포 경화, 무기폐 그리고 흉수를 감별하기 위해 흉부 초음파검사를 흔히 이용한다. 중환자를 평가하는데 있어서, 흉부 초음파는 폐포 경화를 발견하는데 90%의 민감도와 98%의 특이도를 갖는다(하지만, 이 정도의 높은 민감도에 이르기 위해서는 흉막에 대한 포괄적인 검사가 필요하다). 폐포 경화는 원심성(centrifugal)의 흡기 역학과는 무관하게 흉벽에서 조직과 같은 패턴으로 보인다. 초음파에서 간이나 비장과 비슷하게 보일 수도 있지만, 폐포 경화는 횡격막보다 위쪽에 존재한다. 공기기관지조영상(air bronchogram)은 전형적인 경화의 초음파 소견으로 점(punctiform) 또는 선형 모양으로 관찰된다. 경화의 표면적인 경계는 흉막 선이나 흉수의 경계 지점이 된다. 깊게 위치한 경계는 보통 공기로 찬 폐의 경우 불규칙하지만, 폐엽 전체를 침범했을 경우에는 규칙적이다. M–모드에서 '사인징후(sinusoid sign)'(이전 흉수 부분에서 설명)의 유무로 폐포경화에 동반된 흉수를 감별할 수 있다. 또한 정상적인 폐 미끄러짐은 경화에서 저하될 수 있다.

## 무기폐

더불어 흉부 초음파검사는 임상에서 무기폐를 평가하는 데 이용될 수 있다. 완전한 무기폐는 보통 폐 미끄러짐이 존재하지 않으며 조직과 같은 패턴으로 보인다. 이 '조직과 같은 패턴'은 만약 무기폐가 흉벽과 접촉해 있거나 흉벽과 무기폐 사이에 흉수가 존재할 때 초음파 파장이 잘 전파되어 더욱 관찰이 용이하게 된다. 일반적으로, 무기폐는 해당 부위에서 흉벽의 뒤쪽에 인접하여 존재한다.

폐 진동(lung pulse)이란 심장의 움직임으로 발생한 심장박동의 기록이 동시에 흉막 선 위치에서 보이는 것이다. 이는 환기가 되지 않는 폐가 허탈되기 이전 상태인 무기폐의 초기에 잘 관찰된다. 폐 진동은 환기가 되지 않고 움직임이 없는 폐를 통해 심장의 진동을 전달하는 폐 실질의 쿠션이 존재한다는 의미이다. 이 패턴은 M–모드에서도 잘 관찰될 수 있다. 폐 진동은 우측 폐만 선택적으로 기관 삽관이 이루어진 이후, 왼쪽 폐의 무기폐를 진단하는데 민감하고 특이적이다. 폐 진동은 일반적인 방사선학적 검사에서 변화들이 확인되기 전부터 관찰된다. 폐의 환기가 교정되면, 생리적인 폐 미끌어짐이 우세해지면서 이러한 심장의 진동은 사라지게 된다.

### 폐포-간질 증후군

폐의 앞쪽에서도 단일 혜성꼬리(B-선), 혹은 10번째 또는 11번째 갈비사이 공간의 측면에 국한되어 보이는 여러 개의 혜성 꼬리들은 건강한 사람에서 1/3까지 관찰될 수 있다. 폐포-간질증후군(alveolar interstitial syndrome, AIS)은 흉부 엑스선 촬영, CT, 또는 초음파검사에서 보일 수 있는 방사선학적 진단이며, 폐 간질의 침범과 폐포 모세혈관의 교환에 장애를 일으키는 일련의 과정을 일컫는다. AIS는 폐부종, 간질성 폐렴, 또는 급성호흡곤란증후군(acute respiratory distress syndrome, ARDS)과 같은 급성 질환 및 폐 섬유화와 같은 만성 질환을 모두 포함한다. 초음파를 이용했을 경우, AIS는 주어진 폐 구역에서 세 개 이상의 B-선이 존재하는 것으로 확인하며, 이는 보통 '폐 로켓'으로 불린다(그림 7-3 참고). 이런 여러 개의 흉막 선에서부터 화면의 가장자리까지 부채꼴로 펼쳐져 보이는 혜성-꼬리 허상들은 늑막 아래에 공기에 의해 둘러싸인 수분이 풍부한 구조물을 의미한다.

3 mm 또는 그 미만의 간격인 B-선들은 간질-유리(ground-glass) 구역의 폐포 부종을 나타내는 반면에, 보다 넓은 7 mm 간격의 B-선들은 두꺼워진 소엽사이막(interlobular septa)으로 간질 부종(Kerley B-선)을 의미한다. 폐 초음파검사를 통해 공기의 재개통에 따른 변화, 즉 완전한 폐포 경화에서부터 폐포 부종(3 mm 이하 간격의 B-선들), 간질 부종(7 mm 이하 간격의 B-선들) 및 정상까지 변화하는 일련의 과정을 확인할 수 있으며, 이는 기계환기 환자들에게서 호기말양압(positive end-expiratory pressure, PEEP)에 의해 유도되는 폐포 동원(alveolar recruitment)을 평가하는 데도 도움이 된다.

## 흔히 저지르는 실수들

### 환자 체형과 부종

비만과 부종은 영상의 질을 떨어뜨려 초음파 인터페이스의 구별을 힘들게 한다. 비만 환자들의 흉곽 구조물들을 영상화하기 위해 투과도가 높은 낮은 주파수의 곡면 탐색자를 사용하는 것이 필요할 수도 있다.

### 영상 허상

흉부 초음파에서 영상 허상(image artifact)은 흔하다. 갈비뼈 음영과 폐 공기 반사는 모든 영상에서 어느 정도 존재한다(그림 7-1 참고). 갈비뼈 음영을 무에코성의 체액으로 잘못 해석해서는 안 된다. 검사자들은 반향(reverberation), 미러링(mirroring), 변연(marginal), 그리고 산란(scatter)처럼 빔 자체와 연관되어 있는 허상에 혼란스러울 수 있다. 환자가 숨을 빠르게 쉴 때 발생하는 병진 허상(translational artifact)은 동적 흉막 움직임과의 구별을 어렵게 한다. 피하 기종(subcutaneous emphysema)은 초음파검사를 방해하는 반향허상을 일으킬 수도 있다. 허상들은 보통 하나의 시야 단면에서만 확인되거나, 탐색자의 각도가 변화되면 사라진다. 그러므로 잠재적으로 병적 소견이 의심되는 경우, 탐색자를 좌우로 부드럽게 펼쳐 검사하는 것은 허상들을 구별하는데 도움이 될 수 있다. 병적 소견이 한 가지 이상의 시야에 보통 존재하는 것과는 달리 허상들은 탐색자와 단면을 살짝 조정하면 사라지는 경향이 있다.

### 간-신(HEPATORENAL) 그리고 비-신(SPLENORENAL) 오목(RECESS)

간과 콩팥 사이(간-신오목) 또는 비장과 콩팥 사이(비-신오목)의 곡면선은 초음파에서 밝은 고에코성의 구조물로 보일 수 있다. 여기서 검사자는 이 오목들을 횡격막으로 여기는 실수를 하지 않도록 조심해야 한다(그림 7-11).

### 부적절한 매개체

겔과 같은 매개체를 잘못 사용하는 것은 과도한 허상을 일으킬 수 있다. 검사자는 항상 적절한 겔을 사용해야 한다.

### 위 양성

폐 미끄러짐이 사라져도 기흉이 아닐 수 있음을 검사자는 인지하고 있어야 한다. 폐 포인트 징후가 좀더 특이적이기는 하지만, 급박한 상황을 제외하고는, 흉관 삽관을 하기 전에 다른 검사(흉부 엑스선 검사 또는 CT)를 시행할 필요가 있다.

## 임상진단에서 흉부 초음파의 활용

최근의 기술적 향상으로 응급실, 시술실, 중환자실에서 고가가 아니면서

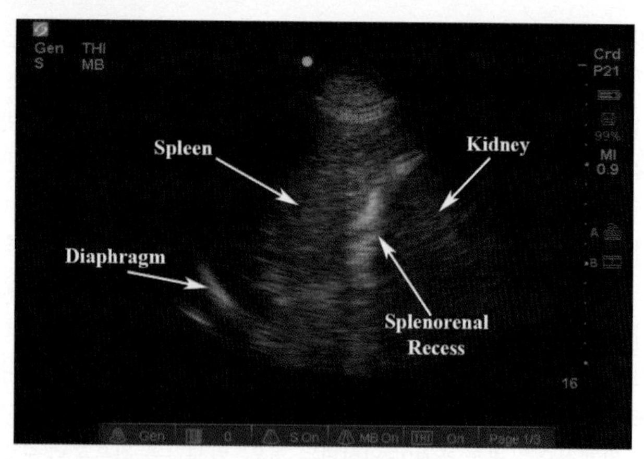


**그림 7-11** 비-신오목과 횡격막. 비-신오목은 왼쪽 신장의 위 꼭대기와 비장 사이에 위치한 것으로 횡격막과 혼동될 수 있다. 우상복부에 있는 간-신오목은 유사한 에코 발생도를 보인다.

휴대가 용이한 초음파 기계들을 폭넓게 사용할 수 있게 되었다. 흉부 초음파검사는 신체 진찰의 확장이라고 생각해야 한다. 흉강의 초음파검사는 흉수, 기흉, 경화, 무기폐, 흉막 병변들, 그리고 AIS를 진단하고 특징을 파악하는 목적으로 임상의들이 쉽게 배우고 적용할 수 있다.

폐 로켓의 존재는 울혈성 심부전에서 혈청의 B-형 나트륨 이뇨 펩티드(B-type natriuretic peptide)치와 밀접하게 연관되어 있다. 급성기의 환자에서 호흡곤란의 가장 흔한 두 가지 원인을 감별하는데 초음파가 도움이 될 것이다[COPD (A-선 있음, B-선 없음)와 울혈성 심부전(폐 로켓 있음, A-선 없음)]. 이전부터 에베레스트 베이스 캠프에서는 휴대용 초음파 기기를 이용함으로써 고지대 폐부종의 발병을 확인하는데 이용하였고, 겸상적혈구빈혈(sickle cell anemia) 환자에서 급성 흉곽 증후군을 확인하는데 초음파검사를 이용하여 좋은 결과를 보였다. 앞서 설명한 것처럼 초음파검사는 ARDS, 폐렴의 진행, 그리고 기계 환기의 적절성을 평가하는데 흉부 방사선검사를 대체하거나 이와 함께 이용할 수 있다.

흉막 공간에 대한 초음파검사는 흉강 천자와 흉막 생검과 같은 침습적인 시술의 가이드를 위해 이용되어야 한다.

초음파검사는 외상에서 기흉을 평가하기 위해 확장된 FAST 검사에 포함이 되어야 하며, 의인성 기흉의 위험이 있는 여러 시술 이후에 합병증 발생 확인에도 이용 될 수도 있다.

요약하자면, 흉부 초음파검사는 감별이 되지 않는 호흡곤란, 저산소혈증 또는 흉통이 있는 환자, 신체 검사에서 호흡음의 감소가 있는 환자, 모든 흉부 시술들의 실시간 유도 시 고려하여야 한다.

| 추가로 읽을 자료 |

Beckh S, Bolcskei PL, Lessnau KD. Real−time chest ultrasonography: a comprehensive review for the pulmonologist. *Chest*. 2002;122(5):1759−1773.

Blaivas M, Lyon M, Duggal S. A prospective comparison of supine chest radiography and bedside ultrasound for the diagnosis of traumatic pneumothorax. *Acad Emerg Med*. 2005;12(9):844−849.

Lichtenstein DA. Pleural effusion and introduction to lung ultrasound. In: Lichtenstein *General Ultrasound in the Critically Ill*. Berlin: Springer−Verlag; 2005:96−104.

Lichtenstein D, Meziere G, Biderman P, et al. The comet−tail artifact: an ultrasound sign of alveolar−interstitial syndrome. *Am J Respir Crit Care Med*. 1997;156: 1640−1646.

Mayo P, Doelken P. Pleural ultrasonography. *Clin Chest Med*. 2006;27:215−227.

# 8 하대정맥

## 배경지식 및 검사의 적응증

하대정맥(inferior vena cava, IVC) 초음파검사를 통해 진료 현장에서 신속하고 비침습적으로 환자의 혈역학적 상태를 평가할 수 있다. IVC의 크기와 호흡에 따른 변동성은 우심방압(right atrial pressure, RAP) 및 혈관 내 용적과 상관관계가 있는 것으로 알려져 있다. 이는 RAP와 혈관 내 용적의 변화를 예측하며, 수액 치료 반응을 감시하는데 유용하다.

구조적으로, IVC는 벽이 얇은, 유순도가 높은 혈관으로써 크기와 역동성은 호흡과 혈관 내 용적의 변화에 따라 달라진다. 흡기 동안에 생성되는 흉곽 내 음압은 흉곽 바깥의 정맥에서 우측 심장 안으로의 정맥혈 환류를 증가시키게 된다. 혈류의 증가가 결과적으로 IVC 혈액 용적을 감소시켜 혈관의 압력이 저하된다. 이러한 일련의 변화로 인해 호기보다 흡기 시 IVC 직경이 작아진다. 반대로, 양압 환기에서는 이 현상이 역전되어 흡기 시 IVC의 직경이 증가된다.

RAP 그리고/또는 혈관 내 용적이 낮은 환자들은 IVC의 크기가 상대적으로 감소되며 호흡에 따른 변동성이 증가하게 된다. 만약 RAP가 아주 낮다면, IVC는 자발적 흡기 시에 완전히 허탈될 수 있다. RAP 그리고/또는 혈관 내 용적이 증가되어 있는 환자에서는 IVC의 크기가 증가되고 호흡에 따른 변동성이 감소된다. IVC 자체는 매우 유연하지만, 확장성은 제한적인데 혈관 벽의 결체 조직과 그를 둘러싸는 구조들이 존재하기 때문이다.

일반적으로 급성기 치료에서 체액 상태 평가를 위한 중심정맥압(central venous pressure, CVP)은 중심 혈관을 확보해야만 측정할 수 있었다. 중심 혈관 확보는 침습적이고, 시간이 소요되며, 합병증이 생길 수도 있다. 초음파를 이용하면 침습적인 방법들 대신 CVP를 추정할 수 있다. 임상의는 추가적인 혈관 내 수액 공급이나 적극적인 약물 치료 결정을 위해 연속적으로 IVC 측정을 시행할 수 있다.

IVC에 대한 초음파 평가는 다음과 같은 상황에서 시행한다:

- 중심 정맥관이 없거나 CVP를 측정할 수 없는 의료기관에서, 혈관 내 체액 상태의 추정을 필요로 하는 환자
- 수액 치료를 받는 환자에서 치료에 대한 반응, 그리고 추가적인 수액이나 약물에 대한 필요성을 감시

## 탐색자의 선택과 기술적 고려사항

### 곡면 또는 위상-배열 탐색자

IVC를 시각화하기 위해 "위상-배열(2.0~4.0 MHz 주파수)" 또는 "곡면형의 탐색자(3.5~5.0 MHz 주파수)"가 이용된다. 이와 같이 일반적인 것보다 상대적으로 낮은 주파수의 탐색자들은 심부 구조물에 대한 투과도가 좋고, 시각화가 양호하다는 특징이 있다.

### 심도

IVC와 그 우심방으로의 진입로를 완벽하게 영상화하기 위해서는 검사부위에 대한 심도를 조정하여야 한다. 심도는 환자의 특성에 가장 많은 영향을 받는다. 비만 환자들은 보통 혈관이 체내에 깊은 곳에 존재하므로 설정된 심도를 높이는 조치가 필요하다.

### 시간-증폭 보상

시간-증폭 보상(time-gain compensation) 또는 원거리 증폭은 원거리에서 발생하는 신호 손실 확인 및 영상 전체 깊이에 걸친 균일한 강도 유지에 필요하다.

### 컬러-유량 도플러

컬러-유량 도플러는 혈류의 존재, 크기 및 방향 탐지에 활용된다. 혈관들을 다른 구조물들과, 복부의 허상들과 감별하는데 유용하다.

### M-모드

M-모드 초음파는 단일 축 위에 위치한 구조물들이 시간의 흐름에 따라 탐촉자를 향해 다가오거나 멀어지는 움직임을 탐지해낸다. 특히 이 방법은 호흡 시 발생하는 IVC의 변화를 나타내는데 유용하며, IVC의 크기와 호흡에 따른 변동성 정량화에 선호된다.

## 정상 초음파 해부학

IVC는 인체에서 가장 큰 정맥이다. 이를 통해 하지, 복벽, 그리고 복막강과 골반의 장 구조물들로부터 우심으로 혈액이 환류된다.

IVC는 다섯 번째 요추 높이에서 총 장골정맥(common iliac vein)들의 합류로 형성된다. 이는 복부에서 대동맥의 우측을 따라 머리 방향으로 주행한다. 두 번째 요추 높이에서 신 정맥들과 합쳐지며 우측 신장의 왼쪽 앞으로 통과한다. IVC는 소장의 뒤를 통과한 후 십이지장 하행부의 왼쪽 가장자리를 따라 주행하며, 우엽과 꼬리엽 사이의 후-하측 간(liver) 표면의 홈으로 들어가게 된다(그림 8-1). 그러고 나서 간문맥의 뒤를 통과하고 여덟 번째 흉추 높이에서 횡격막을 통과하기 이전에 간정맥과 합쳐진다. IVC는 결국 심장의 우심방에서 끝나며 하지의 혈액이 심장으로 흐르도록 한다.

IVC는 가로면(단축) 또는 시상면(장축) 방향으로 복부를 탐색할 때 보인다. 환자가 누운 상태에서 간을 음향 창으로 이용함으로써 영상을 얻을 수 있다. 일반적으로 추천되는 방법은 검상 돌기 바로 아래에서 표지자를 환자의 오른쪽을 향하게 한 채 가로면 영상으로 검사를 시작하는 것이다. 이 방향에서는 척추체가 후향 음영을 동반한 밝은 고에코성의 구조물로 나타나게 된다. 척추의 바로 앞에서 혈액이 찬 무에코성(anechoic)의 윤상 구조물로 대동맥의 단면을 확인할 수 있고, 대동맥의 오른쪽(화면의 왼쪽)에서 무에코성의 윤상 또는 눈물 모양의 구조물로 IVC를 관찰할 수 있다(5장 참고). 심장을 향한 IVC의 경로 중간에 왼, 중간, 오른 간 정맥들이 IVC로 진입하는 것이 보일 것이다(우심방에 다다르기 전).

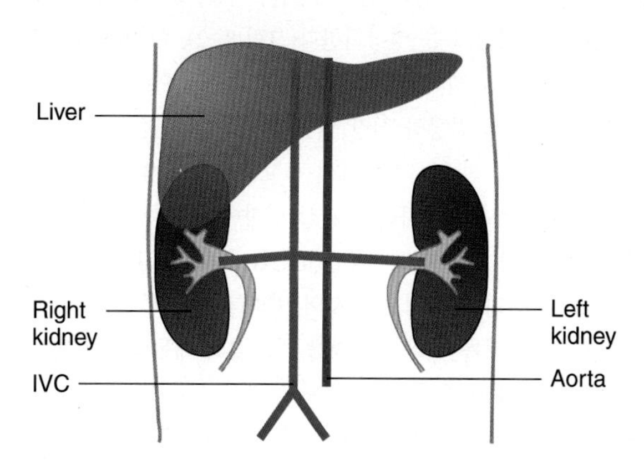


**그림 8-1** IVC와 대동맥, 신장, 간의 해부학적 관계.

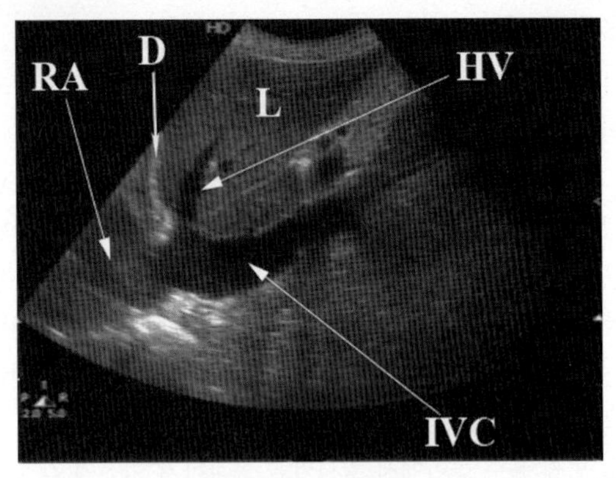


그림 8-2 우심방(RA)으로 들어가는 IVC의 시상(늑골하 장축) 방향 영상. 탐색자의 표지자는 간(L)의 아래 부분 위에서 환자의 머리 쪽을 향한다. 화면의 좌측은 환자의 머리 방향을, 우측은 발 방향을 의미한다. 횡격막(D)의 바로 원위부에서 근위부 IVC로 간정맥(HV)이 유입됨을 주목하라.

IVC와 대동맥을 혼동하지 않도록 주의를 기울여야 한다. IVC는 대동맥보다 혈관 벽이 더 얇고, 허탈성(collapsibility)이 좋으며, 가로면 영상에서 종종 반지 모양이 아닌 눈물 모양을 띈다. IVC는 호흡에 따른 변동성이 있고, 인접한 대동맥으로부터 박동성(pulsatility)이 전달될 수도 있으므로 2차원 영상에서 박동성만으로 두 구조물을 감별하지 않도록 한다. 컬러-유량 도플러로 대동맥에서 특징적인 동맥 혈류를 확인할 수 있다.

가로면 영상 검사를 완료한 이후, 표지자를 환자의 머리를 향하도록 탐색자를 시계방향으로 90도 돌려 시상면(세로) 영상을 얻는다. "늑골하 장축도"라고도 불리며 화면의 왼쪽이 머리 쪽을, 오른쪽이 다리 쪽을 가리키게 되어 IVC의 장축을 영상화한다(그림 8-2). 이 영상에서는 IVC가 간의 뒤 경계를 따라 횡격막을 가로지르고 우심방으로 주행하는 모습이 나타날 것이다. 우선 검상하 심장 영상을 획득한 후 탐색자를 늑골하 장축 방향으로 90도 돌려 검사함으로써 적절한 영상을 얻을 수 있다.

IVC는 FAST 검사와 유사하게 관상 방향에서 장축 영상을 얻을 수도 있다. 탐색자는 아래 갈비사이공간(intercostal space)의 오른쪽 정중액와(midaxillary) 선의 앞쪽에서 환자의 머리를 향하게 한다. 그림 8-3은 IVC가 간의 뒷 경계를 따라 횡격막을 가로질러 대동맥의 앞에서 평행하게 주행하는 것을 보여준다.

만약 두 영상을 획득하기 어렵다면, 환자가 왼쪽으로 측와위(decubitus position)를 취하도록 한다. 그러면 IVC가 간을 통해 늑골하 위치에서 보

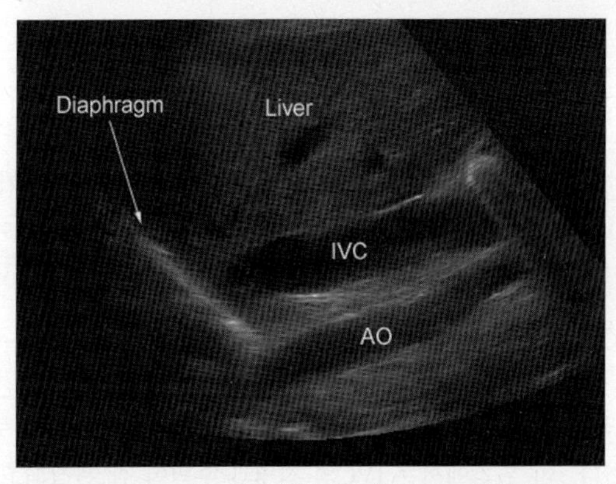


**그림 8-3** 간의 뒤 쪽 경계를 가로질러 횡격막을 향해 서로 평행하게 주행하는 IVC와 대동맥(AO)의 관상(세로) 방향 영상. 검사자는 탐색자를 환자의 머리 방향으로 아래쪽 우측 갈비사이공간의 정중액와선의 앞쪽에 놓는다. 이 방향에서 IVC는 대동맥의 앞에 위치한다.

이거나 앞서 언급했던 것처럼 환자의 우측 옆구리에 탐색자를 위치시켜 확인할 수 있다.

## 검사 프로토콜

이미 언급한 바와 같이 IVC의 가로면 방향 영상은 지표를 확인하는데 도움이 된다. 하지만 IVC의 직경과 허탈성(collapsibility)은 시상면 방향에서 측정되어야 한다. 혈관의 가장자리가 아닌, 직경이 가장 큰 위치에서 IVC의 장축을 영상화하도록 한다. 직경 측정은 IVC가 우심방으로 진입하는 지점에서 2 cm 이내 떨어진 곳에서 시행한다.

IVC는 환자의 좌측와위 상태에서도 측정이 가능하다. 이 자세는 IVC 검사에 적합하기는 하나, 정수압(hydrostatic)의 변동성 때문에 IVC의 직경이 앙와위 상태에서 얻어진 값과 큰 차이를 보일 수 있다.

IVC 및 CVP에 대응하는 호흡 변동성의 측정은 본문에 잘 기술되어 있다. 특히 CVP의 측정이 불가능한 상황에서 환자 체액 상태를 신속히 추정할 수 있게 한다. 'collapsibility index'± (CI) 또는 'caval index'는 호흡 도중에 발생하는 직경의 차이를 나타내는 것으로 다음과 같이 정의된다:

$$\frac{D_{IVC-\max} - D_{IVC-\min}}{D_{IVC-\max}}$$

- $D_{IVC-max}$: 호흡 도중에 IVC의 최대 전후 직경
- $D_{IVC-min}$: 호흡 도중에 IVC의 최소 전후 직경

$D_{IVC-max}$는 자발호흡을 하는 환자에서는 호기 시, 양압 환기(positive pressure ventilation)를 받는 환자에서는 흡기 시 측정한다. 그와는 반대로 $D_{IVC-min}$는 자발호흡 환자에서는 흡기 시, 양압 환기를 받는 환자에서는 호기 시 측정한다.

적절한 IVC 영상을 얻은 후, IVC-간 정맥 접합부에서 꼬리 방향으로 2~3 cm 떨어진 위치 또는 우심방 입구에서 2 cm 떨어진 원위부에서 측정해야 한다. 이 위치에서는 IVC의 전벽과 후벽이 잘 관찰되고, 평행으로 보인다. 혈관의 직경은 장축에 수직 방향으로 벽과 벽 사이의 간격으로 측정되어야 하며, 흡기시의 허탈 상태도 확인되어야 한다.

시간이 흐르는 동안의 움직임을 감지해내는 M-모드가 호흡 시 발생하는 변화를 확인하는데 활용될 수 있다. 검사자는 M-모드 선을 심방 접합부 약 2 cm 이하 지점의 장축에 수직 방향으로 위치시킨다. M-모드에 의한 수직 컷은 탐색자를 기울이거나 방향성 M-모드를 이용함으로써 정확성을 높일 수 있다. 그림 8-4a와 b는 호흡에 따른 IVC 직경의 변화를 보여준다. 검사자는 정지 영상을 얻을 수 있으며, 호흡 도중 허탈 정도를 확인하기 위해 가장 넓고 가장 좁은 부분의 혈관 직경을 측정할 수 있다.

## 초음파검사에서의 이상 소견

### 편평한 IVC 그리고/또는 흡기 시 50%를 초과하는 허탈

정상 IVC는 직경이 1~2 cm이며, 흡기 시 정상의 50% 정도로 허탈하게 된다. 이는 정상 CVP (10 mm Hg)와 체액 상태를 반영한다. IVC 직경이 1.5 cm 미만 그리고/또는 흡기 시 50%를 초과하는 허탈은 낮은 CVP (<5~8 mm Hg)와 체액 부족을 의미한다. 앞서 기술되었던 CI 식을 이용 시, Index 50% 초과는 낮은 CVP를 의미한다.

CVP 저하의 흔한 원인들은 다음과 같다:

- 탈수 또는 실혈로 인해 발생하는 저혈량상태(hypovolemia)
- 패혈증, 아나필락시스, 또는 신경학적 원인들로 인해 발생하는 쇼크

이러한 소견들은 임상의가 치료 계획을 세우는데 도움이 된다. 예를 들어 저혈량으로 인한 낮은 CVP를 보이는 환자는 더 많은 정맥 내 수액

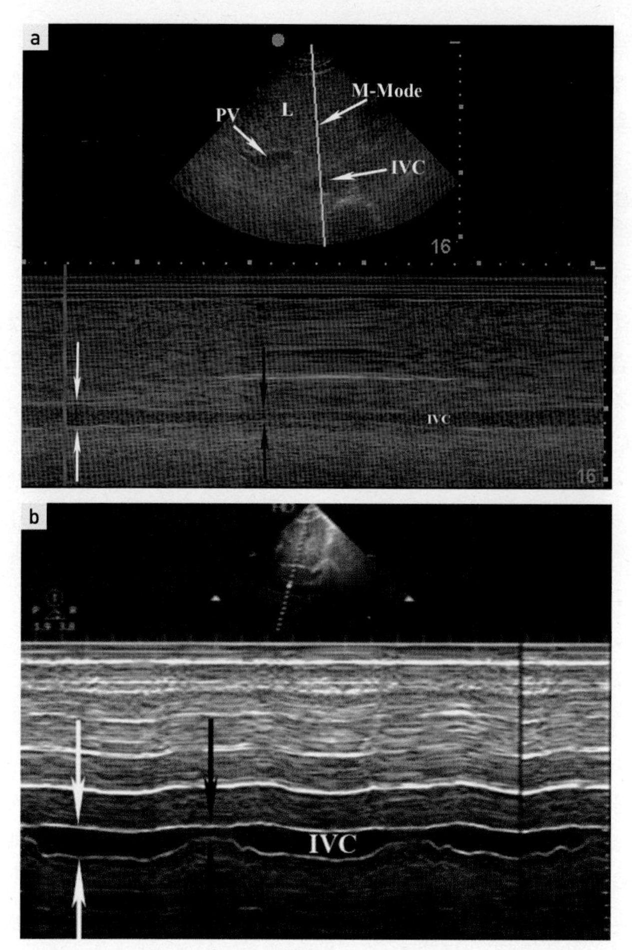


**그림 8-4 (a)** 자발 호흡을 하는 환자의 흡기와 호기 동안에 M-모드를 활용한 IVC의 가로방향 영상. M-모드 축 선은 IVC의 내강을 통과한다는 점을 주목하라. 흰 화살표는 IVC 최대 직경($D_{IVC-max}$)을, 그리고 검은 화살표는 IVC 최소 직경($D_{IVC-min}$)을 의미한다. PV : 간 문맥, L: 간. **(b)** 자발 호흡을 하는 환자의 흡기와 호기 동안에 M-모드를 활용한 IVC의 세로방향 영상. 흰 화살표는 IVC 최대 직경($D_{IVC-max}$)을, 그리고 검은 화살표는 IVC 최소 직경($D_{IVC-min}$)을 의미한다.

이나 혈액 제제가 필요하다. 쇼크에 의해서 낮은 CVP를 보이는 환자들은 승압제나 심근 수축제가 필요할 수 있다. 최선의 치료 방법을 결정하기 위해서는 허탈된 IVC의 초음파 소견들을 환자의 임상적 상황과 함께 고려하여야 한다. 이는 울혈성 심부전(congestive heart failure, CHF)이나 말기 신질환(end-stage renal disease, ESRD) 환자와 같이 조심스러운 체액 관리가 필요한 환자에게도 중요하다. 또한 단시간 내 지나치게 많은 양의 수액을 투여 받았을 때 심부전에 빠지기 쉬운 노인 환자들에게도 도움이 된다. 이 상황에서 IVC의 반복적 초음파 측정으로 환자들의 혈관 내 체액 상태를 관찰함으로써 임상의는 필요한 수액의 적정량에 대한 정보를 얻을 수 있다.

### 과다하게 부풀어진 IVC 그리고/또는 흡기 시 50%를 넘지 않는 허탈

만약 IVC의 직경이 2.5 cm을 넘고 흡기 시 허탈이 거의 이루어지지 않는다면, IVC는 다혈성(plethoric) 그리고 CVP가 높은(>15 mm Hg) 것으로 간주된다. 20% 미만의 CI는 높은 CVP에 특이적이다.

CVP 상승의 흔한 원인들은 다음과 같다:

- CHF, ESRD, 또는 간부전(hepatic failure)에 의해 가장 흔히 발생하는, 하지만 수액치료로 인해 의인성으로도 생길 수 있는 고혈류량 상태
- 긴장성 기흉
- 심낭탐폰
- 흉막 삼출

초음파에서 CVP가 상승한 소견은 임상의가 치료 방향을 결정하는데 도움이 된다. 예를 들어, 고혈류량 상태로 상승된 CVP를 보이는 환자는 nitrate, 이뇨제, 또는 투석이 필요할 수 있다. 주입한 정맥 내 수액 때문이라면, 수액 치료를 중단하고 환자를 재평가해야 한다. CVP의 상승 소견은 긴장성 기흉이나 심낭탐폰을 진단하는데 도움이 되기도 한다. IVC의 반복적 초음파 측정은 환자의 혈관 내 체액 상태의 변화를 감시할 수 있다.

## 흔히 저지르는 실수들

### 환자 체형과 장내 가스

IVC 확인 시, 비만과 장내 가스는 주된 장애요인이다. IVC가 늑골하(subcostal) 장축 방향에서 확인되지 않는다면 관상 우상복부 영상이나 좌측와위 영상을 시도할 수 있다. 검사자가 탐색 도중에 탐색자로 꾸준한 압력을 가하는 것이 장내 가스를 시야에서 제거하는데 도움이 된다.

### 대동맥을 IVC로 오인

IVC와 대동맥은 서로 평행하게 주행하고 직경이 비슷하기 때문에 검사자는 종종 이를 혼동하기 쉽다. 따라서 이 큰 혈관들의 해부학적 관계와 가로 방향 영상에서의 IVC의 위치(대동맥의 우측)를 파악해야 한다. 이를 위해 검사자는 단축에서 IVC를 발견한 이후, 탐색자를 세로 방향으로 90도 회전시키면 된다.

IVC는 대동맥에 비해 허탈성이 좋고, 혈관 벽이 얇다. IVC의 정맥 박동은 대동맥의 동맥 박동보다 덜 명확하다. 하지만 이것만으로 완전하게 그 둘을 구별할 수 없다.

### 부정확한 측정

정확한 위치 또는 적절한 축 방향으로 측정하지 않는 경우, IVC의 크기가 과소 혹은 과대 평가될 수 있다. 혈관의 단면을 고려하면서 한쪽 벽에서 반대쪽 벽을 향한 수직 방향으로 IVC를 측정한다. 만약 측정이 비스듬한 방향으로 이루어진다면 혈관의 크기는 정확하지 않게 된다. 호흡에 따른 변동성을 정확하게 판정하기 위해서는 혈관이 최대, 최소 크기로 확인되는 지점에서 검사하여야 한다.

### 체액으로 채워진 구조물을 IVC로 오인

체액으로 채워진 다른 구조물들을 IVC로 오인할 수 있다. 방광, 담낭, 신장, 간, 췌장 낭종, 그리고 복막강 내에서 무에코성의 구조물인 가성 낭종 등이 있다. 지표를 활용하고, 체액으로 채워진 구조물을 그 주행방향으로 탐색하면 이런 실수를 피할 수 있다. IVC의 혈류를 탐지할 수 있는 컬러-유량 도플러가 감별에 도움이 된다.

### 신뢰할 수 없는 IVC 직경

IVC 직경이 환자의 혈관 내 체액 상태를 반영하지 못하는 임상적 상황들이 몇 가지 있다. 우심부전, 중증의 삼첨판 부전, 그리고 양압환기가 그에 해당된다.

## 임상진단에서 IVC 초음파검사의 활용

환자의 혈관 내 체액 상태를 평가하는데 IVC 직경을 측정하는 것은 유용하고 비침습적 방법이다. IVC 직경과 호흡 변동성을 환자의 임상 상황과 통합시키는 것은 임상의의 판단과 치료에 도움을 줄 수 있다. 몇몇 연구들이 IVC 측정과 전부하 사이의 신뢰성에 대해 의문을 제시하였으나, 체액 상태와 치료에 대한 반응을 질적으로 평가하는 것은 여러 상황에서 유용하다고 평가받고 있다.

IVC 평가를 통해 저혈량 상태를 파악하고 수액 치료 반응을 감시할 수 있다. 진료현장에서 IVC의 초음파검사는 FAST 검사 프로토콜로 쉽게 통합될 수 있다. 설명되지 않는 저혈압 환자들을 초음파로 평가할 때 원인 규명과 치료 과정 감시를 위해 IVC를 측정하는 것을 추천한다. IVC 평가는 설명되지 않는 호흡곤란, 특히 체액 과다 상태와 CHF를 구분하는데 도움이 된다.

| 추가로 읽을 거리 |

Brennan JM, Blair JE, Goonewardena S, et al. Reappraisal of the use of the inferior vena cava for estimating right atrial pressure. *J Am Soc Echocardiogr*. 2007;20:857−861.

Cheriex EC, Leunissen ML, Janssen HA, et al. Echography of the inferior vena cava is a simple and reliable tool for estimation of 'dry weight' in haemodialysis patients. *Nephrol Dial Transplantation*. 1989;4:563−568.

Feissel M, Michard F, Faller JP, et al. The respiratory variation in inferior vena cava diameter as a guide to fluid therapy. *Int Care Med*. 2004;30:1834−1837.

Perera P, Mailhot T, Riley D, Mandavia D. The RUSH exam: rapid ultrasound in shock in the evaluation of the clinically ill. *Emerg Med Clin North Am*. 2010; 28:29−56.

Yanagawa Y, Nishi K, Sakamoto T, et al. Early diagnosis of hypovolemic shock by sonographic measurement of inferior vena cava in trauma patients. *J Trauma*. 2005;58:825−829.

# 9 복강내 체액

## 배경지식 및 검사의 적응증

복수(ascites)를 평가하는 최적의 검사방법은 현장진단 초음파검사이다. 초음파 외상 집중 평가(focused assessment with sonography in trauma, FAST) 방법은 복강내 출혈이 있는 환자를 평가하는 가장 보편적인 방법 중 하나이다. 심각한 혈액복막(hemoperitoneum)을 진단하는 데 초음파는 민감도와 특이도가 높은 검사 방법으로 알려져 있다. 과거부터 초음파는 저혈압을 동반한 외상환자의 생명을 구하기 위해 중요한 검사로 인식되어 왔지만, 초음파의 이점은 저혈압 외상 환자에만 국한되는 것은 아니다. 비외상 환자와 다른 질환의 경과 중 발생한 복수를 찾기 위해 초음파를 간편하게 이용할 수 있다. 즉 말기 간질환, 신부전(renal failure), 심부전(heart failure) 환자의 복수를 검사하는데 초음파를 이용할 수 있다.

또한 복통이나 옆구리 통증이 있는 환자에게 복수 유무를 평가하는 것은 아주 중요하다. 예를 들어 복통이나 골반통이 있는 산모에서 복막강내 비정상 체액(intraperitoneal free fluid)이 있다면 자궁외임신(ectopic pregnancy)의 파열을 의미하며, 이는 수술적 처치가 필요하다. 병상에서 신속하게 복수를 진단한다면 환자에게 근본적인 치료를 보다 일찍 제공할 수 있다.

복수감별을 위한 현장진단 초음파의 적응증은 다음과 같다:

- 몸통에 둔상이나 관통상을 당한 급성 외상 환자
- 임산부나 소아 외상 환자
- 복통이 뒤늦게 심해진다고 호소하는 아급성 외상 환자
- 감별하기 힘든 복통이나 옆구리 통증을 호소하는 노인
- 감별하기 힘든 쇽이나 호흡곤란 환자

## 탐색자 선택 및 기술적 고려사항

- 복부와 골반은 3.5~5.0 MHz의 주파수를 가진 표면이 넓은 곡선형

탐색자를 사용할 때 가장 좋은 영상을 얻을 수 있다. 낮은 주파수는 비만 환자에게 유용하지만 마르거나 소아 환자에게는 높은 주파수를 사용하기도 한다.

- 2.0~5.0 MHz의 주파수를 가진 위상-배열형 혹은 미세볼록(microconvex) 탐색자도 복부와 골반의 복수를 감별할 때 이용한다. 탐색자의 표면이 좁아 갈비뼈 사이(특히 젊고 마른 환자)에서 영상을 얻을 때 도움이 된다.

### 총 증폭과 시간-증폭 보상

총 증폭(total gain)은 관찰 대상으로부터 되돌아오는 신호를 더 밝게 화면에 나타내어 영상의 질을 높인다. 흔히 탐색자에서 가까운 부분은 증폭이 적절하기에 조정할 필요가 없다. 비만 환자에서는 음파 소실이 일어나기 때문에 시간-증폭 보상(time-gain compensation, 원거리 증폭(far gain))을 이용하여 환자의 심부에서 되돌아오는 음파의 감쇄를 보정할 수 있다. 반면, 골반에 있는 방광의 뒤쪽에 나타나는 후방 음향 증가 허상(posterior acoustic enhancement artifact)은 원거리 증폭을 감소시킬 필요가 있다. 시간-증폭 보상 제어부의 일부가 너무 낮게 조절되면 위양성으로 줄무늬가 생길 수 있어 검사 전에 시간-증폭 보상 제어부들을 균등하게 조절해야 한다.

### 심도

검사자는 심도를 최소 15 cm 혹은 그 이상으로 설정한 후 검사를 시작하고, 관찰할 대상이 가까운 부분에 있더라도 먼저 심부 영역 전체를 확인한 후 얕은 부분으로 초점을 맞추어 검사를 진행한다. 위와 같이 하면 심부 영역의 비정상 소견을 놓치지 않을 수 있고, 검사자가 올바른 판단을 내리는데 도움이 된다. 일단 심부영역을 검사했다면, 심도를 줄여 관찰 대상이 화면의 4분의 3 정도를 차지하게 조절한다.

## 정상 초음파 해부학

복수를 검사하기 위해 복막강을 관찰할 때는 반드시 3가지 상(view)을 확인해야 한다. 3가지 상에는 간주변부상(perihepatic view)(우상복수, 간과 우측 신장, 모리슨 와(Morison's pouch))와 비장주변부상(perisplenic view)(좌상복부, 비장과 좌측 신장), 치골상부상(suprapubic view)이 있다. 모리슨 와는 상당량의 복수가 존재할 때 가장 민감한 단일 단면상이며, 다른 단면상을 같이 이용하면 전체적인 민감도를 높일 수 있다. 잘룩창자옆고랑(paracolic gutter)의 검사는 FAST 방법에서 초창기에 주장되었으나 이 부분을 추가로 확인하여도 민감도가 높아진다는 증거는 없었다.

## 간주변부(우상복부, 간과 우측 신장, 모리슨 와)상

간주변부상은 우상복부를 관찰하는 것이며, 복수에 가장 민감하고, 가장 확실한 영상이기 때문에 복부 관찰에서 보통 가장 우선적으로 사용된다. 간주변부상을 이용하면 잘룩창자옆 고랑으로 이어지는 간과 우측 신장 사이의 잠재적인 공간인 모리슨 와를 볼 수 있다. 또한, 흉수나 혈흉을 감별하기 위해 횡격막 상부에 있는 우측 흉곽(right hemithorax)도 같이 관찰하도록 한다.

우상복부의 주된 단면상은 우측관상단면상(right coranal view)이다. 탐색자는 표지자를 환자의 머리 쪽으로 하여 우측 옆구리의 8번째에서 11번째 갈비사이공간에 있는 정중액와선(midaxillary line)위에 둔다(그림 9-1). 위와 같이 탐색자를 두면 화면의 좌측은 환자의 머리 쪽, 우측은 환자의 다리 쪽, 상부는 얕은 부분, 하부는 깊은 부분이 위치하는 관상단면상이 보이게 된다(그림 9-2). 검사는 간과 우측신장 사이의 잠재적 공

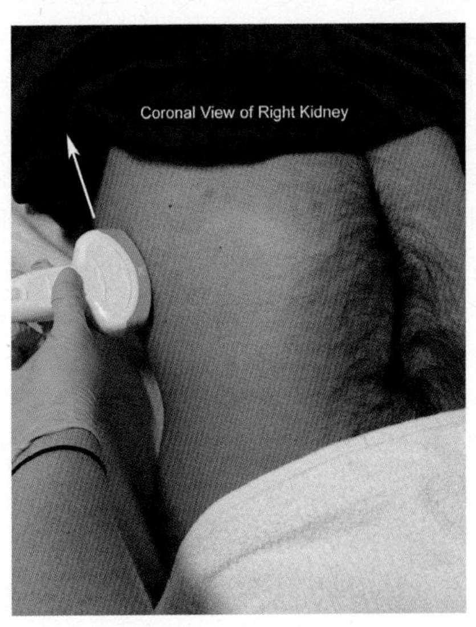


**그림 9-1** 우상복부상에서 환자와 탐색자의 적절한 위치. 탐색자는 관상면 방향이며 표지자는 환자의 머리(화살표) 쪽으로 하여 정중액와선에서 전액와선에 위치.

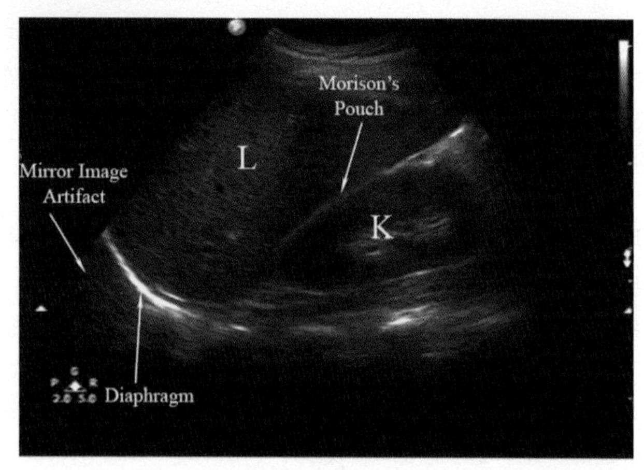


**그림 9-2** 정상 관상면 우상복부상과 지표(landmark). 영상의 좌측은 환자의 머리 쪽이다. 밝은 흰색을 나타내는 고에코성 횡격막 상부에는 간의 경면허상이 보이고, 이것은 자유 체액이 없는 정상 흉강을 의미한다. 간과 신장 사이에 정상 모리슨 와가 보인다. 영상의 우측은 환자의 다리 쪽이다. 간과 신장의 아래쪽 끝부분은 화면의 오른쪽에 나타나며 복수가 가장 먼저 모이는 부분이다. K: 신장, L: 간.

간인 모리슨 와의 관찰에 초점을 맞추어야 한다. 탐색자를 위쪽으로 기울이면 횡격막 상부에 있는 우측 흉부를 볼 수 있다. 적절한 검사를 위해 간의 아래쪽 끝부분과 우측 신장의 아래쪽 끝부분이 하나의 단면상에 나타나게 한다. 간의 아래쪽 끝 부분은 환자의 가장 아래쪽 부분(dependent region)이기 때문에 소량의 복수가 존재할 수 있어 이 부분을 검사하는 것이 중요하다.

정상 모리슨 와에는 간과 우측 신장의 접촉면에 무에코성 혹은 저에코성으로 나타나는 체액이 보이지 않을 것이다. 우측 흉부에는 경면 허상(mirror image artifact) 때문에 횡격막 양쪽에 간이 보일 것이다. 이 허상은 정상적으로 보여야 하고, 보인다면 흉막에 체액이 없다고 확신할 수 있다. 횡격막 상부의 체액은 무에코성이나 저에코성 부분으로 나타나며, 임상 상황에 따라 혈흉이나 흉수가 존재한다는 것을 의미한다.

갈비뼈 음영으로 인해 때로는 완벽한 우상복부 검사를 하기가 어려울 수 있다. 이 상황에서는 탐색자를 갈비뼈 사이로 기울여서 영상을 얻어야 한다. 우측늑간사면상(right intercostal oblique view)은 탐색자를 겨드랑이 중간선상의 하부 갈비뼈 사이 공간에서 환자 뒤쪽(등)을 향해 조금 기울이면 얻을 수 있다. 탐색자를 앞, 뒤로 조금 돌리면 갈비뼈 음영으로 인한 허상이 줄어들어 영상을 최적화할 수 있다. 또한, 표면이 작은 탐색자나 위상-배열형 탐색자를 사용하면 도움이 된다.

## 비장주변부(좌상복부, 비장과 신장)상

좌상복부상은 좌측 흉수, 횡격막하부(subphrenic)와 좌측 잘룩창자 고랑으로 이어지는 비장-신장 오목(recess)의 체액 확인을 위해 이용된다. 횡격막과 흉부 아래쪽을 관찰하기 위해 탐색자를 위쪽으로 기울일 수 있다. 보통 좌상복부상은 몇 가지 이유 때문에 우상복부상보다 관찰하기가 좀 더 어렵다. 좌측 신장은 해부학적으로 우측보다 더 위쪽에, 더 뒤쪽에 있고, 비장은 간과 달리 넓은 초음파 창을 제공하지 못한다. 좌측 신장이 더 뒤쪽에 있어 갈비뼈 음영이 더 많이 나타나기 때문에 해부학적인 위치가 모호해 질 수 있다. 또한, 검사자가 환자의 오른쪽에 있기 때문에 좌상복부에 탐색자를 두려면 반드시 환자에게 기대서 검사를 할 수밖에 없다. "손가락 관절을 침대 위에"라는 문구는 흔히 좌상복부상의 검사를 묘사하기 위해 사용되며, 적절한 영상을 얻기 위해 환자의 뒤쪽 모든 부분을 탐색자로 관찰하라는 의미로 강조된다.

우상복부상의 검사와 같이 관상단면상으로 검사를 시작한다. 탐색자는 표지자를 환자의 머리 쪽으로 하여 좌측 옆구리의 7번째에서 9번째 갈비사이공간에 있는 후액와선(posterior axillary line)위에 둔다. 탐색자의 위치를 우상복부상보다 더 위로, 더 뒤로 다시 조절할 필요가 있고, 가장 좋은 단면을 얻기 위해 검사자의 손을 침대에 보통 두고 관찰한다. 환자가 협조 가능하다면, 좋은 영상을 얻기 위해 옆으로 누운 자세를 유도하는 것도 필요하다(그림 9-3). 갈비뼈 음영 때문에 중요한 해부학적 구조물이 보이지 않는다면, 탐색자를 뒤쪽으로 조금 돌려 늑간사면상을 시도해야 한다.

우상복부상에서 보이는 화면과 비슷하게 좌상복부상에서도 화면의 좌측은 환자의 머리 쪽, 화면의 우측은 환자의 다리 쪽이 위치하게 된다. 적절한 좌상복부상에서는 비장, 좌측 신장, 횡격막하부가 하나의 단면에 보이게 된다(그림 9-4). 우측과 반대로 복수가 일반적으로 횡격막하부에 가장 먼저 모이고, 이후 비장-신장 오목에 모이게 된다. 그러므로 반드시 비장과 횡격막 사이의 접촉면이 잘 보일 수 있도록 적절한 영상을 획득해야 한다. 간주변부상에서와 마찬가지로 완전한 검사를 위해 좌측 신장의 아래쪽 끝부분 옆에 비장의 아래쪽 끝부분이 위치하도록 한다. 흉부 하부를 관찰하기 위해 탐색자를 위쪽으로 기울일 수 있고, 가능하다면 환자가 숨을 들이 쉬도록 유도한다.

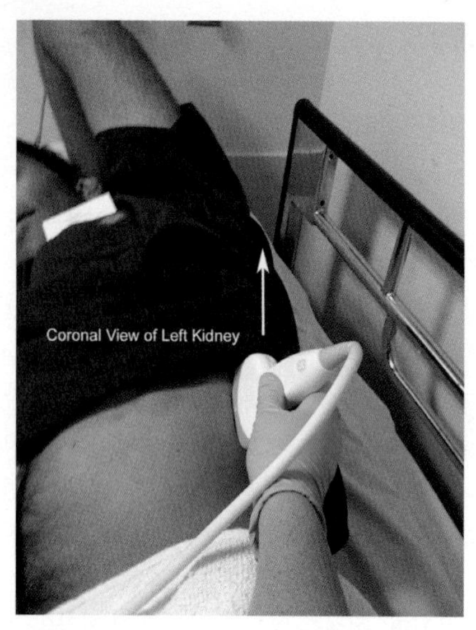


그림 9-3 좌상복부상에서 환자와 탐색자의 적절한 위치. 환자는 우측 옆으로 누운 자세. 탐색자는 관상면 방향이며 표지자는 환자의 머리(화살표) 쪽으로 하여 후액와선에 위치.

횡격막하부(비장과 횡격막 사이)와 비장-신장 오목(비장과 좌측 신장 사이)에는 정상적으로 무에코 혹은 저에코성 체액이 보이지 않을 것이다. 좌측 흉부에는 경면 허상(mirror image artifact) 때문에 횡격막 양쪽에 비장이 보일 것이다(그림 9-4). 이 허상이 보인다면 흉수가 없다고 확신할 수 있다.

## 치골상부상

치골상부상은 체액이 모일 수 있는 몸의 잠재적인 가장 아래쪽(dependent) 부분을 관찰할 수 있다. 직장-자궁 공간(rectouterine space)이라고도 불리는 뒤쪽 cul-de-sac 혹은 더글라스 와(pouch of Douglas)는 여성에서 복막강의 아래쪽부터 직장과 자궁의 뒤쪽 사이로 연결되는 공간이다. 남성에서도 여성과 비슷하게 가장 아래쪽 부분에는 직장-정낭 공간(rectovesicular space)으로 알려진 방광 뒤쪽과 직장의 앞쪽 사이의 공간이 있다.

치골상부상에서는 방광이 가득 채워진 상태에서 방광이 커다란 초음파 창문 역할을 하기 때문에 쉽게 영상을 얻을 수 있으며, 이러한 이유로 가능하다면 도뇨관을 삽입하기 전에 검사를 한다. 치골상부상은 골반 내에

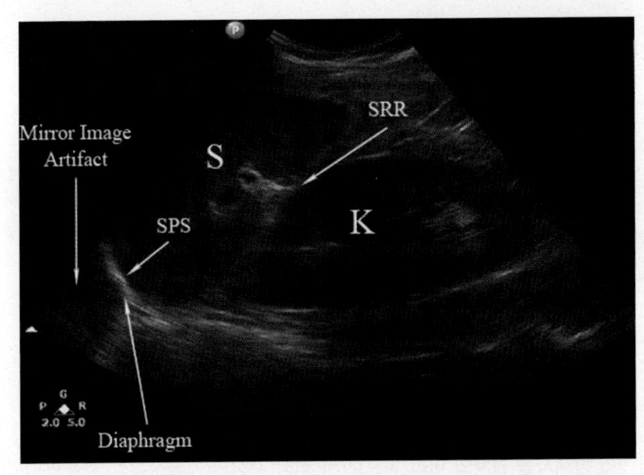


그림 9-4 정상 관상면 좌상복부상과 관찰지표. 밝은 흰색을 나타내는 고에코성 횡격막 상부에는 비장의 경면허상이 보이고, 이것은 자유 체액이 없는 정상 흉강을 의미한다. 정상 횡격막하 공간(SPS)는 비장과 횡격막 사이에 보인다. 정상 비장-신장 오목(SRR)은 비장과 좌측 신장 사이에 보인다. 비장과 신장의 아래쪽 끝부분은 화면의 오른 쪽에 나타난다. K: 신장, L: 간.

복수를 관찰하는데 활용된다. 둔상 환자에서 골반 내 체액이 발견되면 이것을 혈액으로 가정할 수 있고, 또한 소변이나 복수도 생각해볼 수 있을 것이다. 젊은 여성에서는 정상 생리 주기에 따라 소량의 생리학적 체액이 보일 수도 있다.

치골상부상은 치골결합(pubic symphysis) 바로 위쪽의 하복부에 탐색자를 둔다. 시상단면상은 탐색자의 표지자를 환자의 머리 쪽을 향하게 하고, 아래쪽으로 기울여 탐색자를 세로로 두고 관찰해야 한다. 방광이 소변으로 가득 채워지면 초음파의 커다란 시야창의 역할을 하게 되고, 시야를 가리는 갈비뼈나 다른 구조물이 없기 때문에 방광을 더욱 쉽게 관찰할 수 있다. 여성에서 자궁은 방광의 후상부에서 관찰할 수 있다(그림 9-5). 장내 가스로 인해 초음파가 산란될 수 있지만, 일반적으로 탐색자를 밀거나 각도를 아래로 기울이면 가스로 인한 시야 장애를 감소시킬 수 있다. 방광이나 자궁 뒤쪽의 무에코성 줄무늬(복수)를 찾기 위해 탐색자를 왼쪽에서 오른쪽으로 이동시키며 방광 용량 전체를 단면 영상으로 확인한다.

시상단면상으로 방광 전체를 관찰한 이후 탐색자를 시계 반대 방향으로 90도 돌려 탐색자 표시가 환자의 오른쪽을 향하게 한다(그림 9-6). 또한, 방광과 방광 뒤쪽을 관찰하기 위해 탐색자를 위쪽에서 아래쪽으로 기울인다. 치골상부상의 횡단면상에서 방광은 마름모나 타원형의 무에코

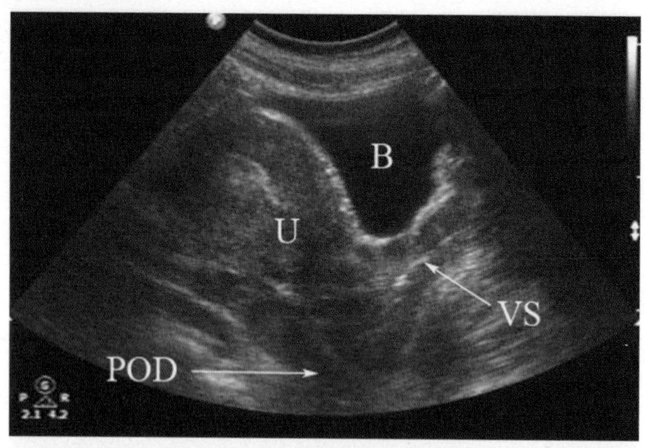


**그림 9-5** 탐색자를 환자의 머리 쪽으로 한 정상 시상면 치골상부상. 환자의 머리는 화면의 좌측에 다리는 화면의 우측에 위치하며, 방광의 앞쪽 면은 화면의 상부에, 뒤쪽 면은 화면의 하부에 위치한다. 이 단면상에서 방광(B)은 자궁의 앞쪽 하부에 보인다. 화살표는 체액이 처음 모이게 되는 가장 아래쪽 부분인 더글라스 와(POD). 자궁벽 뒤쪽에는 체액을 의미하는 검은 무에코성 부분이 보이지 않는다. VS: 질의 줄무늬(vaginal stripe).

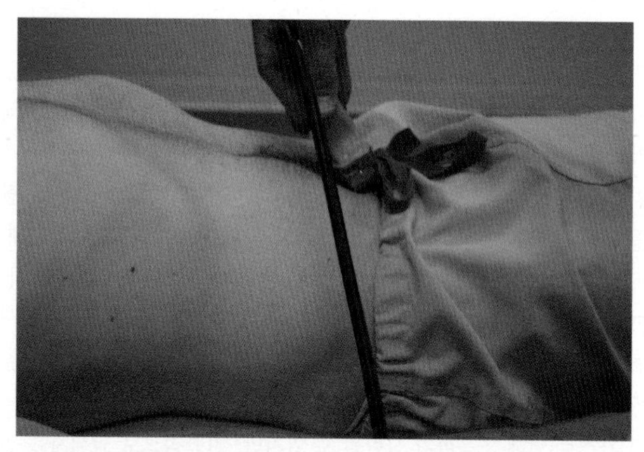

**그림 9-6** 방광 횡단면상에서 적절한 탐색자와 환자의 위치. 탐색자는 치골 결합 위에 표지자를 환자의 오른쪽으로 향하게 한다. 골반 내부를 관찰하기 위해 탐색자를 아래쪽으로 기울여야 한다.

성 구조물로 나타난다(그림 9–7). 자궁과 자궁경부는 방광 뒤쪽에 원형의 균일 조직으로 나타난다. 이와 비슷하게 남성에서 전립선은 방광의 아래쪽에 나타난다. 많은 양의 복수가 있다면 방광 뒤쪽과 방광 주위를 둘러싸는 형태로 보일 수 있다. 특히 방광이 수축되어 있으면 골반 내에 많

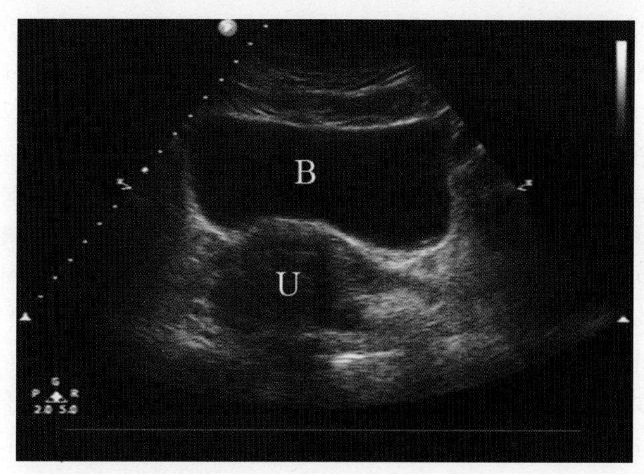


**그림 9-7** 탐색자의 표시를 환자의 오른쪽으로 한 정상 횡단면 치골상부상. 이 단면상에서 방광(B)은 자궁(U)의 앞쪽에 보인다. 장기 주변에 체액을 의미하는 검은 무에코성 부분이 보이지 않는다.

은 양의 복수를 방광으로 오인할 수 있어 주의해야 한다. 탐색자를 아래로 기울여 방광 전체를 관찰한다.

## 검사 프로토콜

### 어려운 환자

일부 환자는 쉽게 관찰할 수 있는 해부학적 구조를 가지고 있지 않다. 특히, 좌상복부상이 가장 어렵다. 검사자가 관찰하기 힘든 가장 흔한 경우는 환자가 비만일 때이다. 이런 경우 탐색자의 주파수를 낮추거나 더 강하게 탐색자를 눌러주면 좀 더 쉽게 관찰할 수 있다. 이런 조치에 환자가 불편해 하면 갈비뼈로부터 장기가 벗어날 수 있도록 환자를 옆으로 돌아누운 자세를 취하게 한다. 트렌델렌부르크 체위(Trendelenburg position)도 도움이 될 수 있는데 상복부 쪽으로 복수가 모이게 되어 검사의 민감도를 높일 수 있기 때문이다. 좋은 영상을 얻는 또 다른 방법은 환자에게 숨을 들이마시게 하여 중요 구조물을 가리는 갈비뼈 아래로 장기가 내려오게 하는 것이다.

### 영상 프로토콜

적절한 탐색자를 선택하고, 매개물질(겔)을 적절히 바르고, 환자 방광을 소변으로 가득 채우게 하는 것이 좋은 영상을 얻는데 필수적이다. 영상

결과의 규칙성을 위해 표지자를 환자의 오른쪽이나 환자의 머리 쪽을 향하게 해야 한다. 다양한 단면상을 사용하여 복부를 검사하면 복수에 대한 민감도를 높일 수 있다. 이 말은 검사자가 가능하다면 위에 언급한 모든 단면상을 시도해야 한다는 뜻이다.

복수로 배가 불룩하게 나와 있는 환자들과는 달리 외상 환자에서 복막강 내 체액의 존재는 알아채기가 힘들 것이다. 그러므로 검사자는 복막강 내 체액이 모일 수 있는 곳을 반드시 먼저 검사해야 한다. 간과 비장의 아래쪽 끝부분을 포함한 우상복부, 좌상복부를 완벽하게 영상으로 확인해야 한다. 또한, 좌상복부상에서 비장과 횡격막 사이의 횡격막하부 영역도 확인해야 한다. 치골상부상은 시상단면상이 특히 여성에서 좀 더 많은 정보를 흔히 제공하지만, 시상단면상과 횡단면상을 모두 사용하여 검사한다. 가임기 여성에서 임신 여부를 알아내기 위해 융모성 성선자극호르몬(human chorionic gonadotrophin, hCG) 검사를 하기 전에 두 가지 단면상을 사용하여 자궁을 반드시 확인한다.

흉수나 혈흉에 대한 검사를 위해 흉강의 하부는 우상복부상과 좌상복부상 검사의 일부로 같이 관찰하여야 한다.

영상의 질을 높이려는 노력에도 불구하고 일부 환자에서는 적절한 영상을 얻기 힘들 수 있고, 매우 드물게 영상을 전혀 얻을 수 없는 경우도 있다. 적절하고 훌륭하게 복부 초음파를 시행하더라도 복막강 내 체액이나 복막강 내 손상에 대한 초음파의 민감도는 완벽하지 않다. FAST 방법에서 부적절하거나 별다른 특이사항이 없더라도 임상적으로 복막강 내 손상이 강력히 의심된다면 복부 전산화단층촬영을 시행해서 확인하여야 한다.

## 초음파검사에서의 이상 소견

### 복부, 골반, 흉강에서의 자유 체액

자유 체액(free fluid)은 화면에 검은 무에코성으로 보인다. 자유 체액에 대한 초음파의 민감도는 체액의 양에 따라 달라진다. 100 mL의 체액도 일부 경우에서 다양한 단면상을 사용하여 발견할 수 있지만, 일반적으로 500 cc 이상의 체액이 있을 때 민감도가 높다.

우상복부상에서 자유 체액은 간과 우측 신장 사이에 있는 모리슨 와에 검정색 줄무늬로 흔히 나타난다(그림 9-8). 간과 신장 사이와 그 주변을 따라 자유 체액이 모이게 되고 가장자리는 예각을 이루게 된다. 가장자리

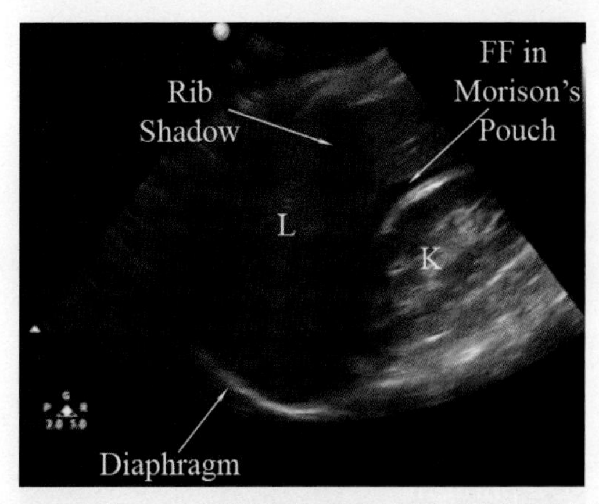


**그림 9-8** 오토바이 사고로 비장 열상이 있는 젊은 남자의 관상면 우상복부상으로 자유 체액(FF)이 간(L)과 우측 신장(K) 사이의 모리슨 와에 관찰된다. 영상 중간 부분에 갈비뼈 음영이 있어 간과 모리슨 와의 일부가 가려진다. 검사자는 반드시 이러한 갈비뼈 음영이 검사에 영향을 줄 수 있음을 인지해야 하고, 갈비뼈 음영 주변의 영상을 최적화하지 않는다면 이상 소견을 놓칠 수 있다.

가 둥근 각으로 보이면 낭(cyst)이나 담낭과 같은 체액이 내부에 포함된 구조물을 의미한다. 체액이 분포하는 경로를 초음파로 따라가며 관찰하여 혈관이 아님을 확인해야 한다. 특히, 간 정맥이 하대 정맥으로 흘러가는 것의 일부분만 보고 자유 체액으로 혼동하지 않도록 주의한다. 복수가 아주 적은 경우에는 단지 간의 아래쪽 끝부분에만 나타날 수도 있다. 반면, 만성 복수를 가진 환자는 복수가 모리슨 와에서도 보이지만 좀 더 많은 양의 복수가 있으면 일반적으로 간과 횡격막 사이뿐만 아니라 간의 끝부분을 넘어서도 보일 것이다(그림 9–9). 또한, 이런 경우 흔히 간은 수축되어 울퉁불퉁하고 비균질성으로 보인다.

좌상복부의 복수는 횡격막과 비장 사이의 횡격막하 공간, 비장과 좌측 신장 사이의 비장–신장 고랑 혹은 잘록창자 고랑에 모일 것이다(그림 9–10). 앞서 언급한 공간들 중 어느 한 곳이라도 검정색 줄무늬 혹은 주머니 모양이 관찰된다면 이는 곧 복수가 있다는 의미이다. 좌측 신장과 비장의 아래쪽 끝부분을 모두 관찰하는 것이 중요하다고 한 번 더 강조한다.

치골상부상에서 복수는 방광 외부에 검정색 무에코성 부분으로 나타난다. 많은 양의 복수가 골반에 있는 환자를 검사할 때 복수를 둘러싸고 있는 골반 벽이 방광과 비슷하게 보여 복수를 팽창된 방광으로 오해할 수 있다. 방광과 방광 벽을 정확히 확인하고, 관찰되는 어떤 액체라도 방광 내부에 있는지 골반 쪽으로 흘러가는지 초음파로 따라가며 검사하는 것

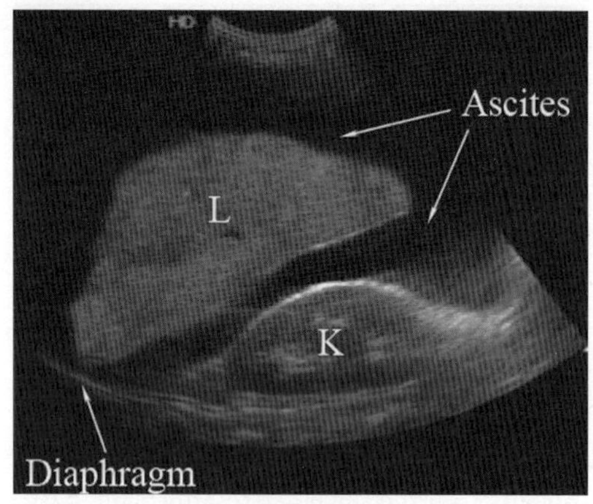


**그림 9-9** 간경화로 복수가 있는 여성 노인에서의 관상면 우상복부상. 이 단면상에서 간(L) 주위 전체에 검정색 무에코성 부분으로 복수가 보인다. 체액의 분포 범위를 외상이 있는 그림 9-8의 환자와 비교해보자. 간은 수축되어 있고 표면이 울퉁불퉁하며 비균질성으로 보이므로 체액이 외상이 아닌 복수로 인한 것이라는 단서가 된다. K: 신장.

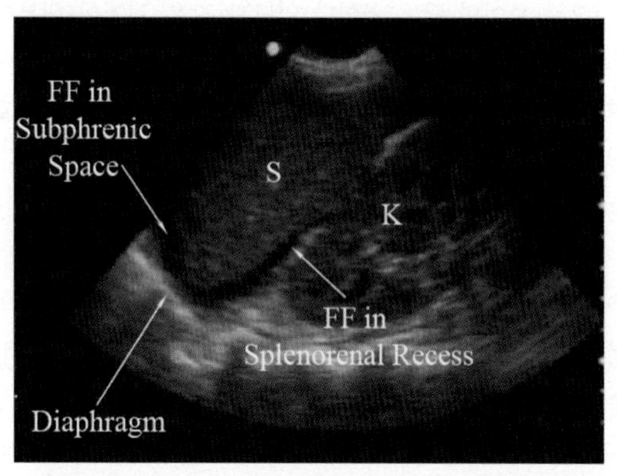


**그림 9-10** 간경화가 있는 남자의 관상면 좌상복부상. 복수(FF)가 비장(S)과 횡격막 사이의 횡격막하공간, 비장과 좌측 신장 사이의 비장-신장 오목에 모두 보인다. 외상의 경우 좌상복부상에서 보이는 자유 체액이 위 사진보다 대부분 더 모호하게 나타난다.

이 필수적이다(그림 9−11). 반드시 탐색자를 치골결합 위에 충분히 아래쪽으로 기울이고 골반 내에 있는 방광을 찾도록 한다. 여성의 경우 골반의 가장 아래쪽 부분이 되는 직장−자궁 공간 혹은 더글라스 와가 복수를 찾는데 가장 민감도가 높은 곳이다(그림 9−12). 많은 양의 복수는 앞쪽 막힌 주머니 쪽이나 자궁과 방광 사이의 자궁−정낭 공간(utero−vesicular

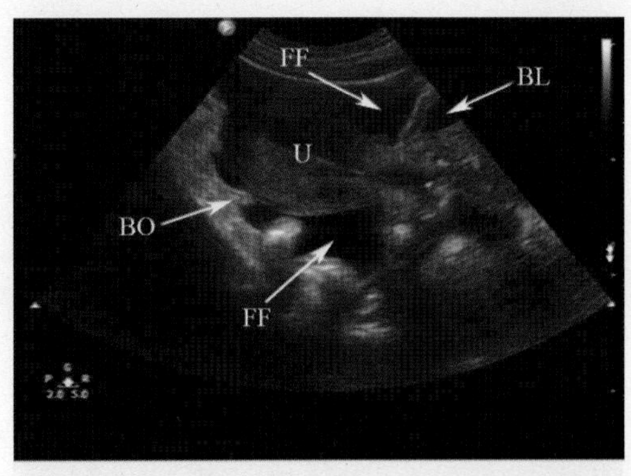


**그림 9-11** 낭 파열이 있는 여자의 시상면 치골상부상. 대량의 자유 체액(FF)이 Cul-de-sac의 앞, 뒤에서 모두 보인다. 자유 체액이 있는 자궁-정낭 공간은 자궁(U) 앞쪽에 있는 방광(BL) 근처에 위치한다. 방광은 경계가 명확한 두꺼운 벽 내부에 무에코성 소변이 채워져 있지만, 골반 내부의 자유 체액은 경계가 명확하지 않은 골반 구조물에 둘러싸여 있다. 또한, 액체 위에 떠다니는 장(bowel, BO)의 존재로도 자유 체액이 있음을 확인할 수 있다. 앞쪽에 위치한 자유 체액을 방광으로 오해하지 않도록 주의한다.

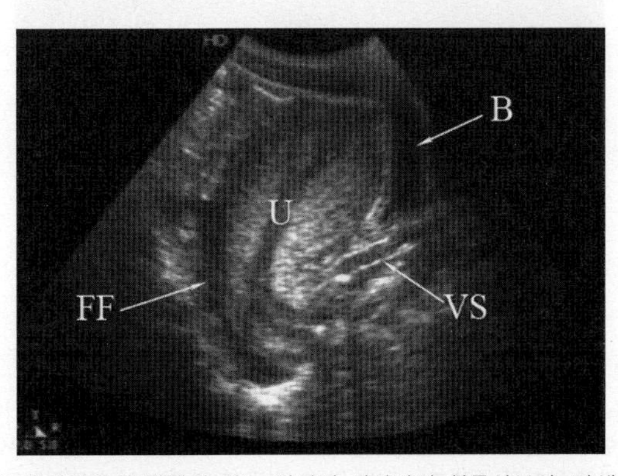


**그림 9-12** 자궁외임신 파열이 있는 여성의 시상단면 치골상부상. 탐색자를 환자의 머리 쪽을 향하게 한다. 화면 좌측이 환자 머리 쪽, 화면 우측이 환자 다리 쪽, 화면 상부가 앞쪽 면, 화면 하부가 아래쪽 면이 된다. 자궁(U)과 질의 줄무늬(VS, vaginal stripe)가 방광(B)의 후상방에 보인다. 자유 체액(FF)은 자궁의 뒤쪽인 더글라스 와에 무에코성으로 나타난다.

space) 쪽으로 흘러갈 수 있다(그림 9-11). 여성의 골반을 검사할 때 특히, 전산화단층활영을 고려하고 있다면 반드시 임신의 초음파적 소견이 있는지 관찰해야 한다. 남성 골반에서 복수가 가장 먼저 모이는 곳은 가장 아래쪽 부분에 해당하는 방광과 직장 사이의 직장-정낭 공간이다(그림 9-13).

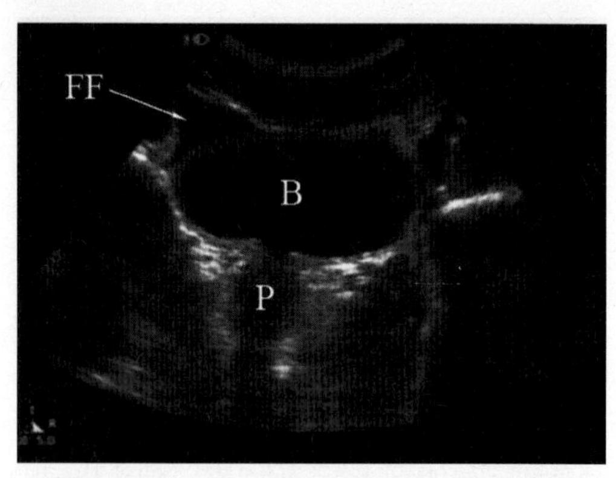


그림 9-13 복부 총상이 있는 남자의 횡단면 치골상부상. 탐색자를 환자의 오른쪽으로 향하게 한다. 자유 체액이 방광(B) 주변에 보인다. 전립선(P)은 방광의 후하방에 위치한다.

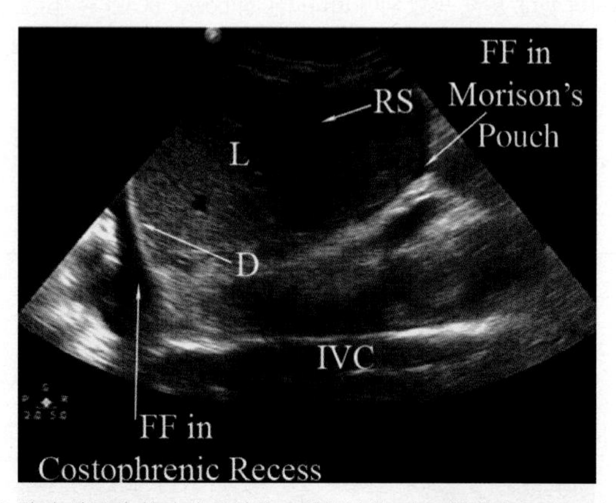


그림 9-14 말기 신부전 환자의 관상면 우상복부상. 자유 체액이 모리슨 와에 있으며, 우측에 흉수도 보인다. 밝은 흰색의 횡격막(D) 상부에 검은 무에코성 부분이 있어 늑횡격막 공간에 액체가 존재하는 것을 알 수 있다. 화면 하부에 하대정맥(IVC)이 횡격막을 가로질러 우심방으로 이어지는 것이 보인다. L: 간, RS: 갈비뼈 음영.

## 흉강 초음파

흉부의 아래쪽은 우상복부상이나 좌상복부상의 관상단면상의 일부로 관찰하여야 한다. 늑골횡격막 공간(costophrenic space)의 검정색 무에코성 부분은 액체를 의미한다(그림 9-14). 경면 허상(횡격막 상부에 간이나 비장의 모습으로 보이는 것)의 존재는 흉수를 배제할 수 있다. 초음파는 흉수에 대해 흉부 방사선 영상보다 더 민감하고 50 cc 이하의 흉수도 발견할 수 있다. 우측이나 좌측 흉부에 외상이 있는 환자에서 흉강 내 액체가 존재한다면 대부분 혈흉을 의미한다. 반면, 비 외상 환자(혹은 만성 질환이 있는 외상 환자)에서 흉강 내 액체는 만성 심부전, 신부전, 악성종양이나 다양한 호흡기 질환으로 인한 흉수일 것이다.

### 기타 병적 소견

때때로 초음파검사에서 복막강 내 체액이 발견될 때 검사자는 비장이나 간과 같은 고형 장기의 내부 손상을 직접 발견할 수 있다. 급성 고형 장기 열상은 비균질성 조각처럼 보일 수 있지만, 초음파검사만으로 찾기 어려울 수 있다. 열상은 피막하(subcapsular) 출혈을 일으켜 장기 주변에 초승달 모양의 저에코성 줄무늬로 보일 수 있다. 신장이나 대동맥류의 손상으로 인한 출혈은 후복막강에 모일 수 있고, 신장 주변에 무에코성이나 저에코성 부분으로 보이지만 복막강으로 통하지는 않는다. 앞에서 언급한 여러 손상들은 초음파만을 사용하여 진단하기 어렵기 때문에 고형 장기의 손상이나 후복막강 출혈이 의심되면 좀 더 민감한 CT를 고려해야 한다.

## 흔히 저지르는 실수

### 불충분한 영상

검사자가 복부검사의 세 가지 상을 모두 사용하더라도 복수가 모일 수 있는 전체 영역에 대해 검사하지 않는다면 미묘한 소견을 놓칠 수 있다. 소량의 복수는 환자의 가장 아래쪽 복부에만 나타날 수 있고, 이것이 유일한 비정상 소견일 수 있다. 최적의 영상을 얻기 위해 환자에 맞도록 탐색자를 조정해야 하고, 검사의 민감도를 높이기 위해 환자의 체위 변경이 필요할 수 있다.

적절한 좌상복부상을 얻기 위해 검사자는 탐색자를 더 위쪽, 더 뒤쪽으로 이동시켜야 함을 반드시 기억해야 한다. 검사자가 환자의 오른쪽에 있기 때문에 좌상복부에 탐색자를 두려면 반드시 환자에게 기대서 검사를 해야 한다는 점을 재차 강조한다. 때때로 환자를 오른쪽 옆으로 누운 자세를 취하게 하면 좌상복부 영상이 좋아질 수는 있지만 실제로 모든 환자에게 적용 가능한 것은 아니다.

탐색자를 너무 위쪽으로 둘 경우, 방광 전체를 놓치거나 장내 가스에 의해 방광이 가려질 수 있다. 만일 방광이 쉽게 보이지 않는다면 우선 탐색자를 좀 더 아래쪽으로 움직여야 한다. 방광이 가득 차면 쉽게 방광이 보이기 때문에 도뇨관 삽입 전 시행되는 초음파검사는 보다 효과적으로 치골상부상을 얻을 수 있도록 도와준다. 방광이 가득 채워지지 않은 상태에서는 골반의 복수를 종종 놓칠 수 있다는 몇몇 보고가 있다. 도뇨관이 이미 삽입되어 있다면 치골상부상을 위해 일시적으로 200 cc의 생리식염수를 방광으로 주입한 뒤 관찰하는 것이 좋다.

### 환자 체형과 장내 가스

비만과 장내 가스는 흔히 초음파검사에 방해가 된다. 이 두 가지 이유 때문에 상당수의 환자에서 중요한 부분을 놓칠 수 있다. 비만 환자에서 적절한 탐색자와 주파수를 선택한다면(주파수가 낮고 더 깊이 볼 수 있는 곡선형 탐색자) 검사자는 양질의 영상을 얻을 수 있다. 탐색자로 강하게 환자를 누르거나 옆으로 누운 자세를 취하게 하면 장내가스를 관찰 영역 밖으로 제거할 수 있다.

### 자유 체액 소견의 오해

앞에서 언급한 것과 같이 복수 환자는 복막강 내 체액의 양이 상당할 것이다. 외상이 있을 때 환자 증상의 전후 맥락에서 복막강 내 체액의 초음파 소견을 이해하는 것이 중요하다. 외상 환자보다 복수로 인한 복막강 내 체액을 가진 환자들에게서 더 과장된 소견이 보인다. 복막강 내 체액이 급성으로 발생한 경우에는 일반적으로 그림 9-8에서와 같이 신장과 간 사이의 공간에서만 보이는 반면, 복수는 그림 9-9와 같이 간을 넘어서 간의 변연부까지 퍼져 있고, 특히 간경변증에서의 복수는 수축되거나 표면이 울퉁불퉁한 모양의 간을 함께 볼 수 있다. 복수로 인한 복막강 내 체액은 양이 많은 것이 일반적이다. 만일 외상 때문에 다량의 체액이 복막강 내에 보이는 경우라면 환자의 생명이 위태로운 상황을 의미한다. 따라서 검사자는 환자의 적절한 과거 병력과 함께 초음파 소견을 종합하여 판단해야 한다. CT를 시행하여 하운스필드 단위(Hounsfield units)로 출혈과 일반적 복수를 구별할 수 있지만, 필요하다면 진단적 복부 천자를 시행 할 수 있다.

가임기 여성은 소량의 생리적 체액이 골반에 있을 수 있다. 일반적으로 뒤쪽 막힌 주머니를 따라 자궁의 50% 이상 혹은 자궁 앞쪽(자궁-정낭 공간)에 소량이라도 체액이 있으면 비정상으로 간주된다.

### 체액으로 채워진 구조물을 복수로 오해하는 경우

초음파검사에서 음식, 액체 혹은 가스로 채워진 위(stomach)를 좌상복부

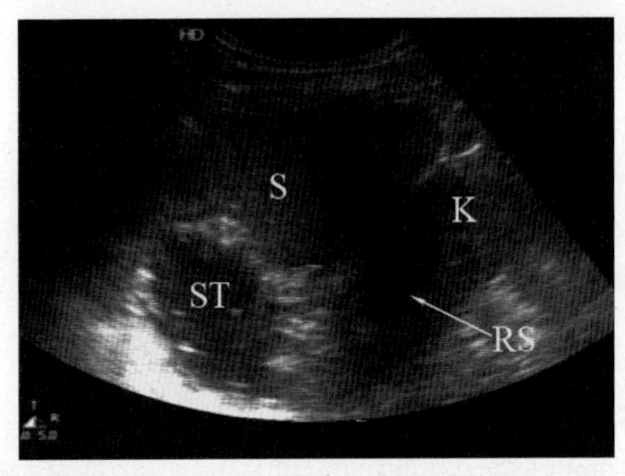


**그림 9-15** 이 영상은 관상면 좌상복부상으로, 액체로 채워진 위(ST, stomach)의 상부에 비장의 위쪽과 뒤쪽 면이 보인다. 위 내부의 물질 때문에 비장 구조가 왜곡되어 보이는 것에 주목하고, 탐색자를 좀 더 후상방으로 이동시키면 좋은 영상을 얻을 수 있다. K: 왼쪽 신장, RS: 갈비뼈 음영.

의 자유 체액 또는 비정상적인 비장 구조물로 오해하는 경우가 있다(그림 9-15). 이를 피하기 위해서는 좌상복부의 중요 구조물이 위에 가려지지 않게 관찰하는 단면상이 지나치게 앞쪽이나 가운데로 향하지 않도록 해야 한다. 검사자는 반드시 위의 형태와 위치에 대해 알고 있어야 한다. 흔히 위는 비장보다 조금 깊은 곳에 있지만 신장보다는 앞쪽, 안쪽에 위치하고 있다. 위 내의 액체는 비장 주위의 경부로 흘러가지 않으며, 위벽과 그 주름에 둘러싸여 있다.

액체가 차 있는 낭(cyst)을 복수로 오해하지 않기 위해 자세히 관찰하여야 한다. 이러한 낭은 신장, 간, 비장에 존재할 수도 있고, 때때로 관찰이 이루어지는 두 장기 사이에서 복수 관찰을 어렵게 하기도 한다. 복수의 모습과는 달리 낭은 분명한 경계가 있으며, 액체가 이 경계 내부에만 존재한다는 특징을 명심해야 한다. 낭의 모습과 예는 10장에서 좀 더 자세히 살펴볼 것이다. 담낭도 액체로 채워진 구조물이며, 때때로 신장과 간 사이에서 관찰되지만 이를 복수로 오해하지 말아야 한다. 이러한 실수를 피하기 위해서는 액체의 경계를 초음파로 추적하며 관찰하고, 담도(11장)의 해부학적 위치를 이해해야 한다.

하대정맥은 간의 뒤쪽 경계면을 따라 흘러 우심방에 연결된다. 하대정맥은 혈액으로 채워져 있기 때문에 검은 무에코성으로 나타나며 모리슨와의 복수와 유사하게 보일 수 있다. 초음파로 관찰되는 모든 액체 성분은 그것이 어디로 연결되는지 확인하여야 한다. 간정맥은 하대정맥으로 이어지고, 하대정맥은 우심방으로 연결될 것이다. 이 과정에서 조금이라도 이상 소견이 있다면 컬러-유량 도플러를 사용하여 하대정맥의 혈류를 확인해 복수와 구별하도록 한다(그림 9-14).

남성에서 정낭은 방광의 옆쪽, 뒤쪽에 위치하고 있으며, 저에코성이나 무에코성으로 나타날 수 있어 복수로 오해할 수 있다. 주의하여 방광 전체를 관찰하고, 정낭은 복수와 달리 내부에 내용물이 있으며, 균일하게 보인다는 것을 기억하고 있다면 복수로 오인하지 않을 것이다.

### 갈비뼈 음영

갈비뼈 음영이 간주변부상이나 비장주변부상에서 중요한 구조물을 가릴 수 있다. 갈비뼈 아래로부터 중요 장기를 벗어나게 하기 위한 몇 가지 방법이 있다. 소형볼록 탐색자나 위상-배열 탐색자를 사용하면 갈비뼈 사이의 영상을 얻는데 도움이 된다. 이전에 언급하였던 늑간사면상은 갈비뼈 사이의 초음파적 창을 제공한다. 갈비뼈를 피하기 위해 탐색자를 조금 아래쪽으로 움직이면서 앞쪽, 위쪽으로 돌리면 정확한 영상을 얻을 수 있을 것이다. 이러한 방법들의 성공 여부는 환자의 체격이나 체형에 따라 달라진다. 갈비뼈 아래로부터 장기가 밀려나오도록 환자에게 숨을 크게 들이쉬고 내쉬게 하는 것도 도움이 된다.

### 신장 주위 지방

신장주변에 저에코성으로 나타나는 지방조직은 환자의 체형에 따라 상당량이 존재할 수도 있으므로 이를 복수로 오해해서는 안 된다. 신장주변 지방조직은 외상이나 복수에 의한 자유 체액과는 달리 신피막 내에 있으며, 신장을 둘러싸고 있다. 또한, 신장주변 지방조직은 복수에서 흔히 보이는 것처럼 검정색 무에코성으로 나타나지 않고 에코성분을 어느 정도 띄게 된다.

### 증폭

FAST 방법에서 허상으로 인해 복수를 알아보기 어려울 수 있다. 전체 증폭이나 원위부 시간-증폭 보상을 지나치게 높게 설정하면 중요 구조물이 실제 가려지게 된다. 이러한 현상은 특히, 방광의 정상적인 후방음영증가(액체로 채워진 방광 뒤쪽으로 밝은 흰색으로 나타남)로 인해 방광 주위에 무에코성으로 나타나는 소량의 복수를 가릴 수가 있다. 이 경우에는 원위부 증폭이나 시간-증폭 보상을 감소시켜 복수를 확인한다.

## 위양성

위에서 언급하였듯이 복수가 실제로 존재하지 않지만 복수로 오해할 수 있는 몇 가지 상황들이 있지만, 전문가에 의해 시행되는 FAST의 복부 영역 검사는 복수를 진단하는데 매우 특이적이고 민감도가 높다. 또한 초보자라 할지라도 FAST를 기반으로 임상적인 결정을 내리기 전에 복수가 실제로 존재하는지는 확인하는 것이 필요하다.

## 임상진단에서 복부 초음파검사의 활용

외상 및 비 외상 환자의 검사 과정에 복수 평가를 위한 현장진단 초음파검사를 포함하여야 한다. 초음파검사는 신속하고, 비침습적이며 흉강 및 복막강에 상당량의 비정상 체액의 유무를 발견하는데 민감한 방법이다. 장비는 비교적 저렴하고, 검사를 위해 전 처치가 필요하지 않으며, 외상 환자나 중환자 병상 옆에서 비교적 쉽게 시행할 수 있다. 초음파는 CT와는 달리 조영제(contrast medium)나 방사선 조사의 위험이 없고, 활력징후가 불안정한 환자를 치료구역 밖으로 이송할 필요도 없다.

외상 환자에서 초음파검사로 새롭게 발견된 복수는 다른 원인에 의한 것으로 진단되기 전에는 출혈로 인한 것으로 간주하며 대부분 상당한 내부 손상을 의미한다. 그러나 CT는 여전히 외상 환자에 대해 민감도가 더 높고, 확실한 손상 여부를 확인할 수 있는 검사법이다. FAST 평가의 결과와 관계없이 활력징후가 안정된 환자에서 흉부나 복부 손상이 상당할 정도로 의심된다면 CT를 시행하는 것이 현재까지는 가장 일반적이다.

비 외상 환자에서 복수 검사를 위해 시행하는 현장진단 초음파는 추정진단을 확진할 수 있고, 환자의 치료 진행을 앞당길 수 있다. 임산부에서 복통(혹은 저혈압)과 복막강 내 자유 체액이 동반되어 있다면 자궁외 임신의 파열일 가능성이 높으며, 이것은 수술적 치료가 필요할 것이다. 간이나 신장 질환을 가진 환자에서 복통이나 발열이 있다면 복수나 복막염이 있을 가능성이 높다. 위에 열거한 환자들에게 신속한 초음파검사는 시간과 자원낭비를 줄이고, 환자의 치료와 생존을 향상시킬 수 있다. 자유 체액의 유무를 확인하는 초음파검사는 감별되지 않는 복통이나 저혈압을 나타내는 모든 환자에게 검사 알고리즘의 일부에 포함하여 시행하여야 한다.

**| 추가로 읽을 자료 |**

Hosek W, McCarthy M. Trauma ultrasound and the 2005 Cochrane Review. *Ann Emerg Med.* 2007;50(5):619–621.

Jehle D, Stiller G, Wagner D. Sensitivity in detecting free intraperitoneal fluid with the pelvic views of the FAST exam. *Am J Emerg Med.* 2003;21(6):476–478.

McGahan JP, Richards JR. Blunt abdominal trauma: the role of emergent sonography and a review of the literature. *AJR Am J Roentgenol.* 1999;172:897–903.

Melniker L, Leibner E, McKenney M, Lopez P, Briggs W, Mancuso C. Randomized controlled clinical trial of point–of–care, limited ultrasonography for trauma in the emergency department: the first sonography outcomes assessment program trial. *Ann Emerg Med.* 2006;48:227–234.

Stengel D, Bauwens K, Schouli J, et al. Emergency ultrasound–based algorithms for diagnosing blunt abdominal trauma. *Coch Rev.* 2005;18(2):1–19.

# 10 신장 및 비뇨기계

## 배경지식 및 검사의 적응증

비뇨기계(urinary system)는 초음파 영상으로 쉽게 관찰할 수 있는 영역이다. 간과 비장이 시야 창 역할을 하고, 이를 통해 신장(kidney)이 초음파 영상으로 나타나게 된다. 방광(bladder)은 치골결합 바로 뒤에 위치하며, 특히 소변으로 가득 채워졌을 때 치골상부 접근법으로 쉽게 관찰된다. 응급 및 중환자 진료에서 신장과 방광 초음파의 역할은 중요하다. 신장과 비뇨기계의 초음파검사로 수신증(hydronephrosis)의 유무, 결석의 직접적 영상화, 방광 용적 측정이 가능하다. 초음파를 통해 신장 낭종을 쉽게 판별하고, 신장이나 방광에 있는 종괴나 혈전들을 확인할 수도 있다. 적절한 도뇨관 위치 확인과 치골상부 방광 흡인과 같은 비뇨기계 시술에 초음파가 도움이 되기도 한다.

신장 초음파검사는 감별되지 않는 옆구리 또는 복부 통증 환자에게 필수적인 검사이다. 요관(ureter) 결석은 후복막강에 위치하기 때문에 결석을 초음파 영상으로 확인하기 어렵지만, 통증이 있는 부위에서의 수신증의 존재는 통증의 원인이 요관결석임을 시사하는 아주 특이적인 소견이다. 복부, 등 또는 옆구리 통증은 복부대동맥류나 박리, 담낭염, 난소꼬임, 자궁외임신 파열 등에서 나타날 수가 있다. 진단이 불명확한 경우에 전문가에 의해 시행되는 초음파검사나 CT와 같은 다른 진단법이 필요할 수도 있지만, 현장진단 초음파는 통증의 다른 원인들을 감별하는데 도움이 된다.

다음과 같은 환자들에게서 비뇨기계 초음파검사를 반드시 시행해야 한다:

- 급성 신부전
- 신장 산통이 의심되는 복부 또는 옆구리 통증
- 원인이 불분명한 등, 복부, 또는 골반 통증
- 요 저류
- 촉지되는 복부 또는 옆구리의 종괴

- 신장 외상
- 육안적 혈뇨

## 탐색자 선택과 기술적 고려사항

### 주파수 범위가 3.0~5.0 MHz인 곡선형 탐색자

신장과 방광을 검사할 때에는 주파수 범위가 3.0~5.0 MHz인 곡선형 탐색자가 이용된다. 대안으로, 늑골 사이 공간을 통해 신장을 확인할 때에는 2.0~4.0 MHz의 위상-배열 탐색자가 이용될 수 있다. 비만 환자에서는 투과도가 높은 저주파 탐색자를 이용한다.

### 조직 배음 영상

특히 신장 검사에 이용될 수 있는 기계 설정으로 조직 배음이 있다. 흔히 칼슘으로 이루어진 신장 결석(renal stone)은 초음파 빔의 투과를 차단하여 음향 음영(acoustic shadow)을 생성한다. 조직 배음은 음향 음영을 증강시켜 신장결석의 탐지력을 향상시킬 수 있다.

### 심도

원위부에 있는 이상 소견들을 놓치지 않기 위해서 검사자는 적절한 심도로 검사를 시작해야 한다. 이는 소량인 경우 손쉽게 놓치게 되는 방광 주위의 자유 체액와 같은 소견들에서 중요하다. 우선 원위부 영역을 완전히 검사하고, 추가적으로 신장과 방광이 화면의 대부분을 차지하도록 심도를 줄여서 검사해야 한다.

### 증폭 및 시간-증폭 보상

필요한 경우 영상을 밝게 하기 위하여 총 증폭량을 조절 할 수 있다. 해부학적 난이도가 높거나 비만 환자에서 원위부는 영상화하기 어려운 경우가 많다. 이러한 환자들에서는 심부 영상의 질을 개선하기 위해 원위부 증폭 또는 시간-증폭 보상을 사용할 수 있다. 하지만, 방광이 가득 찬 경우 음파가 너무 쉽게 투과하여 원위부의 밝기가 '씻겨져(wash out)' 버릴 수 있기에 특히 자유 체액과 같은 병적 소견들이 나타나지 않을 수 있다. 후면 음향 증강으로 알려진 이 문제를 최소화하기 위해 원위부 증폭을 줄이는 것이 도움이 된다.

### 초점 영역

영상을 최적화하기 위해서, 초점 영역(측면 해상력이 최대인 영역)이 신장이나 방광의 심도에 위치되어야 한다.

### 컬러-유량 그리고 파워 도플러

콩팥문(renal hilum)에서 무에코성으로 보이는 수신증과 신장혈관의 감별은 영역컬러-유량 도플러검사가 도움이 된다. 수신증에서는 컬러 유량이 보이지 않는 반면, 신장혈관에서는 컬러 유량이 나타난다. 속도와 방향에 무관하게 유량의 존재를 보여주는 파워 도플러는 저유량 상태에서 사용하기 좋다. 그리고 도플러는 나중에 언급할 요관 폐색을 배제하는데 핵심 소견인 방광 요류(urinary bladder jet)의 존재를 평가하는데 유용하다. 또한 신장 결석 위에 도플러를 놓았을 때 생기는 'twinkling' 허상은 결석들을 확인하는데 도움이 된다.

## 정상 초음파 해부학

### 신장

신장은 부신(adrenal gland), 근위부 집합관(proximal collecting system) 및 신장 주위 지방을 포함하는 공간인 후복막에 위치한다. 일반적으로 오른쪽 신장의 크기가 좀 더 크며, 왼쪽 신장은 오른쪽 신장보다 후상부에 존재한다. 양쪽 신장 크기 차이가 2 cm 정도까지는 정상에 해당한다. 신장은 T12와 L4 사이에, 또는 8번째와 11번째 늑골 사이에 있다. 평균 크기는 길이는 9~13 cm, 폭이 4~6 cm, 깊이가 2.5~3.5 cm이다(그림 10-1). 오른쪽 신장은 앞으로는 간으로, 위로는 횡격막으로, 뒤로는 요근(psoas)과 요방형근(quadrates lumborum)으로 둘러싸여 있다. 왼쪽 신장은 앞으로는 비장, 대장, 소장, 그리고 위장으로, 위로는 횡격막으로, 뒤로는 요근과 요방형근으로 둘러싸여 있다.

각각의 신장은 세가지 바깥 층으로 둘러싸여 있다: 신장에 가장 가까운 부위는 섬유 피막(fibrous capsule), 다음 층은 신장 주위 지방, 마지막 층으로 부신을 둘러싸고 있는 제로타근막(Gerota fascia)이다. 섬유 피막은 실제 에코를 형성해 초음파로 쉽게 확인되며, 신장의 윤곽을 보여준다. 신장 자체는 신실질과 신장동(renal sinus)으로 좀 더 세분화된다. 신실질은 피질과 수질로 구성되어 있다. 피질과 수질은 수질 피라미드의 바깥쪽을 따라 주행하는 가상선에 의해 나뉜다. 피질은 신장단위(nephron)

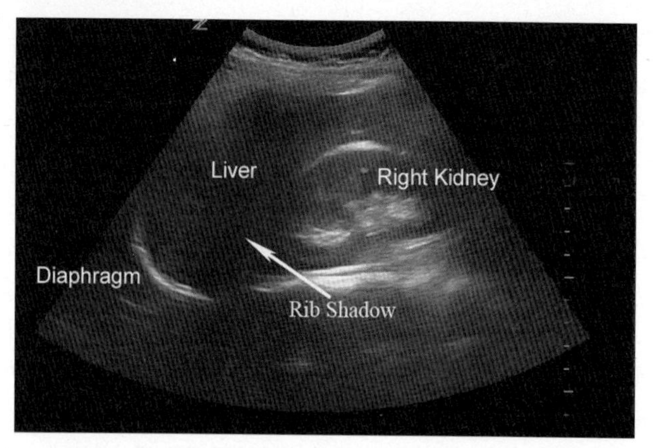


**그림 10-1** 정상 신장의 세로면 영상. 이 영상은 탐색자를 관상면 방향으로 둔 상태에서 표지자를 환자의 머리를 향하도록 한 뒤 전중 액와선 위에 위치시켜 얻는다. 간 및 우측 횡격막도 관찰된다. 간 내부에 검은 무에코성의 줄은 늑골 음영을 의미한다. 늑골 음영으로 인해 중요한 소견이 감춰질 수 있으므로, 검사자는 그 주위를 잘 살펴보아야 한다. 이는 환자에게 깊은 숨을 쉬도록 하여 간과 신장이 늑골 바깥으로 이동하게 되어 영상을 얻을 수 있다. 그리고, 검사자는 탐색자를 갈비사이공간으로 이동시켜 좀 더 비스듬하게 기울이거나 탐색자의 작은 접촉면을 이용하도록 한다.

의 여과 기관을 포함하며 간이나 비장에 비해서 저에코성으로 나타난다. 수질 피라미드는 유두가 신원개(renal fornices)로 이어지면서 기저부가 피질을 향한다. 결국 신원개는 신배(calyces)로 배출되며 신우(renal pelvis)를 형성한다. 신장의 소변 생성 부위인 수질은 피질에 비해 저에코성으로 나타난다. 신장동은 신장의 중심부로 신배, 혈관, 림프관, 그리고 신우 주위 지방으로 구성된다. 신우 주위 지방으로 인해 신장동은 보통 에코를 형성하여 밝게 보인다. 보통 8~18개의 소신배(minor calyces)가 합쳐져 2~3개의 대신배(major calyx)를 이룬다. 대신배는 신우와 근위부 요관으로 이어진다. 신문(renal hilum)은 신장동의 입구로서 신동맥, 신정맥, 그리고 근위부 요관으로 이루어진다. 신장 혈관은 주로 신동맥으로 구성되며, 이는 엽간동맥(interlobar artery)로 분지되고, 그 다음으로 궁상동맥(arcuate artery)으로, 그리고 최종적으로는 소엽간동맥(interlobular artery)이 된다. 궁상동맥은 수질 피라미드의 기저부를 따라 주행하며 이는 초음파적 지표로서 중요한 구조물이다. 신정맥은 동맥의 주행방향에 평행하게 주행한다.

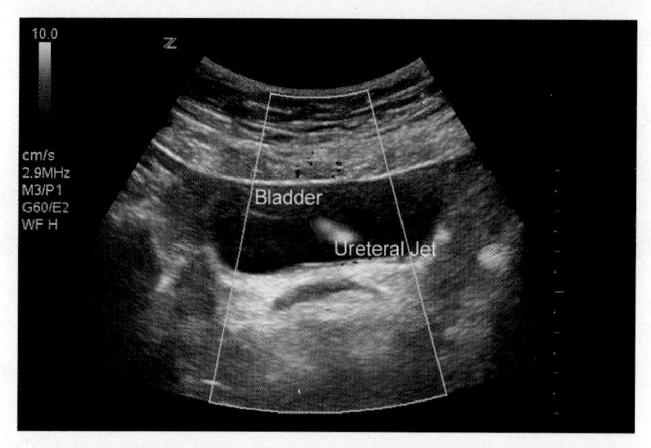


**그림 10-2** 방광 삼각을 통한 파워 도플러를 이용하여 좌측 요관 요류를 보여주는 가로면 영상. 좌측 요관 요류는 방광 기저부로 진입하여 중심부를 향하여 이동한다.

## 요관

요관은 신우로부터 이어져 요근의 전내측으로 주행하는 후복막의 구조물이다. 골반 내에서 요관은 장골 혈관들의 앞쪽으로 주행하여 방광의 후하방으로 진입한다. 직경은 대략 6 mm가량이며 장내 가스 때문에 주행경로를 완벽하게 영상화하는 것이 어려울 수 있다. 보통, 요관은 두드러지게 확장되어있지 않는 한 확인이 어렵다. 신장 결석에 의한 요관 폐색이 가장 흔히 발생하는 곳은 세 곳이다: (1) 신우가 요관으로 이어지는 부분(요관신우접합부 또는 UPJ), (2) 요관이 골반 가장자리를 가로지르는 부분, 그리고 (3) 요관이 방광으로 진입하는 부분(요관방광접합부 또는 UVJ).

요관 요류(ureteral jet)는 요관의 연동 운동으로 인해 방광 안으로 들어오는 간헐적인 소변의 흐름을 말한다. 이는 B-모드나 회색조 영상에서 보일 수 있지만, 파워 또는 컬러-유량 도플러로 관찰하는 것이 좀 더 용이하다. 도플러를 이용할 때에는, 이러한 저속의 흐름을 감지해내기 위해서 음계(scale)라고도 알려진 펄스 반복 주파수를 줄일 필요가 있다. 요관 요류는 방광의 기저부에서부터 중심부를 향해 뿜어지는 색깔들로 확인된다. 이런 요류는 수분 상태가 양호한 환자들에게서 대략 15~20초 간격으로 규칙적으로 발생하며, 지속시간은 보통 1초 미만이다(그림 10-2). 요관 요류를 탐색할 때에는, 방광을 천천히 살펴보고, 방광삼각(trigone)에 초점을 맞추며, 간헐적인 박동성 수축을 확인한다. 만약 한쪽에서만 요관 요류가 보이고, 다른 쪽에서 보이지 않으면 이는 폐색을 의심할 만한 소견이다. 반대로, 요관 요류가 양측성으로 존재한다면 심각한 폐색이 없는 것으로 추정할 수 있다.

### 방광

방광은 치골결합 바로 뒤에 있는 삼각형 모양의 구조물이다. 방광의 상부 꼭지점 부위는 전면부에 위치하고 요막관(urachus)의 잔존부인 정중제대 인대(median umbilical ligament)에 의해 배꼽에 연결이 된다. 방광은 기저부, 체부, 방광삼각, 그리고 경부로 세분화된다. 기저부 또는 방광의 바닥은 뒤로는 직장과 맞닿아 있고, 그 면을 따라서는 정낭과 정관의 원위부 부위가 주행한다. 방광 경부는 요도로 이어진다. 요관은 방광의 후하방에서 진입한다. 방광은 벽이 얇고, 무에코성으로 3~6 mm 두께의 벽으로 된 소변이 찬 구조물이다(그림 10-2 참고). 남성에서 전립선(prostate)은 방광의 후하방에 위치하고, 여성에서 이 지점은 자궁 경부(cervix)가 위치한다. 정상 전립선은 최대 직경이 5 cm 미만이다. 전체적으로 커진 전립선은 양성 전립선 비대(benign prostatic hypertrophy)에 합당하지만, 비대칭적이고 울퉁불퉁한 형태의 전립선은 악성종양의 가능성이 있다. 초음파검사로는 단순 비대와 악성종양을 감별하기가 어렵다; 그러므로, 비정상적인 상태가 의심된다면 추가적인 처치를 위해 해당 과에 협진을 의뢰해야 한다.

## 검사 프로토콜

### 신장

질환이 의심되는 환자를 검사할 때에는 정상 신장부터 시작하여 병측 신장과 비교할 수 있도록 기본 영상을 얻는다. 환자는 똑바로 눕거나 측와위(decubitus position)를 취해 신장이 늑골 안쪽에서 바깥으로 벗어나도록 한다. 다른 방향의 검사도 도움이 될 수 있지만, 기본적으로 관상면 방향에서 검사를 시작한다. 간에 의해서 음향 시야창이 크게 확보되므로 우측 신장이 좌측에 비해 좀 더 확인이 쉽다. 관상면 영상을 얻기 위해서는, 탐촉자를 환자의 머리를 향하게 한 채 탐색자를 8번째 늑골과 11번째 늑골 사이의 전-정중액와선상(mid-to-anterior axillary line)에 위치시킨다(그림 10-3a). 왼쪽 신장은 약간 더 후상방에 위치하기 때문에 확인하기가 까다롭다. 6번째 늑골과 9번째 늑골 사이의 후 액와선상(posterior axillary line)에 탐색자를 위치시킨 후 조정하도록 한다(그림 10-3b). 흔히, 왼쪽 신장의 영상을 잘 얻기 위해서는 측와위 또는 위상-배열 탐색자가 필요하다. 때때로 신장이 약간 비스듬하게 위치하는 경우가 있다.

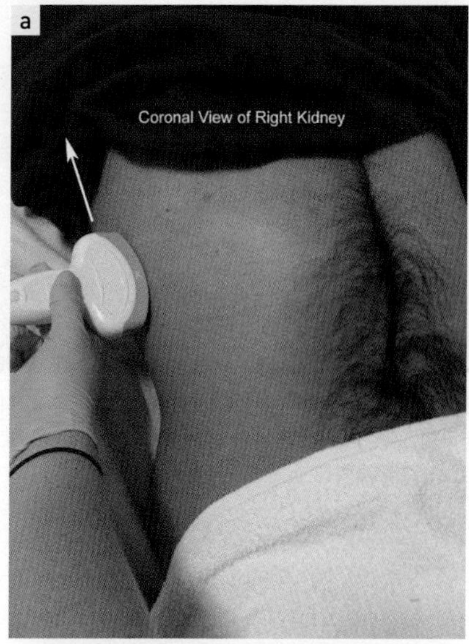


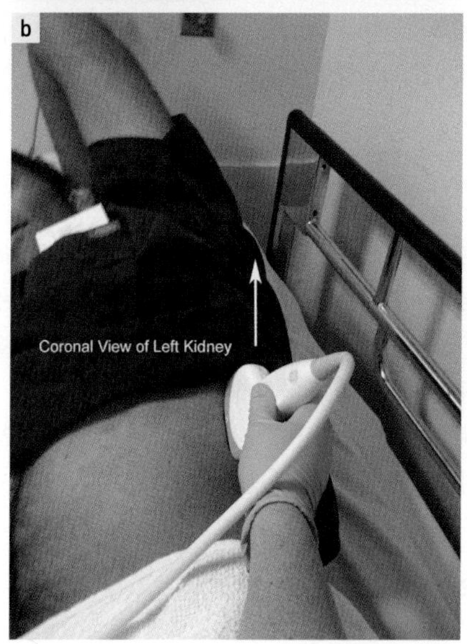


**그림 10-3 (a)** 오른쪽 신장 확인을 위한 적절한 환자 자세 및 탐색자 위치. 탐색자는 표지자가 환자의 머리 방향(화살표)을 향한 상태에서 전중 액와선 위에 관상면 방향으로 위치된다. **(b)** 왼쪽 신장 확인을 위한 적절한 환자 자세 및 탐색자 위치. 환자는 측와위 자세를 취하고 탐색자는 표지자가 환자의 머리 방향(화살표)을 향한 상태에서 후 액와선 위에 관상면으로 위치된다.

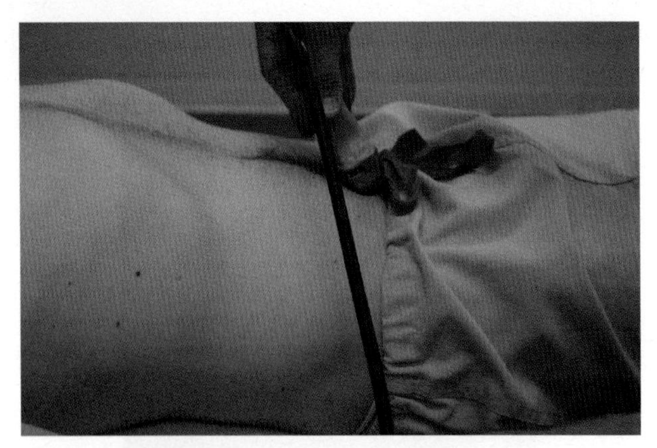

**그림 10-4** 방광의 가로면 영상을 얻기 위한 적절한 환자 자세 및 탐색자 위치. 탐색자는 표지자가 환자의 오른쪽을 향하게 한 상태에서 치골 결합 바로 위에 위치된다. 탐색자를 아래쪽으로 기울여 골반 안쪽을 관찰한다.

그러므로, 적절한 장축 영상을 얻기 위해서는 탐촉자를 관상면 방향으로부터 약간 회전해야 할 수도 있다. 가로면 영상을 얻기 위해서는 관상면의 위치에서 90도 회전하면 된다. 신장을 위에서부터 아래까지, 앞으로부터 뒤까지 전체적으로 확인하도록 한다.

### 방광

방광은 환자가 똑바로 누워 있는 상태에서 소변으로 가득 찼을 때 가장 잘 보인다. 방광의 전체 구조를 적절히 확인하기 위해서는 시상면과 횡단면 두 방향으로 검사해야 한다. 치골결합 바로 위에 탐촉자를 위치시키고 골반 안을 확인하기 위해 아래쪽으로 기울이도록 한다(그림 10-4). 가로면 방향에서 탐색자의 표지자를 환자의 오른쪽을 향하도록 하고, 위 아래로 펼쳐서 전체 구조를 평가한다. 시상 방향에서, 탐색자의 표지자는 환자의 머리를 향하도록 하고, 왼쪽과 오른쪽으로 펼쳐서 검사를 진행한다.

## 초음파검사에서의 이상 소견

### 수신증(HYDRONEPHROSIS)

신장 및 비뇨기계 초음파검사의 가장 흔한 적응증은 수신증의 평가이다. 수신증은 신장동 내부에 혈관 기원이 아닌 무에코성의 구역을 확인함으로써 진단한다. 컬러-유량 도플러는 신장 혈관과 집합관의 실제 확장 소견을 감별하는데 이용된다. 수신증이 존재하는 경우 폐색이 일측성인지 양측성인지 판단하는 것이 중요하다. 급성 통증과 함께 수신증이 동반된 환자의 대부분이 신장 결석을 가지고 있기는 하나, 종괴나 후복막 림프절비대에 의한 압박과 같은 다른 원인들에 의해서도 일측성 수신증이 발생할 수 있다. 양측성 수신증은 방광 출구 폐색, 임신(pregnancy), 그리고 신경성 방광(neurogenic bladder)에 의해 발생할 수 있다. 방광 출구 폐색(bladder outlet obstruction)의 가능한 병인들로는 전립선 비대, 방광 종괴나 혈전, 후 요도판(posterior urethral valve) 또는 요도 폐색의 다른 형태들이 있다. 몇 잔의 맥주를 마신 누워있는 외상환자환자에서는 단순히 소변을 보지 않는 것만으로도 양측성 수신증이 생길 수 있다. 임신 동안에, 집합관의 최대 확장은 38주에 생기는 것으로 이때 수신증은 왼쪽 보다는 오른쪽 신장에 좀 더 명확하게 나타난다. 만약 수신증이 2주 이상 지속되면 영구적인 신장 손상이 발생할 수 있다. 수신증의 등급은 다음과 같다:

- 경증 또는 1단계: 명확히 보이는 신배 그리고 약간 확장된 신우(그림 10−5).
- 중등증 또는 2단계: 신배 쪽으로 심하게 확장된 신우, 전형적으로, '곰 발톱 또는 발바닥'으로 알려진 세 가닥의 무에코성 영역을 만들어냄(그림 10−6).
- 중증 또는 3단계: 피질의 얇아짐을 일으키는 심각하게 확장된 집합체계(그림 10−7).

수신증의 등급이 심각한 정도나 폐색의 정도와 잘 일치하는 것은 아니

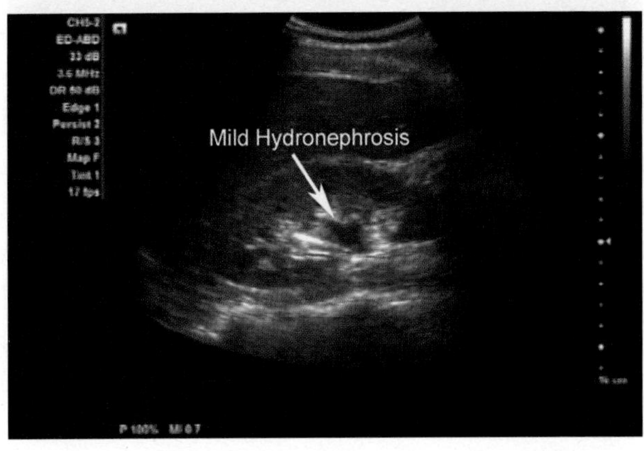


**그림 10-5** 경증의 수신증은 명확한 신배와 약간 확장된 신우가 특징적이다.

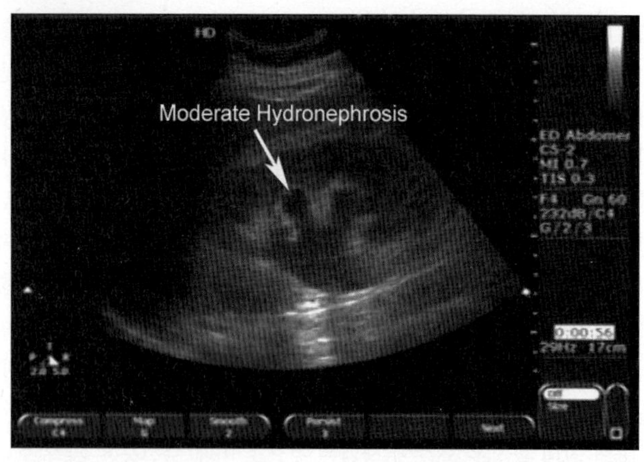


**그림 10-6** 중등증의 수신증은 집합계에서 '곰 발톱 또는 발바닥' 소견이 특징적이다.

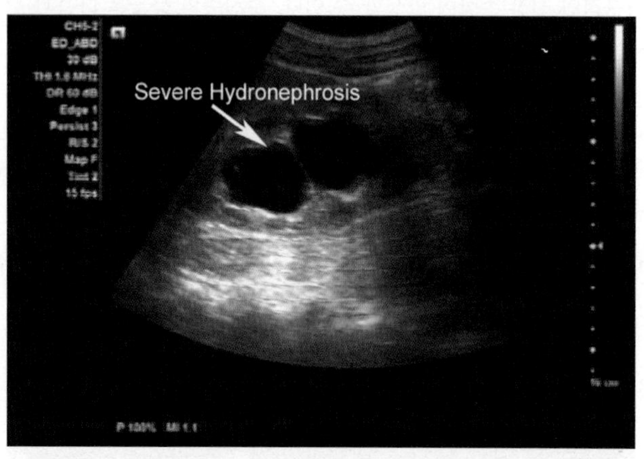


**그림 10-7** 중증의 수신증은 확장으로 인해 피질이 얇아진 소견이 특징적이다.

다. 수신증은 급성 이외에 만성으로도 생길 수 있어서 이전의 영상들과 비교하는 것이 도움이 된다. 그리고, 양쪽 신장 모두를 검사하여 서로를 비교해보는 것이 필요하다.

급성 요관 폐색에서 신원개의 파열로 후복막강의 신장 주위에 소변이 고일 수 있다. 제로타 근막 안의 신장주위 체액의 소견은 FAST 검사 양성 소견으로 쉽게 오인될 수 있다(그림 10–8). 신원개의 파열은 신장 산통을 호소하는 환자의 2~3%에서, 그리고 신장 주위 농양의 10%에서 발생할 수 있다; 그러므로, 이때에는 신속한 비뇨기과 진료가 필수적이다.

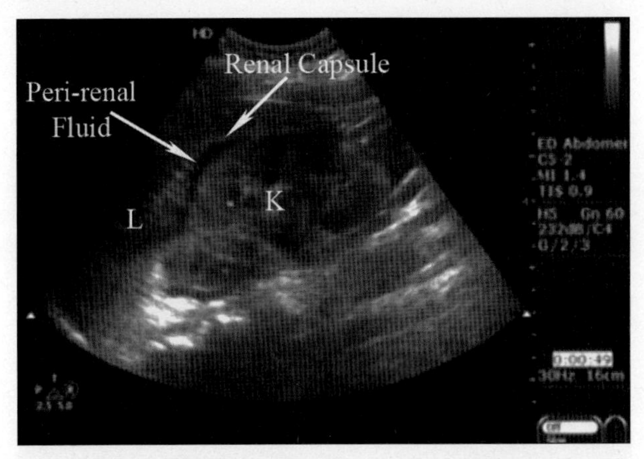


**그림 10-8** 신원개 파열을 동반한 수신증. 이 영상은 신장 피막 안에 신장 주위 체액이 고여있는 모습을 보여준다. 고에코성의 신장 피막 안에 신장의 바깥 선을 따라 체액이 위치하는 것과 신장(K)과 간(L) 사이의 모리슨 와(Morison's pouch)에 체액이 존재하지 않음을 주목하라.

## 신장 결석증(NEPHROLITHIASIS)

신장 결석은 응급실을 방문하게 되는 환자들의 흔한 원인이다. 인구의 12% 정도가 일생 동안에 신장 결석을 경험하게 되고, 미국에서는 이 문제로 연간 백만명이 넘는 사람들이 응급실을 찾는다. 일반적으로 비조영증강 혹은 '옆구리 통증(flank pain)' CT 검사가 신장 산통 의심 시 첫 번째로 시행되지만, 이는 비싸고, 이온화된 방사선 조사라는 문제점으로 모든 환자에게 시행할 필요는 없다.

심각한 신장 산통(renal colic)을 동반한 환자들의 80% 정도가 수신증을 가지고 있다. 수신증과 급성 옆구리 통증을 동반한 환자에서는 신장 결석을 강력히 시사한다. 하지만, 수신증은 결석의 크기가 작거나 큰 경우에도 생길 수가 있다. 결석의 95%가 6 mm 이하의 크기로 자연적으로 빠져나가게 되는 반면, 7 mm 이상의 크기의 결석은 비뇨기과적 중재시술이 필요할 가능성이 높다. 크기가 큰 결석이 의심되는 경우, 단순 방사선 영상(KUB)에서 발견될 가능성이 높고, 이는 결석의 경과 관찰에 도움이 된다. 반드시 배제해야 할 다른 고 위험성 복부 병변이 감별질환에 포함되지 않는다면 CT 검사는 피하는 것이 좋다.

수신증을 확인하는 것 이외에도, 초음파검사는 신장 실질 안에 있는 결석을 판별할 수가 있으며, UPJ나 UVJ에 위치한 결석들도 파악할 수가 있다. 신장 결석은 후향적 음향 음영을 동반한 고에코성의 소견으로 확인

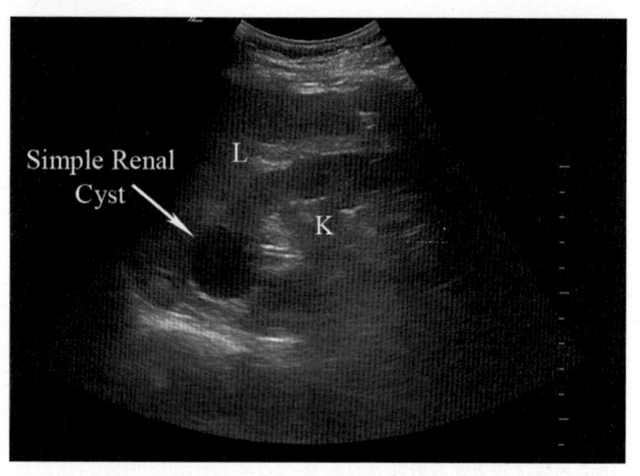


**그림 10-9** 이 영상은 단순 신장 낭종을 보여주는 신장(K)과 간(L)의 세로면 영상이다. 이런 낭종은 균일한 외관에 둥글고, 벽이 얇으며, 무에코성임을 주목하라.

된다. 신 실질의 결석이 통증의 실제 원인일 가능성은 떨어지지만, 이는 해당 환자에서 결석이 잘 발생함을 의미하고 통증의 원인으로 요관 결석이 동반되었을 수 있음을 나타낸다. 요관 요류가 정상 측에서만 존재하고 통증이 있는 부위에서는 존재하지 않는다면 신장 결석으로 인한 폐색의 전형적인 소견이다. 급성 통증을 호소하는 환자에서 폐색의 존재가 요관 결석증을 의미하지만, 결석의 크기가 작아 자연 배출이 이루어져 중재적 시술이 불필요할 수도 있다.

## 신장 낭종(RENAL CYST)

신장 낭종은 신장에서 흔히 볼 수 있는 소견으로, 50대 이상의 인구의 25~50%가량에서 나타난다. 단순 신장 낭종은 보통 신 피질에서 발생하고 둥글며, 벽이 얇고, 부드럽고, 무에코성이다(그림 10-9). 다른 낭종성 구조물들과 비슷하게 후향 증강 허상(낭종 뒤로 생기는 밝은 부분)(posterior enhancement artifact)이 잘 나타난다. 때로는 낭종이 너무 거대하여 정상 신장 구조에 변형을 가져오는 경우에는 문제가 되기도 한다. 반대로, 복합 신장 낭종은 두꺼운 벽, 격벽들, 그리고 불규칙적이거나 비균질적인 모양이 특징이다. 복합 신장 낭종은 악성종양을 배제하기 위해서 추가적인 영상검사가 필요하다. 다낭신(polycystic kidney disease, PCKD) 환자의 신장 실질에는 크기가 다양한, 무수히 많은 수의 낭종들이 있다(그림 10-10). PCKD 환자에서는 간(50%), 췌장(5%)과 같이 신

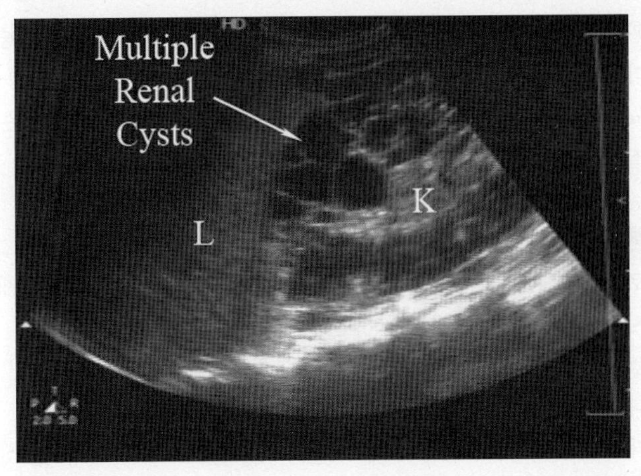


**그림 10-10** 간(L)과 신장(K)의 세로면 영상. 이 영상은 신장 안의 여러 개의 낭종들이 정상 구조를 왜곡하는 것으로 PCKD의 전형적인 소견이다. 비슷한 소견이 있는지 간과 췌장을 포함하여 다른 장기들도 확인한다.

체 어디에나 낭종이 발생할 수 있으며, 신장에 여러 개의 낭종이 발견되었을 때 이들 장기에 대한 검사를 진행하는 것이 도움이 된다. 그리고, 이들 환자에서는 뇌동맥류(20%)의 위험성이 있고, 신부전으로 진행하기 쉬우므로 장기적인 추적관찰이 필요하다. 특히 다낭신의 가족력이 있는 환자에서 설명되지 않는 혈뇨(hematuria) 그리고/또는 조절되지 않는 고혈압이 있는 경우 이 진단을 고려하도록 한다.

## 신장 종괴(RENAL MASS)

가장 흔한 고형 신장 종괴는 신세포암으로, 이는 성인 악성종양의 3%, 신장 기원 종양의 90%를 차지한다. 종괴는 동질에코성이고 명확한 경계나 모양이 없어 초음파로 발견하기 어렵다. 신세포암(renal cell carcinoma)은 다양한 초음파 소견을 가지며 고형 신장 종괴에서 가장 흔한 형태이므로, 모든 신장 종괴는 다른 것으로 증명되지 않는 한 악성인 것으로 간주되어야 한다. 신장에서 기원한 것인지 또는 인접한 구조물로부터 발생한 것인지를 감별해내는 것은 약간 어려울 수 있다. 흔히 저지르는 실수가 부신 종괴를 신장 종괴로 오인하는 것이다. 신장 종괴가 의심되는 환자들은 추가적으로 전문가에 의해 시행되는 검사(보통 CT 또는 MRI)를 시행하고 추적관찰이 필요하다.

신장 종괴의 다른 형태로 신장 과오종(renal harmatoma)으로도 불리는 혈관근육지방종(angiomyolipoma)이 있다. 이는 양성 종괴로 보통 무증상이다. 그러나, 크기가 커지고 출혈이 발생하여 환자에게서 옆구리 통증, 혈뇨, 그리고 쇼크가 발생할 수도 있다. 초음파적으로 혈관근지방종은 신피질에서 명확한, 고에코성의 종괴로 나타난다.

## 신부전(RENAL FAILURE)

새로 발생한 신부전에서는 물리적 폐쇄로 인한 양측성 수신증이 존재하는지 확인하기 위해 초음파가 시행되어야 한다. 흔하지는 않지만(5% 이하), 양측성 요관 폐색이나 방광 폐색은 치료 가능한 신부전의 원인 중 하나이다.

대부분의 신부전은 탈수나 내인성 신기능 장애에 의해 발생한다. 신부전이 급성에서 만성으로 진행하면서, 신실질의 에코발생도가 증가하여 인접한 간이나 비장에 비해 좀 더 강한 에코발생도로 나타나게 된다. 말기 신질환 환자들은 에코를 형성하는 신장의 크기가 보통 작아서 초음파로 영상을 얻기가 어렵다.

## 방광 종괴(BLADDER MASS)

초음파에서 방광 종괴는 방광 벽 또는 두꺼워진 벽의 일 부분에서 돌출되어 보인다. 이행세포암종(transitional cell carcinoma)은 가장 흔한 방광 종괴이다. 벽 바깥으로 주머니가 나오게 되는 방광 게실(bladder diverticula)은 초음파에서 방광 종괴와 유사하게 나타날 수 있다. 전형적으로 게실은 원형이고 명확하며 얇은 벽의 낭종성 구조물로 UVJ 인접부에 위치한다. 이러한 주머니 모양의 함입부는 크기가 다양하고 감염이 동반되기도 한다.

두꺼워진 방광 벽은 장기간의 또는 재발성의 감염에서 확인될 수 있다. 개발도상국에서 주혈흡충증(schistosomiasis)은 방광 벽 두꺼워짐의 흔한 원인으로, 진단과 경과관찰에 초음파가 이용되기도 한다.

## 방광 부피 측정

초음파검사는 방광의 부피를 평가하는데 유용하다. 배뇨에 대한 불편감을 호소하는 환자나 이미 도뇨관이 거치된 상태의 환자에서 소변의 배출량이 감소되는 일은 급성기 치료에서 흔히 겪는 일이다. 환자의 불편을 최소화하면서 배뇨 전후의 방광 부피 측정이 가능하다.

배뇨 도뇨관(Foley catheter)이 있는 환자들에서, 초음파검사는 도관이 적절히 위치해있는지 파악하기 위해 풍선을 확인하고, 적절한 방광 감압

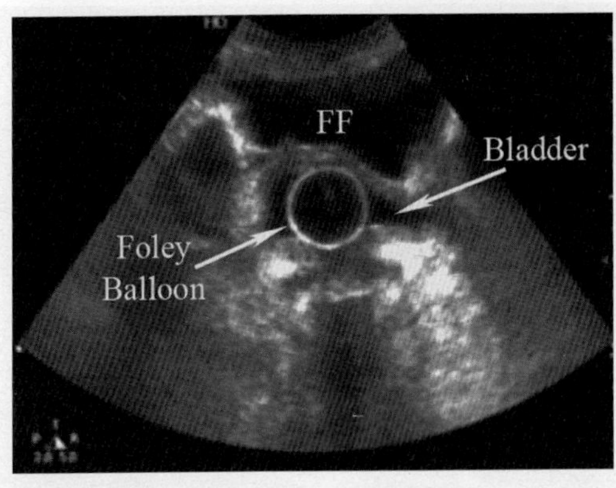


**그림 10-11** 복수를 동반한 환자의 방광의 가로면 영상. 풍선이 부풀어 있고 거의 완전히 방광이 감압되어 있어 도뇨관이 삽입되어 있음을 알 수 있다. 자유 체액(FF)은 골반 안쪽에서 방광 바깥으로 보일 수도 있으며 방광 그 자체로 쉽게 오인되기도 한다.

을 평가하며, 방광 안에 혈전의 존재를 확인할 수 있다(그림 10-11). 초음파로 방광 부피를 정확하게 추정하는 기능은 꽉 찬 방광을 도관 삽입 전에 파악하여 불필요한 침습적 시술을 피할 수 있는 소아 환자에서 특히 유용하다. 가능하다면, 방광 부피는 초음파 기계에 의해 제공되는 계산 툴을 사용하여 측정될 수 있다. 그러한 소프트웨어가 없는 기계를 사용하는 경우, 방광 부피를 추정하는 기본 공식은 다음과 같다

$$\text{길이(Length)} \times \text{너비(Width)} \times \text{높이(Height)} \times 0.75$$

길이와 너비는 가로면 영상에서 얻을 수 있고, 높이는 시상면 영상에서 측정될 수 있다(그림 10-12 참고).

## 흔히 저지르는 실수

### 부적절한 영상

부적절한 환자 자세나 비만이 영상의 질을 저하시킬 수 있다. 검사자는 가장 확인하기 어려운 아래쪽 꼭지점을 포함해서 신장 전체를 검사하는 것이 중요하다. 아래쪽 꼭지점에는 낭종이나 종괴가 존재할 수 있고 중력으로 인해 체액이 첫 번째로 고이게 되는 위치이다. 신장에 대한 시야가 제한된다면 환자에게 최대한으로 흡기 후 숨을 멈추도록 요구하도록 한

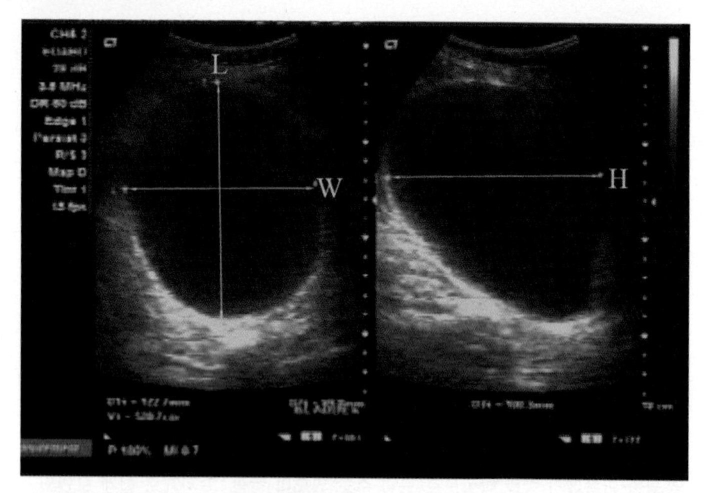


**그림 10-12** 방광 부피 계산을 보여주는 영상. 왼쪽 패널은 방광의 너비(W)와 길이(L)를 정확히 측정하고 있는 가로면 영상을 보여준다. 오른쪽 패널은 방광의 높이(H)를 계산하는 시상면 영상을 나타낸다. 이 세 숫자를 곱한 값에 0.75를 곱하면 총 방광 부피의 예측치가 나온다.

다. 여의치 않다면 환자를 측와위를 취하도록 몸을 굴려 신장이 위쪽으로 오게 한 뒤 검사를 진행하는 것도 가능하다. 이 두 방법 모두 신장을 아래로, 그리고 갈비뼈 바깥으로 벗어나게 할 수 있다.

검사 기법을 최적화하기 위해서는 신장은 후복막강의 구조물이라는 점을 기억해야 한다; 그러므로, 탐촉자를 뒤쪽을 향하게 하고 펼쳐봄으로써 시야에 신장이 들어오도록 한다. 좀 더 후상방에 위치한 왼쪽 신장은 오른쪽보다 검사하기가 어렵다. 늑골의 음영이 시야를 방해하는 경우에는, 탐색자를 시계방향으로 돌려 늑골의 배열에 탐촉자가 평행이 되도록 이동시켜본다. 탐촉자를 반시계방향으로 돌리는 것 이외 나머지 부분은 동일하게 오른쪽 신장에서도 적용 가능하다.

면밀한 검사와 영상 최적화에도 불구하고 신장이 확인되지 않는 경우에는, 마제신(horseshoe kidney)이나 이소 골반 신장과 같은 해부학적 변이를 생각하여 아래쪽에서 검사해 볼 수 있다. 마제신은 가장 흔한 융합 기형으로 아래쪽 꼭지점을 확인하기 어려울 때 의심해 본다. 환자가 비만한 경우에는 투과도와 심도를 높이기 위해 주파수를 낮추어 검사를 진행한다.

## 수신증의 오인

경증의 수신증은 다른 소견들과 유사할 수 있으므로 주의해야 한다. 경증의 수신증은 배뇨가 필요한 환자에서 정상 소견일 수도 있다. 정상 측 신장을 먼저 확인하는 것이 병측 신장과 비교가 가능하여 이런 실수를 줄이는데 도움이 된다. '분리된 화면' 모드를 이용하면 초음파 화면에서 나란히 직접 비교가 가능하다. 수신증의 소견이 한쪽에만 나타난다면, 진단이 옳을 가능성이 높아진다.

수신증의 다른 흔한 위양성 소견으로는 신장 혈관, 신우 주위 낭종, 또는 추가적인 신우가 있다. 컬러-유량 도플러는 신장 혈관으로부터 수신증을 감별해낼 수가 있다. 추가(extra) 신우는 해부학적 변이로서 수신증과 감별할 때는 두 가지 소견을 이용한다: 첫째, 확장된 구역이 신실질과 신장동 바깥쪽에 위치함; 둘째, 신유두가 사라지지 않고 신배가 뭉툭하게 보이지 않음. 유사하게 신우 주위 낭종은 신우에 인접하기는 하지만 완전하게 피막에 싸여 있다.

환자의 체액 상태에 따라 수신증에 대한 평가가 제한될 수 있음을 기억한다. 폐색이 있지만 탈수된 상태의 환자에서 수신증의 특징적인 소견이 항상 보이는 것은 아니기 때문이다. 이러한 경우에는 수액 치료 후에 검사하는 것이 수신증을 발견하는데 도움이 된다.

## 신장 종괴와 낭종의 오인

낭종은 모든 기준에 맞는 경우에만 고려되어야 한다: 둥글고, 벽이 얇으며, 완전하게 무에코성인 경우. 복합 낭종이나 종괴가 발견된다면, 전문가에 의해 시행되는 영상검사와 비뇨기과 진료가 필수적이다.

Bertin 신주(column of Bertin)는 비대해지고 신장동으로 뻗쳐 나와 신장 종괴로 오인될 수 있다. 하지만, 이는 피질의 나머지 부분과 에코발생도가 유사하고, 신 피라미드를 포함하고 있는 점으로 신장 종괴와 감별이 가능하다.

## 자유 체액을 방광으로 오인

방광은 골반에 직사각형의 경계를 이룬다. 골반에 있는 다량의 자유 체액을 방광으로 오인할 수 있다. 무에코성 영역을 모든 방향에서 살펴보고 방광의 벽을 확인하여 자유체액이 아니라 방광을 관찰하고 있음(혹은 반대로)을 확실히 하는 것이 중요하다. 약간 채워진 방광이나 도뇨관의 풍선이 이를 확인하는데 도움이 되기도 한다(그림 10-11 확인).

## 임상진단에서 신장 및 방광 초음파의 활용

최근 급성기 치료 환경에서 신장과 방광을 평가하는데 초음파를 이용하는 빈도가 증가하는 추세이다. 초음파는 감별되지 않는 복부 통증이나 옆구리 통증, 혈뇨, 요저류, 또는 급성 신부전 환자를 대상으로 신속히 시행할 수 있는 초기 평가 방법으로서 그 이점이 증명되었다.

초음파검사로 신속한 진단과 치료가 가능할 뿐만 아니라, CT나 MRI와 같은 고차원적인 검사 또는 전문 진료과 협진 필요성을 판단할 수 있다. 복부 통증이나 옆구리 통증을 호소하는 환자에서 초음파검사는 복부대동맥류나 내부 출혈과 같은 중증 질환의 진단에도 도움이 된다. 마찬가지로, 수신증을 동반한 신장 산통 호소 환자와 같이 위중하지 않은 상황에서 불필요한 방사선에 환자가 노출되는 것을 방지할 수 있다. 통증이 손쉽게 조절되는 환자는 큰 결석을 배제하기 위한 KUB 촬영 이후 비뇨기과 외래진료를 진행하게 한다.

환자의 증상이 초음파에서 발견되는 소견에 기인하지 않을 수도 있음을 명심하도록 한다. 예를 들어, 신장 결석은 흔하지만 신 실질 결석은 환자의 증상과 무관할 수도 있다. 검사자는 다양한 감별진단을 고려하고 초음파 소견들을 환자의 임상 상황과 종합해보아야 한다. 신장과 방광에서 불분명한 소견이 나온다면, 생명과 관계된 질환들을 배제하기 위해 복부와 골반 초음파검사를 고려하도록 한다. 불확실하거나 비정상적인 소견이 있으면 전문가에 의한 검사와 추적관찰이 필요하다.

| 추가로 읽을 자료 |

Chan H. Noninvasive bladder volume measurement. *J Neurosci Nurs*. 1993;25(5):309.

Chapman JP, Gonzalez J, Diokno AC. Significance of urinary extravasation during renal colic. *Urology*. 1987;30(6):541–545.

Gaspari RJ, Horst K. Emergency ultrasound and urinalysis in the evaluation of flank pain. *Acad Emerg Med*. 2005;12(12):1180–1184.

Sheafor DH, Hertzberg BS, Freed KS, et al. Nonenhanced helical CT and US in the emergency department evaluation of patients with renal colic: prospective comparison. *Radiology*. 2000; (217):792–797.

Teichman J. Clinical practice. Acute renal colic from ureteral calculus. *N Engl J Med*. 2004;(350):684–693.

# 11 간담도

## 배경지식 및 검사의 적응증

담도(biliary tract) 질환에는 무증상 담석(gallstone)부터 담도산통(biliary colic), 담낭염(cholecystitis), 총담관결석증(choledocholithiasis), 담관염(cholangitis)에 이르기까지 여러 질환이 있다. 담석의 발생률은 대략 10~20%로 나이, 성별, 출산력, 인종, 민족성, 동반 질환 등에 따라 다르다. 담석이 있더라도 단지 1~3%에서만 증상이 나타나며, 담도산통은 담석이 일시적으로 총담관(common bile duct)이나 담낭관(cystic duct)을 막을 때 발생한다. 일반적으로 통증은 저절로 호전되지만, 담낭절제술(elective cholecystectomy)이 시행되는 경우도 있다. 담낭염은 담낭관의 지속적인 폐색과 담낭(gallblader)의 염증 때문에 발생하며 좀 더 신속한 수술적 제거가 필요할 수도 있다. 담낭염의 합병증으로는 감염, 농흉, 괴저, 괴사, 천공, 패혈증 등이 있다. 대부분 담낭염은 담석이 담낭관을 막아서 발생하지만, 담석 없이 담낭관이 막혀 발생하는 경우도 있다.

총담관결석증은 총담관의 지속적인 폐색으로 인해 생긴다. 또한 담낭절제술 이후에도 남아있는 담석 때문에 발생할 수도 있다. 담관염은 담도의 상행 감염이며, 담석에 의한 지속적인 폐색과 세균으로 오염된 담즙 때문에 발병한다. 담관염은 흔히 노인이나 다른 동반 질환이 있는 사람에게 일어나는 담낭염의 드문 합병증이다. 담관염은 이환율이 높고 진단이 늦어지게 되면 사망률을 증가시킨다.

초음파검사는 신속하게 시행할 수 있고, 비침습적이며, 환자의 협조가 잘되는 담도산통과 담낭염을 진단하는데 민감도가 높은 방법이다. 그러므로 초음파는 중환자실과 외래에서 담도 질환이 의심될 때 가장 먼저 선택되는 검사이다. 초음파는 담도 질환을 신속하게 진단하여 진단의 지연을 막을 수 있다. 담석, 초음파 머피 징후(Murphy's sign), 담낭벽 비후, 담낭주위 액체 이렇게 네 가지 소견은 담낭염의 초음파 징후이다. 네 소견이 모두 존재한다면 매우 특이적이지만 이런 경우는 드물고, 이들 소견 중 어떤 것이라도 비특이적이거나 독립적으로 나타날 수 있다.

초음파 머피 징후가 있고 담석이 존재하는 경우 담낭염의 양성예측도는 96% 정도로 높다. 핵의학 검사인 간담도 이미노이아세트산(hepatobiliary iminodiacetic acid, HIDA) 스캔도 민감도와 특이도가 대략 95% 정도이다.

초음파는 총담관결석의 진단에 민감한 검사법은 아니다. 하지만 초음파에서 총담관이 확장되어 있고, 비정상 혈액검사 소견이 있다면 진단을 좁혀나가는데 도움이 된다. 내시경역행췌담관조영술(endoscopic retrograde cholangiopancreatography, ERCP)과 자기공명췌담관조영술(magnetic resonance cholangiopancreatography, MRCP)은 총담관결석의 가장 확실한 진단 방법이다. 담관염은 임상 증상(샤르코 삼징[Charcot's triad]: 발열, 우상복부통, 황달(jaundice))과 담낭염이나 총담관결석의 초음파검사 소견을 종합하여 임상적으로 진단한다.

담낭의 병적 소견뿐만 아니라 낭종, 농양, 간비대 등과 같은 간의 이상 소견을 검사하는데 초음파는 유용하다. 또한, 췌장 가성낭종과 췌장 종괴도 초음파에서 가끔 발견되기도 한다. 복통(abdominal pain)과 복부 팽창을 호소하는 환자에서 새로 발생한 복수(ascites)를 신속하게 검사하는데도 초음파는 이상적인 검사법이다.

다음과 같은 경우에 간담도 초음파를 시행한다:

- 우상복부통이나 명치통(epigastric pain)을 호소하는 모든 환자
- 설명되지 않는 우측 흉부, 어깨, 옆구리 통증이나 복부 전체에 걸친 통증
- 새로 황달이 발생한 환자
- 간기능 혹은 담도기능 혈액검사에서 이상 소견이 있는 환자
- 복부 팽창이나 복통을 나타내는 환자에서 새로 복수가 발생하였다고 의심될 때
- 겸상적혈구(sickle cell) 환자가 복통이 있을 때
- 발열이나 패혈증 환자의 원인이 모호할 때, 특히 노인에서

## 탐색자 선택과 기술적 고려사항

### 주파수의 범위가 3.5~5.0 MHz 인 곡선형 탐색자

간담도 영상에 사용되는 탐색자의 주파수는 낮아야 한다. 낮은 주파수의 탐색자는 심부영역을 더 잘 확인할 수 있고, 특히 담낭 질환 유병률이 높은 비만 환자에게 유용하다.

### 심도

간담도 검사를 할 때는 심도를 깊게 설정하여 시작하며, 총담관(common bile duct, CBD), 문정맥(portal vein, PV), 간동맥(hepatic artery, HA)으로 이루어진 간세동이(portal triad)가 모니터에 잘 나타나도록 한다. 관심 영역이 화면의 4분의 3 정도를 차지하도록 심도를 줄여 관찰할 수 있다.

### 초점 영역

초점은 관찰하는 구조물에 맞도록 조절해야 한다. 초점은 외측해상도를 높여 준다. 특히 담석이 의심될 때 담석 음영을 나타내는 데 중요하므로 담석이 의심되는 부위로 초점을 맞추도록 한다.

### 증폭 또는 시간-증폭 보상

탐촉자로 되돌아오는 신호의 강도나 양을 증가시켜 화면에 나타나는 영상을 밝게 조절하도록 한다. 흔히 표면 쪽과는 다르게 깊이 존재하는(담낭의 뒤쪽이나 간세동이) 영역은 증폭이 부족하여 잘 보이지 않을 수 있다. 이러한 상황에서 시간-증폭 보상을 조절하면 표면 영역의 증폭은 그대로 유지하면서 깊은 부위에서 되돌아오는 신호를 더 밝게하여 영상을 선명하게 만들 수 있다. 이러한 조절은 특히 해부학적 구조가 어려운 비만 환자 검사 시 유용하다.

### 컬러-유량 도플러

컬러-유량 도플러는 혈류를 찾고 담관과 혈관을 구별할 때 사용된다. 총담관은 문정맥의 바로 앞에 위치한다. 도플러검사에서 총담관에서는 유량이 나타나지 않지만 문맥 혈관과 간 혈관에서는 유량이 관찰된다.

## 정상 초음파 해부학

### 간

간은 복막강 내부의 우상복부 횡격막(diaphragm) 바로 아래에 위치하고 있다. 초음파에서 간은 위(stomach)의 오른쪽, 장(bowel)의 위쪽에서 담낭을 덮고 있는 것처럼 보인다. 간은 우엽, 좌엽, 꼬리엽(caudate lobe), 네모엽(quadrate lobe)의 네 가지 영역으로 나뉜다. 주엽틈새(main lobar fissure, MLF)는 간을 좌엽과 우엽으로 나누고, 초음파에서는 담낭의 목과 문맥 혈관 사이에 고에코성 선으로 관찰된다. 간은 대동맥으로부터 갈

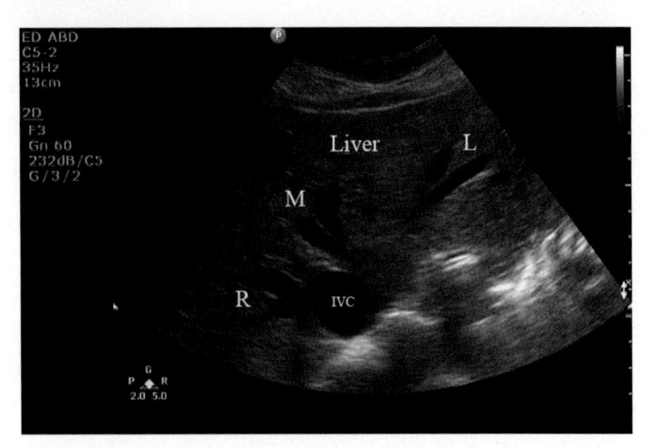


**그림 11-1** 균일한 질감으로 보이는 정상 간의 관상면 영상. 간 정맥(R: right, M: middle, L: left)은 간을 가로질러 간의 뒤쪽 변연부에 있는 하대정맥(IVC)으로 배출되는 경로를 볼 수 있다.

라져 나온 간동맥과 위장관과 비장으로부터 영양분을 가져오는 문정맥 이렇게 두 곳으로부터 혈액을 공급 받는다. 상부 가장자리부터 하부 끝부분의 크기를 측정하면 정상적인 간은 12.5~13.0 cm 이하이다. 간은 낫인대(falciform ligament)로 앞쪽 복벽에 붙어 있으며 특히 복수의 양이 많을 때 초음파에서 보일 수 있다.

간 내 담관 속에는 간에서 생산된 담즙(bile)이 있다. 간 내 담관은 우측과 좌측 간관(hepatic duct)으로 배출되고 이후 합쳐져 총간관(common hepatic duct)을 이루게 된다. 총간관은 간외 담도계의 일부분이다. 총간관과 담낭으로부터 이어진 담낭관은 합쳐져 총담관이 되고, 이후 췌관(pancreatic duct)과 합쳐져 십이지장(duodenum)의 두 번째 부분으로 연결된다.

초음파에서 정상 간은 중등도의 에코로 균일하게 보인다. 간의 모양이 균일하고 비교적 크기 때문에 간을 통해 우측 신장과 췌장을 관찰하며, 검상하단면도(subxiphoid view)에서 간을 통해 심장을 확인할 수 있다. 간은 내부에 규칙적으로 무에코성을 띄는 부위가 존재하고, 이것은 문맥혈관, 간 혈관, 담관을 나타낸다(그림 11-1). 이러한 혈관 및 담관은 초음파적 특징으로 각각을 구별할 수 있다. 컬러-유량 도플러는 담관과 혈관을 구별할 때 사용된다.

문정맥은 비장 정맥과 창자간막정맥(mesenteric vein)이 합쳐져서 이루어진다. 문맥 혈관은 혈관 벽 주위의 지방 조직때문에 초음파에서 고에코성(흰색) 테두리가 보여 다른 구조물과 구별된다. 문정맥은 간을 상부와 하부 구역으로 나누게 된다.

간 정맥의 벽은 문맥혈관에 비해 얇고 문맥혈관에서 보이던 밝은 흰색 고에코성 테두리가 없다. 간의 서로 다른 엽으로부터 배출된 우측, 좌측, 중간 간 정맥은 하대정맥(inferior vena cava)으로 합류한다(그림 11-1). 하대정맥은 간의 뒤쪽 변연부를 따라서 심장의 우심방으로 이어진다. 간 정맥은 간을 다양한 구역으로 나눈다. 우측 간정맥은 간의 우엽을 앞쪽, 뒤쪽 구역으로 나누며, 중간 간정맥은 간을 우엽과 좌엽으로 나누고, 좌측 간정맥은 간의 좌엽을 내측과 외측 구역으로 나눈다.

## 담낭

담낭은 네모엽(quadrate lobe)과 우엽사이의 간 표면에 있는 담낭와(GB fossa)에 위치한다. 담낭은 기저부, 몸통, 목 이렇게 세 부분으로 구분한다. 담낭 목은 가늘어져서 담낭관이 된다. 총간관은 간내담관으로부터 배출되며, 담낭관과 합쳐져 총담관을 이룬다(그림 11-2). 총담관은 췌관과 연결되어 십이지장(duodenum) 두 번째 구역에 바터 팽대부(ampulla of Vater)로 배출된다.

정상 담낭은 완전히 팽창하였을 때 너비가 약 3 cm, 길이가 약 8 cm 정

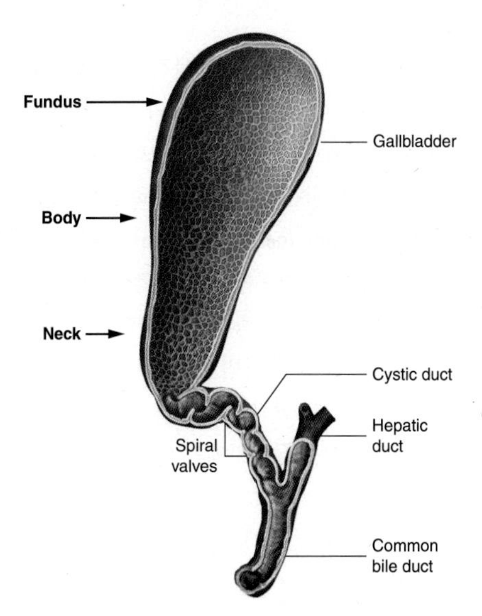


**그림 11-2** 정상 담낭의 해부도로 담낭은 기저부, 몸통, 목 부분으로 나뉜다. 목 부분은 가늘어져 담낭관을 이루고, 총간관과 연결되어 총담관을 형성한다.

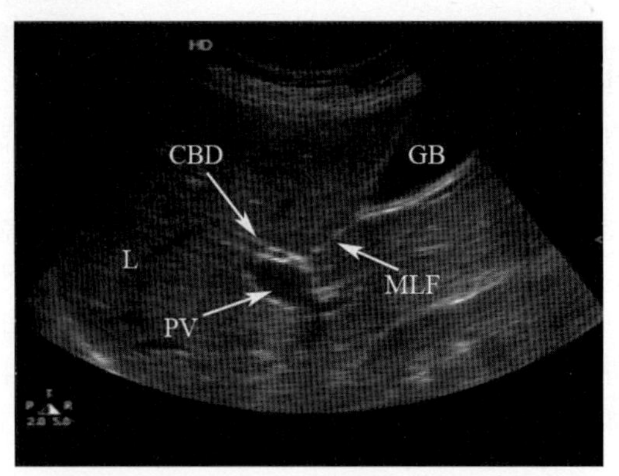


그림 11-3 정상 담낭의 시상면 영상으로 지표인 우측 문정맥(PV)과 주엽틈새(MLF)가 보인다. 총담관(CBD)은 문정맥의 바로 앞에 흰색 고에코성 벽으로 보인다. L: 간.

도로 측정된다. 담낭의 크기는 환자가 마지막으로 음식을 먹은 시기에 따라 다소 차이가 있다. 특히 식후에 담낭의 최대 길이가 10 cm 이상으로 측정되면 비정상 수종(hydrop)을 고려해야 한다. 담낭은 액체로 채워진 낭성 장기이고, 초음파에서 얇은 벽을 가진 원형 혹은 길게 늘어진 무에코성 구조물로 나타난다. 정상 담낭 벽의 두께는 대부분 3 mm 미만이다.

**지표** 담낭의 지표에는 주엽틈새와 우측 문정맥이 포함된다. 주엽틈새는 간을 우엽과 좌엽으로 나누며, 전체 환자의 약 70%가 초음파에서 주엽틈새가 관찰되나, 일부 환자에서는 아주 짧게 보인다. 주엽틈새는 간세동이부터 담낭의 목까지 이어진 밝은 흰색의 고에코성 선으로 나타난다. 문정맥은 위창자간막정맥(superior mesenteric vein)과 비장 정맥이 합쳐져서 이루어지며, 간으로 진입하기 직전에 우측 문정맥과 좌측 문정맥으로 갈라진다. 담낭의 두 번째 지표는 우측 문정맥이다. 탐색자의 표지자를 환자의 머리 쪽으로 향하게 한 시상 단면 영상에서 우측 문정맥은 주엽틈새의 한쪽 끝부분에 나타나며, 총담관과 간동맥이 우측 문정맥 바로 앞쪽에 존재한다. 주엽틈새의 다른 쪽 끝부분에는 담낭의 목 부분이 관찰된다(그림 11-3).

횡단면(가로면) 영상이나 단축 영상으로 관찰할 때 간세동이는 흔히 "미키마우스 징후(Mickey mouse sign)"라고 불리며, 문정맥이 얼굴에 해당하고, 간동맥과 총담관이 미키마우스의 귀에 해당한다(그림 11-4). 총담관은 내벽 사이의 길이가 일반적으로 2~3 mm이다. 정상 총담관의 지

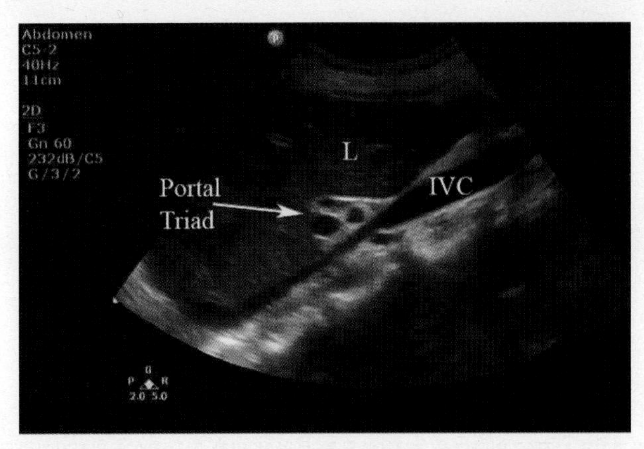


**그림 11-4** 간세동이가 간(L) 내부에 세 개의 무에코성 원으로 보인다. 가장 큰 뒤쪽 원이 문정맥이다. 간동맥과 총담관은 문정맥 앞에 위치하고, "미키 마우스"의 귀처럼 보인다. IVC: 하대정맥.

름은 환자의 나이에 따라 달라진다. 일반적인 법칙은 열 살에 총담관의 지름이 1 mm이고, 이후 10년에 1 mm씩 증가한다고 기억하면 된다. 노인에서 정상으로 간주할 수 있는 최대 지름은 약 7 mm이다.

### 췌장(PANCREAS)

일반적으로 초음파검사는 췌장 확인에 좋은 방법은 아니다. 장내 가스 때문에 산란과 허상이 흔하여 정상 췌장 구조를 정확하게 관찰하기가 쉽지 않기 때문이다. 췌장 내부에 가성낭종, 석회화 혹은 종괴와 같은 이상 소견이 있을 때에만 췌장을 초음파로 확인할 수 있다.

췌장의 혈관 지표는 비장 정맥(splenic vein), 문정맥, 위창자간막동맥(superior mesenteric artery, SMA)이다. 췌장의 머리 부분은 문정맥 앞에 보이며, 췌장의 몸통 부분은 비장 정맥과 위창자간막동맥의 앞에 위치한다. 명치 부위에서 비장 정맥은 췌장의 뒤쪽 변연부를 따라 이어져 문맥혈관 쪽으로 배출되는 것을 볼 수 있다(그림 11-5).

## 검사 프로토콜

간담도 영상에서 우상복부를 완벽하게 검사하려면 반드시 세로면과 가로면을 모두 사용해야 한다. 세로 방향 접근법이란 초음파 외상 집중평가(focused assessment with sonography in trauma, FAST) 방법과 유사하게

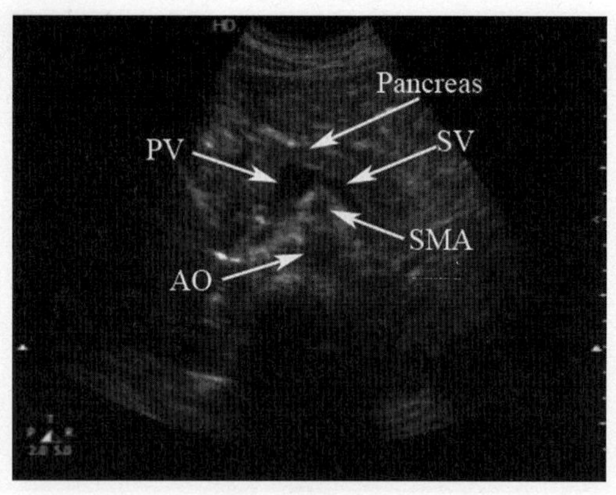


**그림 11-5** 췌장의 횡단면상. 췌장의 몸통 부분이 비장 정맥(SV)과 위창자간막동맥(SMA)의 앞쪽에 보인다. 머리 부분은 문정맥(PV)의 앞쪽에 보인다. 비장 정맥은 췌장의 뒤쪽 변연부를 따라 이어져 있다. AO: 대동맥.

탐색자의 표지자를 환자의 머리 쪽으로 하고, 탐색자를 아래쪽 갈비뼈 사이 공간의 정중액와선상에 위치시킨 관상 단면 영상을 얻는 것이다. 이 단면 영상에서 간담도계의 장기뿐만 아니라 흉강과 우상복부의 이상 체액 유무를 확인할 수 있다. 이상 체액의 검사에 대해서는 9장에 기술되어 있다.

간은 위쪽에서 아래쪽 끝부분까지 이어지는 세로축 영상에서 가장 잘 보인다. 이상 소견을 발견하기 위해 탐색자를 간의 에코를 따라 바깥쪽부터 환자 몸의 앞쪽까지 움직여가며 관찰해야 한다. 간에 이상 소견이 있다면 검사자는 앞에서 설명한 것과 같이 간정맥과 문정맥의 관계를 기초로 그 위치를 기술해야 한다.

담낭도 장축과 단축에서 볼 수 있다. 적절한 담낭의 영상을 얻는 방법으로는 갈비뼈 사이 공간을 통한 방법과 갈비뼈 하부를 통한 방법이 있다. 환자의 체형, 불편감, 장내 가스의 양과 같은 다양한 요소들이 검사의 성공 여부에 영향을 준다. 갈비뼈 사이를 통한 방법은 비만 환자나 장내 가스가 너무 많이 담낭을 가리고 있는 경우에 유용하다. 탐색자를 방해물이 없는 담낭 쪽으로 기울여 보았을 때 가스가 거의 없는 마른 환자에서는 갈비뼈 하부를 통한 검사를 시도해볼 수 있다. 장축과 단축에서 적절하게 담낭을 관찰하려면 이러한 방법들을 반드시 같이 사용해야 한다.

간담도 초음파에서 반드시 포함해야 하는 영상들이 있다. 두 가지 단면으로 담낭을 관찰하고, 기저부에서 목 부분까지 관찰하여 돌이나 다른 병을 놓치지 않도록 하고, 담낭의 앞쪽 벽의 두께를 측정하며, 총담관을

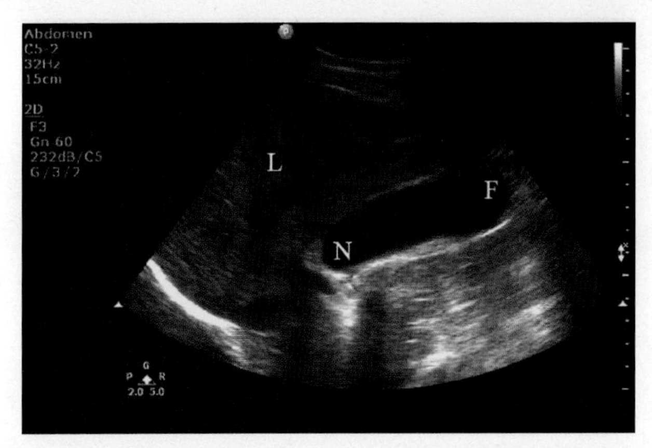


**그림 11-6** 정상 담낭의 세로면(시상단면)영상. 탐색자를 기저부(F)에서 목(N)까지 완전히 관찰하기 위해 환자의 안쪽과 바깥쪽으로 이동하며 검사한다. L: 간.

확인하고 그 지름을 측정한다.

## 갈비뼈를 통한 영상

앞서 설명한 것과 같이 탐색자를 바깥쪽 관상면 위치로 둔 상태에서, 담낭이 보일 때까지 환자의 몸 앞쪽으로 이동시킨다. 담낭은 간의 아래쪽 가장자리에 있으므로 세로축으로 보면 화면의 오른쪽에 액체로 채워진 무에코성 낭으로 보인다. 이 방법에서는 탐색자가 갈비뼈 위에 있기 때문에 갈비뼈 음영이 담낭의 일부분과 이상이 있는 부위를 가리지 않도록 하는 것이 중요하다. 갈비뼈 음영이 담낭을 가린다면 탐색자를 비스듬하게 조금 기울이면 화면에 담낭이 더 잘 보일 것이다. 담낭의 바깥쪽이 잘 보이지 않는다면 탐색자를 환자의 앞쪽으로 이동시켜 갈비뼈에서 벗어나도록 한다.

적절한 세로축 영상이 얻어지면 탐색자를 환자의 오른쪽과 왼쪽을 향해 앞뒤로 움직여 담낭의 기저부로부터 담낭 목까지 연결된 관을 완벽하게 관찰하도록 한다(그림 11–6).

환자의 70%에서 관찰되는 주엽틈새는 초음파 관찰의 지표로 사용될 수 있다. 주엽틈새는 담낭을 확인하는 데 도움이 되고 다른 구조물(장, 신장, 간낭종)이 담낭으로 오해되는 것을 막는다. 주엽틈새는 담낭의 목부터 우측 문정맥과 총담관까지 이어진 밝은 고에코성 선으로 나타난다(그림 11–3). 초음파에서 주엽틈새가 보인다면 검사자는 담낭의 목까지 쉽게 따라갈 수 있다.

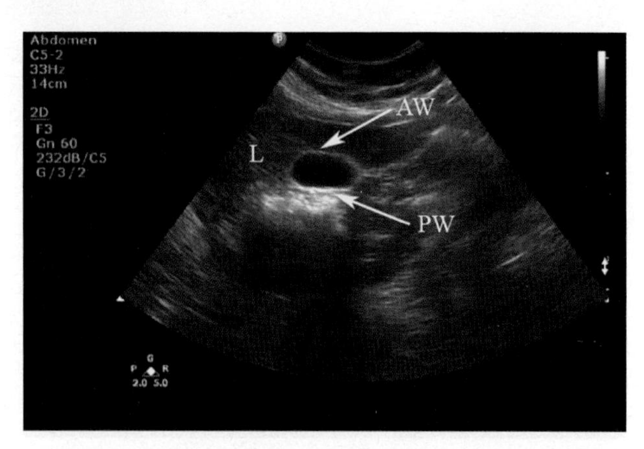


**그림 11-7** 정상 담낭의 횡단면(단축)상. 담낭의 앞쪽 벽(AW)이 화면의 상부에 보이고, 3 mm 미만으로 측정되어야 정상이다. 뒤쪽 벽(PW)은 화면의 아래에 보이며 후향증강허상 때문에 두껍게 보여 측정하지 않도록 한다. L: 간.

탐색자를 세로축에서 시계 반대방향으로 90도(탐색자의 표시가 환자의 오른쪽으로 향하게) 돌려 횡단면(단축)도를 얻을 수 있다. 이 단면영상에서 탐색자를 위아래로 움직여 담낭 전체를 완전히 관찰하고 기저부 등등에 돌이 없는지 확인해야 한다(그림 11-7).

완벽한 검사를 위해 담낭의 앞쪽 벽 두께를 측정해야 한다. 낭성 구조물의 뒤쪽으로 발생하는 후향증강허상(posterior enhancement artifact) 때문에 담낭의 뒤쪽 벽은 더 두껍고 밝게 보인다. 따라서 담낭 뒤쪽 벽의 두께는 따로 측정하지 않는다. 담낭의 앞쪽 벽은 화면의 상부에 나타나고, 화면을 정지시킨 뒤에 측정 버튼을 사용하여 두께를 확인하며 3 mm 미만이 정상이다(그림 11-7).

## 갈비뼈 하부를 통한 영상

이 방법 또한 담낭을 장축과 단축으로 관찰하는 것이다. 탐색자를 갈비뼈 바로 밑의 가장자리에 시상면 위치(몸의 앞쪽, 탐색자의 표시를 환자의 머리)에 둔다. 탐색자를 흉곽 밑으로 약간 머리쪽으로 기울여 간을 향하게 한다. 담낭은 간의 하부에서 보인다. 이후 탐색자를 시계 반대방향으로 90도(탐색자의 표시가 환자의 오른쪽으로 향하게) 돌리면 횡단면(단축)을 얻을 수 있다. 탐색자를 흉곽 밑으로 약간 머리 쪽으로 기울인다. 앞에서 설명한 것처럼 담낭의 기저부에서 목까지 관찰하고, 앞쪽 벽 두께를 측정한다. 담낭의 갈비뼈 하부를 통한 영상은 환자가 숨을 들이마시고

참으면 더 잘 보인다.

## 총담관

간세동이는 주문정맥, 총담관, 간동맥으로 구성되어 있다. 총담관은 가능하다면 모든 담낭 영상에서 찾아서 측정하도록 한다. 단축방향에서 간세동이는 문정맥이 얼굴, 간동맥과 총담관이 귀에 해당하는 "미키 마우스 징후"로 보인다(그림 11–4). 해부적 위치가 다를 수 있지만 보통 문정맥은 간세동이에서 가장 뒤쪽에 무에코성 원형 구조로 보이며, 간동맥은 문정맥의 앞쪽 내측에 있고, 총담관은 문정맥의 앞쪽 외측에 있다. 총담관과 혈관을 구별하고, 총담관이 적절히 측정되었는지 확인하기 위해 컬러 유량 도플러를 이용한다(그림 11–8). 장축도에서 문정맥은 무에코성 관상 구조로 보이고, 밝은 흰색의 벽을 가진 총담관이 문정맥 앞쪽으로 지나간다(그림 11–9).

탐색자를 간세동이와 총담관의 위치를 찾기 위해 담낭 목에서 아래쪽으로 따라가며 관찰한다. 혈관이 아닌 총담관이라는 것을 확인하기 위해서는 컬러–유량 도플러가 유용하다. 혈류와 음파가 직각을 이루면 컬러가 적게 나타나 잘못된 판단을 할 수 있으므로 탐색자를 기울여서 혈류와 직각이 되는 것을 피하도록 한다. 총담관의 지름은 내벽부터 내벽까지의 길이를 측정해야 한다. 정상 총담관 직경은 다양하고, 정상적으로 나이에 따라 증가한다. 일반적으로 40세 이상에서 10년에 1 mm씩 증가하여 70

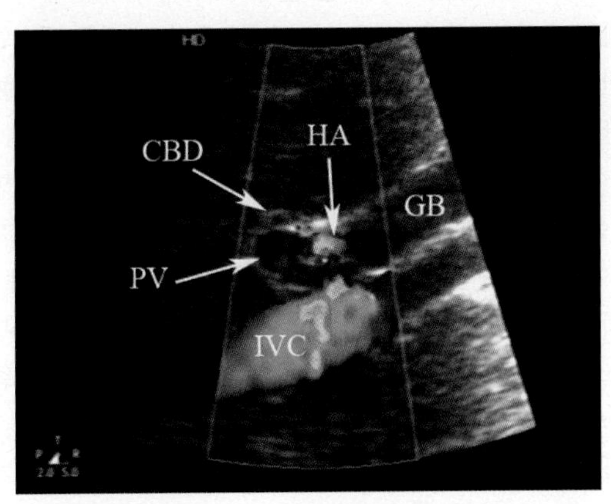


**그림 11-8** 간세동이(PV: 문정맥, HA: 간동맥, CBD: 총담관)의 단축 영상. 총담관은 정상적으로 문정맥의 앞쪽 외측에 있고, 간동맥은 문정맥의 앞쪽 내측에 있다. 이 영상에서 컬러-유량 도플러를 사용하였고, 담관과 혈관을 구별하는 데 도움이 된다. IVC: 하대정맥, GB: 담낭.

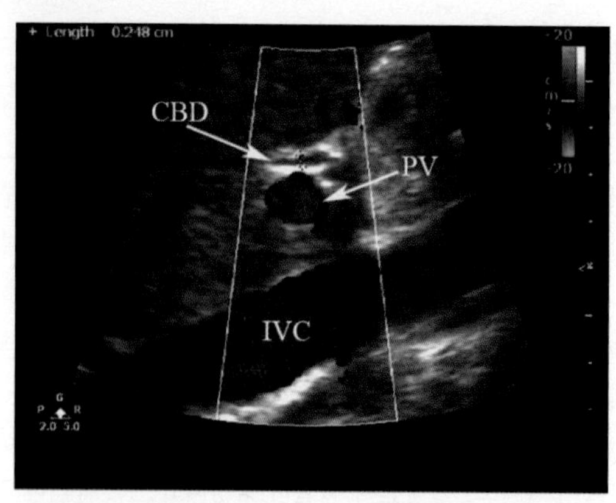


**그림 11-9** 문정맥과 총담관의 세로축 영상. 총담관은 밝은 흰색의 고에코성 벽이 있고, 문정맥의 상부에 보인다. 컬러-유량 도플러는 담관과 혈관을 구별하기 위해 사용해야 한다. 총담관의 직경은 내벽 사이의 길이를 측정하며, 화면의 좌측 모서리에 0.248 cm 로 나타난다. IVC: 하대정맥.

세 환자의 정상 총담관 직경은 7 mm가 된다.

## 초음파검사에서의 이상 소견

### 담석증

담석증은 담낭 내부에 담석이 존재하는 것이다. 담석증은 증상이 있을 수도 있고, 없을 수도 있다. 담석에는 콜레스테롤을 함유한 담석과 색소를 함유한 담석이 있다. 콜레스테롤 담석은 더 흔하고, 담즙 색소의 과포화로 발생한다. 색소성 담석은 개발도상국에서 더 흔하고, 만성 용혈 때문에 발생한다.

초음파에서 담석은 후방 음향 음영이 나타나는 구조물로 보인다(그림 11-10). 몸이 움직이면 중력에 따라 담석도 이동하게 된다. 환자가 옆으로 누운 자세를 취하면 담석도 이동할 것이다. 담석이 이동하지 않고, 특히 담낭의 목 부위에 있는 것은 담낭 폐색의 소견이다. 담낭 내부에 고정된 고에코성 구조물이 붙어 있다면 이는 돌이 아니라 용종이나 종괴일 수 있다. 담석은 크기가 다양하고, 특히 2 mm 미만이면 초음파로 관찰하기가 어렵다. 특히 담낭 목에 있는 담석은 초음파로 가장 확인하기 어렵지만, 증상을 일으키는 경우는 흔하다. 작거나 폐색을 일으킨 담석을 놓치지 않으려면 담낭 기저부에서 목에 이르기까지 전체를 주의 깊게 관찰해야 한다(그림 11-11).

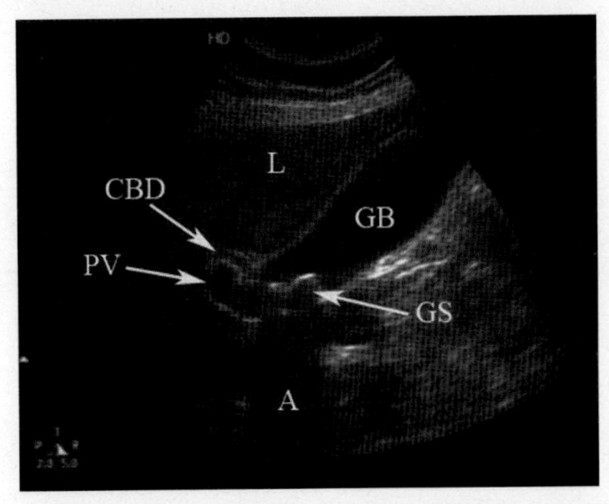


**그림 11-10** 담석증. 담석(GS)이 담낭(GB)의 체부에서 확인된다. 이 담석들은 에코를 형성하고 후방 음향 음영(A)을 만들어낸다. PV: 간문맥, CBD: 총수담관, L: 간.

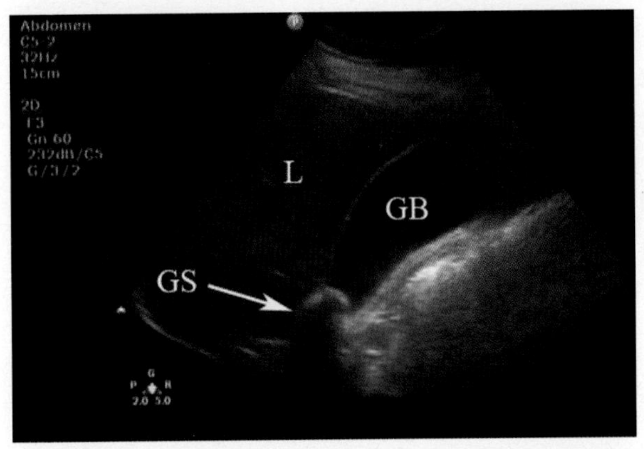


**그림 11-11** 큰 담석(GS)이 담낭(GB)의 목을 막고 있다. 이 소견은 검사자가 탐색자를 담낭의 목까지 따라 내려가며 관찰하지 않으면 초기에 놓칠 수 있다. L: 간.

## 벽-에코-음영 징후(WALL-ECHO-SHADOW (WES) SIGN)

수축한 담낭 내부에 다수의, 또는 하나의 큰 담석이 존재할 수 있다. 이러한 경우 검사자는 수축한 구조물의 넓은 후방 음영이 이들을 감별할 유일한 단서임을 알아야 한다. 담낭과 담석, 후방 음영을 인식하지 못한다면, 단지 담낭의 수축으로만 판독해 버릴 수 있다. 위에서 언급한 초음파 소견을 벽-에코-음영 징후라고 하며, 밝은 흰색의 고에코성 벽이 아치 형태로 보이고, 수축한 담낭 내부에 에코를 나타내는 담석이 있고, 담석이 초음파를 감쇄시켜 음영이 나타나는 경우를 뜻한다(그림 11-12). 벽-

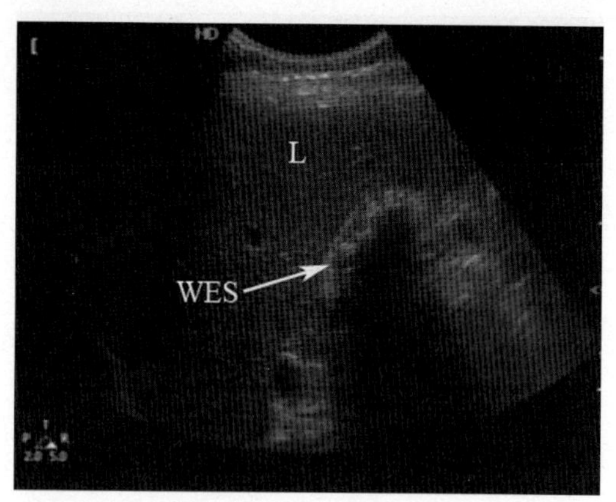


그림 11-12 벽-에코-음영 징후(WES). 밝은 흰색의 고에코성 구조물이 가장 바깥쪽에 아치 형태로 보인다. 담낭은 수축되어 있고, 에코를 나타내는 담석들로 가득 채워져 넓은 후방 음향 음영을 나타낸다. L: 간.

에코-음영 징후가 일반적으로 담낭이 팽창되는 급성 담낭염을 항상 의미하는 것은 아니지만 담석의 증거로는 충분하다.

## 급성 담낭염(ACUTE CHOLECYSTITIS)

급성 담낭염의 초음파 소견은 다음과 같다(그림 11-13):

- 담석 혹은 찌꺼기(sludge)
- 앞쪽 벽 두께 >3 mm
- 담낭주위 액체(pericholecystic fluid, PCF)
- 초음파 머피 징후(sonographic Murphy's sign, SMS)

특히 초기 담낭염의 경우 위의 소견이 나타나지 않을 수도 있다. 4시간 이상 조절되지 않는 담도산통은 전형적으로 담낭염에서 나타나므로 이때에는 신속하게 외과에 협조를 요청해야 한다. 증상이 오랫동안 지속될수록 담낭의 염증반응이 증가하기 때문에 앞서 언급한 담낭염의 초음파 소견 4가지가 모두 나타날 가능성이 높다. 담석은 특히 응급실 담낭염 환자의 대부분에서 존재하지만 좀 더 만성적인 질병을 가진 환자의 담낭염에서는 담석이 존재하지 않을 수도 있다.

초음파에서 담석의 형태는 앞에서 이미 설명하였다. 작은 담석을 놓치지 않기 위해 담낭의 기저부에서 목 부분까지 전체적으로 관찰해야 한다. 급성 담낭염에서 종종 담석이 담낭 목에 걸려 폐색을 일으킨 경우가 있

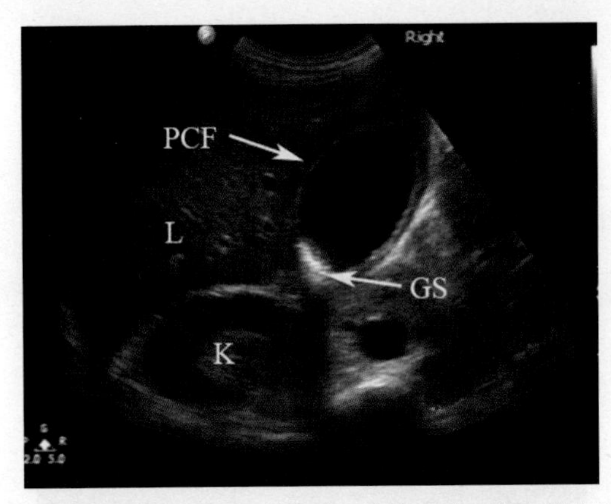


**그림 11-13** 급성 담낭염. 담낭 목 근처에 작은 담석(GS)이 보인다. 담낭 벽이 두꺼워져 있고, 담낭주위 액체(PCF)가 검정색의 무에코성 부분으로 담낭 외벽 주위에 보인다. L: 간, K: 우측 신장.

다. 이런 경우 두 가지 단면으로 전체적인 담낭을 관찰하고, 담석의 이동성을 확인하기 위해 환자를 옆으로 돌아눕게 한다. 일부 급성 담낭염에서는 작은 담석이 찌꺼기 내부에 숨어서 보이지 않을 수도 있고, 전형적인 후방 음영도 명확하지 않을 수도 있다.

담낭 찌꺼기는 초음파에서 담낭 내강보다 에코가 강하지만 간실질보다는 에코가 약하며, 불분명한 형태의 물질이 층을 이룬 것처럼 보인다(그림 11-14a). 측엽허상(side lobe artifact, SLA)은 담낭 찌꺼기로 오해할 수 있어 주의해야 한다. 측엽허상은 초음파 빔 중심 영역 외측에 있는 음파로부터 발생하며, 측엽 음파가 충분한 강도를 가진다면 물체에 반사되어 초음파 빔의 바깥쪽이 아닌 중심 영역으로 돌아와 허상을 만들어 낸다. 이러한 허상은 담낭이나 방광과 같은 낭성 구조물에서 발생한다. 측엽허상은 불분명한 형태의 고에코성 선이며, 낭의 내강으로 뻗어 있어 담낭 찌꺼기와 유사하게 보인다(그림 11-14b). 탐색자로 담낭을 철저히 확인하면 측엽허상과 담낭을 서로 구분할 수 있다. 측엽허상은 탐색자의 각도에 따라 나타나지 않을 수도 있지만, 담낭 찌꺼기는 항상 나타난다.

어느 정도 숙련된 검사자는 염증이 있는 담낭 벽의 모습을 보고 상태를 판단할 수 있어야 한다. 담낭 벽을 측정할 때 화면 중간에서 초음파 방향과 직각을 이루는 앞쪽 담낭 벽의 두께를 측정해야 하며, 정상적으로 3 mm 미만으로 나타나야 한다(그림 11-13). 급성 담낭염에서 담낭 벽은 전반적으로 두꺼워지므로 담낭 벽의 일부만 두꺼워져 있다면 담낭염 이

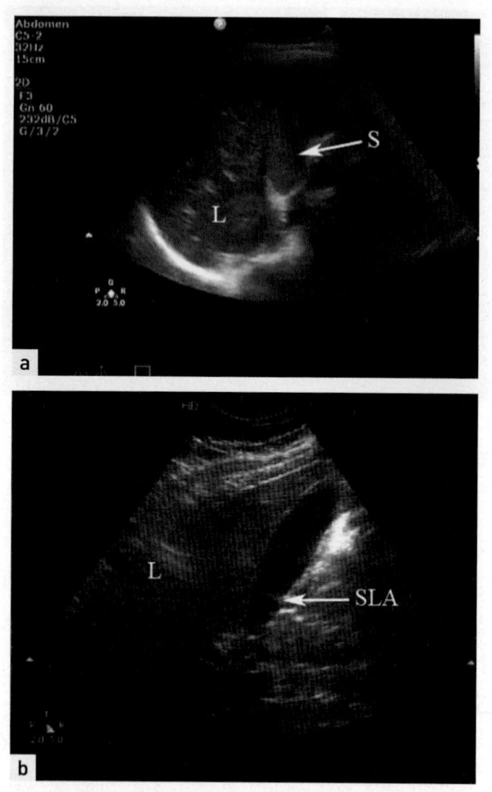


**그림 11-14 (a)** 담낭 내부 찌꺼기(S)의 모습. 찌꺼기는 간(L)보다 에코 강도가 조금 약하고, 불분명한 층으로 나타난다. **(b)** 측엽허상(SLA)이 담낭 내강 안쪽에 불분명한 선으로 나타나 담낭 찌꺼기로 오인될 수 있다.

외의 진단명을 고려해야 한다. 담낭 벽을 탐색자로 비스듬히 관찰하면 염증이 없어도 담낭 벽이 두껍게 보일 수 있다. 담낭 벽이 두꺼워지는 것은 일반적으로 담낭염에서 나타나지만 특이적이지 않고, 특히 담석이 없다면 다른 원인을 고려하도록 한다. 담낭 벽이 두꺼워지는 다른 원인에는 부종 상태(울혈성 심부전, 급성 신부전, 간 경화), 급성 간염, 담낭 종괴(gallbladder mass), 다른 염증성 혹은 침윤성 질환이 있다.

담낭주위 액체는 담낭 외벽을 따라 무에코성(검은색) 줄무늬로 보인다(그림 11-13). 이 액체는 담낭염에서 발생하는 염증 반응의 변화 때문에 발생한다. 담낭주위 액체 소견은 급성 담낭염의 징후로서는 민감도가 떨어지지만 아주 특이적이다.

초음파 머피 징후는 초음파에서 담낭이 보일 때 탐색자로 그 부위를 직접 눌러봄으로써 확인한다. 이 징후는 급성 담낭염의 진단에 가장 민감도가 높고, 외과에 협진을 의뢰할 가장 좋은 근거이다.

## 만성 담낭염(CHRONIC CHOLECYSTITIS)

급성 담낭염이 반복적으로 발생하였지만 치료하지 않은 경우 만성 담낭염이 발생한다. 담낭 벽은 두꺼워지고, 담낭은 수축하여 내부가 담석으로 가득 채워진다. 만성 담낭염은 40대 이후 여성에서 더 흔하게 발생한다. 초음파에서 급성과 만성 담낭염의 주된 차이는 만성 담낭염에서 반복된 염증 반응으로 담낭이 더욱 줄어들고 수축되어 보인다.

## 무결석 담낭염(ACALCULOUS CHOLECYSTITIS)

무결석 담낭염은 사망률이 높다. 급성 담낭염의 약 5~10% 정도를 차지하며, 대부분 지속적인 담즙 정체 때문에 발생한다. 무결석 담낭염은 여러가지 다른 질환이 동반된 노인이나 화상, 패혈증(sepsis), 최근 외상이 있었던 중환자, 기계 호흡 중인 환자에서 흔하다. 담석으로 인한 담낭염과 비슷하게 담낭은 염증 반응을 나타내지만 담석은 보이지 않는다.

초음파에서 무결석 담낭염은 담낭이 팽창되고, 벽이 두꺼워 보이지만 담석은 없다. 별다른 원인 없이 열이 지속되는 중환자실 환자를 진료할 때 무결석 담낭염이 발열의 원인일 수 있다는 생각을 해야 한다. 이런 경우에는 병상 초음파를 시행하여 진단을 좁혀나갈 수 있다. 무결석 담낭염에서는 신속한 수술과 광범위 항생제 치료가 필요하다.

## 기종성 담낭염(EMPHYSEMATOUS CHOLECYSTITIS)

기종성 담낭염은 담낭 벽이 세균에 감염되어 발생한다. 이 감염은 담낭 동맥의 허혈, 담석에 의한 폐색, 면역결핍상태(당뇨), 가스를 만들어내는 미생물(*Clostridium*, *Escherichia coli*, *Klebsiella*)등 여러 가지 요인에 의해 발생한다. 기종성 담낭염은 일반적인 담석성 담낭염보다 사망률이 높다.

초음파로 기종성 담낭염을 진단하기는 쉬운 일이 아니다. 가스가 담낭 벽 내부에 모여 있으므로 초음파가 이 가스에 산란되어 마치 장내 가스가 있는 듯한 허상이 나타난다. 이러한 허상으로 인해 담낭이 아예 보이지 않는 경우도 있다. 담낭 벽으로부터 링-다운 허상(ring-down artifact)이나 혜성-꼬리 허상(comet-tail artifact)이 발생할 수 있고, 이러한 허상이 있다면 기종성 담낭염으로 진단 가능하다. 이러한 허상은 콜레스테롤 침착이나 선 근종(adenomyomatosis)에서 보이는 혜성-꼬리 허상보다 더

불규칙하거나 거칠게 보인다.

기종성 담낭염의 치료를 위해서는 광범위 항생제의 정맥 투여와 신속한 수술적 조치, 가능하다면 영상의학적 중재 시술이 필요하다.

## 석회 담낭(PORCELAIN GALLBLADDER)

석회 담낭이란 용어는 만성 염증으로 인해 담낭 벽으로 광범위한 석회화가 발생한 경우에 사용된다. 대부분의 경우 담석증이 존재하지만, 실제 명확한 원인은 알 수 없다. 담낭 벽에 만성적인 염증이 있고, 벽 내부에 석회화가 시작되고, 이후 섬유성 변화와 특징적인 석회 담낭의 모습이 확인된다. 석회 담낭을 가진 환자들은 대부분 무증상이고, 우연히 방사선 촬영이나 CT에서 발견된다. 초음파로 석회 담낭을 발견할 수도 있지만, 단순히 담석이 있는 것으로 오해할 수 있고, 석회 담낭의 진단을 위해 꼭 초음파가 필요한 것도 아니다. 초음파보다는 CT가 석회 담낭의 진단에 민감하다. 석회 담낭이 암으로 진행한다는 점에 논란이 있으므로 무증상 환자도 추적 검사를 권유하는 것이 좋다.

## 총담관결석증

총담관결석증은 담석이 총담관을 막는 것을 말한다. 기존에 담낭 질환이 있는 환자에서 첫 증상으로 우상복부통이 나타나 총담관결석증을 진단받는 경우도 있지만, 대부분의 총담관결석증 환자는 담낭 절제술 이후 담도에 남아 있던 담석에 의해 발생한다. 총담관결석증 환자들은 대부분 비슷한 우상복부통증을 호소하고, 혈액검사에서 간효소, 빌리루빈, 알칼리인산분해효소치가 증가하는 폐쇄성 형태를 띄게 된다.

초음파는 총담관결석을 찾는데 민감도가 낮다. 대부분의 경우 총담관이 단지 팽창된 것으로만 나타나기 때문에, 총담관결석증을 충분히 의심하기 위해서는 임상증상과 초음파 소견을 종합해야 한다. 담낭절제술을 받은 환자 대부분에서 총담관이 팽창되기 때문에 총담관의 팽창 단독 소견으로 총담관결석증을 진단할 수 없고, 진단에 꼭 필요한 소견도 아니다. 총담관결석증에서 드물게 총담관결석이 초음파에 나타나고, 담낭염과 비슷하게 후방 음영이 나타나기도 한다(그림 11-15). 초음파에서 총담관결석이 의심된다면 내시경역행췌담관조영술이나 자기공명췌담관조영술과 같은 추가 검사를 진행해야 한다. 덧붙여 이런 경우 중재 시술이 필요할 수 있어 외과 및 소화기 내과에 협진을 의뢰한다.

일부에서 총담관이 너무 많이 팽창되어 문정맥보다 크게 보이는 경우

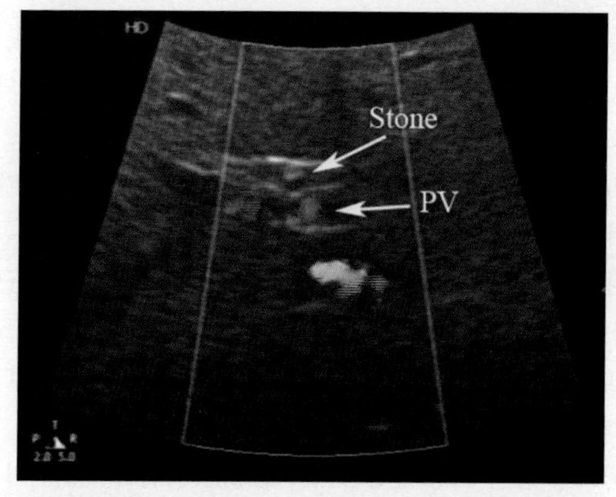


**그림 11-15** 문정맥(PV)의 컬러-유량 도플러 종축상. 총담관이 문정맥의 바로 앞에 있다. 총담관 내부에 에코를 형성하는 결석을 볼 수 있다.

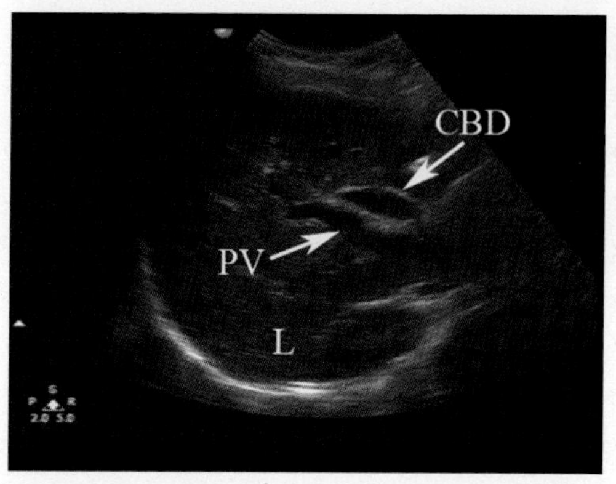


**그림 11-16** 총담관(CBD)은 팽창되고, 문정맥(PV)의 바로 앞에 있다. 두 구조물의 모양이 이중 총열 엽총과 유사하다. L: 간.

도 있다. 이때 총담관이 세로축 영상에서 간 내부에 서로 인접한 두 개의 무에코성 관상 구조물로 보이게 되는데 이러한 초음파 소견을 "이중 총열 엽총 징후(double barrel shotgun sign)"라 부르며, 두 개의 관상 구조가 총열에 해당한다(그림 11–16).

## 담관 운동 이상증(BILIARY DYSKINESIA)

담관 산통의 전통적인 증상(급성 우상복부통, 식후 통증 등등)이 있는 환자 중 일부에서는 초음파검사에서 담석이 발견되지 않는다. 이런 경우 담관 운동 이상증을 의심할 수 있다. 가장 흔한 형태의 담관 운동 이상증은 담관의 수축으로 인해 담낭을 완전히 비워내지 못하는 경우이다. 이 형태는 운동 감소성 담관 운동이상증이며, 초음파에서 담낭이 팽창되어 있고 때때로 초음파 머피 징후가 나타난다.

운동 과다성 담관 운동 이상증은 흔하지 않고, 논란의 여지가 많지만 담낭을 너무 강하게 비워낼 때 발생한다. 담관 운동 이상증이 위험한 질환은 아니지만, 증상 자체는 매우 불편하다. 통증 조절과 평활근 이완제(예, 디싸이크로민)가 도움이 될 수 있고, 때로는 담낭 절제술을 권유받을 수 있다. 급성기에 시행하기는 어렵지만 콜레시스토키닌(CCK) 자극 HIDA 스캔이 진단에 도움이 된다.

운동 감소성 담관 이상 운동증에서 담낭은 적절히 비워지지 못한다. 정상인에서도 나타날 수 있지만 운동 과다성 담관 운동 이상증 환자 대부분에서 박출률(ejection fraction)이 90% 이상이다.

### 담낭 용종과 종괴

담낭 용종(gallbladder polyp)은 모든 연령층에서 비교적 흔히 발생하며 대부분 양성이고 무증상이다. 용종은 담낭 벽에서 내강으로 뻗어 나와 매끈한 벽을 가진 작은 타원형 구조물로 나타나고, 담낭 벽과 비슷한 정도의 에코로 보인다(그림 11-17). 담석(gallstone)으로 오해할 수 있어 구별 시 몇 가지 특징을 고려한다. (1) 용종은 콜레스테롤 담석과 같이 밝은 에코성 구조로 나타나지 않는다. (2) 용종은 연부조직으로 이루어지기 때문에 초음파를 가로막지 못하며, 이로 인해 후방 음향 음영 또한 발생하지 않는다. (3) 용종은 고정되어 있어 환자의 체위가 바뀌더라도 담낭 벽에 그대로 붙어있다. 다시 강조하자면, 두 가지 단면으로 담낭을 철저히 관찰하고, 환자를 옆으로 뉘여 관찰하는 것이 정확한 진단을 내리는 데 도움이 된다.

담낭 종괴(gallblader mass)는 담낭 벽에 붙어있는 연한 조직 덩어리이고, 내강으로 돌출되어 있다. 담낭 종괴는 담낭용종과 비슷한 모양과 특징을 나타낼 수 있지만, 대부분 좀 더 울퉁불퉁하고, 종괴와 연관된 담낭 벽의 비후와 같은 담낭 벽의 국소적 이상이 동반된다. 담낭 종괴 환자들은 우상복부 통증을 호소할 수 있고, 종괴가 아주 크다면 담도 폐쇄가 발생할 수도 있지만, 초기에 증상이 거의 없어 대부분 환자는 병이 상당히 진행된 상태로 진단된다.

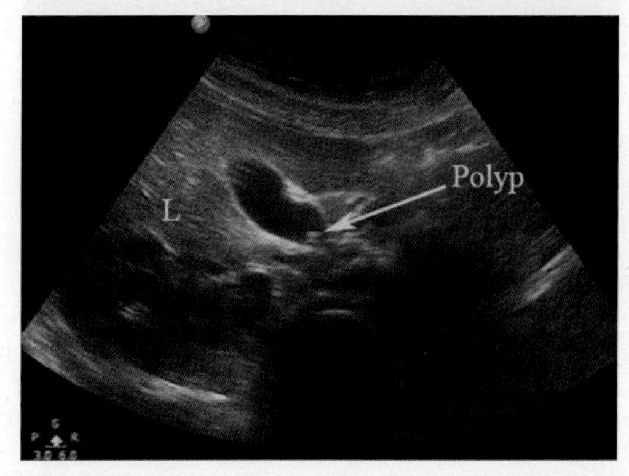


**그림 11-17** 담낭 내강 속에 보이는 용종. 용종은 담낭벽 및 간(L)과 유사한 에코발생도가 있고 후향 음향 음영을 형성하지 않는다는 점을 주목하라.

## 선근종증(ADENOMYOMATOSIS)

선근종증은 경과가 양호한 질환이지만 초음파에서 아주 이상한 소견을 나타낸다. 선근종증의 특징을 이해한다면 선근종증을 급성 담낭염으로 오해하지 않을 것이다. 선근종증은 담낭 벽을 두껍게 변화시키고, "로키탄스키-아쇼프 동(Rokitansky-Aschoff sinus)"이라 불리는 게실을 형성한다. 위 과정은 담낭 벽의 국소적인 부위 혹은 전체 부위에서 발생할 수 있다. 선근종증의 원인은 아직 밝혀지지 않았으며, 대부분의 환자들이 무증상이다. 그래서 흔히 초음파나 CT에서 우연히 발견된다.

초음파에서 선근종증은 담낭 벽이 두꺼워져 있고, 로키탄스키-아쇼프 동으로 인한 링-다운 허상 혹은 반향 허상(reverberation artifact)이 특징적으로 나타난다. "혜성 꼬리"라고도 불리는 이런 허상들은 담낭 벽에서부터 내강 쪽으로 서로 인접한 고에코성 선으로 나타나며, 아래로 내려가며 가늘어진다(그림 11-18). 담낭 벽에서 나타나는 혜성 꼬리 허상의 다른 원인으로는 콜레스테롤 침착물과 기종성 담낭염에서 담낭 벽 가스가 있다. 기종성 담낭염에서 보이는 혜성 꼬리는 훨씬 더 거칠고, 불규칙적이며, 이때 대부분 환자들은 매우 위중하다. 선근종증은 보통 양성이지만, 초음파적 소견은 담낭의 악성종양과 구별하기 매우 어려우므로 환자에 대해 자문을 요청하고 추적 조사를 해야 한다.

## 간 종괴와 낭종

초음파에서 간 낭종(liver cyst)은 액체로 채워진 얇은 벽이 있는 원형 무에코성 구조물로 나타난다. 간 낭종은 대부분 무증상이고, 우연히 발견

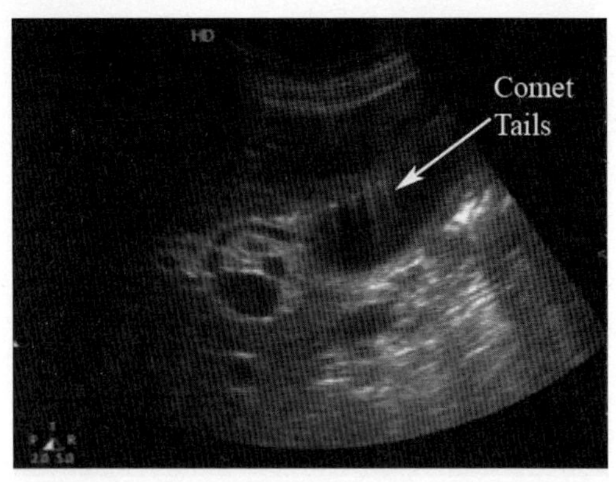


**그림 11-18** 복통으로 내원한 환자에서 우연히 발견된 선근종증. 혜성 꼬리(반향허상)는 담낭 벽의 동(sinuses)으로부터 나오는 것에 주목하고, 이것은 선근종증에 매우 특이적인 소견이다.

된다. 간(혹은 신장)의 낭종은 담석이 없는 담낭으로 오해할 수 있으므로 담낭의 지표를 확인하는 것이 중요하다. 다수의 낭종이 보인다면 신장이나 췌장 같은 다른 장기에도 낭종이 동반될 수 있으므로 이들 장기도 초음파로 관찰해야 한다. 다수의 장기에 낭종이 있다면 추가로 다른 검사를 진행한다.

간 종괴(liver mass)는 종괴의 구성성분에 따라 그 특징이 달라진다. 혈관종(hemangioma)은 초음파에서 볼 수 있는 가장 흔한 양성 간 종괴이다. 환자는 무증상이며 대부분 우연히 발견된다. 혈관종은 혈관 내피세포로 구성되어 있고, 콜라젠 벽으로 둘러싸여 있다. 초음파에서는 경계가 명확한 고에코성의 균일한 원형 구조물로 나타난다(그림 11−19a).

간세포암종(hepatocellular carcinoma, HCC)은 간의 종양 중에서 가장 흔한 악성종양이다. C형 간염, 알코올 남용이나 간경변증와 같은 기존 간 질환이 있는 환자에서 흔하다. 간세포암종은 초음파에서 경계가 명확하지 않고, 비교적 저에코성의 균일하지 않은 구조물로 나타나며, 종종 석회화된 부분도 동반한다(그림 11−19b). 초음파에서 간세포암종으로 판단된다면 확진을 위해 다른 영상촬영이나 검사가 필요하다.

전이성 간종양은 일반적으로 "포탄(cannon ball)" 모양을 한 병변으로 나타난다. 전이성 간 종양은 일반적으로 간 실질 전역에 다수의 둥근 저에코성(검정색) 병변으로 나타난다. 전이성 간 종양이 다발성 병변으로 확인된다는 사실은 원발성 간세포암종이 아니라 다른 장기로부터 전이되었다는 단서이다. 이러한 다발성 종괴가 초음파에서 확인되면 다른 영상

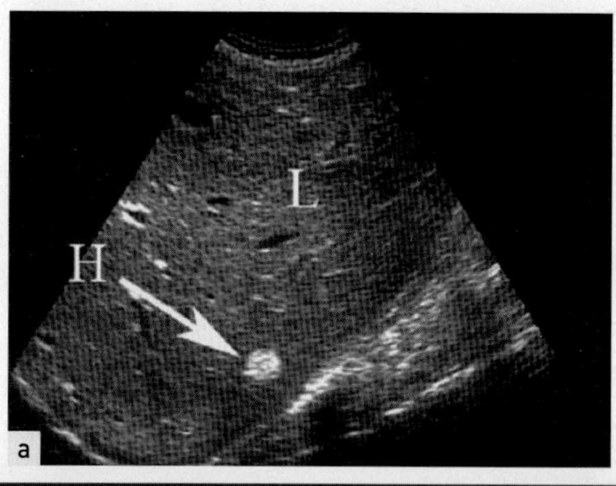


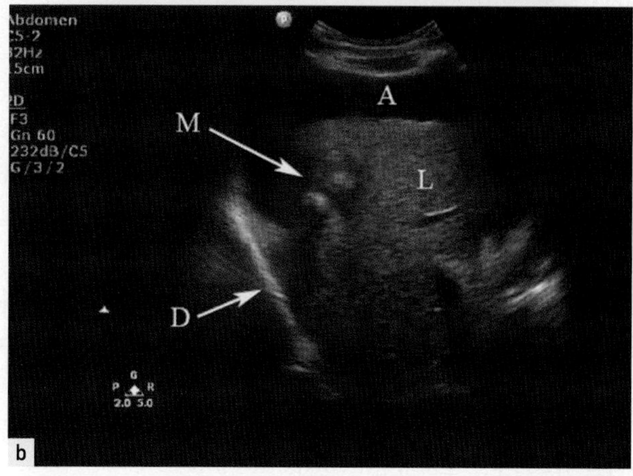


**그림 11-19 (a)** 전형적인 간 혈관종(H)의 모습. 양성 종양인 간 혈관종은 경계가 명확한 코에코성의 둥근 구조물로 나타나며, 환자는 별다른 증상이 없다. **(b)** 원발성 간세포암종(HCC)은 균일하지 않고, 경계가 분명하지 않은 덩어리(M)로 나타난다. 여기서 보이는 간세포암종은 석회화된 부분을 포함하고 있어 후방 음향 음영이 나타난다. 다른 소견으로 환자는 말기 간 질환이 있어 상당량의 복수(A)가 보이고, 간(L)은 수축되고, 울퉁불퉁하게 나타난다. D: 횡격막.

촬영이나 검사가 필요하다.

## 간염(HEPATITIS)

급성 간염은 임상적 진단이고, 일반적으로 초음파에서는 알아볼 수가 없다. 초음파에서 급성 간염의 가능성이 있는 소견으로는 비대해보이는 부종성 간과 간 내부 담관의 확장이 있다. 그리고 간의 부종이 동반되어 있으므로 담낭 벽도 염증 반응의 변화 때문에 두꺼워져 보인다. 만성 간염 또한 초음파에서 명확하지 않지만, 간의 섬유화가 있다면 간의 구조가 변화하여 수축되고 균일하지 않은 모습으로 나타난다.

### 간경변증(CIRRHOSIS)

말기 간 질환 혹은 간경변증은 대부분 알코올 남용과 만성 간염이 원인이지만 다른 다양한 상황에서도 발생할 수 있다. 간은 수축하고, 균일하지 않고, 울퉁불퉁한 모양으로 보인다. 간경변증 환자에서 간세포암종이 간 실질에 종괴로 보일 수 있다. 간경변증 환자에는 우상복부에 복수가 흔하다. 복수는 모리슨 와(Morison's pouch)에 검정색의 무에코성 부분으로 나타나며, 간의 아래쪽 끝부분과 간의 앞쪽까지 복수가 보이게 된다(그림 11-19b).

### 췌장의 이상소견

비록 초음파검사는 췌장을 관찰하기에는 알맞지 않지만, 초음파에서 일부 이상소견을 발견할 수도 있다. 초음파에서 급성 췌장염(acute pancreatitis)은 췌장이 팽창되고, 균일하지 않게 보이며, 저에코성으로 보이는 부분은 췌장의 부종을 의미한다.

만성 췌장염(chronic pancreatitis)에서는 췌장의 섬유화와 석회화가 일어나며, 초음파에서 이들 소견을 볼 수 있다. 석회화는 초음파 빔을 가로막아 췌장의 뒤쪽으로 특징적인 후방 음향 음영을 나타낸다. 또한 초음파에서 만성 췌장염은 췌장 내부에 액체로 채워진 무에코성 원형 구조물로 나타나는 가성낭종을 동반할 수도 있다.

## 흔히 저지르는 실수

### 환자 체형과 장내 가스

비만 환자나 장내 가스가 많은 경우 복부의 모든 구조물의 위치를 찾기 어려울 수 있다. 이런 환자에게 주파수가 낮아 투과도가 좋은 곡선형 탐색자를 사용해야 한다. 장내 가스를 초음파 빔의 경로에서 밀어내려면 환자의 복부를 강하게 눌러야 한다. 갈비뼈 하부를 통한 영상에서 환자로 하여금 숨을 들이쉰 상태로 참도록 하면 더 좋은 영상을 얻을 수 있다. 갈비뼈 하부를 통해 담낭이 잘 보이지 않으면 앞쪽이나 옆쪽 갈비뼈 사이 공간을 통해 담낭을 관찰할 수도 있다. 협조 가능한 환자라면 환자를 좌측 옆으로 누운 자세를 취하게 한다. 이 자세는 담낭을 갈비뼈와 장에서 멀어지게 하여 더욱 좋은 영상을 얻는데 도움이 된다.

## 담낭이 잘 보이지 않는 경우

초음파에서 담낭이 잘 보이지 않는 몇 가지 이유가 있다. 앞서 설명한 것처럼, 환자의 체형과 장내 가스 때문에 그럴 수 있다. 우상복부 구조물의 좋은 영상을 얻으려면 적절한 탐색자를 선택하고, 환자의 자세를 조정하며, 환자의 복부를 탐색자로 더 세게 눌러서 검사하도록 한다.

어떤 환자에서는 수축한 담낭이 잘 보이지 않는다. 이런 경우 담낭의 목으로 이어지는 지표인 나누어지지 않은 우측 문정맥과 주엽 틈새를 확인하는 것이 중요하다. 이들 지표는 담낭 절제술을 받은 환자에서 담낭이 있었던 자리를 확인하는 데 유용하다. 담석으로 가득 채워진 수축된 담낭(벽-에코-음영 징후)은 영상으로 확인하기가 어려워 이것을 장내 가스로 오해할 수 있고, 또한 반대로 장내 가스를 벽-에코-음영 징후로 오해할 수도 있다. 담석으로 채워진 담낭으로부터 발생하는 뚜렷한 후방 음향 음영은 초음파를 방해하는 석회화된 구조가 있음을 의미한다(그림 11-12). 장내 가스 또한 밝은 흰색 에코를 띄지만, 이때에는 초음파가 산란과 후방 음영이 나타나지 않으므로 담석으로 채워진 담낭과 구별된다.

세로축 영상으로 관찰할 때는 탐색자를 안쪽에서 바깥쪽으로 이동하며 관찰하고, 가로면으로 관찰할 때는 탐색자를 위쪽에서 아래쪽으로 이동하며 관찰하면 담낭을 쉽게 찾을 수 있다. 이때 환자에게 숨을 들이쉬게 하고, 수 초간 숨을 참도록 하면 담낭 확인이 더욱 쉽다.

## 담석을 놓치는 경우

간담도 초음파에서 가장 흔한 실수는 담석을 놓치는 경우일 것이다. 담낭의 기저부, 목, 한쪽 끝부분 등에 담석이 있는 경우 완벽하게 담낭을 검사하지 못하면 담석을 놓치게 된다. 담낭을 전체적으로 완벽하게 화면에 나타내고, 관찰하는 것이 중요하다. 또한, 쉽게 보이지 않는 아주 작은 담석이 있을 수도, 담낭 찌꺼기 내부에 담석이 숨어 있을 수도 있다. 이런 담석들이 의심될 때 환자를 옆으로 돌아눕히면 담석이 주변으로 이동하여 좀 더 쉽게 발견 가능하다. 그리고 담석이 의심되는 부위에 초점을 맞추면 외측 해상력이 증가하여 진단에 도움이 된다.

## 액체로 채워진 구조물을 담낭으로 오해하는 경우

우상복부에 액체로 채워진 구조물은 담낭과 유사하므로 담낭으로 오해할 수 있다. 특히, 간의 아래쪽 끝에 담낭과 인접해 있는 십이지장은 액체로 채워져 담낭과 유사하게 보이며, 쉽게 담낭으로 판단될 수 있다. 장내 가스는 음영을 동반한 고에코성으로 나타나기도 하여, 이것을 담낭으로 오해할 수도 있다. 십이지장과 인접한 다른 장은 연동 운동이 일어나며, 이것으로 담낭과 장을 구별할 수 있다.

간의 뒤쪽을 따라 위치한 하대정맥 또한 담낭과 인접해 있고, 혈액으로 채워진 무에코성 구조물이므로 때때로 초음파 초심자들은 이것을 담낭으로 오해할 수 있다. 하대정맥은 관형태의 구조물로 하대정맥을 따라가며 관찰하면 아래쪽으로 간정맥이 하대정맥과 연결되는 것이 보이고, 위쪽으로 하대정맥이 우심방으로 연결되는 것을 볼 수 있다. 컬러-유량 도플러를 사용하면 하대정맥에서는 혈류가 관찰되지만, 담낭에서는 관찰되지 않아 이들을 서로 구별할 수 있다.

간과 신장의 낭종, 췌장의 가성 낭종과 같은 우상복부의 낭성 구조물 또한 담낭으로 오해할 수 있다. 이들 낭성 구조물이 어디에 붙어 있는지 유심히 관찰하면 이들을 담낭과 구별할 수 있다. 간 낭종의 경우 담낭의 지표를 확인하여 초음파로 따라가면 담낭이 나타난다는 점을 기억한다면 구별에 도움이 된다.

### 부정확한 측정

담낭의 앞쪽 벽 두께를 측정 시 초음파 초심자들은 후향증강허상으로 인해 더 두껍게 보이는 담낭 뒤쪽 벽을 측정하여 담낭 벽이 병적으로 두꺼워진 것으로 잘못 판단할 수 있다. 담낭 벽은 횡단면 방향으로 앞쪽 벽을 측정하는 것이 정확하다.

때때로 총담관의 직경을 부정확하게 측정하고 직경을 과대평가할 수 있다. 컬러-유량 도플러를 사용하여 측정하려는 것이 문정맥이나 간 동맥이 아닌 총담관이라는 것을 확인해야 한다. 총담관의 직경을 팽창된 것으로 오해하지 않기 위해서는 내벽에서부터 내벽까지 길이를 측정해야 한다.

### 임상진단에서 간담도 초음파의 활용

간담도 초음파는 우상복부 통증, 구분되지 않는 복통, 원인이 불명확한 복부 전체의 통증이나 명치부 통증을 호소하는 환자에서 시행한다. 또한, 초음파검사는 황달이 처음 발생한 환자나 간담도 혈액검사에서 이상 소견을 보이는 환자에게 첫 검사로 선택할 수 있다. 별다른 증상이 없고, 설명할 수 없는 발열이나 패혈증이 있는 노인이나 중환자에서 초음파검사는 중요한 진단 도구이다. 초음파는 환자가 도착하고 수 분 이내에 다른 소생술을 시행하면서 동시에 할 수 있다. 초음파는 즉각적인 시술이 필요한 간담도 이상 소견을 발견하는데 아주 믿을 만한 검사이다.

임상의는 환자를 치료하는 데 필요한 중요한 정보를 초음파를 이용하여 더욱 빠르게 얻을 수 있다. 담석과 담낭염과 같은 질환은 대부분 쉽게 확인할 수 있지만, 초음파 초보자에게 간담도 초음파 자체는 가장 마스터하기 힘든 검사 중 하나이다. 일반적으로 초음파검사는 담석에 특이적이라고 말할 수 있지만, 담석이 화면에 나타나지 않을 때 실제 담석이 없다고 판단을 내리기 위해서는 많은 경험이 필요하다. 담낭을 침범하는 질환이 있다고 강력히 의심된다면 초음파검사를 즉각 시행한다. 또한, 초음파검사 결과가 불명확하고 환자의 상태가 나쁘다면 추가적인 영상 검사를 의뢰하는 것이 중요하다.

**| 추가로 읽을 자료 |**

Bassler D, Snoey ER, Kim J. Goal-directed abdominal ultrasonography: impact on real-time decision making in the emergency department. *J Emerg Med*. 2003;24:375-378.

Bennett GL, Balthazar, EJ. Ultrasound and CT evaluation of emergent gallbladder pathology. *Radiol Clin North Am*. 2003;41:1203-1216.

Gaspari RJ, Dickman E, Blehar D. Learning curve of bedside ultrasound of the gallbladder. *J Emerg Med*. 2009;37:51-56.

Summers SM, Scruggs W, Fox JC, et al. A prospective evaluation of emergency department bedside ultrasonography for the detection of acute cholecystitis. *Ann Emerg Med*. 2010;(56):114-122.

Wang HP, Chen SC. Upper abdominal ultrasound in the critically ill. *Crit Care Med*. 2007;35(5):S208-S215.

# 12 골반

## 배경지식 및 검사의 적응증

급성기 치료 영역에서 골반 초음파는 '자궁 내 임신(pregnancy)일까요?' 라는 질문에 '예' 또는 '아니오'로 답할 정도로만 소개되었다. 여기서는 응급 질환 영역에서 비임신 환자들까지 포함하여 설명하고자 한다. 기술이 발전하면서 임상의들은 부속기관 낭종(adnexal cyst)이나 부속기관 종괴(adnexal mass), 난소꼬임(ovarian torsion), 자궁근종, 또는 자궁관 난소 농양(tuboovarian abscess) 등 여타의 골반 질환에 대한 평가도 가능하게 되었다.

복부 또는 골반 통증(pelvic pain)을 호소하는 젊은 여성환자들은 전체 응급실 방문 환자의 상당수를 차지한다. 의사들은 경복부 초음파(transabdominal ultrasound, TAUS)와 경질 초음파(transvaginal ultrasound, TVUS)를 이용하여 통증의 원인을 진단하고 치료를 신속하게 결정할 수 있다. 현장 골반 초음파는 급성기 치료 환경에서 매우 유용한 도구이지만, 여전히 검사 범위가 제한되어 있고, 모든 잠재적인 병리 원인을 파악하는데 한계가 있다.

다음과 같은 경우 반드시 골반 초음파를 수행하여야 한다:

- 복부 또는 골반 통증을 호소하는 산모
- 질 출혈(vaginal bleeding)을 호소하는 산모
- 외상을 입은 산모
- 복부 또는 골반 통증의 원인으로 부인과 질환이 의심되는 비임신 환자

## 탐색자 선택 및 기술적 고려 사항

### 주파수의 범위가 3.5~5.0 MHz 인 곡선형 탐색자

표면이 넓은 곡선형 탐색자는 복부 및 골반 검사에 적합하다. 낮은 주파수로 투과력이 좋기 때문에 복벽을 통해 골반 내 장기의 영상을 얻기에 적당하다. 표면이 더 작은 탐색자나 위상 배열 탐색자를 경복부 골반 영

상을 얻는 데 사용할 수도 있지만 적당하지는 않다.

### 주파수의 범위가 8.0~13.0 MHz 인 내강 탐색자(ENDOCAVITARY PROBE)

내강 탐색자는 더 높은 해상도의 이미지를 만들 수 있게 높은 주파수를 이용한다. 또한, 시야의 범위가 넓고, 검사자에게 자세한 영상을 제공한다. 이 탐색자는 모든 질식 골반 검사에 사용되며, 특히 초기 자궁 내 임신 또는 자궁 부속기관의 평가처럼 경복부 골반 영상 단독으로 구조물을 시각화하기 어려운 경우 적응증이 된다.

### 심도

경복부 초음파검사에서 검사자는 더욱 깊은 구역에서부터 검사를 시작하고 자궁과 방광을 모두를 살피도록 한다. 이것은 자유 체액이 가장 먼저 보이는 자궁 후방의 의존 구역(dependent area) 검사에 중요하다. 또한, 깊은 구역의 검사는 부속기의 병태를 평가하는데도 더욱 적합하다. 그 구역을 완전하게 평가하고 나서, 심도를 줄여나가면 자궁 내 구조물을 훨씬 잘 관찰할 수 있다.

### 줌(ZOOM)

줌을 제어하여 이미지의 특정 부분을 확대할 수 있다. 이는 임신 초기 태아심박수 검사와 같이 작은 구조물을 시각화할 때 유용하다. 줌 기능은 때때로 이미지를 왜곡할 수도 있어서, 이미지가 확대되기 전에 심도가 우선 최적화되어야 한다.

### 증폭 또는 시간-증폭(TIME-GAIN) 보상

총 증폭량은 탐촉자로 돌아오는 신호를 증가시키고 이미지를 밝게 하기 위해 조정한다. 단지 먼 곳의 범위만을 밝게 볼 경우에는, 근거리 범위는 그대로 남겨두고 시간-증폭 보상을 증가시켜 영상을 얻는다. 증폭이 과도한 경우에는 이미지가 씻겨져 나가거나(washed) 또는 하얗게 되어버려 의존 구역, 특히 자궁 후방에서의 체액이 모호하게 보일 수 있다.

### 컬러-유량 도플러

컬러-유량 도플러는 혈류를 식별하며 난소 꼬임의 평가에 유용하다. 난소 꼬임의 환측에서는 건측에 비해 혈류 흐름이 감소되어 나타난다. 컬러-유량은 난소의 지표 역할을 하는 장골 동맥(iliac artery) 및 장골 정맥

(iliac vein)과 같은 혈관을 식별해준다. 또한 이 방법은 임신이나 낙태 후 임신 잔류물(retained products of conception) 진단에도 사용가능하다. 잔류물을 포함하는 자궁 영역은 정상 자궁 내막에 비해 더 많은 색상의 흐름을 나타낸다. 도플러 검사는 기계적 및 열 에너지가 많기 때문에 임신 초기 환자에서는 꼭 필요한 경우가 아니라면 제한하도록 한다. 태아심박수 검사는 일반 도플러가 아닌 아래에서 설명할 M-모드 도플러로 검사하여야 한다.

### M-모드

M-모드는 시간 흐름에 따라 움직임을 감지하고 임신 중 태아심박수(fetal heart rate)를 계산하는 데 사용된다. 임신이 확인되면, M-모드 커서를 태아 심장에 위치시킨다. 심박수는 화면의 한쪽에 시간에 따른 심장의 움직임을 나타내면서 그래픽으로 계산된다.

### 계측

머리 엉덩이 길이(crown-rump-length, CRL), 양측 두정골 지름(biparietal diameter, BPD) 또는 다른 방법에 의한 임신 주수(gestational age) 추정은 일반적으로 기계에서 제공하는 계측 패키지에 포함되어 있다. 이 기능을 이용하려면, 검사자는 스캔하기 전에 기계에 산과적 프리셋(preset)을 선택해야 한다.

## 초음파 해부학

### 자궁(UTERUS)

자궁은 방광의 뒤쪽 위에, 직장의 앞쪽에 위치하며 참 골반(true pelvis)의 중앙에 놓여있다. 정상 자궁은 길이가 약 7~9 cm, 두께가 2~4 cm, 너비는 4~6 cm이다. 자궁 근육층은 자궁의 대부분을 차지하고 균일한 낮은 수준의 에코 음영을 보이고, 자궁 내막(endometrium)에 비해 상대적으로 저 에코를 나타낸다. 자궁 내막 줄무늬(endometrial stripe)는 자궁 내막의 두 개 층으로 둘러싸인 관으로 구성되어 있다. 이 줄무늬의 밝기와 두께는 환자의 월경주기에 따라 변화된다. 이 줄무늬는 생리가 끝나는 시기에는 약 2~3 mm의 얇은 고 에코 음영으로 보인다(그림 12-1). 다른 단계에서 그것은 계속 두꺼워지며, 특히 증식 단계에서는 최대 15 mm까지 두꺼워진다.

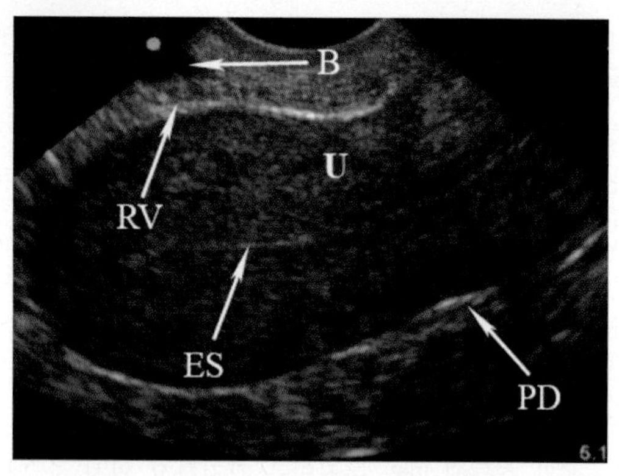


**그림 12-1** 정상적인 골반 해부 체계에서의 경질초음파 소견. 방광(B)은 자궁(U)의 전하방에 위치하는 무에코성 구조로 보인다. 자궁 내막 줄무늬(ES)는 자궁의 중앙에 고에코성의 선으로 보인다. RV: 방광 후방 공간, 방광과 자궁 사이, PD: 더글라스 와, 자궁과 직장 사이.

질 줄무늬(vaginal stripe)는 전후방 벽 사이의 질관 안에 반향성의 줄무늬로 보인다. 질 줄무늬가 있으면 질둥근천장(vaginal vault)에서 파편이나 이물질이 없음을 나타낸다. 이는 경복부 검사에만 보이며, 시상면에서 가장 두드러진다(그림 12-2).

자궁의 위치는 자궁의 경(version)과 굴(flexion)로 기술하는데, 경은 전체 자궁의 방향을, 굴은 자궁 내에서 굽어진 정도를 나타낸다. 가장 일반적인 위치는 자궁이 방광을 덮으면서 복부 전벽을 향해서 앞으로 기울어진 전경된(anteverted) 상태이다(그림 12-2). 방광이 가득 차고 팽창되면 자궁이 수평 위치에서 약간 뒤로 밀려날 수도 있다. 후경된(retroverted) 자궁은 방광으로부터 복부의 후벽과 척추를 향해 뒤로 기울어져 있다(그림 12-3). 자궁의 경은 시상면에서 가장 잘 보이며, 방향은 특히 경질초음파를 사용할 때 중요하다. 만약 탐색자가 뒤집히면 정상 자궁은 후경된(retroverted) (또는 그 반대로) 모습처럼 보일 수도 있다. 다른 흔한 자궁 변이로는 자궁 자체가 굽어 있는 굴곡(flexion)이다. 자궁은 앞에서 언급한 위치의 어떤 조합도 가능하다. 전경-전굴, 전경-후굴, 후경-전굴, 후경-후굴.

후방 cul-de-sac 또는 더글라스 와(pouch of Douglas)는 자궁 후벽과 직장 사이의 공간이다(그림 12-1 및 12-2). 그곳은 여성의 골반에서 자유 체액이 가장 먼저 모이는 가장 낮은 지점에 위치한다. 이 공간은 그 내용물에 따라서 다양한 모양으로 보인다. 혈액만 있는 경우에는 완전한

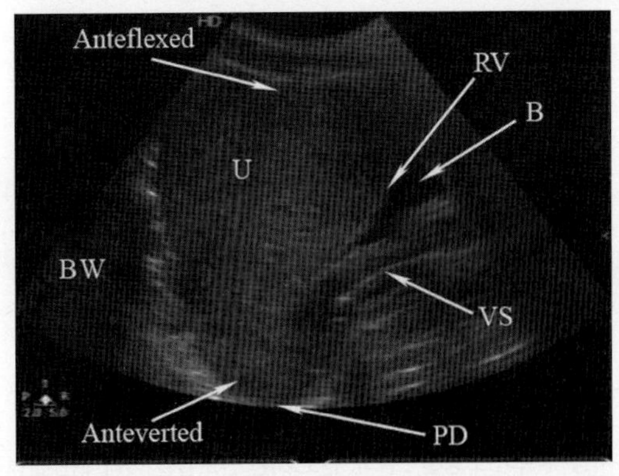


**그림 12-2** 정상적인 골반 해부 체계에서의 경복부 초음파 시상 소견. 방광(B)는 자궁(U)의 전하방에 위치하는 무에코성 구조로 보인다. 질 줄무늬(VS)는 질강 내부에 밝고 하얀 고에코성의 선으로 보인다. 더글라스 와(PD)는 자궁과 직장 사이에 놓여 있으며, 가장 먼저 자유 체액이 고이게 되는, 여성 골반에서 가장 낮게 위치하는 의존 구역이다. BW: 장, RV: 방광 후방 공간. 자궁은 방광과 복부 전벽을 향해서 기울어져 있고(전경), 자궁 기저부는 자궁경부와의 관계에서 앞쪽을 향한다(전굴).

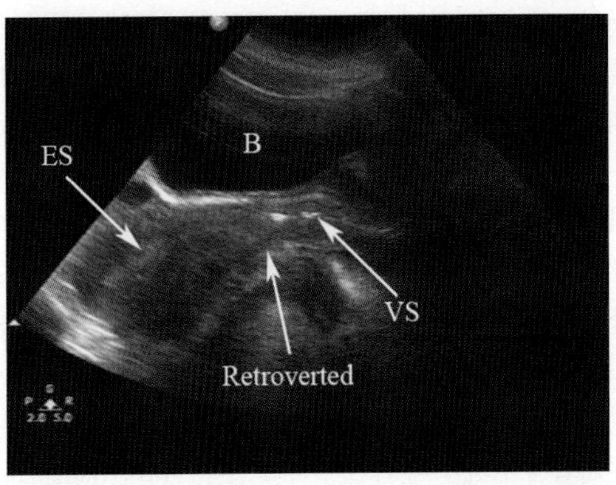


**그림 12-3** 후경된 자궁의 경복부 초음파 시상면 영상. 방광(B)는 자궁의 전하방에 위치하는 무에코성 구조로 보인다. 질 줄무늬(VS)는 질강 내에 밝고 하얀 고에코성의 선으로 보인다. 자궁 내막 줄무늬(ES)는 자궁 중앙에 고에코성의 선으로 보인다. 자궁은 방광에서부터 복벽 후방을 향하고 있다(후경).

무에코성 영역으로 보이지만, 혈전을 포함할 때는 비균질하게 보인다. 전방 cul-de-sac(방광 후방 또는 자궁 방광 공간)은 자궁의 전벽과 방광 사이의 공간이다(그림 12-1 및 12-2). 앞쪽에 위치한 전방 공간은 상대적으로 낮은 중력으로 인해 후방 공간만큼 자유 체액이 빠르게 모이지는 않는다. 만약 전방 공간에 자유 체액이 보인다면, 그것은 골반 내에 체액의

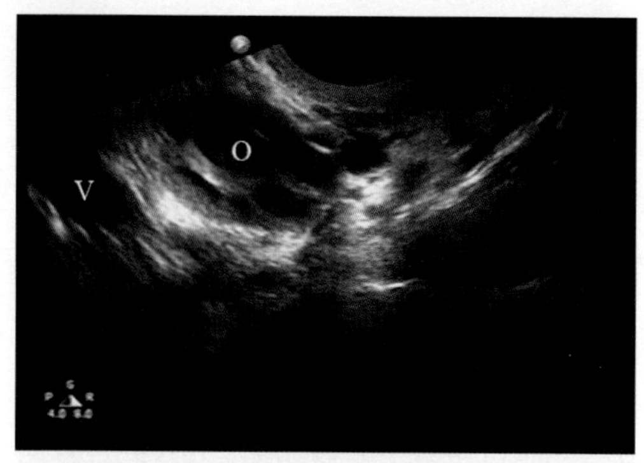


그림 12-4 자궁 부속기의 경질초음파. 난소(O)는 난포들을 나타내는 전형적인 '초콜릿 칩 쿠키' 모양으로, 장골 혈관(V) 앞쪽에 자리 잡고 있다.

양이 상당하다는 것을 의미한다.

## 자궁 부속기(ADNEXA)

난소(ovary)는 일반적으로 장골 혈관의 안쪽 앞에서 발견된다. 이 혈관들은 난소를 찾는데 기본적인 지표이지만, 자궁의 위치에 따라 바뀔 수도 있으며, 때로는 cul-de-sac에 위치할 수도 있다. 난소는 '초콜릿 칩 쿠키'(그림 12-4)처럼 중간 수준의 에코 음영으로 무에코의 난포들이 가장자리에 흩어져 있는 모양으로 보인다. 난소의 크기는 환자 나이와 난포들 수와 생리 주기에 따라서 다양하다. 크기는 월경 시에 가장 작으며, 생리 주기 중간 시기에 가장 크다. 가장 큰 난포나 황체는 종종 직경이 2 cm 이상으로 측정되기도 한다. 난소는 연령 증가에 따라서 크기가 작아지므로, 폐경 전 여성에서 더 쉽게 관찰된다. 또한, 경질초음파처럼 탐색자가 난소에 더 가깝게 위치할 때 확인이 더욱 쉽다. 나팔관(fallopian tube), 자궁관사이막(mesosalpinges)과 자궁넓은인대(broad ligament)는 병리 소견이 존재하지 않으면 초음파로 식별하기 어려울 수 있다.

## 방광

방광은 자궁의 앞 아래 쪽에 놓여있다. 방광은 소변량에 따라서 초음파적인 크기(sonographic size)를 띄는 무에코성 구조로 보인다. 방광은 경복부 초음파 스캔에서 지표 역할을 하기 때문에, 검사 동안 방광은 가득 채워져 있는 것이 바람직하다(그림 12-2). 반면 경질초음파에서는 가득 찬 방광은 자궁 및 자궁 부속기의 해부학적 위치를 변형시키기 때문에, 이때에는 비어 있는 것이 좋다(그림 12–1).

## 임신 초기의 정상 초음파 해부학

### 탈락막내 징후(INTRADECIDUAL SIGN)

'탈락막내 징후'는 숙련된 검사자조차도 찾기가 쉽지는 않지만, 이는 자궁 내 임신(intrauterine pregnancy, IUP)의 가장 초기의 증거이다. 이것은 자궁 내막에 완전히 착상되어있는 있는(completely embedded) 배아(embryo)로 이루어져 있지만, 자궁 내막 줄무늬의 위치는 변하지 않는다. 이는 초음파에서 자궁 내부의 단순한 무에코성 영역으로 나타나고, 빠르면 경질초음파에서 재태 연령(gestational age) 4주부터 보이기 시작한다. 이것만으로는 자궁 내 임신을 증명하기에 충분하지 않기 때문에, 임신 진단을 위해서는 이용하지 않는다.

### 이중 탈락막 낭 징후(DOUBLE DECIDUAL SAC SIGN)

'이중 탈락막 낭 징후'는 자궁 내 임신을 확인하는데 더 확실하지만 이 역시 주의가 필요하다. 이 징후는 자궁강 안에서 무에코성의 영역을 둘러싸고 있는 두 개의 낭(안쪽은 피막탈락막(decidua capsularis), 바깥쪽은 진성탈락막(decidua vera))으로 이루어져 있다(그림 12–5). 이 징후는 경질초음파에서 재태 연령 5주, 경복부 초음파에서는 6주에 관찰될 수 있다. 이 징후는 자궁 내 임신의 확인에 좋지만, 초보 임상의들은 이것을 잘못 해석할 수 있으므로 단독으로 확진에 이용해서는 안 된다.

### 임신낭(GESTATIONAL SAC)

임신낭은 경질초음파에서 5주, 경복부 초음파에서 6주에 보일 수 있으며, 에코발생성 테두리로 둘러싸인 무에코성의 영역이다(그림 12–5). 이 낭은 5~6 mm 지름이면 보통 관찰된다.

자궁 내에서 무에코성의 영역은 정상 임신낭이 아닌 자유 체액 또는 가성 임신낭인 경우에도 관찰될 수 있다. 임신낭의 확인을 위해서는 앞서 설명한 대로 무에코성의 영역을 둘러싸고 있는 이중 탈락막 낭을 확인하는 방법도 좋지만, 다른 진단 기준 또한 확실하게 충족되어야 하겠다. 임신 낭 확인에 있어서 더 결정적인 소견은 무에코성의 영역 안에 태극(fetal pole)과 함께 난황낭(yolk sac)의 존재이다. 정상 임신낭은 자궁 체부의 상부 또는 기저부에 위치하며, 자궁벽 중간에 들어가 있다. 평균 임

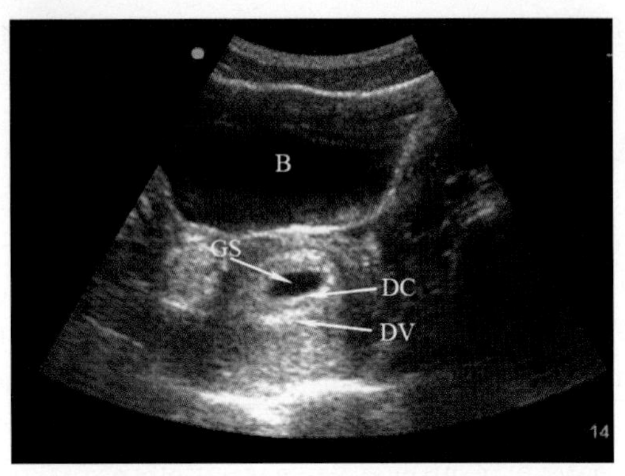


**그림 12-5** '이중 탈락막 낭 징후'를 보이는 경복부 초음파 영상. 임신낭(GS)은 두 개의 고에코성 낭(피막탈락막 DV, 진성탈락막 DC)으로 둘러싸인 무에코성의 영역이다. B: 방광.

신낭 지름은 임신 초기에 재태 기간을 추정하는 데 사용된다.

## 난황낭

난황은 배아에 부착되어 순환기관이 형성되는 동안 영양 공급을 담당하며, 순환기관으로 대치됨에 따라 임신 초기에 주로 사라진다. 임신 초기에 난황낭의 직경은 지속적으로 6~7 mm로 유지되며, 이는 정상 자궁 내 임신을 확인하는 데 중요하다. 임신 첫 3개월 동안 난황낭이 보이지 않거나, 직경이 너무 커지면 비정상적인 임신을 의미한다.

초음파에서 난황낭은 'cheerio'라고 불리는 무에코성 중심을 싸고 있는 둥근 고리 모양으로 보인다. 이것은 경질초음파에서 6주, 경복부 초음파에서는 7주에 임신낭 내에서 관찰되며, 일반적으로 내강 벽 어느 한 곳에 붙어 있게 된다(그림 12-6). 임신낭 내에 보이는 난황낭은 자궁 내 임신의 확실한 증거이다.

## 태극(FETAL POLE)

태극은 발생 중인 배아(developing embryo)로 임신낭 안에서 난황낭 한 쪽에 연결되어 가장 처음으로 관찰된다(그림 12-6). 이는 일반적으로 경질초음파에서는 6주, 경복부 초음파에서는 8주에 관찰된다. 태극은 보통 CRL이 약 2~4 mm가 되면 식별된다. CRL이 5 mm에 이르면 태극 내에서 깜빡거리는 모습으로 태아 심박동이 관찰될 수 있다. 이런 초기 단계에서 태아 심박동은 경질초음파에서 비교적 잘 관찰되지만, 경복부 초음

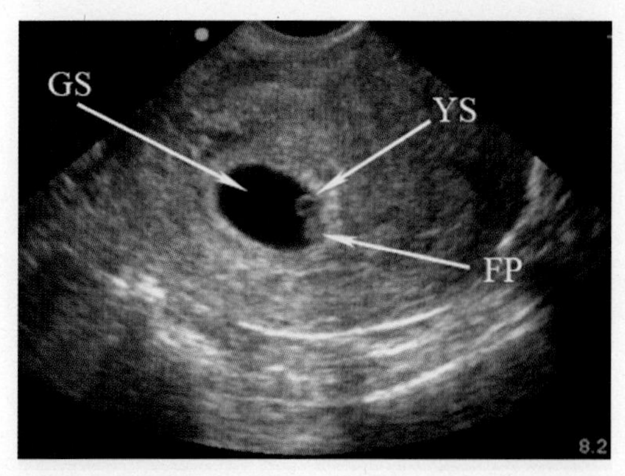


그림 12-6 정상 초기 자궁 내 임신(IUP) 영상. 자궁 내 임신이라고 하기 위한 최소한의 기준은 임신낭(GS)+ 난황낭(YS)+/- 태극(FP)이다. 태극이 이를 진단하는데 꼭 필요한 소견은 아니지만, 이 영상에서는 모든 세 구조물이 존재함을 보여준다.

파에서는 너무 작아서 평가하기가 힘들다. 태극과 난황낭이 동시에 존재하는 소견은 자궁 내 임신의 더욱 확실한 증거이다.

### 임신 후기

난황낭은 첫 3개월을 끝으로 사라지기 시작하고, 잔유물은 태반(placenta)과 태아를 연결하는 탯줄을 형성한다. 태반은 임신 기간 동안 태아의 연령과 건강에 비례하여 크기가 커진다. 태반의 두께는 대략적인 재태 연령 추정에 사용되며, 일반적으로 3~4 cm보다는 작다. 임신 중기에 태반은 임신낭과 태아를 둘러싸는 균질한 구조로 경복부 초음파에서 쉽게 시각화된다. 정상적인 태반은 자궁 저부에 가까이 위치한 태아 상부에서 관찰된다(그림 12-7). 태반의 다른 층들은 임신 후기에 더욱 명확해진다. 양수(amniotic fluid)는 많은 양이 축적되기 시작하면 태아를 둘러싸는 무에코성의 영역으로 나타난다.

## 검사 프로토콜

### 경복부 초음파

경복부 초음파는 급성 골반 통증이나 출혈(임신 또는 비 임신)로 내원하는 환자에서 초기에 시행하는 검사이다. 곡선형 복부 탐색자를 사용하고, 가로(단축)와 시상(장축) 방향 모두에서 관찰하여야 한다.

환자는 다른 복부 검사 시와 같이 앙와위를 취한다. 시상 방향에서 탐

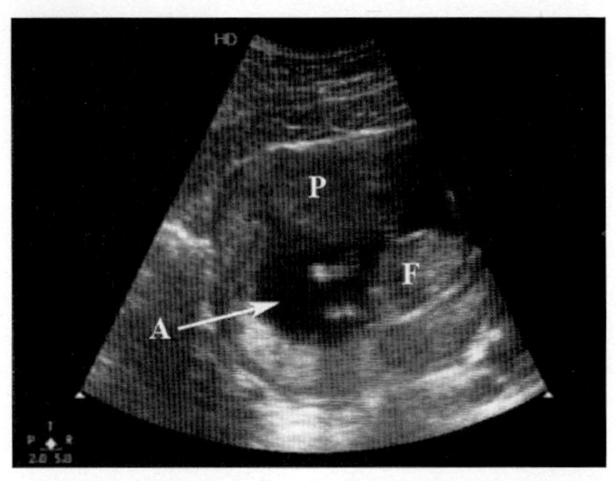


**그림 12-7** 정상 임신 중기 영상. 태반(P)은 균일한 구조물로 자궁 기저부에 인접하여 태아(F)상부에 위치한다. 양수(A)는 계속해서 낭 내에 축적된다.

색자는 표지자가 머리 쪽을 향해야 하며, 치골 바로 아랫부분의 하복부 중간에 위치시킨다. 질 줄무늬(vaginal stripe)와 방광은 지표 역할을 하므로 가장 먼저 확인해야 한다. 방광은 꽉 찬 상태가 적합하며, 이는 주머니 모양을 하여 골반 탐색 초음파에서 시야창으로 이용된다. 모니터 화면의 좌측은 환자의 머리, 우측은 발, 상단은 앞쪽, 하단은 뒤쪽을 보여준다. 방광은 무에코성 영역을 감싸는 두꺼운 벽으로 삼각형 또는 길게 늘어진 구조물로 보인다. 질 줄무늬는 밝고 하얀색으로 보인다. 지표가 확인되고 나면, 자궁은 방광의 후상방에서 관찰된다. 질 줄무늬는 자궁 경부를 지나 자궁까지 이어진다(그림 12-2).

적절한 시상 영상을 획득하고 나서, 검사자는 탐색자를 내측과 외측으로 움직이며 정보를 얻도록 한다. 장기의 병리 소견뿐만 아니라, 전방 및 후방 cul-de-sac에서 자유 체액 유무를 주의 깊게 확인해야 한다. 자유 체액은 자궁과 앞쪽으로는 방광, 뒤쪽으로는 직장 사이에서 무에코성 또는 저에코성 영역으로 보인다.

자궁 부속기의 영상은 일반적으로 경질초음파에서 더욱 잘 관찰되지만, 병적 소견을 놓치지 않기 위해 경복부 초음파에서도 확인해야 한다. 난소는 장골 혈관의 내측 전방에서 관찰된다(그림 12-4).

가로축 영상을 얻기 위해서 검사자는 표지자가 환자의 우측을 가리키도록 탐색자를 반시계 방향으로 90도 회전시킨다. 이 영상은 자궁 앞쪽에 방광이 나타나도록 단축에서 방광과 자궁 모두를 보여준다(그림 12-8). 모니터는 화면 좌측에 환자의 우측면, 우측에 좌측면, 상단에 앞쪽, 하단에 뒤쪽 면을 보여준다. 이 위치에서 자궁은 탐색자를 상하 방향으로 움

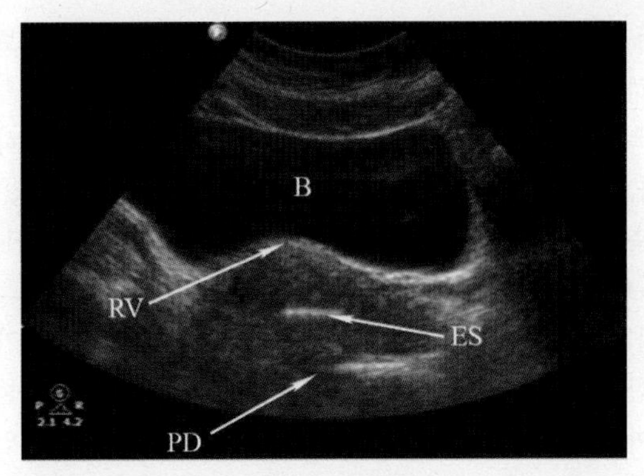


**그림 12-8** 정상 골반 해부 체계의 경복부 횡단면 영상. 방광(B)는 자궁의 전하방에 위치하는 무에코성의 구조물로 보인다. 자궁 내막 줄무늬(ES)는 자궁 중앙에 고에코성의 선으로 보인다. 더글라스 와(PD)와 방광 후방 공간(RV)은 모두 잠재적 공간이며, 가로면 영상에서 나타난다.

직이면서 자궁 경부부터 기저부까지 검사되어야 한다. 다시 한 번, 전후방 cul-de-sac에서 자유 체액 유무를 검사한다. 탐색자를 좌우로 움직이면 자궁 부속기를 관찰할 수 있다.

## 경질초음파

경질초음파는 경복부 초음파보다 더 나은 해상도와 이미지를 제공한다. 경질초음파는 경복부 초음파가 자궁 및 자궁 부속기 병리 상태에 대한 충분한 세부 정보를 제공하지 못한 경우에 사용한다. 기다란 모양의 높은 주파수를 지닌 내강 탐색자(endocavitary probe)는 검사자에게 골반 해부학에 대한 더 자세한 영상을 제공한다. 경질초음파검사는 시상 및 관상 방향에서 모두 시행되어야 한다.

경질초음파검사에서 충만 및 팽창된 방광은 해부학적 위치를 왜곡시키고 영상화를 방해할 수 있으므로 방광을 비우도록 한다. 환자는 바로 누운 자세에서 무릎을 45도 구부린 상태로 다리를 외전시킨다. 이는 일반적으로 '개구리 다리 자세'로 알려져 있다. 검사를 위해 골반 침대(pelvic bed)를 유용하게 이용할 수도 있다. 이 침대를 사용할 수 없는 경우, 실내용 변기나 담요를 등 밑에 넣어서 탐색자의 꼬리가 아래로 충분히 들어갈 수 있도록 골반을 들어올려야 한다. 검사 시작 전에는 환자에게 미리 검사에 대해 충분히 설명하도록 한다. 검사 전, 내강 탐색자에 무균 겔과 함께 탐색자 덮개를 씌우도록 한다.

경질초음파는 일반적으로 질 내강을 따라서 탐색자를 시상 방향으로 삽입하여 표지자가 천장을 향하게 한다. 경질초음파 영상은 초보 검사자가 해석하기에는 다소 어려울 수도 있다. 내강 탐색자 사용법을 배우기 전에 탐촉자 표지자의 방향과 환자의 몸의 위치를 완전히 이해하는 것이 필요하다. 시상면에서 표지자가 처음 위치대로 천장을 향하고 있다면, 화면의 좌측은 환자의 앞쪽을 나타낸다. 화면의 우측은 환자의 뒤쪽, 상단은 다리, 하단은 머리 쪽을 나타낸다.

탐색자가 삽입되면 자궁은 쉽게 관찰되며, 자궁 내막 줄무늬가 완전히 보여야 한다. 자궁이 쉽게 확인되지 않은 경우, 초음파 탐촉자를 위아래로 기울여 자궁이 나타나도록 한다. 이런 방법은 자궁이 극단적인 각도의 경과 곡을 가지는 경우 도움이 된다. 비어 있는 방광은 관찰이 어려울 수 있지만, 보인다면 작은 무에코성의 구조물로 자궁 앞쪽에 나타난다(그림 12-1). 질 줄무늬는 탐색자가 자궁 경부를 향해서 질둥근천장 안으로 들어가면 보이지 않는다. 자궁 기저부는 화면의 좌측에, 자궁 경부는 우측에 나타나게 된다. 탐색자는 더글라스와(후방 cul-de-sac)와 전방 cul-de-sac을 완전히 관찰하기 위해서 앞뒤로 충분히 기울인다. 자궁과 cul-de-sac을 검사한 후에 탐색자를 좌우로 기울여 난소와 자궁 부속기의 병리 유무도 확인한다.

그 다음 표지자가 환자의 우측을 향하도록 탐색자를 90도 반시계 방향으로 돌린다. 이 방향은 골반의 관상면을 보여주는 것으로, 경복부 초음파에서의 가로 방향 영상과 유사하다. 이 영상은 화면의 좌측이 환자의 우측, 우측이 환자의 좌측, 상단이 다리, 하단이 머리쪽을 가리킨다(그림 12-9). 자궁을 화면 중앙에 위치시키는 것으로 시작하여, 자궁 기저부를 통해 자궁 경부와 cul-de-sac이 보이도록 탐색자를 기울여야 하고 자궁 부속기의 구조물을 지나 양쪽 측면까지 관찰한다.

## 임신에서의 검사 프로토콜

### 자궁 내 임신에 대한 평가

경복부 검사에서 임신이 자궁 내에 된 것임을 입증하기 위해서는 방광과 질 줄무늬를 가장 먼저 확인해야 한다. 질 줄무늬는 자궁 경부를 통해 자궁 강 안으로 연결되며, 임신낭으로 생각되는 무에코 영역을 찾도록 한다. 경질초음파에서 질 줄무늬는 관찰되지 않겠지만, 자궁 내에 어떤 내용물이 있는지 확인하기 위해서 확실하게 자궁을 검사하도록 한다. 무에코성 영역이 자궁 부속기가 아닌 자궁 내에서 확인되었다면, 이것이 임신

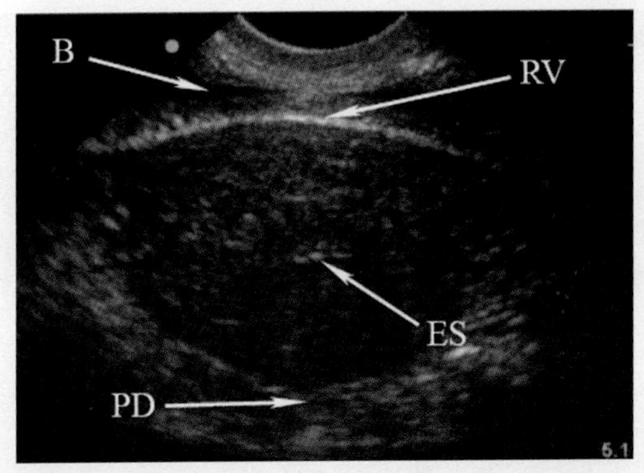


**그림 12-9** 정상 골반 해부 체계에서의 경복부 관상면 영상. 방광(B)는 자궁의 전하방에 위치하는 무에코성의 구조로 보인다. ES: 자궁 내막 줄무늬, RV: 방광 후방 공간, PD: 더글러스 와.

인지 판별하기 위해서는 추가 검사가 이루어져야 한다.

자궁 내 임신의 최소 기준은 난황낭이나 태극을 동반한 임신낭의 존재이다. 자궁 내 무에코성 영역이 관찰되는 것만으로는 자궁 내 임신을 진단하는데 불충분하며, 다른 징후가 분명하지 않다면 임신낭으로 기술되어서는 안 된다. 자궁외임신(ectopic pregnancy)에서도 가성 임신낭으로 알려진 액체 저류가 자궁 내에서 관찰될 수 있다.

## 재태 연령(GESTATIONAL AGE)

임신의 단계에 따라 태아의 재태 연령을 측정하는 여러 가지 방법이 있다. 임신 초기(12주 이하)에 주로 사용되는 방법은 임신낭 평균 직경과 CRL이다. 임신 후기(12주 이상)에는 다른 방법들(대퇴골 길이, 복부 또는 머리 둘레)이 사용될 수 있지만, BPD가 추천된다.

**임신낭 평균 직경**(Mean Gestational Sac Diameter, MGSD) 임신낭 평균 직경은 태아의 재태 연령을 가장 이른 시기에 추정할 수 있는 방법이다. 이 값은 벽을 포함하지 않는 가장 자리의 내측 지름을 세 가지 면에서 측정하여 얻는다. 세 개의 측정값이 기록되면 재태 연령은 다음 식에 따라 추정 가능하다.

$$\text{GA} +/- 4\text{ 일} = \text{MGSD (mm)} + 30$$

약 5 mm의 길이는 약 5주의 재태 연령에 해당된다. 태극은 직경이

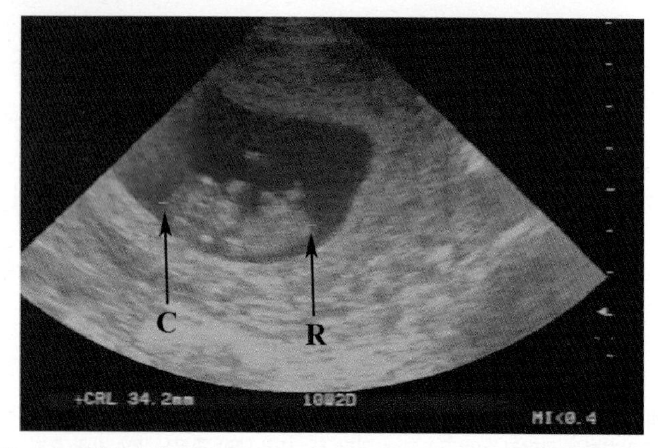


**그림 12-10** 임신 초기에 CRL을 측정하는 방법. 측정은 하지나 난황낭을 포함하지 않아야 하고, 머리의 천장(C) 상부에서 엉덩이(R)까지 측정되어야 한다. 초음파 기계에서는 이것을 예상 재태 연령으로 변환하는 소프트웨어 패키지를 사용한다.

12~16 mm 정도면 관찰된다.

CRL 태극이 가시화되면, CRL는 재태 연령을 추정을 위해 측정될 수 있다. 배아의 길이는 캘리퍼를 사용하여 측정되며, 재태 연령은 대부분의 초음파 기계에 포함된 계측 소프트웨어 패키지를 기반으로 추정된다. 컴퓨터에서 자동 계산되지 않는다면, 계산 수식은 다음과 같다:

$$\text{CRL (cm)} + 42 = \text{GA}$$

CRL은 태아의 하지나 난황낭을 포함하지 않아야 하고, 머리의 천장 상부에서 엉덩이까지 측정되어야 한다(그림 12-10). CRL은 일반적으로 하루에 약 1 mm 만큼 증가한다.

BPD BPD는 한쪽 두정골에서 반대쪽까지 두개골을 가로질러서 측정된다. 제3 뇌실과 시상하부를 통해서 측정될 때 가장 정확한 재태 연령이 계산된다. 한쪽 캘리퍼를 탐색자로부터 가까운 뼈의 바깥쪽 가장자리에, 나머지를 먼 뼈의 안쪽 가장자리에 위치시키는 이른바 '리딩 에지 기법(leading edge technique)'이 사용된다(그림 12-11). 대부분의 초음파 기계에는 BPD를 예상 재태 연령으로 변환하는 계산 패키지가 포함되어 있다.

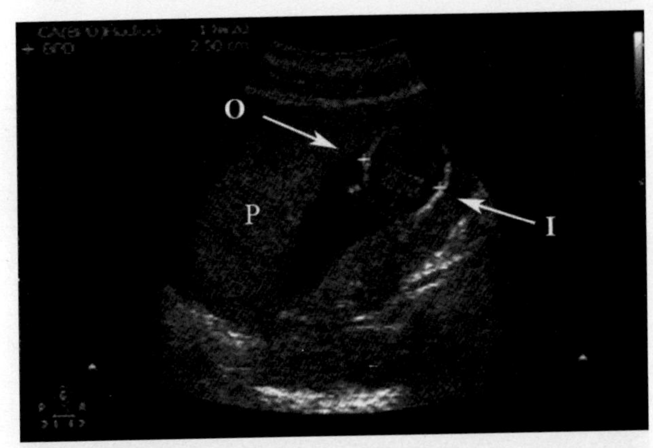


**그림 12-11** BPD를 이용하여 태아 재태 연령(GA)을 추정하는 정확한 방법. 측정은 '리딩 에지 기법'을 이용하여 한쪽 정수리 뼈에서 다른 정수리 뼈까지의 거리를 측정해야 한다. 커서는 가까운 뼈의 바깥쪽 가장자리(O)에서부터 먼 뼈의 안쪽 가장자리(I)까지 놓여야 한다. 기계 소프트웨어 패키지는 이 측정치를 이미지의 상단에 재태 연령으로 나타나도록 변환시킨다. P: 태반.

### 태아심박수(FETAL HEART RATE)

심장 활동은 일반적으로 경질초음파로는 6주, 경복부 초음파로는 7~8주에 시각화된다. 태아심박수는 시간에 흐름에 따라 움직임을 측정하는 M-모드를 이용하여 관찰된다. 태극(fetal pole)이 관찰되고 그 안에서 깜박거리는 심장 활동이 보이면, M-모드 커서를 움직이는 심장에 위치시킨다. 이는 움직임은 y축으로, 시간은 x축으로 심장을 추적한다(그림 12-12). 캘리퍼는 심장 박동 사이의 거리를 측정하는 데 사용되며, 대부분의 기계는 이 거리를 심박수로 변환하는 계산 패키지를 포함하고 있다. 도플러는 도플러 자체의 높은 에너지 때문에, 임신 첫 3개월 동안에는 심장 활동 측정에 이용해서는 안 된다.

## 임신 초기 초음파검사에서의 이상 소견

질 출혈 또는 골반 통증을 호소하는 임신 초기 환자에서 초음파검사의 일차적 목적은 자궁 내 임신 여부를 확인하는 것이다. 자궁내 및 자궁외 임신이 동시에 이루어질 수도 있지만, 불임 치료를 받고 있는 환자가 아니라면 매우 드물다. 자궁 내 임신 환자에서 자궁 부속기 검사도 이루어져야 하지만, 두드러진 자유 체액 또는 심한 통증이 없는 경우 자궁외임신은 매우 드물다.

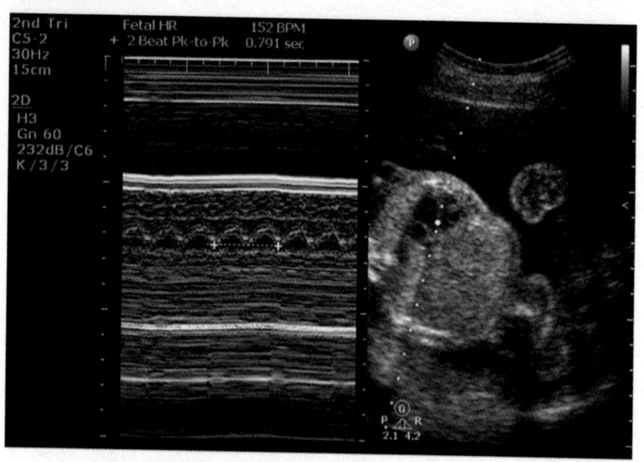


**그림 12-12** 태아의 심장 박동을 계산 추적하는 M-모드. 영상의 우측 화면에서 태아의 심박동 위에 커서가 놓여지면, 좌측 화면에 y축은 움직임, x축은 시간을 표시하는 그래프가 생성된다. 측정값은 두 심박동 첨두간 방법(two beat peak-to-peak method)을 이용하여 기록되며, 기계의 소프트웨어가 이것을 영상 상단에 152회 심박수로 나타나도록 변환시킨다.

## 비정상 자궁 내 임신

태아가 생존하기 어려운 비정상 임신을 나타내는 초음파의 몇 가지 특징적 소견이 있다. 비정상적인 배아 발달은 불규칙한 가리비 모양을 갖는 확장된 임신낭 및 난황낭으로 보인다(그림 12-13a 및 b). 경질초음파에서 난황낭 없이 임신낭이 10 mm 이상 커지거나, 태극이 없는 임신낭이 15 mm 이상 커지는 경우 비정상적인 임신을 의미한다. 8 mm를 넘어가는 난황낭도 비정상이다. 경질초음파에서 태극이 보인다면 심장 활동을 주의 깊게 관찰하고 증명해야 한다. 태극이 관찰되는 경질초음파에서 심장 활동의 부재는 태아 사망을 말한다.

## 불명확한 자궁 내 임신

임신 반응 양성 환자에서 초음파상 자궁 내 임신이 보이지 않으면 일반적으로는 불명확한 임신이라 부른다. 불명확한 자궁 내 임신은 임신 초기, 자궁외임신을 비롯하여 나중에 설명될 유산(miscarriage) 또는 임신성 융모성 질환을 아우른다. 유산의 증거가 임상적으로 확실하지 않다면, 질 출혈이나 골반 통증을 호소하는 환자에서 자궁 내 임신이 초음파적으로 명확하지 않은 경우 beta-hCG(베타 사람 융모성 성선자극 호르몬) 검사를 시행해야 한다. 특히 beta-hCG 값이 높다면 부인과 협진과 같은 추

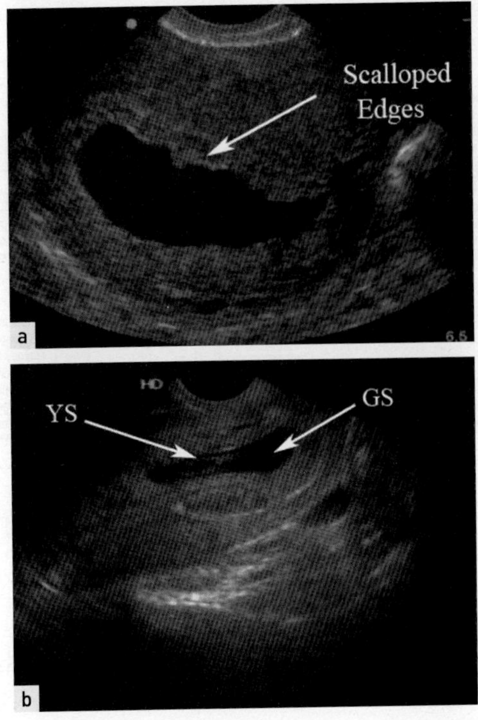


**그림 12-13 (a)** 비정상 자궁 내 임신을 나타내는 예시. 임신낭이 비정상적으로 커지며 가리비 모양의 테두리를 보인다. **(b)** 비정상 자궁 내 임신을 나타내는 그림. 난황낭(YS)은 커지며, 비정상적인 모양을 갖는다. 두 경우 모두(a와 b) 태아는 사망하였다. GS: 임신낭.

가적 조치를 서둘러야 한다. 임신 환자의 검사 알고리즘은 그림 12-14에 설명하였다.

## 판별구간

자궁 내 임신이 확인되지 않은 경우, beta-hCG 정량 검사는 경질초음파에서 자궁 내 임신이 보이는지 결정하는 데 도움을 준다. 이 판별구간(discriminatory zone)은 각 기관마다 기준이 다를 수 있지만, 대체로 1,000~1,500 mIU 사이이다. beta-hCG 수치가 그 이상이면 경질초음파로 확인이 필요하다. beta-hCG 수치가 판별구간 이상이면서 자궁 내 임신이 확인되지 않은 경우에는 자궁외임신을 의심하고 부인과에 의뢰하도록 한다. 하지만 자궁외임신이 파열되는 경우 beta-hCG가 낮아지기 때문에(자궁외임신 시 평균 beta-hCG 는 1000 mIU 미만), 낮은 수치가 초

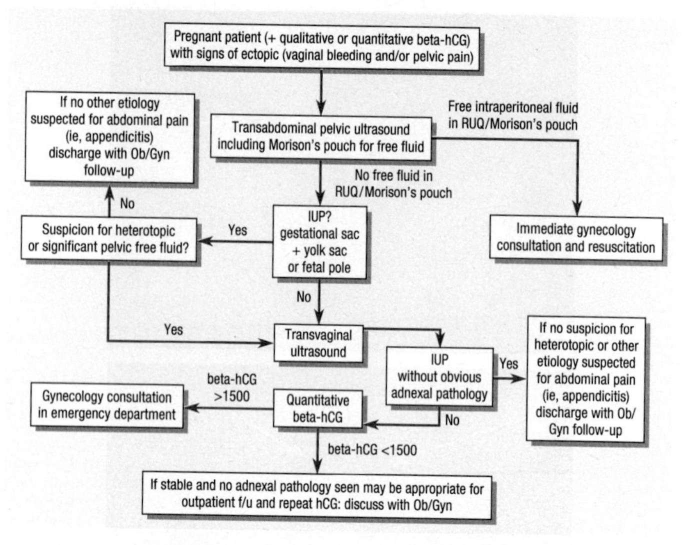


그림 12-14 산모 환자에 접근하는 방법에 대한 알고리즘.

음파를 시행하지 않아도 된다는 것을 의미하지는 않는다. 드물게 자궁외임신 파열에서 beta-hCG가 낮으면, 소변 임신 검사에서 음성일 수도 있다; 자궁외임신 가능성이 높게 의심되면 beta-hCG 정량 검사를 하여야 한다.

## 유산

beta-hCG 수치가 판별구간 이상이면서 확실한 자궁 내 임신이 보이지 않는다면 유산의 가능성을 생각해야 한다. 임신 잔류물이 배출되면 임상적으로 유산으로 진단할 수 있다. 이때 초음파상 자궁 내막 강 안에서 혈액이나 임신 잔류물 같은 조직파편이 흔히 관찰된다. 도플러 검사에서 자궁 내막 강 안의 파편에 혈류가 관찰되는 소견은 응고된 혈액보다는 임신 잔류물을 시사한다.

## 자궁외임신(ECTOPIC PREGNANCY)

자궁외임신은 비정상적인 위치에 임신이 된 것이다. 이는 일반적으로 자궁 외부에서 발생하지만, 때로는 자궁 내(자궁각/간질부 또는 자궁경부)의 비정상적인 위치에서도 가능하다. 자궁외임신이 가장 잘 발행하는 위치는 난관의 팽대부이다. 자궁외임신은 난소에서도 발생하지만 자궁외임

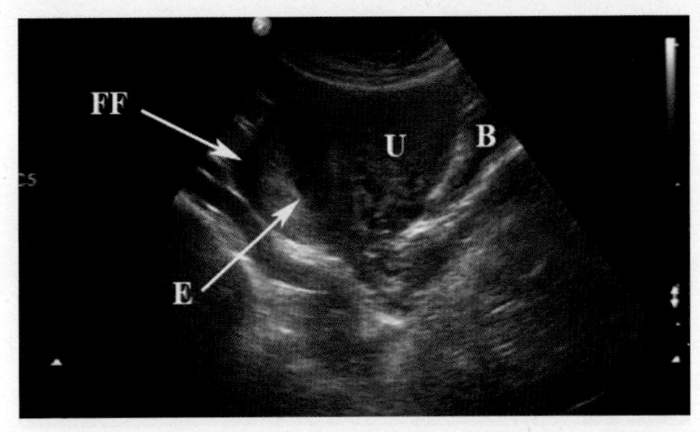


그림 12-15 자궁외임신을 보여주는 경복부 초음파 시상면 영상. 자궁외임신(E)은 자궁(U)에 인접한 자궁 부속기의 비 균일성 구조물로 보인다. 또한 골반에 보이는 자유체액(FF)을 주목하라. B: 방광.

신의 1~2%만 차지할 정도로 드물어서 난소에 보이는 낭성 구조물은 자궁외임신 보다는 황체 낭종일 가능성이 높다.

자궁외임신은 위치와 재태 연령에 따라 다양한 형태로 보이지만, 가장 흔하게는 난소와 구분되는 복합성 부속기 덩어리로 나타난다. 때때로 자궁 외 난황이나 태아 심박을 동반한 태극이 시각화되며 이것은 자궁외임신의 확실한 소견이다(그림 12−15). 도플러 검사에서는 부속기를 감싸는 불꽃 모양의 반지 형태가 관찰된다. 자궁은 정상 모양으로 보이기도 하고, 안이 비어 있거나 가성 임신낭의 무에코성 영역으로 나타나기도 한다. 가성 임신낭은 액체나 고에코성 물질을 포함하며, 자궁 강 내로 팽창한다. 가성 임신낭은 보통 자궁 내강의 형상과 일치하지만, 배아나 난황은 보이지 않는다.

자궁경부 임신은 거의 질강에서 보일 정도로 자궁의 아랫부분에 위치한다. 자궁 각 임신은 자궁 기저부의 높은 곳에 편심성으로 위치한다. 이때 임신낭이 마치 자궁 내에 있는 것으로 보이지만, 실제로는 자궁 기저부와 연결되는 나팔관(fallopian tube)의 간질 내부에 위치한다. 이것은 자궁 내 임신으로 오해하여 정상 임신으로 착각될 수도 있지만, 임신낭을 감싸는 자궁근층은 점차 얇아진다. 임신낭과 자궁 벽까지의 거리인 자궁내막근층 맨틀은 정상 임신에서는 8 mm 이상이어야 한다. 만약 8 mm 이하라면, 자궁 각 임신을 의심한다(그림 12−16). 이런 자궁외임신은 나팔관 임신보다 파열의 위험성이 높아 적극적인 치료가 필요하다.

자궁외임신의 치료는 위치와 크기 등등 여러 요인에 따라 달라진다.

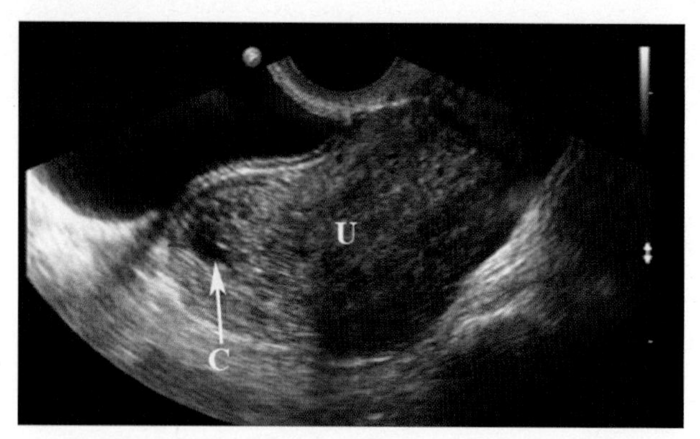


그림 12-16 자궁 각(간질부) 임신(C)을 보여주는 경질초음파 시상면 영상. 임신은 자궁 내(U)에 이루어진 것으로 보이지만, 실제로는 자궁 기저부와 연결되는 나팔관의 간질 내부에 위치한다. 임신의 high-up 모양에 주목하라. 빨간 선은 자궁 내막 근층 맨틀(임신낭과 자궁 기저부까지의 거리)이며, 8 mm 미만이면 자궁외임신을 시사한다.

때로는 methotrexate 처방과 반복적인 초음파 및 hCG 검사와 같은 보존적 접근이 더 선호되기도 한다. 초음파에서 3.5 cm 이상의 크기, 태아 심박동 동반, hCG 5,000 이상, 환자의 비협조적인 순응도와 과거 보존적 치료 실패는 통상적인 보존적 치료에 반응이 좋지 않을 예측인자이다. 또한, 간질부의 임신은 고위험성이므로 외과적 수술을 고려되어야 한다.

복부 통증을 호소하는 임신한 여성에서 골반 전후방 cul-de-sac 내에 상당한 양의 자유 체액이 보인다면 다른 원인이 밝혀지기 전까지는 자궁외임신 파열로 생각되어야 한다(그림 12-17). 다른 사분면의 자유 체액이 환자가 바로 수술을 받아야 하는 것을 의미하는 것처럼 우상복부 관상면의 자유 체액도 이러한 환자 진료에 도움이 된다. 모리슨 와(Morison's pouch)에 자유 체액이 보인다면 부인과에 즉시 환자를 의뢰하여야 한다.

## 융모막하 출혈(SUBCHORIONIC HEMORRHAGE)

융모막하 출혈 또는 임신낭 주위 출혈은 착상 부위에서 분리될 때 자궁벽과 융모막 사이에서 발생한다. 융모막하 출혈은 임신 초기 동안 발생하는 질 출혈의 가장 흔한 원인이다. 이는 보통 임신낭의 일부를 감싸는 무에코성의 초승달 모양으로 나타난다(그림 12-18). 융모막하 출혈의 예후는 출혈 정도, 태아와 모태의 연령, 임신 단계 등 여러 요인에 따라 달라진다. 임신 초기 단계 중 초반기에 발생하는 증상이 없는 소량의 출혈은 보통 합병증 없이 흡수되며, 나쁜 결과를 초래하지는 않는다. 그러나 늦

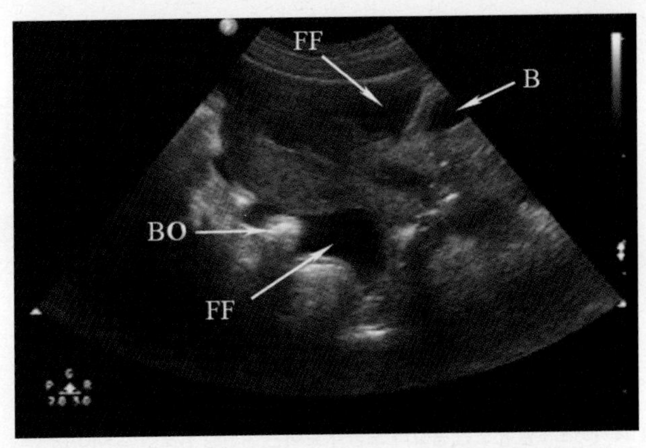


**그림 12-17** 자궁외임신 파열로 더글러스 와(자궁과 직장 사이)와 방광 후방 공간(자궁과 방광 사이) 모두에서 병적 자유 체액(FF)이 보이는 경복부 초음파의 시상면 영상. 자유 체액은 후방 cul-de-sac 에 한정되지 않고 자궁의 후하벽 1/3 영역까지 확장되었다. B: 방광, BO: 장.

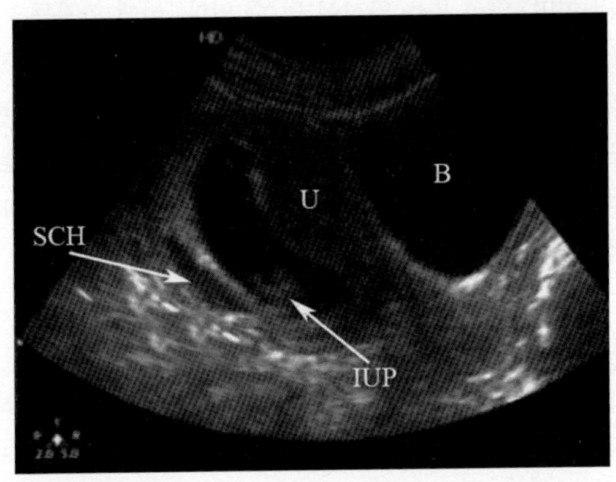


**그림 12-18** 융모막하 출혈(SCH)을 보여주는 경복부 초음파 시상면 영상. 환자는 자궁 내 임신(IUP)이 확인되었고, 임신 초기에 질 출혈을 호소하였다. 이 융모막하 출혈은 임신낭(GS) 크기의 20% 이하로 작은 것으로 간주되었고, 반복적인 초음파검사를 통해 완전히 해결되었음을 확인하였다. B: 방광, U: 자궁.

은 제1 삼분기, 제2 삼분기 또는 고령 임신에서 발생한 대량의 출혈은 예후가 좋지 않다. 융모막하 출혈은 임신낭과의 상대적 크기에 따라서 대>75%, 중 20~50%, 소<20%로 분류된다.

## 임신성 융모성질환(TROPHOBLASTIC DISEASE)

임신성 융모성질환은 포상기태(hydatidiform mole), 침윤성 몰, 융모상피

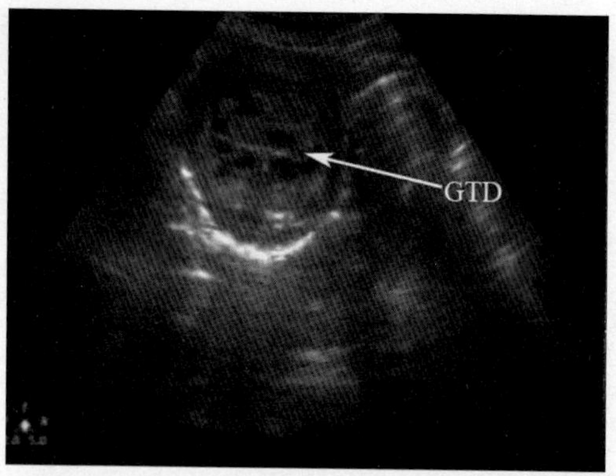


그림 12-19 포도송이 또는 눈보라 모양을 보이는 임신성 융모성 질환(GTD).

암(choriocarcinoma) 및 태반부착부위 융모상피성 종양 등을 포함하는 영양막세포의 증식성 질환이다. 포상기태는 임신성 융모성 질환의 가장 일반적인 형태이며, 양성 또는 악성이 될 수 있다. 이때 환자들은 질 출혈, 태아 연령 비율보다 큰 자궁, 현저히 상승된 beta-hCG와 심한 입덧을 보인다. 초음파검사에서 임신성 융모성 질환은 눈보라 또는 포도송이 모양으로 자궁강을 채우는 복잡한 이질적 구조로 확인된다(그림 12-19). 또한, 이때에는 배아도 대부분 보이지 않는다. 이러한 환자는 전문의에게 의뢰하여야 한다.

### 이소성 임신(HETEROTOPIC PREGNANCIES)

이소성 임신은 자궁 내 임신뿐만 아니라 자궁외임신까지 동시에 이루어지는 것이다. 이소성 임신은 보조 생식 및 호르몬 요법이 빈번해짐에 따라 인해 발생 빈도가 높아지고 있다. 발생률은 생식 보조 임신에서 약 3%이며, 전체 임신에서는 2,500~30,000명당 1명 꼴이다. 임상의가 정상 자궁 내 임신을 확인하고 추가적으로 자궁외임신을 찾고자 노력하지 않는다면 오진할 수도 있다. 정상적인 자궁 내 임신이 확인되었다 할지라도 모든 골반 구조물의 철저한 검사가 중요하다.

## 임신 후기 초음파검사에서의 이상 소견

### 전치태반(PLACENTA PREVIA)

전치태반은 내 자궁구에 가까이 존재하거나 이를 완전히 덮고 있는 비정상적으로 낮은 위치에 있는 태반을 말한다. 이는 존재하는 위치와 입구와의 관계에 따라서 네 가지로 분류된다. 하부전치태반은 태반이 자궁의 하부에 위치하거나 자궁 내구에 닿지 않고 근접해 있는 경우를 말한다. 변연전치태반은 태반의 변연부위만 자궁 내구에 도달한 경우이다. 부분 또는 완전전치태반은 태반의 하부가 얼마나 많이 자궁 내구를 덮고 있는지에 따라서 정의된다. 정확한 원인은 알려져 있지 않지만 전치태반의 과거력, 약물이나 알코올 남용, 이전의 낙태, 고령임신, 쌍둥이 임신은 전치태반의 위험 요소이다. 이 환자들은 일반적으로 임신 중기, 후기에 통증이 없는 질출혈을 호소한다. 임신 후기의 질 출혈 환자에서 자궁 내구를 덮고 있는 태반이 의심된다면 골반검사나 경질초음파를 시행하기 이전에 먼저 산과에 환자를 의뢰하도록 한다.

## 태반조기박리(PLACENTAL ABRUPTION)

태반조기박리는 태반 층 사이의 출혈로 인해 태반이 자궁벽에서 박리됨을 말하며 이는 정도에 따라 다음과 같이 분류된다. Grade 0은 무증상이며 태아 출생 후 진단된다. Grade 1 가벼운 출혈과 통증을 나타내지만, 산모나 태아 곤란증을 일으키지는 않는다. Grade 2는 많은 양의 출혈과 태아와 산모 곤란증이 나타나지만, 쇼크는 보이지 않는다. Grade 3은 심한 출혈로 태아와 산모가 쇼크 상태를 보이며 사망까지 이를 수 있다. 조기 박리의 주요 위험 요인은 모성 고혈압, 코카인 사용, 이전의 조기 박리, 고령 임신, 짧은 제대와 외상이다. 환자들은 주로 질 출혈과 함께 심한 통증을 호소하지만, 조기 박리의 위치에 따라서는 출혈이 없는 경우도 있다.

태반조기박리가 초음파로 확인된다면 태반과 자궁 사이에 출혈이 보인다. 하지만 초음파는 태반조기박리를 배제할 만큼 충분히 민감하지 않기 때문에 의심되는 환자는 산과에 즉시 의뢰하도록 한다.

## 자궁파열(UTERINE RUPTURE)

자궁파열은 보통 외상 상황에서 일어나지만, 분만 도중 발생하는 경우도 보고되고 있다. 다른 고형 장기 손상과 유사하게 혈액과 양수를 의미하는 복막강 내 자유 체액이 초음파에서 관찰된다. 태아 검사에서는 일반적으로 태아 심박 활동의 저하가 나타난다. 자궁파열은 산과적 응급 상황이며 태아 생존이 확인되었다면 지체 없이 제왕 절개를 서둘러야 한다.

### 특별히 고려해야 할 점: 외상을 입은 산모

외상을 입은 산모는 특히 급성기 치료를 담당하는 의사에게 어려운 도전이다. 비임신 환자와 유사한 부상일 수도 있고 임신과 관련한 매우 치명적인 손상일 수도 있기 때문이다. 대부분의 중증치료 센터들은 임신 중기 환자가 병원에 도착하면 환자를 분류하고 바로 산과 진료를 받도록 한다. 그러나 예외적으로 산과 협진보다 도착 즉시 응급의학과 의사가 먼저 부상 정도를 평가해야 하는 경우도 있다. 비임신 외상환자와 마찬가지로 복막강 내 자유 체액이 존재하는지 9, 24장에서 설명한 표준화된 FAST 검사가 수행되어야 한다. 위험도가 낮은 환자들의 경우 FAST가 음성이라면 CT 검사는 굳이 하지 않을 수도 있다. 초음파는 앞서 언급한 조기 박리, 자궁파열과 같은 경우에 민감하지는 않더라도, 신속한 확인에 도움이 된다.

## 기타 초음파검사에서의 이상 소견

### 자궁근종(FIBROIDS)

자궁근종은 자궁근층에서 발생한 양성 평활근 덩어리이다. 자궁근종은 일반적으로 자궁의 체부와 기저부에 생기며 경부에서 발견되는 경우는 드물다. 양성이기는 하지만, 골반 통증, 충만감, 과도한 질 출혈을 일으킬 수도 있다. 자궁근종은 호르몬 자극으로 커지는 경향이 있으며, 폐경 후에는 퇴화한다. 자궁근종은 여성이 질 출혈과 골반 통증을 주소로 응급실에 내원하게 되는 흔한 원인 중 하나이다.

자궁근종의 초음파 소견은 다양하며, 일반적으로 원형 또는 타원형 모양의 비균질적인 구조로 나타난다. 이 덩어리는 다양한 에코발생도를 보여주며 주위 자궁근층과 비교하여 고에코성 및 저에코성 영역을 갖는다. 또한, 석회화를 포함하고 있는데, 이 경우 빔 감쇠로 인해 후방 음영을 띄는 흰색의 매우 높은 에코를 나타내는 구조물로 보이게 된다(그림 12-20). 자궁근종은 퇴화하고 괴사할 수 있으며, 이 때문에 통증이 악화될 수도 있다. 퇴화된 자궁근종은 초음파에서 불규칙한 무에코성으로 보인다.

자궁근종은 임신성 융모성 질환, 자궁 내 장치 천공, 자궁이나 자궁 부속기 종괴, 중복자궁 같은 다른 병리 상태와 비슷하게 보일 수 있다. 만약 복수를 동반한 특이한 모양의 덩어리가 초음파에서 발견되면, 육종이나 악성종양을 의심해 봐야 한다. 이런 경우, 추가적 평가를 위해서 CT나 다른 영상 검사가 권장된다.

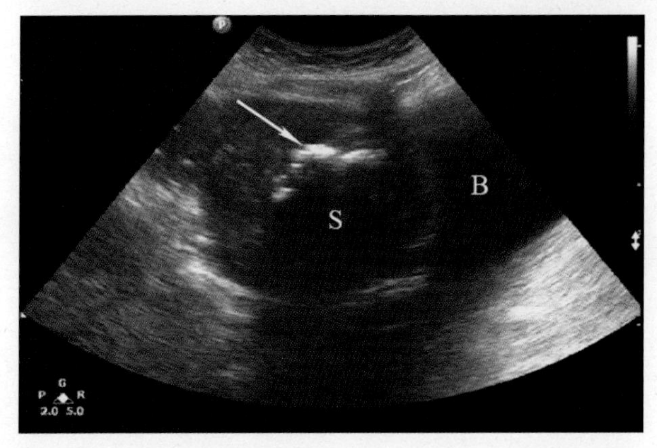


그림 12-20 자궁근종의 경복부 초음파 시상면 영상. 비균일 형태를 띈 자궁과 후방 음영(S)을 만드는 자궁근종 내 석회화를 가리키는 화살표에 주목하라. B: 방광.

## 자궁내막암(ENDOMETRIAL CARCINOMA)

자궁내막암은 일반적으로 급성기 치료에서 진단되지는 않지만, 임상의는 이와 관계 있는 몇 가지 징후를 알아야 한다. 폐경 후 여성에서의 질 출혈은 다른 원인이 밝혀지기 전까지는 자궁내막암을 의심해야 한다. 보통 다양한 에코발생도를 지닌 덩어리로 초음파에서 나타나게 된다. 폐경 여성에서 자궁 내막 줄무늬는 5 mm 미만이어야 한다. 자궁 내막 줄무늬가 5 mm 이상이면서 질 출혈이 있다면 자궁 내막 조직검사를 위해서 전문의에게 의뢰해야 한다.

## 단순 난소낭종(SIMPLE OVARIAN CYSTS)

단순 난소낭종이란 난포, 황체와 난포막황체 낭종이 포함되는 '기능성 낭종'이다. 이런 낭종에는 초음파에서 '단순'이라 정의 내릴 수 있는 특별한 모양이 있다. 이는 무에코성의 액체로 채워진 중심부와 그 주위를 둘러싸는 얇은 에코성의 벽으로 구성되며, 보통 단일 소엽성의 규칙적인 모양으로 직경이 3~8 cm 정도로 구분이 잘 되는 구조물이다(그림 12-21). 단순 낭종은 일반적으로 양성이지만, 합병증으로 파열, 출혈, 난소 꼬임이 발생할 수도 있다. 파열은 cul-de-sac에서 자유 체액으로 보이게 된다. 단순 낭종의 소견만으로는 환자의 골반 통증을 충분히 설명하기 힘들며 다른 원인들에 대해서도 평가해야 한다.

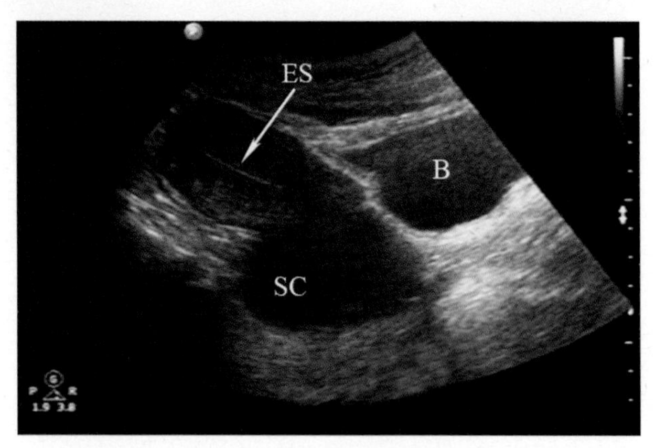


그림 12-21 자궁부속기 단순 낭종(SC)의 경복부 초음파 시상면 영상. 규칙적인, 무에코성의 얇은 벽에 주목하라. ES: 자궁 내막 줄무늬, B: 방광.

## 복합성 난소낭종(COMPLEX OVARIAN CYSTS)

복합성 난소낭종은 테두리와 모양이 불규칙한 것이 특징이며, 단순 난소낭종과는 달리 완전한 무에코성이 아니다(그림 12-22). 출혈성 낭종은 주로 낭종 내에 망상 형태가 나타나는데, 이것은 초음파상 자유 체액으로 보이는 상당한 출혈의 원인일 수 있고, 때로는 중재적 시술이 요구되기도 한다. 대부분의 복합성 낭종은 생식연령 동안에는 양성이지만, 악성종양일수도 있으므로 면밀하게 추적 관찰하여야 한다.

## 골반염증성질환(PELVIC INFLAMMATORY DISEASE)

골반염증성 질환은 상행성 감염에 따른 상부 여성 생식기의 염증이다. 감염은 일반적으로 치료되지 않은 성병이 원인이며, 충수염이나 게실염과 같은 복부 감염의 파급 때문에 발생한 경우는 드물다. 이는 자궁 내막염, 난관염, 난관 난소염, 난관 난소 농양, 그리고 복막염을 아우르는 광범위한 의미의 용어이다. 조기 진단과 조기 치료가 감염 확산, 만성 통증, 자궁외임신 및 불임과 같은 합병증을 줄일 수 있다.

골반염증성질환은 대게 임상적으로 진단되지만, 특정 초음파 소견은 진단에 도움을 주어 더욱 적극적으로 치료가 이루어지도록 한다. 여성 생식기의 상행성 감염은 나팔관(난관수종[hydrosalpinx])을 넓어지게 하는데, 이것은 초음파에서 시각화될 수 있다(그림 12-23). 확장된 나팔관은 염증 후 폐쇄로 인해 발생한다. 난관수종은 저명한 혈관의 모양과 유사하며, 이 둘을 구분하는 것이 중요하다. 컬러-유량 도플러는 이런 상황에

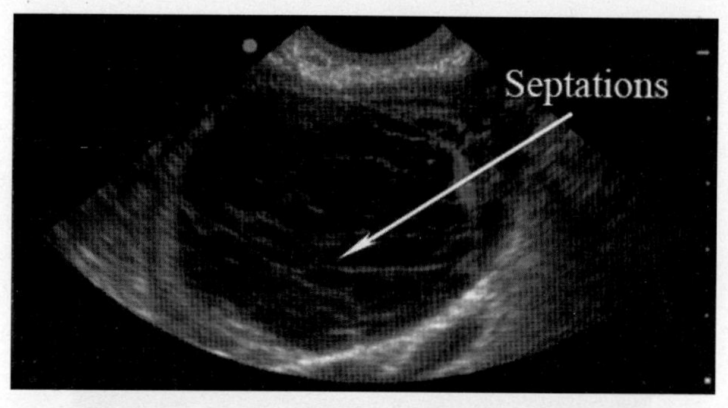


**그림 12-22** 두꺼운 벽과 중격을 가지는 비균일적인 복합성 낭종. 이는 추가 정밀 검사가 요구된다.

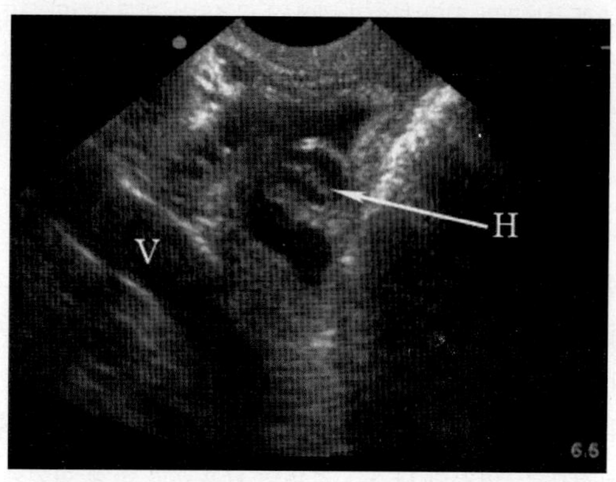


**그림 12-23** 골반염증성질환에 의해 확장되고 꼬불꼬불해진 나팔관으로 보이는 난관 수종(H). 이러한 확장되고 액체로 채워진 관 구조는 장골 혈관(V)과 유사하게 보인다. 컬러-유량 도플러가 두 부속기의 구조를 구별하는 데 도움이 된다.

서 도움이 되며, 혈관에서는 혈류를 보여주지만, 난관수종에서는 혈류가 나타나지 않는다.

난관난소 농양은 상행성 생식기 감염에 의한 고름과 이물질이 모인 것으로 일반적으로 난소와 나팔관에 인접한 자궁 부속기에서 발견된다. 환자는 발열과 같은 전신증상을 흔히 나타낸다. 초음파에서 난관난소 농양은 내부에 고름과 파편의 에코가 보이는 잘 구분되는 비균질적인 낭성 구조물로 보인다(그림 12-24). 이것은 복합성 낭종 또는 종괴와 유사하므로 임상의는 환자의 임상 증상을 잘 고려해서 진단을 내리도록 한다. 가임기 여성이 골반 통증, 질 분비물, 발열을 호소하고 초음파상 복합성 종괴가 보이면 다른 원인이 밝혀지기 전까지는 난관 난소 농양을 우선 의심

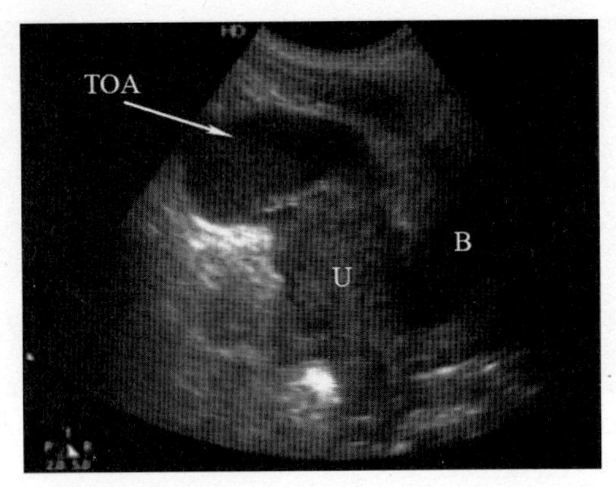


**그림 12-24** 골반염증성질환의 결과로 생긴 자궁 부속기의 난관 난소 농양(TOA). 이것은 자궁(U)과 구분되며, 자궁 부속기 내에 잘 구분되는 비균질적인 구조물로 보인다. 난관 난소 농양 내에 고에코성 영역은 파편과 고름을 나타낸다. B: 방광.

하도록 한다.

## 난소꼬임

난소꼬임은 초음파로 진단하기가 어려우므로 경험이 많은 검사자가 검사를 진행해야 한다. 고환과는 달리 난소의 혈류는 이중으로 공급되기 때문에 도플러에서 혈류가 관찰되더라도 염전의 가능성은 남아 있다. 난소 꼬임은 종괴에 의해 발생하는데, 특히 지름이 4 cm보다 큰 경우에 잘 유발된다. 고전적으로, 염전된 난소는 주변의 낭포들과 함께 커지게 된다. 정상적인 크기와 규칙적인 모양을 지닌 난소에서 염전이 생기는 것은 매우 드물다. 그러나 염전은 임상적으로 응급상황에 해당되어 만약 의심된다면 즉시 부인과에 의뢰하여야 한다.

## 자궁 내 장치(INTRAUTERINE DEVICE)

자궁 내 장치는 구리를 포함하거나 호르몬을 방출하는 피임 장치이다. 자궁 내 장치는 일반적으로 자궁 근층과 비교했을 때 에코발생도를 띄는 모양으로 식별된다. 이는 또한 음영 허상과 반향 허상과 같은 특징적인 허상을 생성하므로 자궁 내 장치의 시각화가 어려운 경우에 초음파검사가 도움이 된다(그림 12–25). 환자가 골반 통증과 함께 자궁 내 장치 사용의 기왕력이 있다면, 임상의는 우선 장치가 자궁 내에 올바르게 있는지부터 확인해야 한다.

정 위치에서 벗어난 자궁 내 장치를 응급실에서 항상 완전하게 평가할

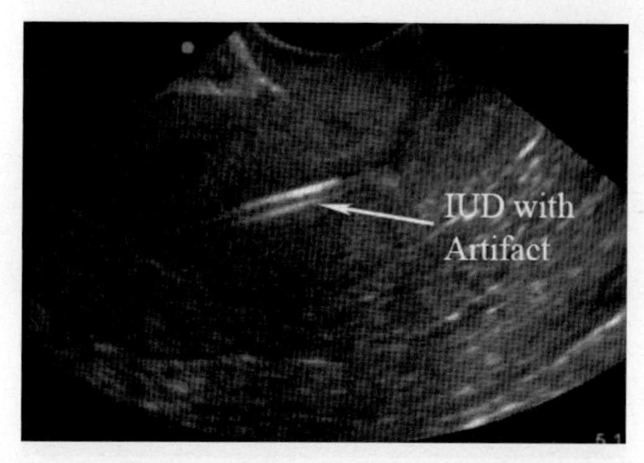


**그림 12-25** 자궁 내 장치의 경질초음파 소견. 밝은 고에코성의 선은 자궁 내막 줄무늬 위에 놓인 자궁 내 장치이다. 그 아래의 하얀 선은 자궁 내 장치에 의해 만들어지는 전형적인 반향 음영이다.

수는 없지만, 초음파 결과를 적절하게 이해하는 것은 유용하다. 위치가 잘못된 자궁 내 장치는 초음파상 자궁경부나 자궁 내에서 아래 부분에서 관찰된다. 이런 환자들은 종종 골반 검사에서 더욱 긴 실꼬리를 가지고 있으며 때로는 통증을 호소하기도 한다. 자궁 내 장치의 위치는 자궁 기저부와 기저부에서 제일 가까운 가장자리까지의 거리를 측정하여 결정한다. 적당한 위치는 이 거리가 2 cm 이하이거나, 자궁벽 평균 두께의 4/3보다 크지 않은 경우이다.

초음파에서 자궁 내 장치가 보이지 않으나 환자가 골반통을 호소하는 경우, 자궁 파열, 복막강 내 이동, 천공에 대한 평가가 필요하다. 초음파로 진단할 수 있는 자궁 내 장치의 또 다른 합병증으로는 골반 내 염증과 자궁외임신이 있다. 충분하게 임상적으로 의심이 되지만 초음파 소견이 불확실하다면, 다른 영상 검사가 필요하며 즉각 부인과에 진료를 의뢰한다.

## 자궁내막증(ENDOMETRIOSIS)

자궁내막증은 자궁 내막 조직이 자궁 강 외부에서 발견된 경우이다. 자궁내막증의 호발 부위로는 난소, 나팔관, 자궁벽, 자궁 인대와 복막, 소장 및 방광이 있다. 자궁내막증은 종종 초음파 소견이 불분명하지만, 난소를 침범한 경우에는 자궁 내막종(endometrioma) 또는 초콜릿 낭종을 형성한다. 이런 낭종들은 복합성 자궁 부속기 구조물과 유사하게 비 균일한 조직 파편으로 가득 찬 형태로 보인다(그림 12−26). 이 환자들은 호르몬 변화에 따른 골반 통증과 질 출혈을 경험한다. 이 질환은 응급은 아니지만,

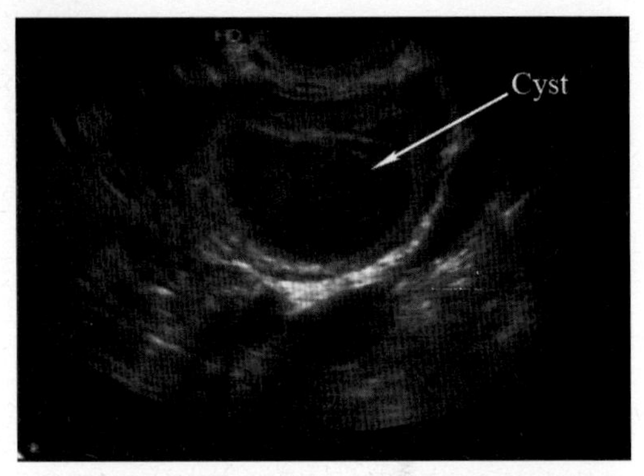


그림 12-26 자궁부속기의 '초콜릿 낭종', 난소 조직의 전형적인 자궁내막증.

명확한 진단을 위해서 전문의의 추적 관찰이 필요하다.

## 자유 체액

여성은 종종 정상적으로 후방 cul-de-sac (더글라스 와)에 소량의 단순 자유 체액이 있을 수 있다. 일반적으로 후방 cul-de-sac 안에 자유 체액이 있으며, 자궁 벽의 후하방 1/3 이상으로 확장되지 않으면 양성임을 시사한다. 이 생리적 자유 체액은 자궁벽의 후방과 직장 사이에서 무에코성의 검은 줄무늬로 보인다(그림 12-27).

만약 자유 체액 양이 전방 cul-de-sac (방광 후방 공간)이나 복막강 내 다른 영역에서 보일 정도로 많다면, 이때에는 병적인 상태로 추가검사가 필요하다(그림 12-27). 골반 내에 상당히 많은 자유 체액이 발견되면 FAST 검사로 복부의 다른 중력 방향 영역을 살펴야 한다. 이런 대량의 자유 체액은 외상, 자궁외임신, 골반염증성질환 및 난소 낭종 파열과 같은 상황에서 보일 수 있다. 체액 내부의 에코형성 또는 이질성 체액의 증가도 역시 또 다른 병적 소견의 진행을 의미한다. 완전한 무에코성이 아닌 체액은 응고된 혈액을 의미하기도 한다(그림 12-28). 임신 양성 소견과 동반된 대량의 자유 체액은 자궁외임신을 높게 시사하고, 모리슨 와의 체액은 수술적 치료의 필요성을 뜻하기 때문에, 모든 가임기 여성에서 임신 검사가 이루어져야 한다. 비임신 환자에서 상당한 양의 자유 체액이 보인다면, 출혈성 난소낭종이 원인일 가능성이 높으며, 심한 경우 수술이 필요할 수도 있다.

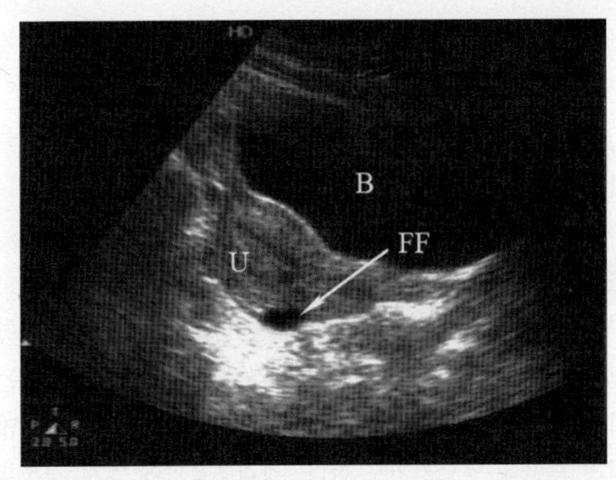


**그림 12-27** 더글러스 와 또는 후방 cul-de-sac의 생리적 자유 체액(FF)을 보여주는 경복부 초음파 시상면 영상. 자유 체액은 후방 cul-de-sac에 제한되어 있고, 자궁 후하벽 1/3 이상 확장되지 않는다. B: 방광, U: 자궁.

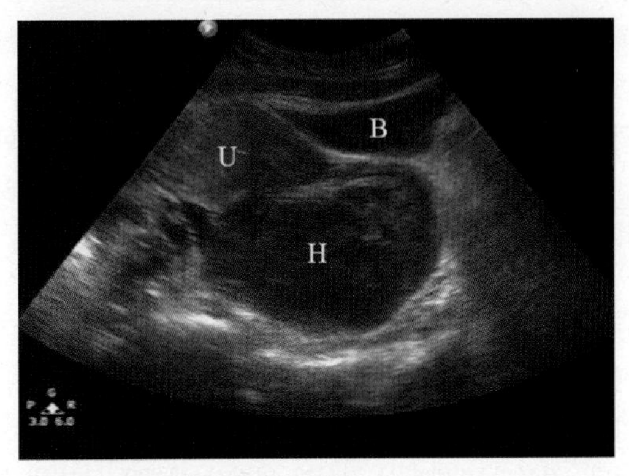


**그림 12-28** 응고 된 혈액을 보여주는 경복부 초음파 시상면 영상. 이 환자는 자궁 부속기에 파열된 출혈성 낭종과 그 결과 큰 혈종(H)을 가지고 있다. 이 모양이 그림 12-15에 보이는 급성 출혈과 비교할때보다 더 이질적임에 주목하라. B: 방광, U: 자궁.

## 흔히 저지르는 실수

### 방광 부피

경복부 초음파에서 꽉 찬 방광은 여성 골반 영상 검사에서 초음파 시야창이 된다. 방광이 비어 있는 경우, 특히 비만 환자에서는 여성의 해부학적 구조를 식별하기 어려울 수 있다. 방광이 비어있는 경우, 환자는 물을 마시고 20~30분 후에 다시 검사를 받아야 한다. 경질초음파에서는 그와는 반대이다. 관찰 대상을 더 자세히 양질의 해상도를 제공하는 경질초음파 탐색자의 특성 때문에 방광을 가득 채우는 것이 불필요하다. 하지만 너무 꽉 찬 방광은 자궁을 밀어내면서 해부학적 위치를 왜곡하므로 이로 인해 병적 소견을 놓치게 될 수 있다. 이런 경우에는 환자에게 방광을 비우도록 요구하고 검사를 다시 시작하도록 한다.

### 경복부 초음파를 먼저 시행하지 않는 경우

경질초음파는 높은 해상도를 제공하여 병적 소견을 보다 세밀히 확인할 수 있으므로 경복부 초음파보다 우월하다. 그러나 경질초음파는 탐촉자로부터 가까운 범위의 정보만을 제공하기 때문에 병적 구조가 많은 경우에는 오히려 혼란을 일으키기도 한다. 경질초음파에 앞서 경복부 초음파를 먼저 시행한다면 주요 병적 소견들을 놓치지 않을 수 있다.

### 경복부 초음파에서 누락되는 중요한 병적 소견

경복부 초음파는 진단에 도움이 되지만, 골반통을 호소하는 환자에게서 병적 소견을 완벽히 배제하기에는 불충분하다. 경복부 초음파에서 뚜렷하지 않더라도 비정상 소견이 의심된다면 경질초음파를 시행하여야 한다. 자궁 부속기, 특히 난소 꼬임이 의심되는 경우에는 경질초음파가 우선시된다.

### 자유 체액의 잘못된 해석

자유 체액은 더글러스 와(cul-de-sac 후방)부터 축적되기 시작한다. 소량의 생리적 체액은 여성 골반에서 정상적으로 보일 수 있으며, 병적 소견은 아니다. 검사자는 반드시 정상과 비정상 체액을 구분할 수 있어야 하고 각각의 경우에 대해서는 임상상황을 고려하도록 한다.

### 구조물을 자유 체액으로 오인

골반 내에 체액으로 채워진 구조물은 완벽하게 무에코성으로 자유 체액과 비슷한 형태를 보일 수 있다. 골반 내 체액으로 채워진 구조물에는 방광, 난소 낭종, 장의 고리(loop), 혈관 등이 있다. 자유 체액은 골반 내에서 자유롭게 흘러 다니고 구조물 주위와 장 사이에서도 관찰된다. 체액으로 채워진 구조물들은 둘러싸인 형태를 띄며 벽은 명확하게 구분된다. 이들을 제대로 구분하기 위해서는 모든 무에코성의 구조물들을 추적하는 것이 중요하다. 컬러-유량 도플러가 혈관을 다른 체액으로 채워진 구조물과 구분하는데 도움을 줄 수 있다.

### 대량의 자유 체액을 방광으로 오인

특히 복부 골반 초음파에서 대량의 자유 체액이 골반 벽으로 둘러싸이면서 늘어난 방광으로 오인되기도 한다. 체액의 경계면을 다른 구조물로부터 명확하게 구분하여야 하며, 결정적으로 방광은 둥글게 생긴, 체액으로 채워진 막혀있는 구조물이다.

## 임신 초기 검사에 주의할 점

### 자궁 내 임신 검증

자궁 내 임신을 확인할 때, 지표가 되는 질 줄무늬와 방광을 시상면에 먼저 위치시키는 것이 중요하다. 그런 다음, 자궁 내 임신에 대한 최소한의 기준을 찾아야 한다: 임신낭 + 난황 +/− 태극. 초보 검사자들은 자궁 내에 비어 있는 무에코성의 영역을 임신낭이라 오인하여 자궁 내 임신으로 판단할 수도 있다. 만약 자궁 내에 비어있는 무에코성의 영역이 관찰된다면 이것을 임신낭이나 자궁 내 임신으로 섣불리 생각해서는 안 된다. 만약 임신낭 또는 자궁 내 임신에 대한 소견이 불확실하다면 더 나은 해상도를 위해 경질초음파를 시행하여야 한다.

### 누락된 자궁외임신

임신 반응 검사가 양성이지만 경복부 초음파상 명확한 자궁 내 임신이 보이지 않는 환자는 beta−hCG값에 상관없이 경질초음파를 시행하여야 한다.

### 간질부 또는 경부 임신을 자궁 내 임신으로 오인

간질부(자궁 각) 임신은 위험하다. 만약 임신이 편심성(eccentric) (특히 자궁의 위쪽 바깥쪽 모서리)이고 자궁 내막 근층 맨틀이 8 mm 미만으로 얇은 경우, 간질부 임신을 의심해야 한다. 자궁 내 임신의 위치에 대한 문제가 있을 경우, 환자를 귀가시키기 이전에 적절한 협진 의뢰가 이루어져야 한다.

### 누락된 이소성 임신

이소성 임신이 드물다고는 하지만, 자궁 내 임신이 확인된 경우에도 자궁 부속기의 병적 소견 및 골반의 자유 체액 여부에 대한 평가가 이루어져야 한다. 불임 치료가 있었던 경우에는 통증 및 질 출혈을 호소하는 환자에서 자궁 내 임신이 확인되었더라도 이소성 임신의 가능성이 낮아지는 것이 아니기 때문이다.

### 컬러-유량 도플러

컬러-유량 도플러는 고에너지 적용 및 태아에 미치는 알려지지 않은 영향으로 인해 모든 임신 환자에서 추천되지 않는다.

## 임상진단에서 골반 초음파의 활용

골반 초음파검사는 환자가 골반 통증이나 질 출혈을 호소한다면 통상적으로 진행하도록 한다. 불안정한 환자에서 자유 체액을 구분할 수 있는 신속한 초음파검사는 환자의 불필요한 이송을 줄이고, 진료가 빠르게 진행되게 한다.

많은 환자들이 임신 초기에 복부 통증이나 질 출혈을 호소한다. 이러한 경우 자궁외임신을 심각하게 고려해야 한다. 임상적으로 자궁외임신 가능성이 높지 않은 환자에서, 자궁 내 임신에 대한 신속한 확인은 자궁외임신을 배제하여 내원 수 분 만에 환자를 안심시킬 수 있다.

골반 초음파는 임신 또는 비임신 환자의 다른 병적 소견을 평가하는 데 우선시되는 검사이다. 이는 난이도가 높고, 검사 자체의 한계점이 있지만 진단 및 의사 결정에 도움을 준다. 또한 골반 초음파는 다른 분야의 초음파와 병행하여 담낭염, 충수염 또는 심한 통증을 야기하는 신장 질환을 진단하는데 도움이 될 수 있다.

임신 후기 산모에서 응급 상황이 자주 나타나지는 않지만, 임상의는 전치 태반이나 조기 박리와 같은 임신 관련 복부 통증 및 질 출혈 환자를 평가하는데 초음파를 유용하게 이용할 수 있다.

초음파는 임신한 외상 환자의 평가에도 적절한 검사법이다. 초기에 실시하는 FAST 검사는 불필요한 방사선 조사를 피하고 임산부와 태아의 부상을 도착 즉시 진단하는 데 도움이 된다. 이는 외상을 입은 산모에서 산모와 태아 모두를 평가하는데 이상적인 첫 번째 검사법이다.

| 추가로 읽을 자료 |

Chiang G, Levine D, Swire M, et al. The intradecidual sign: is it reliable for diagnosis of early intrauterine pregnancy? *Am J Roentgenol.* 2004;183:725–731.

Condous G, Kirk E, Lu C, et al. Diagnostic accuracy of varying discriminatory zones for the prediction of ectopic pregnancy in women with a pregnancy of unknown location. *Ultrasound Obstet Gynecol.* 2005;26:770–775.

DeWitt C, Abbott J. Interstitial pregnancy: a potential for misdiagnosis of ectopic pregnancy with emergency department ultrasonography. *Ann Emerg Med.* 2002;40:106–109.

Moore C, Todd WM, O'Brien E, Lin H. Free fluid in Morison's pouch on bedside ultrasound predicts need for operative intervention in suspected ectopic pregnancy. *Acad Emerg Med.* 2007;14:755–758.

Tayal Vs, Cohen H, Norton HJ. Outcome of patients with an indeterminate emergency department first–trimester pelvic ultrasound to rule out–ectopic pregnancy. *Acad Emerg Med.* 2004;11:912–917.

# 13 고환

## 배경지식 및 검사의 적응증

급성 고환 통증을 호소하는 모든 환자의 진단과 치료에 현장에서 시행하는 고환 초음파가 도움된다. 환자가 도착한 지 수 분 이내에 초음파를 시행할 수 있어 응급 고환 질환의 진단과 치료에 드는 시간을 단축할 수 있다. 고환 초음파는 비침습적이므로 응급실에서 의사들은 이를 이용하여 급성 고환 통증(testicular pain) 환자를 정확히 진단하게 된다.

고환 꼬임(testicular torsion)과 고환 파열(testicular rupture)은 외과적 응급 상황으로 초음파는 이들을 진단하는데 가장 좋은 검사 방법이다. 또한, 초음파는 고환 부속기 염전, 부고환염(epididymitis), 고환염(orchitis), 수종(hydrocele), 정계정맥류(varicocele)와 같은 아급성 고환 통증 질환에서도 유용하다. 응급실에서 볼 수 있는 비외상 통증 환자의 대부분은 위에서 열거한 질환들이다.

다음의 경우에 고환 초음파를 시행한다.

- 비외상성 고환 통증, 부종 혹은 종괴
- 외상 후 고환 통증, 부종 혹은 압통
- 요도 분비물을 호소하는 환자에서 이학적 검사상 고환 압통이 있는 경우

## 탐색자의 선택과 기술적 고려사항

### 주파수의 범위가 7.5~10 MHz 인 선형 탐색자

체표면의 구조물을 검사하는 것이므로 해상도가 좋은 주파수가 높은 탐색자가 좋다.

### 컬러-유량 도플러

컬러-유량 도플러를 이용하면 고환 내 혈류의 존재와 방향을 알아내는데 도움이 된다. 파란색은 탐색자로부터 멀어지는 혈류이며, 빨간색은 탐

색자로 다가오는 혈류를 나타낸다. 색깔로 동맥과 정맥을 구별할 수는 없고, 혈류의 특징으로 구별할 수 있다. 도플러 증폭을 증가시키면 민감도를 높일 수 있고, 혈류가 낮은 상황에서도 검사를 할 수 있다. 펄스 반복 주파수를 지나치게 감소시키거나 증폭량을 과도하게 증가시키면 고환을 가로지르는 유량이 존재하는 것처럼 보여 위음성 결과를 얻을 수 있다. 반대로, 펄스 반복 주파수를 과도하게 증가시키거나 증폭을 지나치게 감소시키면 유량에 대한 민감도가 떨어져 실제로 존재하는 혈류를 간과하여 위양성 결과를 얻게 된다.

### 파워 도플러

파워 도플러는 방향성은 알 수 없지만, 혈류의 존재를 찾을 수 있는 방법이다. 화면에 혈류의 양에 따라 붉은색의 음영으로 나타난다. 혈류량이 감소한 상황에서는 파워 도플러가 컬러-유량 도플러보다 더 민감하고, 각 의존성이 더 적어 고환과 같은 구조물을 검사할 때 유용하다. 하지만 높은 민감도로 인해 이동 허상(motion artifact)이 발생할 가능성이 높다. 검사자는 이러한 이동 허상을 위음성 소견으로 판단하지 않도록 유의한다.

### 펄스-파형 도플러와 저항 지수

펄스-파형 도플러(pulse-wave doppler)는 시간 경과에 따른 유량의 속도를 계산하는 스펙트럼 도플러의 일종으로 결과는 파형의 형식으로 화면에 나타난다. 혈류 속도는 특정 부위의 용량을 계산할 때 중요하다. 파형은 일반적으로 수축기와 이완기의 최고 속도를 화면에 나타낸다(그림 13-1). 고환 꼬임으로 인해 저항이 증가되면 이완기 혈류는 감소할 것이고, 저항이 더 높아지면 혈류의 방향이 결국 반대로 바뀔 수가 있다. 저항 지수(resistive index)의 공식은 다음과 같다.

$$\frac{\text{수축기 최고 속도 (Peak systolic velocity, PSV)} - \text{이완기말 속도 (end diastolic velocity, EDV)}}{\text{수축기 최고 속도(PSV)}}$$

정상 고환 저항 지수(testicular resistive index)는 0.5에서 0.7이다. 저항 지수는 부고환염이나 고환염과 같은 염증 상황에서 감소한다. 반대로, 저항 지수는 고환꼬임과 같이 저항이 매우 높은 상황에서는 증가한다. 이완기 유량이 없다면 저항 지수는 1이 될 것이고, 만약 이완기 유량이 음수(혈류가 역류)가 되면 저항 지수는 1보다 높아질 것이다.

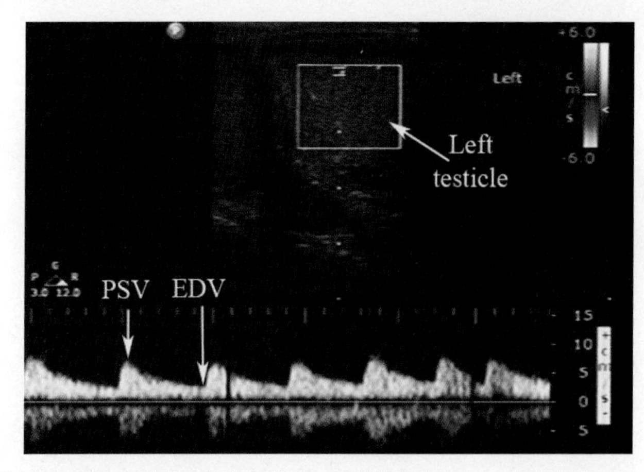


**그림 13-1** 정상 고환 혈류량을 나타내는 고환 횡단면 영상. 화면의 상부는 좌측 고환의 정상 컬러 유량을 나타낸다. 펄스-파형 도플러는 직사각형 테두리 내부에 있는 두 개의 작은 선에 포함된 영역의 유량을 분석한다. 화면 하부에 스펙트럼 영상이 나타나고, 속도는 Y 축에, 시간은 X 축에 나타난다. PSV (peak systolic velocity): 수축기 최고 속도, EDV (end diastolic velocity): 이완기말 속도. 스펙트럼 영상의 우측에 있는 수치에 따라 수축기 최대 속도는 5. 이완기말 속도는 2이며, 저항 지수를 계산하면 0.6 정도로 정상에 해당한다.

## 정상 초음파 해부학

성인의 고환(testicle)은 달걀 형태로 대략 5×3×2 cm 정도의 크기이고, 약간 앞쪽으로 기울어진 모습으로 수직선상에 위치한다(그림 13-2). 고환을 초음파로 관찰하면 간과 비슷하게 균질한 샘(glandular)성 질감으로 나타난다. 고환을 바로 감싸고 있는 얇은 섬유성의 백색 막(tunica albuginea)은 고에코성으로 나타난다. 고환 중격은 백색 막이 함입되어 만들어진 띠이며, 초음파에서는 고환 내부에 에코를 띠는 세로줄 무늬로 보인다. 일부 환자에서 고환수(appendix testis)라고 불리는 발생학적 잔류물이 고환 주위에 작은 결절(2~7 mm)로 보일 수도 있다.

고환 초막(tunica vaginalis)은 고환이 음낭 속으로 하강하며 수반되는 복막의 잔류물이다. 고환 초막은 벽측층(parietal layer)과 장측층(visceral layer)으로 구성되어 있으며, 부고환(epididymis)과 붙어 있는 뒤쪽 면을 제외한 고환 전체를 감싸고 있다. Bell-clapper 기형(deformity)은 고환 초막이 고환의 뒤쪽과 부고환까지 모두를 감싸고 있는 경우를 의미한다. 정상적으로는 고환이 뒤쪽에 고정되어야 하는데 이 기형이 있으면 고정

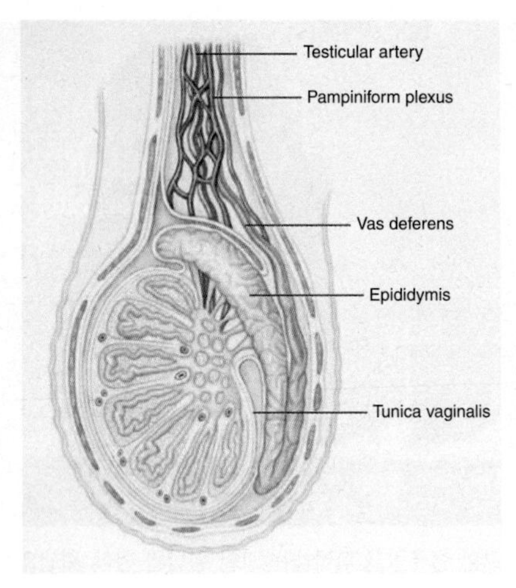


**그림 13-2** 정상 고환 해부도.

되지 않고 음낭 내부에서 움직일 수가 있다. 이 기형은 신생아 이후에 발생하는 고환 꼬임의 주요 원인이 된다.

부고환은 6~7 cm의 길이로 방원 형태로 휘어져 있다. 부고환의 머리 부분은 고환의 상부 외측 꼭대기 지점에 있고, 비슷한 에코발생도의 독특한 구조물로 화면에 보인다. 부고환의 몸통 부분은 2~5 mm의 두께로 고환의 뒤쪽을 따라 아래쪽으로 내려가서 다시 위쪽으로 올라와 결국 정관(vas deferens)이 된다. 부고환 또한 부고환수(appendix epididymis)라는 부속기가 있을 수 있으며, 초음파로 보면 부고환 머리 부분에 붙어 있다.

정삭(spermatic cord)은 내부에 정관, 세 개의 동맥(고환 동맥, 고환올림근 동맥, 정관 동맥), 덩굴정맥얼기(pampiniform plexus), 신경, 임파선을 포함하고 있다. 정삭을 초음파로 보기는 어렵지만, 숙련된 검사자는 샅고랑 관(inguinal canal)에서 빠져 나오는 정삭을 초음파로 확인하기도 한다. 고환 동맥은 양쪽 고환에 혈액을 공급한다. 고환 동맥과 그 분지들은 모두 저항이 낮아 이완기 전체에 걸쳐 혈류량이 유지된다.

## 검사 프로토콜

환자는 바로 누운 자세를 취하게 하고, 수건을 말아 음낭 밑에 받쳐둔다. 고환을 횡단면과 종단면 모두를 사용하여 관찰하며, 증상이 있는 쪽 고환부터 검사한다. 우선 탐색자의 표지자를 환자의 머리 쪽을 향하게 두고,

고환을 시상 단면(세로면)으로 관찰한다. 부고환이 화면 왼쪽 윗부분에 보일 것이다. 이 단면상에서 고환을 전체적으로 관찰하고, 비정상적인 질감, 크기, 윤곽을 파악하기 위해 탐색자를 좌우로 이동하며 검사한다. 이후 탐색자의 표지자를 환자의 우측으로 두고, 고환을 횡단면으로 관찰한다. 이 단면상에서 이상 소견을 발견하기 위해 탐색자를 위아래로 이동하며 검사한다. 고환의 해부학적 구조물을 완전히 확인하였다면, 고환 각각의 컬러 유량을 검사한다. 도플러의 설정은 정확하게 혈류를 관찰하고, 허상을 최소화하기 위해 이전에 설명한 것처럼 조정한다.

컬러 유량을 확인하였다면 스펙트럼 파형을 저장하는 데 사용할 수 있는 펄스-파형 도플러를 시행한다. 수축기와 이완기의 혈류 속도를 얻기 위해 고환 중앙부에 컬러 유량 영역을 위치시키고 스펙트럼 도플러의 커서를 컬러 유량 영역 내에 특정 부분으로 옮겨 놓는다(그림 13-1). 파형은 탐색자로부터 멀어지는지 가까워지는지에 따라 기준선의 위쪽이나 아래쪽에 나타나게 된다. 위에서 설명한 방법과 마찬가지로 양측 부고환도 모두 검사한다. 스펙트럼 도플러로 혈류 속도가 확인되며, 대부분의 기기에서는 이 속도를 이용하여 저항 지수가 계산된다.

컬러 도플러가 혈류의 존재를 발견해내지 못한다면, 유량이 낮은 상황에서 좀 더 민감한 파워(혈관) 도플러가 그 역할을 대신할 수 있다. 파워 도플러와 펄스-파형 도플러는 동시에 활용될 수도 있다. 증상이 있는 고환을 앞서 설명한 모든 방법으로 검사한다.

검사를 마치기 전 마지막으로 B-모드와 도플러 검사를 고환의 중간 부분에서 횡단면으로 시행한다. 각각의 고환으로부터 영상을 얻어 화면에 양쪽 고환 영상을 띄워놓고 서로를 비교한다. 이 방법은 양측 고환의 질감이나 유량의 미묘한 차이를 발견하는데 매우 큰 도움이 된다.

## 초음파검사에서의 이상 소견

### 고환꼬임

고환꼬임에서 정삭이 꼬이게 되면 초기에는 정맥 환류만 감소하지만, 이후에는 점진적으로 동맥혈 유입까지 감소하여 결국에는 고환 경색에까지 이르게 된다. 염전의 지속시간과 꼬이는 정도에 따라 고환 기능을 되살릴 가능성은 달라지며, 꼬임이 발생하고 4시간이 지나게 되면 회복 가능성은 급격히 줄어든다. 그러므로 고환 꼬임이 조금이라도 의심된다면 응급상황으로 인식하고, 즉시 비뇨기과에 협진을 의뢰해야 한다.

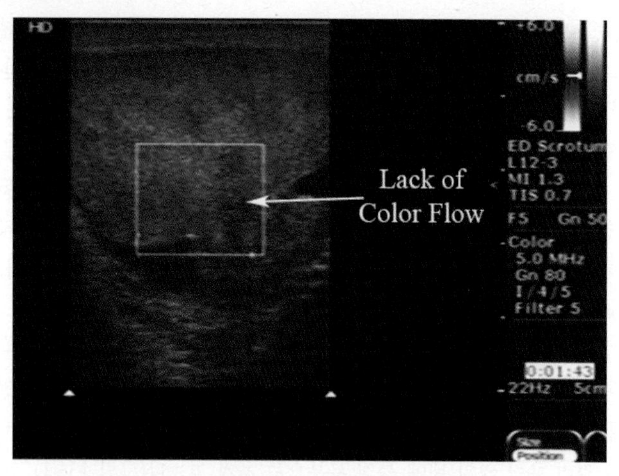


**그림 13-3** 완전 고환꼬임을 나타내는 영상. 컬러 도플러 박스가 고환 조직 부위에 있으며, 박스 내부에 혈류가 관찰되지 않는다. 또한 고환은 정상 고환 조직 내부에 저에코성 부분이 있어 균일하지 않고 부종이 있어 보인다. 펄스 반복 주파수(스케일)가 +/-6 cm 으로 매우 낮게(매우 민감하게) 설정되어 있다는 것에 주목.

꼬임 초기의 B−모드 영상에서는 고환이 정상으로 보인다. 이후 고환 경색이 진행되면 고환과 부고환의 크기가 커지고, 부종이 생기며, 시간이 지남에 따라 B−모드 영상에서도 균일하지 않게 보이게 되며, 반응성 고환 수종이 발생하고, 음낭이 두꺼워지게 된다. 완전 꼬임이 되면 컬러 도플러 검사와 파워 도플러 검사 모두에서 혈류 확인이 불가능해진다(그림 13−3). 꼬임과 같이 혈류가 낮은 상황에서는 이완기 혈류가 0이 될 때까지 감소하기 때문에 저항 지수가 증가하게 된다. 그러므로 꼬임 상황에서의 저항지수는 보통 0.7 이상을 나타낸다. 허상을 실제 혈류로 오해하면 진단이 지체될 수 있어 허상을 구별하는 것이 중요하다(그림 13−4a, b).

일부 환자에서 동맥 혈류는 보존되어 있으나 정맥 혈류만 관찰되지 않는 부분 고환꼬임이 나타날 수 있다. 이때의 스펙트럼 도플러 파형의 형태는 약간의 파동성이 있는 정맥파, 이완기 유량이 역전된 동맥파 또는 완전히 정상적인 동맥파를 나타낼 수 있다. 저항 지수는 정상 또는 증가될 수 있다. 이런 경우 고환꼬임에 대한 완전한 검사를 위해서는 정맥과 동맥 파형 검사 모두를 반드시 저장하도록 한다.

급성 고환 통증이 발생한 이후 저절로 호전된 환자들은 주의 깊게 진료해야 한다. 이는 일과성 꼬임(꼬임−꼬임회복)의 증상일 수 있다. 이런 환자들은 꼬임이 발생한 고환에 다시 동맥혈이 공급되어, 초음파에서 재관

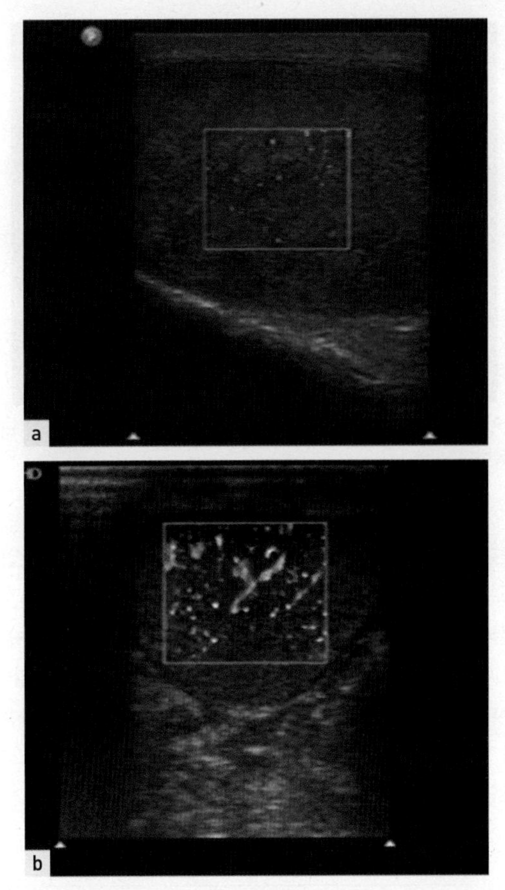


**그림 13-4 (a)** 고환 횡단면으로 고환꼬임 환자로 허상으로 인해 혈류가 있는 것처럼 보인다. 이 허상은 위음성(실제 혈류가 없지만 있는 것으로 판단, 병이 있지만 없는 것으로 판단) 결과를 가져올 수 있다. 도플러 설정에서 컬러 증폭을 줄이거나 펄스 반복 주파수(스케일)을 증가시켜야 허상을 줄일 수 있다. **(b)** 정상 혈류를 나타내는 고환. **(a)**와 비교하여 그 차이점에 주목한다.

류성 충혈(reperfusion hyperemia)이 보인다(그림 13-5). 재관류성 충혈은 정상 고환에 비해 꼬임이 있었던 고환의 혈류가 증가하여 보인다. 이러한 충혈은 부고환염이나 고환염처럼 혈류가 높아져 보이지만 통증 여부로 이를 구별할 수 있다. 이때 저항 지수는 낮게 나타난다. 만약 일과성 꼬임이 의심되면 초음파 결과와 관계없이 비뇨기과에 즉시 협진을 의뢰하도록 한다.

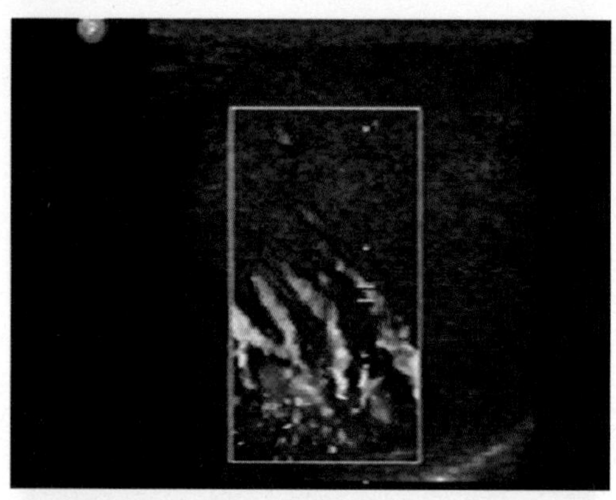

그림 13-5 염전에서 회복된 고환에서의 재 관류성 충혈. 그림 13-4b와 비교하여 차이점에 주목한다.

## 고환수 또는 부고환수의 꼬임

고환수 또는 부고환수의 꼬임은 고환 꼬임보다 흔히 발견되며 대부분 저절로 호전되는 질환이다. 고환수나 부고환수는 반응성 고환 수종(reactive hydrocele)이 있을 때 가장 잘 보인다. 고환수나 부고환수 꼬임이 발생하면 고환수나 부고환수의 도플러 신호가 나타나지 않지만, 고환은 정상 혈류 형태를 나타낸다. 부고환은 부어오르고 충혈될 수 있어 부고환염과 비슷하게 보일 수 있다.

## 부고환염

부고환염은 요도나 방광 또는 전립선으로부터 병원체가 상행 이동하여 발생하는 부고환의 감염성 질환이다. 모든 연령층에서 발생하며 흔히 일측성으로 생긴다. 병이 진행하면 부고환뿐만 아니라 고환도 감염되어 부고환고환염이 발생한다. 고환염은 단독으로 생기는 경우는 드물며, 흔히 양측성으로 발생한다. 고환염은 바이러스에 의해 발생하며, 원발성 볼거리 감염에서 가장 흔히 볼 수 있다. 부고환염은 B–모드 영상에서 부종이 있으며, 고환 구조물의 에코가 감소하여 보인다. 반응성 충혈이 흔히 나타나며, 도플러에서 혈류가 증가하여 보인다. 검사자는 고환과 부고환 모두를 전체적으로 관찰해야 하며, 컬러–유량 도플러를 사용하고, 이환 되지 않은 쪽의 고환과 비교해 본다. 저항 지수는 혈류가 증가하기 때문에 흔히 낮게 나타난다(그림 13–6).

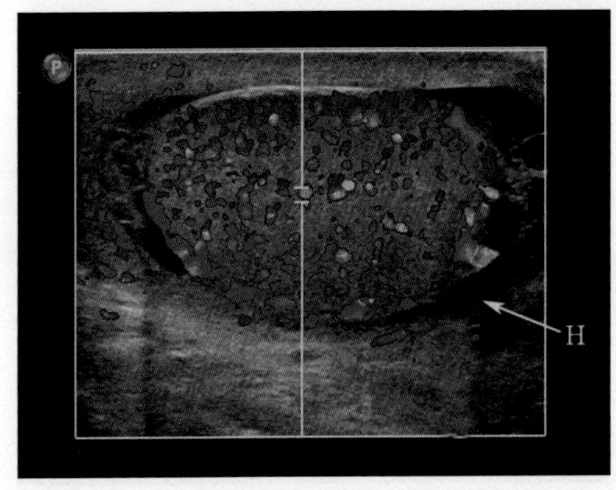


**그림 13-6** 고환염을 나타내는 횡단면 영상. 고환 실질 전체에 걸쳐 컬러 유량 도플러가 증가되어 고환의 충혈을 나타낸다. 또한 고환 수종(H)도 보이며, 대부분 감염 과정의 반응으로 나타난다.

## 고환 수종

고환 수종은 고환 초막의 두 층 사이에 장액성 액체가 비정상적으로 모인 것이다. 일반적으로 특발성이고 비특이적 증상이지만 모든 병적 고환 상태에서 발생할 수 있다. 고환이 부어 오름에 따라 통증이 발생하며, 구획 증후군으로 진행하여 고환 경색이 발생할 수 있다. 드물게 수종의 크기가 증가하면 고환꼬임을 일으키기도 한다. 고환 수종은 어느 부분에서나 나타날 수 있지만, 일반적으로 초음파에서 음낭 앞쪽 부분에 무에코성의 액체가 모여있는 것으로 보인다(그림 13-6).

## 정계정맥류

정계정맥류는 고환 주위에 정맥이 확장된 것이다. 정관 정맥 내부의 불완전한 판막으로 인한 압력의 역류로 발생한다. 어느 쪽에서든지 발생할 수 있지만, 좌측 고환이 주변부 압력이 더 높아 우측보다 자주 생기는 편이다. 일반적으로는 고환을 압박할 만큼 압력이 증가할 때까지는 증상이 없다. 이는 B-방식 영상에서 고환 뒤쪽이나 위쪽 바깥 부분에 확장되고 구불구불한 관 모양의 구조물로 보이며(그림 13-7), 컬러 유량 도플러를 사용하여 확진할 수 있다.

## 고환 골절과 파열

고환 골절에서 고환 조직은 피막에 덮여져 있지만, 고환을 관통하는 저에

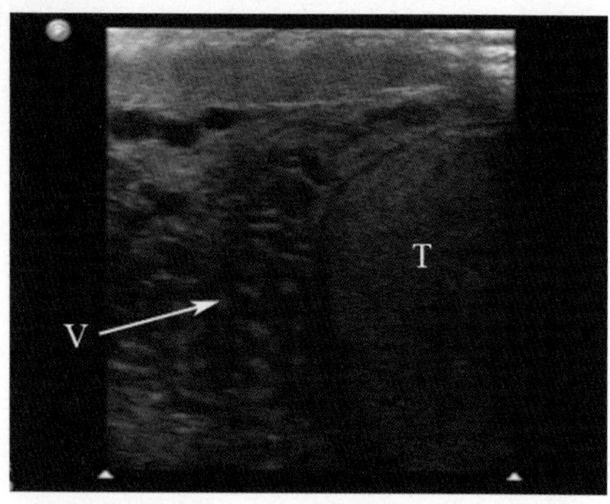


**그림 13-7** 고환(T)의 바깥쪽에 정계정맥류(V)가 있는 B-모드 영상. 확장되고 구불구불하게 보이는 정맥에 주목한다.

코성의 선이 나타나게 된다. 고환 골절은 혈류가 유지되는 한 대부분 보존적인 치료를 한다. 고환 파열이란 백색 막이 파열되어 고환 조직이 음낭 내부로 돌출되는 것을 말한다. B-모드 영상에서 고환 가장자리가 불명확하게 보이며, 음낭 공간으로 고환 조직이 빠져나와 있는 것처럼 보인다. 고환 파열은 혈종(고환 초막 내부에 피가 모인 것)과 구별하기가 어려울 수 있다. 고환 파열은 외과적 응급 질환으로 비뇨기과에 협진을 신속히 의뢰해야 한다.

### 기타 소견

고환 초음파의 기타 소견으로 국소적 저에코성 혹은 고에코성 소견을 동반한 낭이나 종괴가 있다. 단순 낭(원형, 무에코성, 얇은 막)은 양성 질환이다. 그 외 다른 소견들은 악성이나 농양을 의미할 수 있어 다른 영상검사나 비뇨기과적 추적이 필요하다.

## 흔히 저지르는 실수

### 도플러나 파형을 부정확하게 해석

고환 초음파를 완전히 마치려면 컬러도플러와 스펙트럼 도플러를 사용해야 한다. 이런 검사 결과를 잘못 해석하게 되면 진단이 지체될 수 있다. 검사자는 반드시 초음파 기계의 도플러 설정을 최적화하는데 신경 써야 한다. 컬러 증폭이 지나치게 높으면 컬러 허상이 과도하게 나타나 실제 혈류가 감소되어 있지만, 정상적인 고환 혈류가 있는 것으로 위음성 판독을 내릴 수 있다(그림 13-4a, b). 반대로 컬러 증폭이 현저하게 낮으면 정상 고환의 컬러 혈류가 감소한 것처럼 나타나 고환 꼬임이 있다고 위양성 판독을 내릴 수 있다. 이러한 오류를 피하려면 검사자는 정상 고환 해부 구조를 파악하고, 적절한 기계 설정을 위해 병변이 없는 쪽 고환부터 검사하도록 한다. 펄스 반복 주파수(스케일)은 허상이 생길 때까지 낮게 조정하고, 이후 이것보다 조금 올려 검사를 시행한다. 마찬가지로 증폭도 허상이 생길 때까지 올렸다가 조금 낮게 조정한다. 이환되지 않은 고환을 검사한 후 비교를 위해 비슷한 설정을 유지하여 병변이 있는 쪽 고환을 검사한다.

스펙트럼 도플러에서 고환 혈류를 파악할 때는 정맥과 동맥 파형을 모두 얻어야 한다. 고환 꼬임에서 정맥 혈류가 먼저 차단된다. 스펙트럼 도플러에서 동맥 파형을 정맥 파형으로 오해하여 환자가 안전하다고 착각하게 하는 함정에 주의한다. 이는 부분 염전에서 실제 완전히 차단된 정맥 파형을 동맥 파형으로 착각하는 것을 말한다. 그러므로 동맥과 정맥 파형을 모두 확인하지 않은 채 검사를 끝내면 안 된다.

### 일과성 염전의 오진

고환의 통증이 있었지만, 저절로 호전된 과거력이 있었다면 검사할 때 특히 주의를 기울여야 한다. 이러한 과거력은 일과성 염전의 증거가 되며, 초음파검사에서 고환의 재관류 충혈이 나타날 수 있다(그림 13-5). 고환의 혈류 증가는 고환염이나 부고환염으로 오해할 수도 있다. 앞서 언급했듯이 양측 고환을 모두 검사하여 비교해본다. 일과성 염전은 응급 수술이 필요하므로 오진하지 않도록 주의한다.

### 기타

초보자에게 고환 초음파는 어려울 수 있다. 경계가 불명확한 저에코성, 고에코성 혹은 고형 병변이 초음파에서 발견되면 추가 검사가 필요하다. 비교를 위해 반대쪽 고환도 반드시 검사해야 한다. 초음파에서 이상 소견이 발견된다면 추가적인 영상 검사와 비뇨기과 협진이 필요하다.

## 임상진단에서 고환 초음파의 활용

고환 통증 환자는 응급실에서 흔하게 볼 수 있다. 임상에서 초음파검사를 환자 진료에 포함하여야 한다. 고환이 높이 올라가 가로로 놓이게 되고, 고환올림근반사가 소실되는 것이 고환 꼬임의 고전적 증상이다. 이러한 증상이 있는 경우 비뇨기과 협진이 지체되지 않아야 하지만, 병상에서 실시하는 초음파검사는 확진과 치료 결정에 도움이 된다. 증상이 명확하지 않은 환자에서도 초음파는 조기 확진과 신속한 치료 결정에 유용하다.

초음파 전문가가 즉시 검사할 수 있는 상황이라면 세밀하게 파악해야 하는 것들이 일부 있기 때문에 전문가에게 의뢰하는 것이 바람직하다. 그러나 임상 의사가 초음파를 현장에서 직접 시행하면 진단과 치료를 서두를 수 있다. 일반적으로 병상 초음파를 시행하더라도 고환 꼬임을 완전히 배제하지 않는다. 꼬임의 정도와 기간에 따라 고환의 회복 가능성이 달라지기 때문에 완전 꼬임과 부분 꼬임을 진단하는 것이 특히 중요하다. 초음파로 신속하게 꼬임 부위를 확인하는 것은 꼬임의 신속한 정복과 치료에 도움이 된다. 고환 골절과 파열도 같은 방식을 적용하여 검사한다면 치료에 유용하다.

응급 상황은 아니지만 부고환염이나 고환염을 초음파로 신속하게 진단한다면 조기에 항생제를 사용할 수 있다. 고환 수종, 정계정맥류, 고환수나 부고환수의 염전과 같이 비교적 심각하지 않은 고환 통증을 나타내는 환자에서 초음파를 사용하면 진단도 가능하다. 조기에 고환 종괴를 초음파로 확인하면 고환암의 진단과 치료를 진행하는데 도움이 된다.

**| 추가로 읽을 자료 |**


Akin E, Khati N, Hill M. Ultrasound of the scrotum. *Ultrasound Quarterly*. 2004;20(4):181−200.

Blaivas M, Brannam L. Testicular ultrasound. *Emerg Med Clin N Am*. 2004;22: 723−748.

Dogra V, Rubens D, Gottlieb R, et al. Torsion and beyond: new twists in spectral Doppler evaluation of the scrotum. *J Ultrasound Med*. 2004;23:1077−1085.

Lee J, Bhatt S, Dogra V. Imaging the epididymis. *Ultrasound Quarterly*. March 2008:24(1):1−16.

# 14 안구

## 배경지식 및 검사의 적응증

안과적 문제는 모든 응급실 방문의 2~3%를 차지한다. 문제 대부분은 병력과 검안경 또는 세극등을 이용한 신체 검진으로 진단할 수 있다. 안구 초음파는 이 전통적인 진단 방법에 보조적으로 사용될 수 있으며, 다른 방법을 통해 얻기 어려운 정보를 제공해 준다.

최근 기계 사용 및 훈련의 증가로 응급의학 전문의와 중환자의학 전문의가 초음파검사를 시행하는 빈도가 늘고 있다. 급성기 안과적 문제는 응급실에서 더 자주 봐왔지만 안구 초음파는 중환자실에서 두개 내 압력 평가에 사용되기도 한다.

눈은 액체로 채워진 구조로 초음파는 이상적인 진단 도구이다. 초음파는 전체 안구를 평가하는 비침습적인 방법을 제공하며, 외상성, 비외상성 안과 질환에 사용될 수 있다.

다음과 같은 환자에서 안구 초음파를 시행한다:

- 급성 시력 변화를 겪는 환자
- 안구 파열이 의심되지 않으나 눈과 안구에 관통 또는 둔기 손상이 있는 환자
- 비외상성 안구 통증 환자
- 두개 내 압력 증가 의심 환자

안구 초음파의 절대적인 금기는 안구 파열이 의심될 때이다.

## 탐색자 선택과 기술적 고려사항

### 주파수의 범위가 7.5~15.0 MHz인 선형 탐색자

눈은 표피상의 구조이기 때문에 고해상도가 제공되는 높은 주파수 탐색자가 안구 초음파에 적합하다. 사실 높은 주파수의 탐색자는 일반적으로 응급실 또는 중환자실에서 이용하기는 힘들지만 안과의는 전방(anterior chamber) 및 망막의 뛰어난 영상을 제공할 수 있는 20 MHz 이상의 탐색자를 사용하기도 한다.

### 심도

눈의 작은 구조를 영상화하는 것은 어려울 수 있다. 초음파검사자는 심도를 조정하여 가능한 한 화면을 넓게 활용하여야 한다. 심도를 감소시키면 안구가 화면의 많은 공간을 차지할 수 있고, 검사자는 관심 영역을 더 잘 관찰할 수 있게 된다.

### 줌(ZOOM) 기능

줌 도구를 사용하여 이미지를 확대하면 병변을 집중하여 관찰할 수 있다.

### 초점 영역

검사자가 관심 영역에 초점 영역을 맞추면 이미지의 수평 해상도가 개선되고 비정상적인 구조를 식별하는 데 도움이 된다.

### 증폭

무에코성의 방수와 유리체액을 더 잘 보기 위해 총 증폭량을 처음에는 낮춰야 한다. 검사 초반에 전체 안구에 대한 정보를 얻고 난 뒤 총 증폭량을 서서히 올리도록 한다. 이러한 증폭량의 조절은 모니터로 전송되는 구조의 밝기를 증가시켜 낮은 증폭량 상태에서 놓칠 수 있는 미묘한 이상 소견을 찾아내는데 도움이 된다. 증폭량을 과도하게 증가시키면 병적 소견으로 오인할 수 있는 허상을 만들어 내거나 미묘한 이상 소견을 'wash out' 시켜 진단을 놓칠 수 있다는 점에 주의한다.

### 프리셋

만일 기계에 안구 전용 설정이 없다면, 높은 해상도를 제공하는 '표면(superficial)' 또는 '소구역(small parts)' 프리셋이 사용되어야 한다.

### 겔 도포

초음파 겔은 수용성으로 일반적으로 눈을 자극하지 않지만 겔 도포를 하기 전에 덮인 눈꺼풀 위에 테가덤을 놓는다면 환자가 편하게 느낄 수 있다.

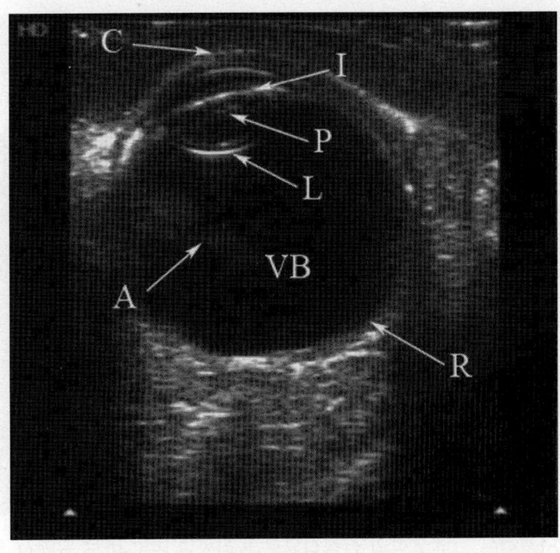


**그림 14-1** 이는 고주파 선형 탐촉자를 통해 정상적인 안구 해부 체계를 보여주는 영상이다. 허상(A)은 일반적으로 낭성 구조에서 흔히 보이는 것으로 안구 내에서 나타난다. C: 각막, I: 홍채, P: 동공, L: 수정체 R: 망막, VB: 유리체.

## 정상 초음파 해부학

### 안와(ORBITS)

눈은 뼈로 이루어진 안와로 둘러싸여 있다. 안와 뼈는 초음파 신호의 전송을 차단하는 고에코성의 구조물로 나타나며 후방음영허상(posterior shadowing artifact)을 만들어 낼 수 있다. 가끔 이 부분이 고에코성 피질이 중단된 저에코성 분절로 나타나게 되면 안와 골절이 확인되기도 한다.

### 전방 구조물

수정체(lens) 앞의 구조들 즉, 각막(cornea), 공막(sclera), 홍채(iris), 동공(pupil), 모양체(ciliary body) 또는 근육 및 유리체(vitreous body) 액이 위치하는 전방은 초음파에서 확인이 쉽다(그림 14-1). 정상 각막은 눈의 앞쪽 표면에서 둥글고, 얇은 에코발생도의 띠 모양으로 나타난다. 수정체 표면은 고에코성이며 주변 안구에 에코 발생 모양체 및 홍채에 의해 부착된 수평 라인으로 나타난다. 높은 주파수의 전문적 탐색자를 사용하지 않고서는 전방 구조물의 병적 상태를 찾아내기가 어렵다.

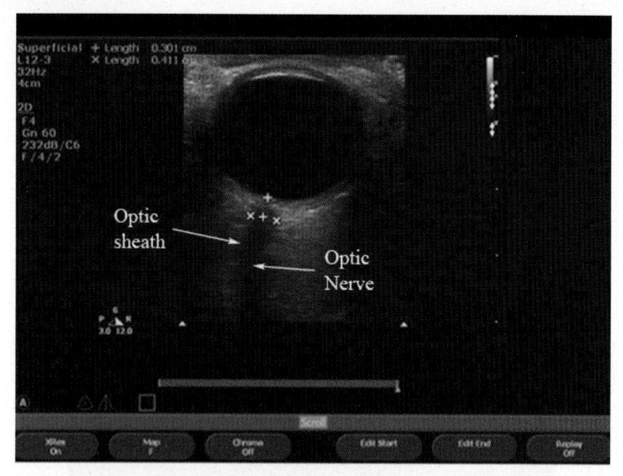


**그림 14-2** 시신경은 고에코성의 신경집으로 둘러싸여 망막 바로 뒤에서 저에코성의 띠 모양으로 보인다. 관례적으로 시신경집의 직경은 망막에서 3 mm 뒤 지점에서 측정되고, 그 폭은 5 mm보다 작아야 한다(영상의 왼쪽 상단 모서리).

## 후방 구조물

후방 요소로는 눈의 대부분을 구성하고 유리체, 망막(retina), 망막 혈관, 후벽, 시신경유두 및 시신경(optic nerve)이 있다. 유리체는 수정체와 후방 벽 사이에 있으며 정상적으로는 무에코성을 띈다. 후벽은 망막과 맥락막(choroid)을 포함하고 있으며 일반적으로 공막(덮개 외부)에 부착된다. 후방벽은 안구의 윤곽을 보여주는 에코발생도의 둥근 모양으로 나타난다(그림 14–1). 시신경과 시신경집(optic nerve sheath)은 안구 뒤쪽에서 후방벽에 수직 방향으로 위치한다. 시신경은 저에코성으로, 시신경집은 고에코성으로 보인다(그림 14–2). 안 동맥(opthalmic artery)은 망막 중심 동맥과 후모양체 동맥으로 분지한다. 망막 중심 동맥과 정맥은 일반적으로 컬러–유량 도플러로 시신경집 안에서 쉽게 식별된다.

## 지표

초음파 지표는 수정체, 후방 벽, 그리고 시신경이다(그림 14–1 및 14–2). 검사자는 눈의 축을 표시하는 데 도움이 되는 이러한 구조물들을 확인하도록 한다. 눈을 다른 낭성 구조로 오인하는 실수는 드물지만, 심한 눈꺼풀 부종, 농양, 또는 안구 적출 상황에서는 실수할 수도 있다.

## 검사 프로토콜

### 환자 자세

환자는 똑바로 누운 자세로 있어야 한다. 만일 환자가 평평하게 눕지 못하거나 뇌압 상승시처럼 누울 수 없는 경우에는 곧게 선 자세로 검사를 진행할 수도 있다.

### 결합 매질 및 보호용 덮개

눈과의 직접 접촉을 피하고 허상을 줄여 영상의 질을 높이기 위해서 적절한 초음파 겔이 필요하다. 겔은 눈을 감은 상태에서 눈꺼풀 위에 도포된다. 감염과 자극을 피하고자 겔을 도포하기 전에 테가덤(Tegaderm™) 같은 무균 덮개를 눈을 감은 상태에서 눈꺼풀 위에 붙이는 것이 바람직하다.

### 탐색자 위치

초음파검사자는 환자의 얼굴 위에 손을 부드럽게 올려놓는다. 이는 탐색자와 눈꺼풀의 직접 접촉을 피하는 데 도움이 된다. 처음에 탐색자는 눈꺼풀에 걸쳐 가로 위치에 놓는다.

### 환자 편의

눈 부위 외상은 급성기 치료 환경에서 가장 고통스러운 문제일 수 있다. 가능하다면 검사 시작 전에 적절한 국소 또는 비경구적 진통제를 투여하도록 한다.

### 영상 프로토콜

검사는 가로면과 세로면 두 단면으로 시행하여야 한다. 탐색 과정은 탐색자의 표지자를 환자의 오른쪽을 향하도록 가로 방향에서부터 시작한다. 안구를 전반적으로 조사하고 나면 세로 또는 시상면 영상을 얻기 위해 표지자가 머리 쪽을 향하게 탐색자를 90도 회전시킨다. 주요 지표인 수정체, 뒤쪽 구성 요소 및 시신경을 한 화면에서 확인할 수 있어야 한다. 두 단면에서 전체 눈을 검사하기 위해 부드럽게 좌우로 탐색자를 움직인다.

일부 환자에서는 바로 누운 자세를 취할 수 없고, 또는 검사로 자체로 인한 불편감으로 인해 이상 소견을 확인하는데 제한이 있을 수도 있다. 이러한 상황에서는 환자에게 눈을 감은 상태에서 눈을 움직여 보도록 요구하는 것이 도움이 될 수 있다. 이는 검사가 불가능한 각도에서도 검사자가 구조물을 확인하는데 유용하다. 예를 들어 미묘한 수정체 탈구(lens dislocation (subluxation))는 이 방법으로 진단할 수 있다. 이 방법을 이용하면 눈의 움직임 때문에 사라지는 허상과는 달리 이상 소견은 계속 남아 있으므로 검사자가 병적 소견을 허상과 구분하는데 적절하다.

안구 혈관의 초음파검사는 일반적으로 급성기 치료를 담당하는 의사의 역할 범위는 아니지만, 정맥 또는 동맥 손상에 대한 우려가 있을 경우 컬러-유량 도플러 평가를 이용해 볼 수 있다. 혈관 신경 얼기는 후벽 뒤에 위치하고, 컬러-유량 도플러는 이러한 혈관을 찾는데 사용한다. 스펙트럼 펄스-파형 도플러는 동맥 및 정맥 파형을 확인하는 데 활용된다. 탐색자를 측정하고자 하는 혈관의 장축과 일직선을 이루도록 한다.

## 초음파검사에서의 이상 소견

### 안구 내 이물

안구 내 이물(intraocular foreign bodies, IOFBs)은 일반적으로 병력 청취 또는 신체 진찰만으로도 진단될 수 있다. 보이지 않는 안구 내 이물을 탐지하기 위해서는 전문화된 영상 검사가 필요하다. 망치질이나 드릴 작업을 하는 동안 눈의 통증을 느낀 병력이 있다면 안구 내 이물의 가능성이 높다. 이물질 검출에 초음파의 민감도는 87%로 높지만 CT가 아직까지는 표준진단법이다. 그러나 초음파는 CT 검사보다 안구 손상과 관련된 다른 정보를 제공할 수 있다는 장점이 있다.

금속성 안구 내 이물은 초음파에서 에코발생도로 나타나고 눈 내부의 어디에서나 존재할 수 있다: 전방, 후방, 또는 그 이상까지. 따라서 불규칙적이고, 비대칭인 고에코성의 구조물을 찾기 위해 눈 전체를 검사하도록 한다. 금속성 안구 내 이물은 진단에 도움이 되는 다수의 허상(후방 음영, 반향, 링-다운)을 만들어 낸다.

유기 물질 또는 플라스틱 안구 내 이물은 구성 성분에 따라 다양한 정도의 에코발생도를 보인다. 이들은 일반적으로 무에코성의 유리체 안에 포함된 에코를 발생하는 구조물로 나타난다. 만일 이물질이 좀 더 미세하게 보인다면 총 증폭량을 증가하는 것이 영상화에 도움이 된다. 또한, 초음파는 CT에서 놓칠 수 있는 방사선 투과성 이물질을 더 쉽게 포착할 수 있다.

일반적으로 초음파는 이물질을 '배제진단'하는 데 사용하지 않지만 이물질의 위치를 찾을 때 유용하다. 임상의는 초음파 빔이 수정체를 통과할 때 생기는 반향 때문에 유리체의 중심부에 고에코성의 '초점 허상(focusing artifact)'이 발생할 가능성을 고려해야 한다. 이를 이물질로 오인해서는 안 되며, 이 허상은 일반적으로 양쪽 눈에서 보일 수 있다.

## 수정체 탈구

수정체의 탈구(lens dislocation) 또는 부분 탈구(subluxation)는 섬유체 띠 섬유(zonular fiber)의 파열로 인해 생기며 둔상에서 흔하다. 수정체는 일반적으로 상당한 반향 허상을 보이는 타원형의 에코발생도 구조물로 나타난다(그림 14-1). 수정체는 모양체 뒤에 자리잡고 있으며, 종종 눈의 축과 항상 일렬로 정렬되지 않게 비스듬한 각도로 위치할 수 있다. 대부분의 탈구는 초음파에서 명확하게 보이지만, 부분 탈구는 검사자가 인식하기 어려울 수도 있다. 환자에게 눈을 움직이도록 하는 것은 비정상을 확인하는 데 도움이 되며, 대칭성을 비교하기 위해 항상 반대쪽 눈에 대한 검사도 시행하도록 한다.

## 망막박리(RETINAL DETATCHMENT)/유리체 박리 그리고/또는 출혈

망막 및 유리체 박리에는 외상성과 비외상성으로 나뉜다. 자연 망막박리는 흔히 당뇨병성 망막병증에 의해 이차적으로 생기는 유리체 출혈(vitreous hemorrhage)과 연관되어 있다. 망막박리는 눈의 후벽 위쪽에 위치하는 물결 모양의 에코발생도 피판(flap)으로 나타난다(그림 14-3). 박리 여부와 상관없이 발생할 수 있는 유리체 출혈은 정상적인 무에코성

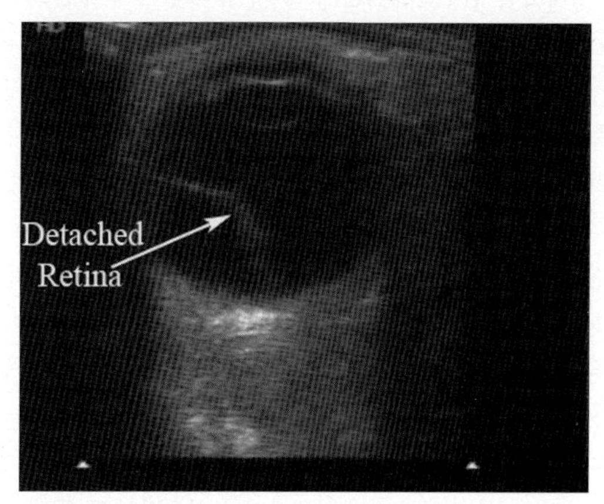


**그림 14-3** 망막박리는 일반적으로 무에코성의 후방(posterior chamber) 안에 고에코성의 선형 구조로 보인다.

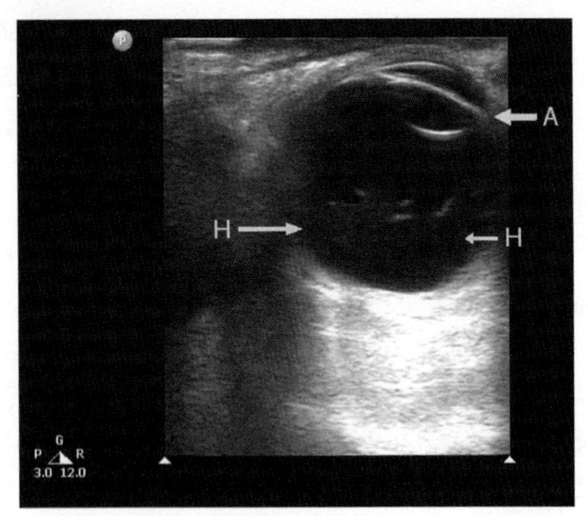


**그림 14-4** 이 영상은 후방 유리체(posterior vitreous body)에서 에코형성 층으로 나타나는 대량의 유리체 출혈을 보여준다. A: 전방, H: 출혈.

의 유리체 안에 에코성의 물질이 겹쳐 있는 모습으로 보일 수 있다(그림 14–4). 위 질환들은 모두 소견이 비슷하므로 초음파로 감별이 어려울 수 있다. 앞서 기술된 안구 초음파 소견과 함께 환자의 임상 병력이 망막 열상 또는 망막박리와 일치한다면 전문가 자문이 반드시 필요하다.

## 시신경집 직경(OPTIC NERVE SHEATH DIAMETER, ONSD)

시신경집 지름(ONSD)의 증가는 두개 내 압력 증가와 연관되어 있다. ONSD를 평가했던 연구들에서는 두개 내 압력 증가에 대한 증거로서 침습적인 두개 내 감시 및 뇌 CT scan 소견과 ONSD를 서로 비교하였다. ONSD는 가장 많은 다공성(porous)이 보이는 안구 후벽의 뒤 3 mm 지점에서 측정되어야 한다(그림 14–2). 이 지점에서 정상 측정치는 폭이 5 mm 이내여야 한다. 가장 정확한 측정을 위해서 ONSD는 양쪽 눈의 두 평면에서 측정된 네 개 값의 평균을 사용한다. 시신경함몰 뒤에서 보일 수 있는 음영 허상이 아니라 실제 시신경집을 측정하도록 주의해야 한다.

두개 내 압력 증가 진단에 CT 검사를 대신할 수는 없지만, ONSD의 측정은 다른 영상 검사와 함께 사용되어야 한다. 두개 내 출혈이 있는 환자에서 ONSD를 연속으로 측정하여 두개 내 압력 증가를 감지하는 데 활용될 수 있다. 만일 반복적인 ONSD 측정에서 결과값이 5 mm 이상으로 증가되어 있다면, 두부 CT를 다시 시행하거나 침습적인 두개 내 압력 감시를 하거나 약물 등으로 두개 내압을 감소시켜야 할 적응증이다. ONSD

측정은 CAT 스캔을 사용할 수 없거나 대량 사상자가 발생하는 상황처럼 의료자원이 제한되어 있는 상황에서 유용하다.

증가된 ONSD뿐만 아니라, 일부의 예비 연구에서는 시신경유두부종(papilledema)을 눈의 시신경유두 돌출로 초음파에서 직접 확인될 수 있다는 점을 보여주었다. 외상성 두개 내 압력증가뿐 아니라 시신경집 또는 시신경 유두의 이상 소견은 가성 뇌종양을 진단하는 데 도움이 된다.

## 흔히 저지르는 실수

### 불충분한 결합 매질

안구 초음파를 수행하기 전에 눈꺼풀에 충분한 양의 겔을 바르도록 한다. 눈꺼풀에 가하는 직접적인 압력을 줄이는데 도움이 되고, 특히 안구 외상 검사 시 환자의 편안함을 위해서 반드시 필요하다. 매질이 충분하지 않다면 원치 않는 허상이 나타날 수 있으며, 적절한 병적 소견을 왜곡하거나 위양성 결과를 초래할 수 있다. 그리고 감염 예방과 멸균 상태 유지를 위해서 겔 도포 전에 테가덤과 같은 초음파 친화적 커버를 눈꺼풀에 씌우도록 한다.

### 병적 소견과 혼동되는 허상들

눈은 낭성 구조로 초음파적 허상이 적절한 해석을 방해할 수 있다. 일반적으로 낭성 구조에서 보이는 후향증강허상은 눈의 후벽에서부터 발생할 수 있으며, 이 때문에 뒤쪽 구조물이 영상에서 사라지게 하여 시신경 확인을 어렵게 할 수 있다. 총 증폭량을 줄이거나 시간-증폭 보상을 조절하여 원거리 증폭량을 감소시킴으로써 이러한 허상 발생을 줄이게 된다.

낭성 구조에서 종종 보이는 측엽허상은 에코를 발생하는 여러 안구 내 병적 소견과 혼동될 수 있다(그림 14-1). 이 허상은 적절한 탐색자 기울임 및 안구 움직임 또는 증폭량 설정 감소를 통해 없앨 수 있다. 증폭량을 감소시키고도 비정상 소견이 여전히 남아 있다면 그것은 병적 소견일 가능성이 높다. 반대로 낮은 증폭량 설정에서 해당 소견이 사라진다면 그것은 단순 허상일 가능성이 높다. 조작에도 사라지지 않는 허상은 실제 병적 소견일 가능성이 높아 이때에는 추가적인 정밀 검사가 필요하다.

굴절이나 초점 허상은 눈의 중앙에서 곡선의 고에코성의 허상으로 보일 수 있으며, 이물질이나 다른 병적 소견과 혼동되어선 안 된다. 이것은 일반적으로 양쪽 눈에서 보인다.

### 부정확한 시신경집 측정

ONSD의 측정은 안구 축 위의 가장 넓은 지점에서 축에 수직 방향으로 이루어져야 하며, 그렇지 않으면 크기가 과소평가될 수 있다. 비스듬한 측정은 시신경집 지름을 과대 평가할 수 있다. 시신경 유두로 인해 발생하는 음영이 아닌 실제 시신경집을 측정하도록 주의한다.

### 전문가 자문

망막박리, 맥락막 박리, 유리체 출혈은 모두 유사하게 나타날 수 있지만, 치료는 각기 다르다. 망막 파열 또는 박리의 징후와 증상이 있는 경우 정상 안구 초음파 소견이라 하여 진단을 배제할 수는 없다. 이때에는 전문가의 적절한 자문과 신속한 후속 조치가 권장된다.

## 임상진단에서 안구 초음파의 활용

급성 시각 변화, 안구 외상, 또는 비외상성 안구 통증은 모두 안구 초음파검사의 적응증이 된다. 초음파가 안면이나 두부 외상으로 인해 발생한 손상, 안구 내 이물질, 증가한 두개강 내압 진단 시 표준 방법인 CT를 완전히 대신할 수는 없지만 많은 이점도 있다.

초음파는 두부와 안구 외상의 평가에서 특히 유용하다. 검사는 방사선 노출 없이 최소한의 불편함만으로 현장에서 시행될 수 있다. 안구 초음파는 신속하고, 필요시마다 검사를 연속적으로 손쉽게 반복할 수 있다. 지속적인 능동 감시가 필요한 중환자실 환자나 불안정한 외상 환자의 불필요한 이송을 방지할 수 있다. 초음파는 안저 검사에 협조가 어려운 환자나 심각한 눈꺼풀 부종, 결막 부종, 전방출혈이 있어 직접 안구평가를 할 수 없는 경우에 특히 유용하다.

| 추가로 읽을 자료 |

Blaivas M. Bedside emergency department ultrasonography in the evaluation of ocular pathology. *Acad Emerg Med*. 2000;7:947–950.

Fischer Y, Nogueira F, Sallies D. Diagnostic ophthalmic ultrasonography. In: Tasman W, Jaeger E, eds. *Duane's Ophthalmology*. Philadelphia, PA: Lippincott Williams & Wilkins; 2008:chap 108.

Lyon M, Blaivas M. Ocular ultrasound. In: Ma J, Mateer J, Blaivas M, eds. *Emergency Ultrasound*. China: McGraw–Hill; 2008:chap 17.

# 15 심부 정맥 혈전증

## 배경지식 및 검사의 적응증

심부 정맥 혈전증(deep vein thrombosis, DVT)은 일반적으로 Virchow's triad(혈류정체, 응고항진, 내피손상) 중 하나 또는 그 이상의 기전에 의해 발생한다. DVT는 보행 가능한 환자에게서도 발생할 수 있으며 이들은 다리 통증 및 붓기를 호소하며 응급실을 방문하게 된다. DVT 환자에서는 부동상태, 수술, 외상, 내재 장치, 악성종양, 염증 상태를 비롯한 여러 위험 인자들이 공존하기 때문에 중증 질환이 동반되는 경우가 흔하다. 중환자 치료 환경에서는 비만, 부종, 수술 드레싱 등으로 인해 DVT에 대한 증상 및 징후의 신뢰도가 떨어진다. 중환자실에서는 의료진이 전체 DVT의 10%–100%를 임상적으로 놓치게 되고, 모든 DVT 사례중 약 5%가 폐색전증으로 사망한다. 폐색전증은 DVT 환자를 부검했을 때 가장 흔히 발견되는 소견이다.

중환자 진료 상황에서 하지의 심부 정맥 혈전증(lower extremity DVT, LEDVT)은 대부분 무증상으로 실제 발생률과 유병률은 아직 밝혀지지 않았다. 초음파를 사용한 선별 검사에 관한 연구들에 따르면 환자수, 예방 요법의 적절성, 초음파 기술 및 검사자의 능력 차이로 인해 발생률이 상당히 다양한 것으로 알려져 있다. 보고된 발생률은 근위부 LEDVT의 경우 8~18% 정도이며, 대부분 사례는 중환자실에 입원한지 첫 일주일 이내에 발병하였다. 외래 또는 응급실 환경에서 마주하게 되는 DVT는 환자들이 증상을 호소하는 경우가 일반적이기 때문에 초음파검사가 DVT를 배제하는 데 유용한 방법이다.

임상적으로 LEDVT는 색전증의 위험에 따라 분류된다. 고립된 장딴지 정맥 혈전(isolated calf vein thrombosis)과는 달리 근위부(오금 정맥과 그보다 높이 위치한 정맥들) DVT는 색전의 위험성이 상당히 높다. 장딴지 DVT의 20%만이 근위부로 확장되기 때문에 중환자실에서 의료진은 불필요한 합병증을 피하기 위해 항응고제 사용을 연기해 볼 수도 있으며, 굳이 장딴지 정맥에 대한 정기적인 초음파검사를 할 필요가 없다. 외래 및 응급실 환경에서 장딴지 정맥에 대한 검사가 실시되지 않았다면, 환자에게 5~7일 이내에 다시 방문하도록 하여 장딴지 정맥 혈전이 근위로 전파되었는지 확인하는 것을 추천한다.

현장진단 초음파검사는 정맥 혈전 질환의 진단 알고리즘에 중추적인 역할을 할 수 있다. 초음파를 이용하여 임상의가 적시에 DVT를 진단하기 위해서는 하지 초음파의 장단점에 대한 이해, 임상으로의 적용 능력 및 기술적 수행 능력이 필요하다.

많은 응급실과 중환자실에서 휴대용 초음파 장치에 대한 가용성이 급속히 성장하고 있음을 고려할 때, 진료 현장에서 진단적 정맥 초음파를 수행하는 임상의가 증가하고 있음은 명확하다. 응급실이나 중환자실 어느 곳에서 수행되든지 간에, 초음파로 DVT를 확실하게 배제할 수 있는 능력은 DVT의 유병률과 DVT의 검사 전 확률(pretest probability)에 달려 있다. 초음파는 어떤 환경에서든지 환자의 증상이 있을 때 진단 능력이 향상된다.

'일반적인' 영상의학적 검사방법들과는 다르게 초음파 훈련 시간이 2~30시간인 응급실 및 입원 환자 전담의의 초음파 진단의 정확성 대한 연구에서는 70~100%의 민감도, 76~100%의 특이도를 보이는 것으로 나타났다. 이러한 연구 결과가 검사의 정확도를 위해서 임상의에 의해 수행되는 병상 압박 초음파(bedside compression ultrasound, CUS)의 필요성을 뒷받침해 주지만, 이는 진단적 혈관 초음파의 정확도 면에서 검사자의 경험이 가장 중요하다는 점을 의미한다.

LEDVT 현장진단 초음파 평가는 다음과 같은 환자에서 수행되어야 한다:

- LEDVT의 증상과 징후를 동반한 환자
- 감별되지 않는 저산소혈증 또는 쇼크 환자

## 탐색자 선택 및 기술적 고려사항

### 주파수 범위가 5.0~10.0 MHz인 선형 탐색자

주파수가 7.5 MHz 정도인 탐색자라면 하지 혈관 검사에는 충분하다. 심부 혈관을 보기 위해서는 낮은 주파수를 활용하는 탐색자가 도움이 될 수 있다. 마찬가지로 표면 혈관에는 높은 주파수의 탐색자가 도움이 된다.

### 초점영역

초점영역은 확인하고자 하는 혈관의 깊이에 맞춰져야 한다. 이는 영상의 측면 해상도를 향상시킨다.

### 컬러-유량 도플러

컬러-유량 도플러는 혈액의 흐름을 감지하기 때문에 하지의 다른 구조들로부터 혈관을 식별하는 데 도움이 된다. 특히 이는 오금 정맥(popliteal vein, PV)과 같이 크기가 작은 혈관을 찾고 비만 환자에서 필요한 영상을 얻는 데 유용하다.

### 시간-증폭 보상

시간-증폭 보상(TGC)은 영상의 원거리 증폭량을 증가시키기 위해 조정될 수 있다. 증폭량은 영상이 근위부와 원위부 모두에서 밝기와 해상도가 일정하게 도출되도록 조정되어야 한다. 이는 해부학적으로 검사가 까다로운 비만 환자에서 유용하게 쓰일 수 있다.

### 심도

적절한 혈관들이 확인되고 나면 심도를 조정하도록 한다. 목표 구조물이 화면의 약 3/4를 차지하도록 한다.

지나치게 깊거나 얕은 심도는 검사하고자 하는 혈관을 다른 구조물로 오인하게 만들 수 있다.

## 정상 초음파 해부학

하지 정맥은 심부 혈관과 표면 혈관으로 나뉜다. 심부 정맥은 동맥과 짝을 이루어 존재한다. 하대정맥으로부터 나온 외 장골 정맥(external iliac vein)은 서혜 인대를 교차한 이후 총 대퇴 정맥(common femoral vein, CFV)이 된다. CFV는 대복재 정맥(great saphenous vein, GSV)이 내측에서 합류되고 이 지점의 1~2 cm를 지나면 CFV는 심부 대퇴 정맥(deep femoral vein, DFV)과 표면 대퇴 정맥(superficial femoral vein, SFV)으로 나뉘게 된다. 최근 많은 사람이 혼란을 피하고자 SFV를 단순히 '대퇴 정맥'이라고 부르기 시작하였으며, 심부 정맥 시스템에서의 '표면' 대퇴 정맥은 단지 DFV보다 좀 더 '표면' 쪽을 담당함을 유념하도록 한다. DFV는 더 깊은 곳으로 주행하여 음향 영역에서 벗어나기 전에 짧은 거리 동안

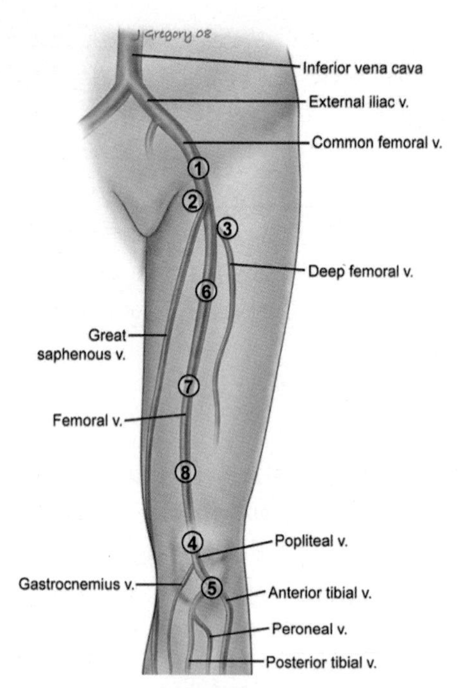


**그림 15-1** 정상 하지 정맥 해부체계를 나타낸 그림. '두-지점' 또는 제한된 압박 검사는 단독으로 상부와 하부의 정맥 합류지점에 대한 검사를 포함한다(영역 1-5). '완전한' 검사는 6,7,8 지역을 포함하며, 만일 혈전이 1~5 지역에서 발견되지 않을 경우에만 시행된다.

만 보통 추적이 가능하다. SFV는 전 외측으로 하지를 따라 내려오며, 모음 근굴(adductor canal)을 통과한 후 다리 오금(popliteal fossa)의 뒤로 들어와 오금 정맥(popliteal vein, PV)이 된다. PV는 그 이후 근위 종아리에서 앞 정강(anterior tibial) 정맥, 종아리(peroneal) 정맥, 뒤 정강(posterior tibial) 정맥 이렇게 세 갈래로 나뉘어진다(그림 15−1).

혈관은 서혜 인대 바로 아랫부분에서부터 횡단면으로 영상화된다. 이 높이에서 CFV은 내측에 위치하며 총 대퇴 동맥(common femoral artery, CFA)에 인접해 있다(그림 15−2). GSV는 다리의 상단부 및 내측에서부터 CFV로 합류되는 모습을 볼 수 있다. 탐색자를 대략 1~2 cm 원위부 쪽으로 이동시키면, CFA는 표면 대퇴 동맥(superficial femoral artery, SFA)과 심부 대퇴 동맥(deep femoral artery, DFA)로 나뉘는 장면을 볼 수 있다. 탐색자를 원위부, 내측으로 점점 이동시키면, SFV가 모음 근굴로 들어갈 때까지 보이게 된다.

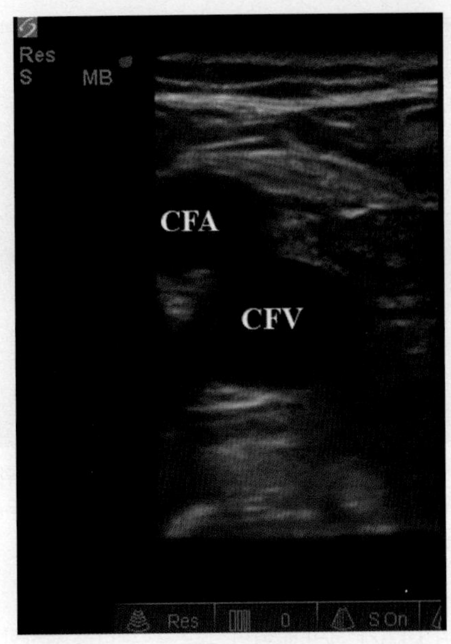


**그림 15-2** 정상 총대퇴정맥(CFV)과 총대퇴동맥(CFA). CFV는 하지에서 CFA의 내측에 위치한다. 이 영상은 하지의 동맥과 정맥의 정상 B-모드 영상을 보여준다. 혈관은 무에코성의 액체(혈액)로 나타난다. 정맥의 내부에서 혈전을 시사하는 에코발생도가 있는 물질이 관찰되지 않는다.

오금 부위(popliteal region)는 환자의 무릎 뒤에서 탐색자를 가로 방향으로 하여 검사한다. 이 화면에서는 PV가 화면에서 오금 동맥 상단에 보인다. PV는 여전히 동맥에 비해 깊게 위치함을 기억하도록 한다[1]. 고전적으로 오금 정맥과 동맥은 '8'의 모양을 형성하며 정맥은 8의 상부를 구성한다(그림 15−3). 검사자는 PV가 세 갈래로 분지되는 부위까지 탐색자로 눌러서 추적해야 하며, 종아리 정맥은 국소 증상이 없으면 일상적으로 검사하지 않는다.

## 검사 프로토콜

### 탐색자의 방향

하지 초음파검사는 탐색자의 표지자가 환자의 오른쪽을 향한 상태로 가로 방향으로 시행된다. 대퇴 정맥은 대퇴 동맥의 내측에 있으므로 왼쪽 다리를 검사할 때 가로 방향에서는 화면의 왼쪽에 CFV와 SFV가 보이고,

1 깊게 위치한다는 말은 환자의 뒤 쪽(posterior)에 위치한다는 말과 같은 의미이다.

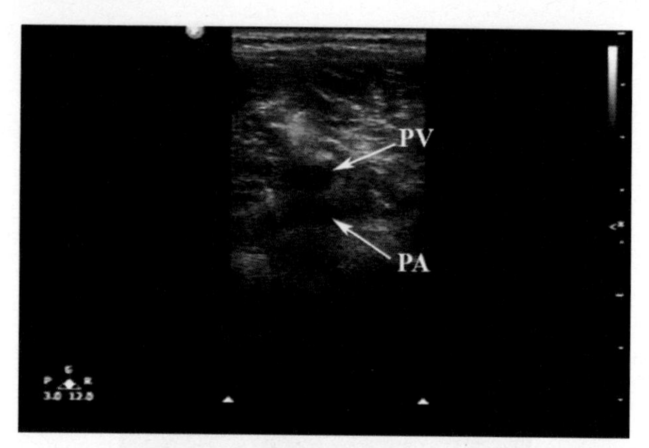


그림 15-3 정상 오금 정맥(PV)과 오금 동맥(PA). 동맥보다는 정맥의 위치에 유의하라. 정맥은 좀 더 표면에서 보이지만 실제로는 탐색자가 오금의 환자 무릎 뒤에 위치하고 있기 때문에 더 깊은 곳에 존재한다.

오른쪽에 SFA와 DFA가 보이게 되며, 오른쪽 다리를 검사할 때에는 그와 정반대가 된다(정맥은 화면의 오른쪽, 동맥은 화면의 왼쪽). 정맥은 동맥보다 깊은 부위로 주행한다. 서혜부 인대로부터 불과 몇 cm 원위부 지점에서는 때때로 동맥과 정맥이 완전히 겹쳐지기 때문에 대퇴 중심 정맥관 삽입 시 주의해야 한다.

## 환자의 자세

대퇴 혈관 평가 시 환자는 똑바로 누운 뒤 다리를 '개구리 다리 모양' 또는 외회전된 상태를 취해 하지가 완전히 노출되도록 한다(그림 15-4). 환자가 견딜 수 있다면 역 트렌델렌부르크 체위(reverse Trendelenburg position)를 취하는 것이 정맥을 충분히 혈액으로 채워서 초음파 시야를 향상하는 데 도움이 된다. 오금 혈관 평가 시 무릎을 굽힌 상태에서 바로 눕거나 엎드린 자세로 있을 수 있다. 무릎 뒷면의 다리 오금에서 탐색자는 반드시 가로로 위치되어야 한다(그림 15-5). 앞서 언급한 바와 같이 PV가 화면 상단에 나타나고, 오금 동맥이 화면 하단에 나타난다. 정맥은 여전히 동맥보다 깊게 위치하지만, 탐색자가 다리의 뒤에 있으므로 정맥은 탐색자로부터 가깝게 보인다(화면 상단).

## 심도

일단 혈관이 확인되면, 혈관의 아래쪽 경계가 화면 하단의 1/4 내에서 보

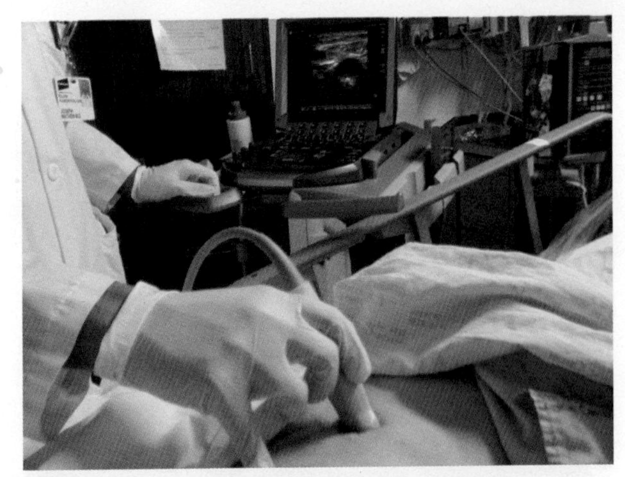

그림 15-4 일반적으로 대퇴 정맥을 압박하는 동안 검사자 및 탐색자의 위치. 다리는 외회전되어 있고, 탐색자는 정맥에 가로 방향으로 위치한다.

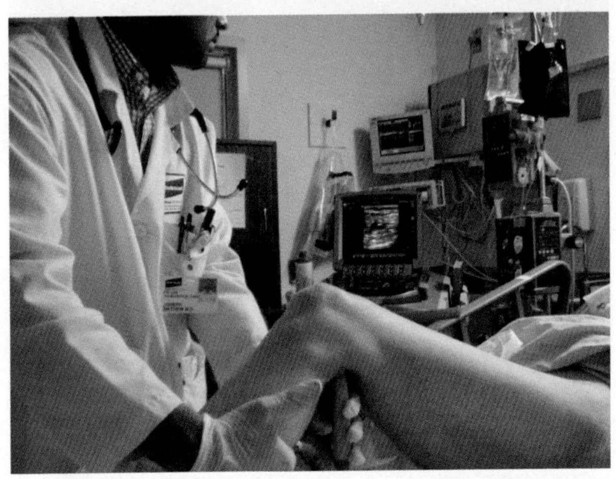

그림 15-5 바로 누운 환자에서 오금 정맥 압박 시 검사자 및 환자 위치. 환자의 다리는 약간 굽혀진 상태로 올려져 있고, 위쪽을 향해 압박이 가해지는 동안 오금 정맥의 뒤에서 가로방향으로 탐색자가 위치한다.

이도록 심도를 감소시켜야 한다.

## 영상 프로토콜

일반적으로 DVT를 배제하거나 진단하는 데는 CUS 단독 검사로 충분하다. CUS에서는 관심 지역의 정맥 부분을 직접 시각화하는 데 B-모드

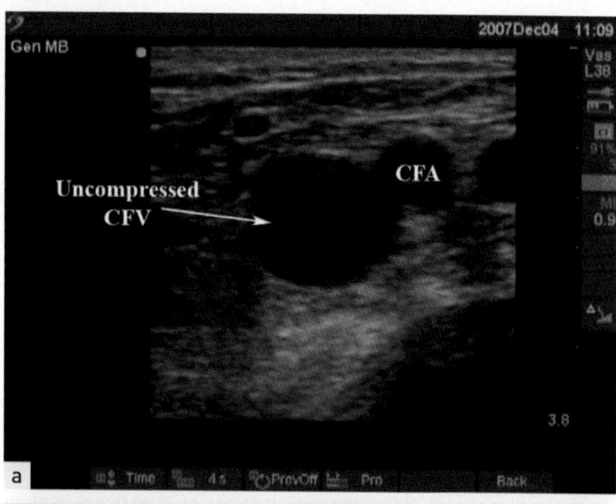


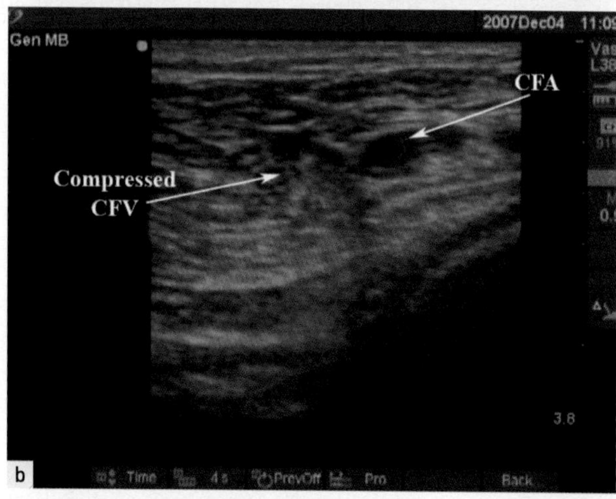


**그림 15-6** 하지의 심부 정맥 혈전증의 부재를 입증하는 데 필요한 압박 기법을 보여준다. **(a)** 총 대퇴동맥(CFA) 옆에 압박되지 않는 총 대퇴 정맥(CFV)이 표시된다. **(b)** 이전에는 무에코성으로 보였던 내강이 폐색되어 압박된 CFV가 CFA 옆에 확인된다.

(2-D 로 알려진)가 이용된다. 이 방법으로 검사자는 목표 정맥이 압력에 의해 허탈이 유발되는 장면을 실시간으로 볼 수 있게 된다(그림 15-6A와 b). 만일 정맥이 압력에 의해 허탈되지 않는다면 그것은 혈전을 의미한다. 혈전은 혈관의 나머지 부분보다 고에코성(밝은)으로 직접 보이기도 한다. 급성기의 혈전도 고에코성으로 나타날 수 있지만 오랜 기간 지속된(만성) 혈전은 일반적으로 급성기 때보다 더욱 고에코성을 띄게 된다. 여

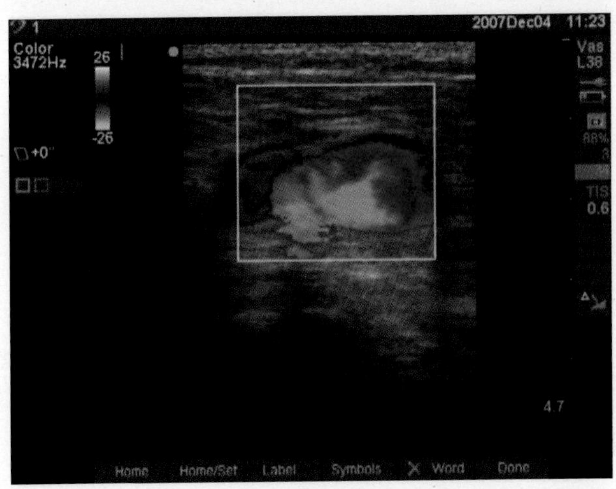


**그림 15-7** 컬러-유량 도플러는 혈관 내에서 혈류를 식별할 수 있다. 탐색자를 향한 혈류는 붉게, 탐색자로부터 멀어지는 혈류는 푸르게 나타난다.

기에서는 정맥을 완전히 허탈시키도록 압력을 충분히 가하는 것이 중요하다. 만일 충분한 압력이 동맥의 모양만 변형시키고, 정맥을 허탈시키지 못한다면 이는 혈전을 시사한다.

- *이중 초음파(Duplex ultrasound)*: 2-D 분석 기기에 도플러(컬러 또는 스펙트럼)를 추가하면, 정맥 내 혈액의 흐름을 시각화할 수 있다(그림 15-7). 검사자는 과포화(over-saturation)를 피하고, 혈관 안의 작은 혈전 또는 불완전한 혈전을 그냥 지나치지 않도록 컬러-증폭 설정(color-gain setting)을 적절히 조정한다. 최근 들어 이중 초음파는 CUS에 대한 보조적 방법으로 흔히 쓰이지만 '이중 초음파'라는 용어는 종종 DVT 초음파를 설명할 때 전통적인 초기 방법으로도 일컬어진다.
- *삼중 초음파(Triplex ultrasound)*: 2-D 초음파, 컬러-유량 도플러 및 스펙트럼 도플러를 포함한다.

전통적으로 진단적 혈관 검사는 위 방법들을 조합하여 사용된다(이중 초음파 또는 삼중 초음파검사). 컬러-유량 도플러와 스펙트럼 분석이 DVT 진단의 진단적 정확도를 올리지는 않는다는 문헌 고찰이 있으므로 본문에서는 압박 기술(compression technique)에 관해서만 설명하도록 한다.

각각의 압박 이전에 혈관 내 에코에 대한 확인이 혈전에 대한 특이도가

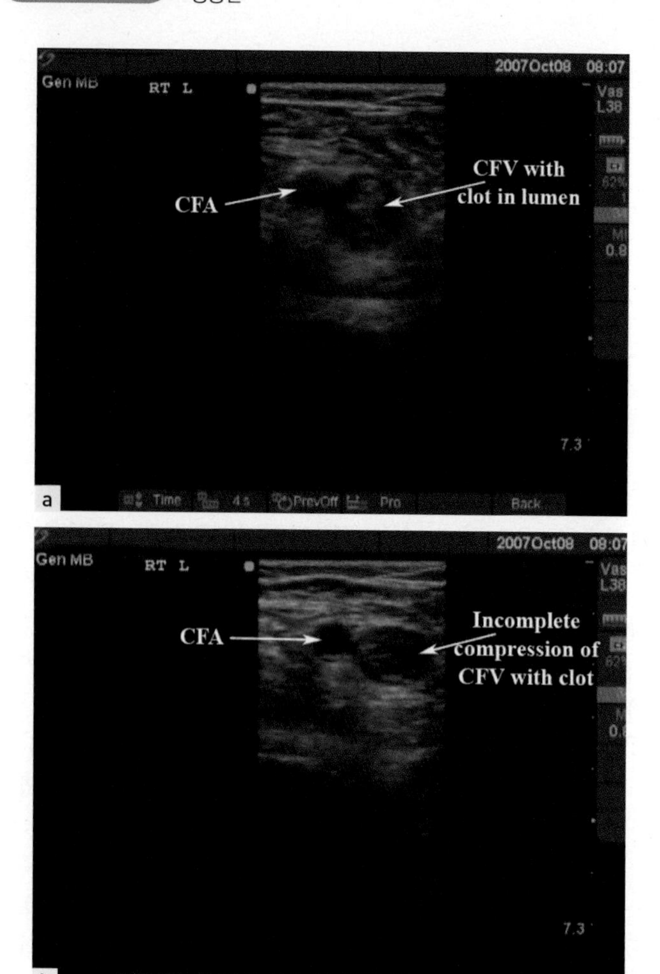


**그림 15-8** 하지 정맥의 불완전한 압박은 혈전의 존재를 의미한다. **(a)** CFA 옆에 압박되지 않는 CFV을 나타낸다(정맥 내 에코형성 물질 존재에 주목). **(b)** CFA 옆에서 혈전이 있는 CFV에 압박을 시도하는 모습을 보여준다(정맥 내강의 허탈 부재).

떨어짐에도 불구하고 반드시 이루어져야 한다. 급성 혈전은 저에코성으로 보일 수 있고 직접 보이지 않을 수도 있다. 그러나 초음파검사자는 압박 없이도 에코발생도가 좋은 국한된 혈전을 발견하는 경우가 있다.

검사자는 혈관이 완전히 허탈될 때까지 탐촉자를 통하여 부드럽지만 확실한 압력을 충분히 가하도록 해야 한다. 이때 탐촉자의 방향은 횡축 방향이 추천된다. 개방된 정맥은 완전하게 압박될 수 있기 때문에 무에코성으로 보이는 공간은 완전히 사라지고, 반대쪽 정맥 벽까지 접촉되는 장면을 볼 수 있다(그림 15-6A와 b). 이 기법으로 정맥 내 공간이 완전히 압박되지 않으면 DVT의 주요 진단 기준에 합당하다(그림 15-8A와 b). 허탈에 필요한 압력은 동맥 허탈에 필요한 압력보다 낮다. 따라서 근접 동맥에서는 약간의 눌림만이 관찰될 수 있다. 만일 정맥이 이 압력에도 허탈되지 않는다면 정맥 혈전이 존재함을 의미한다. 적절한 압력을 가하는 것이 매우 중요한데 그 이유는 급성 혈전은 젤리와 비슷한 수준의 밀도를 가지고 있고, 보통 부분적으로만 압박되기 때문이다. 검사자는 불충분한 압박으로 정맥이 압박되지 않는다는 잘못된 결론을 내릴 수 있고, 때로는 과도한 압박이 특히 체액 부족 상태의 환자에서는 동맥의 허탈까지 유발하기도 한다. 동맥은 부분적 압박이 가능하고, 박동이 관찰되는 특성이 있으며 검사자가 컬러-유량 도플러를 이용하면 정맥과 구분할 수 있다. 초음파검사자는 탐색자를 혈관에 가로방향으로 위치시킨 뒤 하강 압력이 정맥 위로 직접 적용되도록 해야 한다. 만일 탐촉자의 각도나 위치가 적절하지 않다면 근처의 다른 정맥에 압력이 가해지거나 목표 정맥이 시야창으로부터 벗어나 위양성 소견을 보일 수도 있다.

초음파검사자는 하지의 모든 혈관을 검사할 수도, 일부분만을 검사할 수도 있다. 완전한 검사는 장골 정맥에서부터 원위부 오금까지 근위부 정맥 체계의 전반에 걸쳐 매 1~2 cm 마다 순차적인 압박을 가함으로써 시행된다. 제한된 또는 '두-지점(two-point)' 검사는 두 가지 주요 정맥의 합류 지점에서만 압박 검사를 수행하는 것을 말한다(그림 15-1). 혈전 대부분이 CFV, 근위 SFV, PV에서 발견됨에도 불구하고, 일부 연구에서 이런 제한적인 검사의 민감도는 약간 낮은 것으로 보고하였다.

시간이 허락한다면, CFV, SFV, PV에서부터 종아리 정맥이 세 가지로 분지하는 근위부 지역까지 하지 정맥 체계에 대해 좀 더 완벽한 검사를 하는 것이 추천된다. 이러한 접근은 세-지점(three-point) 압박 기술로 불리며, 두 정맥의 합류지점을 먼저 검사하고, 만일 혈전이 발견되지 않으면 전체 SFV를 모음 근굴 쪽으로 추적하며 검사하는 기법이다.

**대퇴 정맥** 이 검사는 탐촉자를 서혜 인대와 대퇴부 동맥 내측 바로 밑, 즉 CFV가 기시하는 지점에서 가로축으로 놓고 시작해야 한다. 검사자는 압박을 순차적으로 가하도록 하고, 다음 압박 전에 정맥 내측을 따라 2 cm씩 멀리 진행해 나간다. 서혜 인대로부터 짧은 거리에 위치한 지점에서, GSV는 CFV에 내측으로 합류되는 것이 보인다. 혈전이 이 높이에 있다면 CFV로의 확장 위험이 높아서 치료가 반드시 필요하므로 GSV의 근위부까지 반드시 확인하도록 한다. CFV의 원위부로 따라가다 보면 DFV과 대퇴정맥으로 흔히 알려진 SFV으로 나뉜다. 검사자는 CFV의 원위부까지 추적해가야 하며, 오금에 이를 때까지 경로를 따라 압박해 간다.

**오금 정맥** 환자가 엎드린 자세로 있는 것이 이상적이기는 하지만, 보통 대부분의 위중한 환자들에서는 불가능하다. 이러한 환자들은 무릎을 약 45도로 굽히거나 환자가 측와위를 취하도록 한다(그림 15−5). 한 쌍의 오금정맥과 동맥이 중앙에 위치하고 있다(그림 15−3) (혈관들이 너무 작게 보인다는 것은 일반적으로 탐촉자가 오금에서 너무 낮은 위치에 있음을 의미한다). PV가 세 분지로 나뉘는 바로 밑에서부터 세 장딴지 정맥이 될 때까지 순차적으로 압박을 가해야 한다.

**표면 대퇴 정맥** 앞서 기술 한 바와 같이 만일 두−지점 검사에서 음성인 경우 SFV가 모음 근굴에 내측으로 주행하면서 시야에서 사라질 때까지 순차적으로 압박을 가하도록 한다.

**주요 경계부** 다음의 교차점(junction)에 대해서는 검사 결과를 기록하거나 출력하도록 한다:

- GSV 근위부의 CFV
- CFV−GSV 교차점
- CFV−DFV 교차점
- 중간 PV
- PV−장딴지 정맥 교차점(세 분지로 나뉘는)
- 근위부 SFV
- 중간 SFV
- 원위부 SFV

## 초음파검사에서의 이상 소견

### 급성 심부 정맥 혈전증

정맥 내강이 완전히 허탈되지 않으면 이는 혈전을 의미한다. 급성 DVT는 때때로 혈관 내에 고에코성의 구조물로 보이며, 압박을 가하기 전에 확인될 수도 있다. 급성 혈전은 저에코성으로 보이는 것이 좀 더 흔하므로 압박이 부분적으로만 이루어졌다면 쉽게 발견되기는 어렵다.

### 만성 심부 정맥 혈전증

만성 혈전은 보통 에코로 인해 압박 전에 쉽게 식별될 수 있다. 만성 혈전이 있는 정맥은 가끔 재개통될 수도 있어서 혈관의 중간에 혈액의 흐름이 보이기도 한다. 게다가 만성 DVT의 주변 혈관 벽은 흉터 조직으로 인해 두꺼워지기도 하여, 이는 초음파검사자가 급성 혈전과 구분하는 데 도움이 된다. 가능하다면 사전에 시행하는 초음파검사가 이러한 비교에 유용할 것이다.

### 표면 혈전

표면 혈관의 혈전은 종종 하지 초음파검사에서 발견된다. 이런 표면 혈관은 동맥과 함께 위치하지 않는다. 대부분의 경우에서 DVT와 표면 혈전은 치료 방법이 다르므로 이를 구별하는 것이 중요하다.

## 흔히 저지르는 실수

### 환자 체형

모든 초음파검사에서 비만은 항상 문제 요소이다. 검사자는 비만 환자에서 깊은 혈관의 시각화를 위해 확실한 압박을 가해야 한다. 또한 심부 구조물로부터 돌아오는 신호의 증강을 위해 TGC 제어를 이용해 원거리 증폭량을 높이기도 한다. 비만 환자에서는 자세가 아주 중요하다. 가능하다면 정맥혈류를 증가시킬 수 있는 역 트렌델렌부르크 자세를 취하도록 한 다음, 오금 부위를 검사할 때 환자를 엎드리게 하거나 무릎을 굽히게끔 한다.

### 급성 대 만성 혈전

앞서 언급했던 것처럼, 급성 및 만성 DVT의 구분은 쉽지 않다. 시간이 지남에 따라 DVT의 초음파적 모습은 변화한다: 혈전 자체는 점차 구조화(organize)되면서 에코발생도가 커지게 되고, 혈전 부위의 정맥 벽은 더 두꺼워지며 에코발생도가 강해지면서 압박에 더 잘 견디게 된다. 이런 상황에서는 이전에 시행했던 초음파검사들과 비교해보는 것이 도움된다.

### 내부 에코

내부 에코('smoke')는 저혈량 상태인 환자의 정맥에서 종종 관찰되며 큰 정맥에서 쉽게 보인다. (예, 내경정맥과 상지의 쇄골 정맥, 그리고 하지의 일반적인 심부 정맥, 근위부 표면 정맥, 대복재 정맥) 이를 실제 혈전과 혼동해서는 안 된다.

### 혈관 또는 혈전으로 오인되는 다른 구조물들

초보 검사자는 때때로 림프절이나 근육 밴드(muscle band)와 같은 다른 반고체형의 구조물들을 혈전을 동반한 정맥으로 오인하는 경우가 있다. 림프절은 주로 고에코성의 중심부와 저에코성의 주변부를 가지며, 근육 밴드는 내부에 선형 에코를 보이며 둥글고 잘 국한되어 있다. 검사자는 짝지어진 동맥 같은 다른 구조물과 함께 존재할 수 없는 혈관 해부학에 대해 잘 인지하고 있어야 한다. 게다가 확인하고자 하는 구조물을 멀리까지 탐색하면 혈관은 지속해서 존재하고, 림프절은 도중에 사라지는 모습이 감별점이 된다. 이러한 기술은 초음파검사자가 다른 구조물을 혈관으로 오인하지 않는 데 도움이 된다.

다른 낭성 구조물은 혈관으로 오인되기 쉽다. 예를 들어 농양, 단순 연부조직 낭종, 또는 무릎 뒤의 베이커 낭종은 모두 혈액이 채워진 혈관과 닮아 보인다. 이런 상황에서 컬러-유량 도플러를 사용하면 혈관에서는 혈액의 흐름을 찾아내고, 다른 낭성 구조물에서는 혈액의 흐름을 찾지 못하게 된다. 이러한 구조물들은 정맥 혈관과는 달리 압박이 어려우므로 의심되는 구조물에 압박을 가하는 방법이 이 둘을 구분하는 데 도움이 된다.

### 이중 정맥 체계(DUPLICATED VENOUS SYSTEM)

이중 정맥 체계의 존재는 검사자가 혈전을 놓치게 만들 수 있다. 반대로 큰 곁가지 혈관체계(large collateral system)에서는 혈전이 기저 정맥(underlying vein)에 존재하더라도 정맥부분이 개방된 것으로 오인될 수도 있다. 이러한 경우 비교를 위해 반대쪽 다리를 검사하거나, 또는 사용 가능한 경우 과거의 검사 결과를 참고하는 것이 도움된다.

### 모음근 구멍(ADDUCTOR HIATUS)

(표면) 대퇴 정맥은 모음근 구멍을 통과하며, 이것은 섬유 조직으로 둘러싸여 직접적인 압박이 어려워서 혈전에 대해 위 양성 소견을 나타나게 할 수 있다. 탐색자를 다리의 앞쪽 그리고 안쪽에 유지하면서 정맥을 압박함과 동시에 다른 손으로 오금부위를 압박하면 검사에 도움된다.

### 검사를 제한적으로 수행

현장진단 초음파는 장딴지 정맥에 대한 검사를 일반적으로 포함하지 않기 때문에 DVT에 대해서는 제한적인 면이 있다. 그러므로 증상이 지속되는 환자나 검사 전에 혈전의 가능성이 높은 경우에는 3~7일 간격으로 반복적으로 초음파검사를 시행하여 근위부로 확장될 수도 있는 장딴지 정맥 혈전을 놓치지 않도록 해야 한다.

### 하대정맥 또는 골반 정맥 혈전증 누락

고립된 하대정맥 또는 골반 정맥 혈전증은 드물게 발생하는 것으로 하지 압박으로는 직접적으로 보이지 않기 때문에 도플러 파형을 사용하거나 이 단원의 범위를 넘어서는 영상 검사를 사용하여 진단된다. 특히 최근 분만을 하거나 골반 수술을 받은 기왕력이 있는 환자처럼 근위부 혈전이 의심되는 경우에는 추가적인 영상검사를 시행하거나 자문을 얻도록 한다.

### 검사의 다른 장애 요소

국소 압통, 모호한 드레싱, 부종, 화상, 최근 국소 수술은 검사를 수행하기 어렵게 만들거나 아예 검사 결과를 얻을 수 없게 한다.

## 임상진단에서 정맥 초음파의 활용

초음파검사는 증상이 있는 외래 환자에서 하지의 DVT를 진단하는 데 활용되는 일차적인 방법으로 이는 광범위한 근거에 기반을 둔다. 무증상이거나, 고위험군, 입원 환자에서의 초음파는 비교적 낮은 민감도를 보이는 연구 결과가 있음에도 불구하고, 초음파의 정확도와 비침습성, 손쉬운 수행, 가용성, 저렴한 가격, 제한 없이 반복적인 검사가 가능한 점 때문에 급성기 환자에서 선택될 수 있는 검사 기법으로 남아 있다. DVT는 충분한 압박에도 불구하고 정맥 허탈이 생기지 않는 경우 확진할 수 있다. 정맥 흐름의 패턴에 대한 접근은 확진에 도움이 되지만, 스펙트럼 또는 컬러 도플러 신호 분석에서 단독의 이상 소견이 있는 경우 검사의 확실성에 대한 의문을 가져야하며, 이때에는 다른 진단적 검사(정맥 조영술, CT venogram, MR 정맥 조영술)를 고려해야 한다. 컬러 유량 도플러와 여러 술기들은 실시간 초음파에서 보이기 어려운 정맥 부분을 찾아내는 데 도움이 되지만 진단적 정확도를 증가시키지는 않는다.

적절히 훈련된 임상의는 LEDVT 진단에 다른 방사선학적 검사와 비슷한 민감도와 특이도를 가진 CUS 기술을 사용하여 현장진단 초음파를 수행할 수 있다. 이러한 '현장 진단' 검사의 이점은 다른 진단적 검사 방법이 내재한 방사선 노출과, 정맥 접근, 환자 이송에 대한 필요성을 줄일 수 있다는 점이다. 현장에서 시행되는 임상 검사들의 정확도뿐 아니라 중환자실에서 시행되는 초음파검사의 정확도를 좀 더 잘 판단하기 위해서는 추가적인 연구가 필요하다.

| 추가로 읽을 자료 |


American Thoracic Society. The diagnostic approach to acute venous thromboembolism: clinical practice guideline. *Am J Respir Crit Care Med.* 1999;160:1043–1066.

Blaivas M, Lambert MJ, Harwood RA, Wood JP, Konicki J. Lower–extremity Doppler for deep venous thrombosis: can emergency physicians be accurate and fast? *Acad Emerg Med.* 2000;7:120–126.

Frederick MG, Hertzber BS, Kliewer MA, et al. Can the US examination for lower extremity deep venous thrombosis be abbreviated? A prospective study of 755 examinations. *Radiology*. 1996;199:45–47.

Kaplan AE, Kory P. Use of ultrasonography for the diagnosis of venous thromboembolic disease. In: Bolliger CT, Herth FJF, Mayo PH, Miyazawa T, Beamis JF, eds. *Clinical Chest Ultrasound: From the ICU to the Bronchoscopy Suite.* Basel: Karger; 2009:96–109.

Tomkowski WZ, Davidson BL, Wisniewska J, et al. Accuracy of compression ultrasound in screening for deep venous thrombosis in acutely ill medical patients. *Thromb Haemost*. 2007 Feb;97(2):191–194.

# 16 연부조직 및 사지

## 배경지식 및 검사의 적응증

연부조직(soft tissue)과 사지의 질환은 급성기 치료 환경에서 자주 마주하게 되며, 이에 대한 평가는 전통적으로 신체 진찰, 방사선 영상, CT 검사, MRI, 골 스캔을 이용하여 이루어져 왔다. 하지만 최근에는 그러한 영상 검사의 존재감이 현장진단 초음파에 의해 점차 변화하고 있다. 초음파는 봉와직염(cellulitis), 농양(abscess), 괴사성 근막염(necrotizing fasciitis, NF), 이물질, 골절, 근육 및 건(tendon)의 염증, 감염 또는 손상 등의 평가에 유용하다.

근골격계의 현장진단 초음파 평가는 다음과 같은 경우에 시행한다:

- 농양 또는 괴사성 근막염의 존재 여부, 위치, 범위의 평가
- 일반 방사선 영상에 보이지 않는 연부조직의 이물질 확인
- 초음파로 확인되는 이물질 제거 보조
- 근육과 건의 염증이나 감염 평가
- 장골 골절의 평가와 정복 유도

## 탐색자 선택 및 기술적 고려사항

### 주파수의 범위가 7.5 MHz 이상인 선형 탐색자

연부조직과 근골격계 구조물은 주로 표면에 있으므로 더 나은 해상도를 위해서는 높은 주파수의 탐색자를 이용하는 것이 가장 좋다. 심부 구조물의 경우에는 투과성이 좋은 낮은 주파수의 곡선형 탐색자가 적절하다.

### 초점 영역

초점 영역은 구조물이 영상화되는 수준에 맞게 조절되어야 한다. 만일 목표 구조물이 지나치게 표면 쪽에 위치한다면 해상도의 향상 및 탐색자와 구조물간 거리의 증가를 위해 받침 패드를 이용할 수도 있다. 만일 받침 패드를 사용할 수 없다면 정맥용 수액 주머니를 사용할 수 있다. 초점 영

역을 최적화하고 환자의 편안함을 유지하기 위해서는 신체 부분을 수조에 잠긴 상태로 영상화하는 방법도 가능하다.

### 심도

연부조직과 근골격계 손상은 일반적으로 체표면 쪽에 발생한다. 검사자는 화면의 중심부로 관심 영역을 가져 오기 위해 심도를 낮추도록 한다.

### 증폭 또는 시간-증폭 보상

검사 구역으로부터 돌아오는 신호의 강도를 최적화하기 위해 총 증폭량을 보정한다. 깊은 위치에 있는 구조물이나 비만 환자에서는 시간-증폭 보상(TGC)을 이용하여 원거리 증폭을 증가시킬 필요가 있다. 증폭이 과도한 경우 영상이 '씻겨져 나갈' 수 있고, 때로는 영상을 너무 밝게 만들 수 있으므로 적절하게 조정한다.

### 컬러-유량 도플러

컬러-유량 도플러는 혈류를 감지한다. 이는 주변 구조물로부터 혈관을 구별하는 데 유용하다. 이는 초음파 유도하에 이물질을 탐색할 때 혈관에 의도치 않은 손상이 생기는 것을 막는 데 도움이 된다.

## 일반 초음파 해부학

### 피부(SKIN), 근육(MUSCLE) 및 혈관

감염, 부상, 염증, 또는 이물질(그림 16-1)에 대해 평가할 때 검사자는 정상 연부조직의 해부학적 모양에 대해 잘 알고 있어야 한다. 표피(epidermis)와 진피(dermis)는 피부층 아래에 존재하는 저에코성 피하지방(subcutaneous fatty tissue)보다는 좀 더 표면 쪽에 위치한다. 이 지방층을 검사하면 화면에 지방 사이 결합조직 때문에 망상 패턴으로 강조되어 표시된다. 이 층의 두께는 신체 부위나 체형에 따라 다양하다. 근육은 피하지방층보다 깊이 위치하며, 세로축으로는 선형으로, 가로축으로는 점형 모양으로 보이는 규칙적인 내부 줄무늬를 가지고 비교적 저에코성으로 보인다. 혈관은 무에코성이며, 세로축으로는 관 모양으로, 가로축으로는 원형 모양으로 나타난다. 이들은 도플러에서 혈류의 방향에 따라 파란색 또는 붉은 색으로 보인다. 정맥은 벽이 얇고 탐촉자의 압력에 의해 쉽게 허탈되는 반면에, 큰 동맥은 벽이 두껍고, 압박에도 박동성과 개방

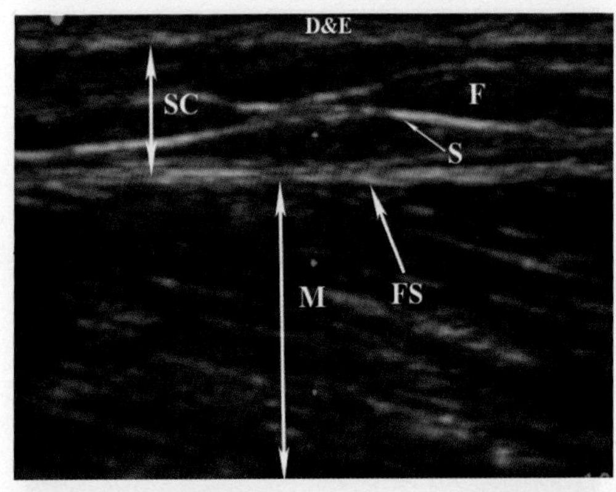


그림 16-1 앞쪽 허벅지 피부와 근육 조직의 정상적인 세로축 영상. 최상위 층은 고에코성의 비균일한 표피와 진피(D & E)이고, 이 주파수로는 서로를 구분할 수 없다. 다음 층은 저에코성의 비균일한 피하지방층(SC)이다. 피하지방층에는 지방 소구(fat flobules)(F) 및 피하 격막(subcutaneous septa)(S)이 있다. 깊은 층은 정상 근 다발과 일치하는 고에코성 및 저에코성의 섬유 패턴이 있는 근육(M)이다. 근막은 수평의 고에코성 선(FS)으로 나타난다.

성이 유지된다.

## 건(TENDON)

정상적인 건은 에코를 발생하며, 세로 및 가로축 모두에서 특징적인 섬유성 패턴(그림 16-2A와 B)이 나타난다. 가로 방향으로 탐색자를 건의 축에 수직으로 위치시킬 때 가장 잘 확인되는 원섬유(fibrils)는 점 모양의 에코 형성 패턴을 보인다. 수직 축에서 조금이라도 각도가 벗어나면 '이방향성(anisotropy)'이라고 불리는 허상이 발생한다(그림 16-3A와 B). 이것은 초음파 빔의 산란의 결과물로 명확한 저에코성의 건을 만들어낸다. 이 허상은 대부분의 건의 병적 소견처럼 저에코성으로 나타나기 때문에 해당 검사 소견을 검사자가 오인하게 만들 수 있다. 이방향성과 건의 동적 속성은 건의 고유한 특성으로, 신경다발과 유사한 모습을 가질 수 있는 주변 구조물로부터 검사자가 건을 구별해내는 데 도움이 된다(그림 16-3A와 B).

신경다발 역시 에코를 발생하는 섬유성 패턴을 보이지만 이것과 건을 구분하는데 유용한 몇 가지 특징적 소견이 있다. 신경 축삭 다발(nerve axon bundle)도 건과 같이 저에코성으로 보이지만 건에서 보이는 원섬유보다는 훨씬 두껍게 나타난다. 또한 횡단면 영상에서 두꺼운 저에코성의

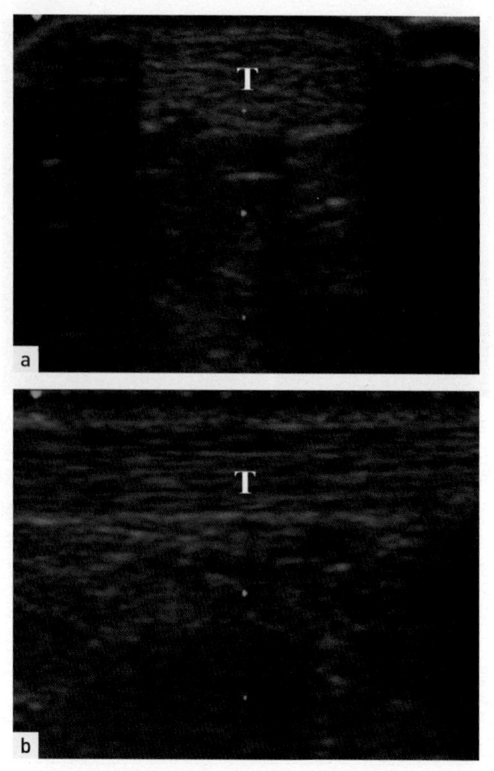


**그림 16-2** 전형적 섬유 패턴을 보이는 아킬레스 건(T)의 정상 가로 **(a)**와 세로 **(b)** 면 영상.

축삭으로 인한 '벌집' 모양이 신경 내부에 확인된다는 점이 특징적이다. 역시 앞에서 설명한 것처럼, 건은 이방향성을 보이지만 신경은 그렇지 않다(그림16−3A와 B).

### 뼈

뼈는 초음파에서 얇고 밝은 에코성의 피질과 함께 두드러진 후방 음향 음영과 함께 반향허상이 자주 동반된다(그림 16−3A). 피질의 모양은 검사하는 뼈의 윤곽을 반영하는 것으로 장골은 단면 영상에서 밝은 곡선 형태로, 세로영상에서는 일직선으로 보인다. 갈비뼈는 크기가 작고, 흉곽을 따라 곡선의 경로를 보이지만, 이는 초음파 상에서는 장골과 유사하게 보인다. 갈비뼈는 벽측, 장측 흉막(pleura)보다 표면에 위치하며 흉막은 단면 영상에서 두 개의 갈비뼈 음영 사이에서 앞뒤로 움직이는 모습으로 관

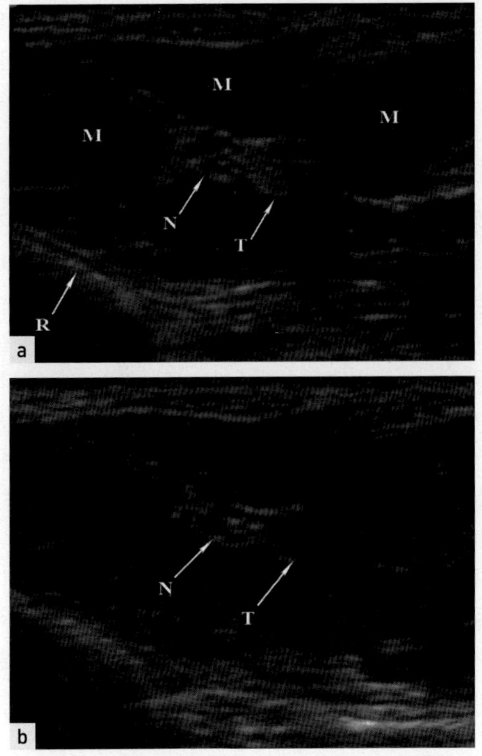


**그림 16-3** 정중신경(N)과 건(T)이 보이는 전완 중반부의 횡단면 영상. 건이 좀 더 섬유 패턴을 나타내는 것에 반해 신경은 벌집 모양으로 분명한 다발이 관찰된다. **(a)**에서는 초음파 빔이 신경(N)과 건(T)에 수직이며, **(b)**에서는 초음파 빔이 20도로 기울어진 상태에서 신경(N)에서와는 달리 건(T)에서는 에코발생도가 감소한 것처럼 보인다. 또한 **(a)**에서는 근육 다발(M)과 요골의 피질(R)이 보인다.

찰된다(7장 참고).

## 검사 프로토콜

### 표면 연부조직

연부조직과 근골격계 구조는 세로(시상) 및 단(가로)축의 모든 방향에서 탐색되어야 한다. 이 구조물들은 표면에 위치하기 때문에 고주파 선형 탐색자를 이용한다. 낮은 주파수의 곡선형 탐색자는 깊은 곳에 있는 병변을 식별 하거나 탐색이 어려운 환자에서 사용될 수 있다. 하키 스틱 모양의 탐색자는 손가락이나 구강의 편도 주위 농양의 평가와 같이 좁은 영역의 검사에 활용된다. 내강 탐색자는 구강 평가에 매우 효과적인데, 이는 멸균적 시술은 아니지만 위생을 위해 탐색자 덮개 또는 테가덤을 탐촉자 위에 덮도록 한다. 염증 부위는 바깥쪽 가장자리에서부터 반대쪽 바깥 가장자리까지 탐색되어야 하며, 이는 기저에 존재하는 고름집을 놓치지 않기 위함이다. 농양이나 다른 조직 파편을 의미하는 고름 흐름(pus flow)의 전형적인 모습을 평가하기 위해 부드러운 압력을 피부에 가할 수 있다. 컬러-유량 도플러가 혈관, 신경 다발, 또는 림프절(lymph node)과 같은 다른 주변 구조로부터 농양을 구분하는 데 사용된다. 받침 패드는 초점 영역과 해상도를 개선하기 위해 탐촉자와 피부 사이에 놓일 수 있다. 받침 패드의 대체재로 정맥용 수액 주머니 또는 겔이나 물이 담긴 검사용 장갑과 같이 손쉽게 이용 가능한 재료들이 활용되기도 한다. 공기는 허상을 만들어 내어 영상의 품질을 떨어뜨리므로 장갑 안에 공기가 들어가지 않도록 하는 것이 중요하다. 간단하게 상업적으로 생산된 받침 패드를 사용할 수 있다.

수조 기술은 물이 담긴 공간에 사지를 잠기게 한 뒤 초음파검사를 진행하는 것을 말한다. 이것은 탐촉자 또는 받침대가 이환 부위에 직접 접촉하여 생기는 환자의 불편감을 제거할 수 있고, 이전의 전통적인 방법에 비해 건과 이물질에 대해 양질의 영상 획득이 가능하다.

## 초음파검사에서의 이상 소견

### 봉와직염(CELLULITES)

봉와직염은 림프관의 울혈로 인해 피하 지방층에 부종이 동반된 울퉁불퉁한 패턴으로 초음파에서 보인다(그림 16-4). 이 패턴은 비특이적으로 울혈성 심부전이나 심부 정맥 혈전증과 같은 다른 질병의 진행 과정 중에도 보일 수 있다. 봉와직염이 항상 울퉁불퉁한 무늬를 보이는 것은 아니며 때로는 조직의 단면 사이에 균일한 회색 영역으로 나타나 다른 구조물들과 구분이 어려운 경우도 있다. 컬러-유량 도플러는 감염과 염증으로 인해 혈류의 증가가 있는 봉와직염을 좀 더 명확하게 진단하는 데 이용된다. 진단이 불확실한 경우 비교를 위해 반대쪽 신체 부위에 대한 검사가 반드시 이루어져야만 한다.

### 농양(ABSCESS)

농양은 균일하고 무에코성으로 보이는 것에서부터 고에코성이나 저에코

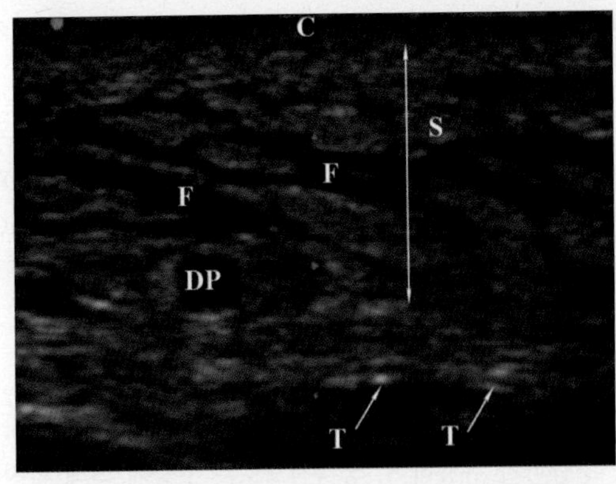


**그림 16-4** 다리 봉와직염의 횡단면 영상. 맨 위 부분은 피부층(C)으로 표피와 진피(C)이다. 지방 소구 사이에 액체(F)가 존재하고, 피하 층(S) 내부에 자갈모양의 패턴이 있다. 족배동맥(dorsalis pedis)(DP)은 단면이 무에코성의 구조물로 보인다. 또한 족부뼈(tarsal bone)(T)의 표면 피질을 나타내는 고에코성의 라인과 후방 음영이 보인다.

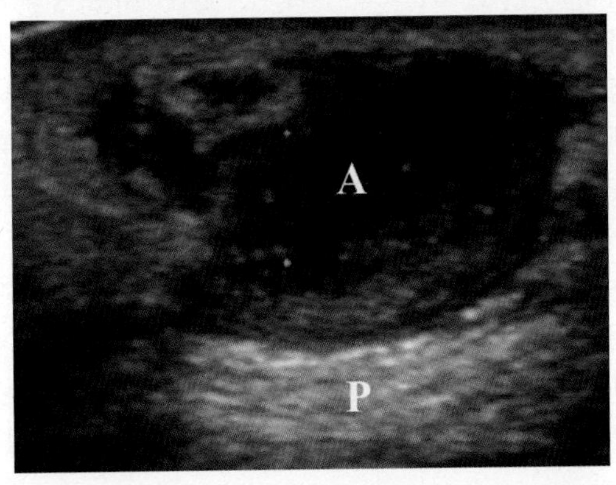


**그림 16-5** 하지 농양(A)의 가로면 영상. 농양의 내부는 고름과 조직파편과 같은 물질들로 채워져 있다. 후방 음향 증강 허상은 농양(P)의 후벽에서 볼 수 있다.

성으로 나타나는 것까지 다양한 모습을 띨 수 있다(그림 16−5). 게다가 환자의 통증에 대한 감수성과 내부 압력의 존재 여부에 따라 압박이 가능하기도 하다. 만일 압박이 가능하다면 공간 내에서 고름과 파편의 소용돌이를 종종 관찰할 수 있다. 후향증강허상(posterior enhancement artifact)은 낭성 구조를 통과하는 초음파 빔 때문에 농양 후벽의 원위부에 나타난다(그림 16−5). 때에 따라, 유연도(elastography) (조직 강성을 측정하는 초음파 기술)가 농양이 성공적으로 배출 가능한지를 결정하고, 농양강과 주변부의 경화를 상세하게 기술하는 데 도움이 된다. 림프절에 염증이 있는 경우에도 초음파에서 저에코성으로 보인다. 두 질환은 치료 방법이 다르므로 이 둘을 구분하는 것은 중요하다. 림프절은 일반적으로 타원형의 구조물로 고에코성의 중심부와 저에코성의 주변부로 구성되어 있으며, 피질의 혈관분포는 혈액흐름의 신호로 보이기 때문에 농양과는 반대로 나타난다. 따라서 특정 구조물에서 컬러-유량이 보이는 경우에는 절개 및 배농을 시도하기 전에 추가적인 조사를 진행해야 한다.

## 괴사성 근막염(NECROTIZING FASCIITIS)

괴사성 근막염(necrotizing fasciitis, NF)의 진단에는 일반 방사선 촬영, CT, MRI, 초음파가 유용하며, 궁극적으로는 수술에 의해 확진된다. 초음파검사는 NF를 진단하는 데 있어 CT나 MRI처럼 민감하지는 않지만 현장에서 신속하게 수행 가능하다는 점이 장점이다. 초음파검사에서 NF는 근육의 근막 단면 위에 >4 mm 크기로 체액층이 존재하여 피하 조직이 광범위하게 비후된 모양으로 나타난다. 게다가 NF는 종종 가스 거품을 만들어내는 미생물을 함유하고 있어, 가스 거품이 초음파에서 에코발생도가 점차 줄어드는 혜성의 꼬리 같은 허상을 보이는 '지저분한' 점 모양의 고에코성 구역으로 보인다. NF를 평가할 때에는 영상의 획득은 반드시 두 단면에서 시행되어야 하고, 중력에 의존적인 부분에서 행해져야 한다. 액체 저류는 쉽게 압박될 수 있기 때문에 만일 검사자가 탐색자에 너무 많은 압력을 가할 경우 위음성으로 결과를 해석할 수 있음에 주의한다. 압박을 덜 가하고, 이환 부위 위에 초음파 겔을 'floating' 시키면 진단을 놓치지 않는 데 도움이 된다. 만일 초음파에서 NF가 의심되는 경우 의료진은 즉시 수술을 의뢰해야 하고, 확진을 위해 추가 검사를 진행한다.

## 근육 병리

근육의 완전 파열 및 부분 파열은 초음파로 진단할 수 있다. 완전 파열에서는 두 근육 사이에서 혈액과 부종으로 보이는 무에코성 구역이 나타난다. 부분 파열에서는 근육이 단지 얇아져 보이는 소견만 보이게 된다. 초음파로 검사할 수 있는 다른 근육 질환으로는 근육염이 있는데, 이는 반대쪽 근육과 비교했을 때 근육 섬유에 염증과 부종이 존재하는 경우 진단할 수 있다.

## 건 손상

일반적으로 건의 완전 파열은 신체 진찰로도 명백히 알 수 있다. 완전 파

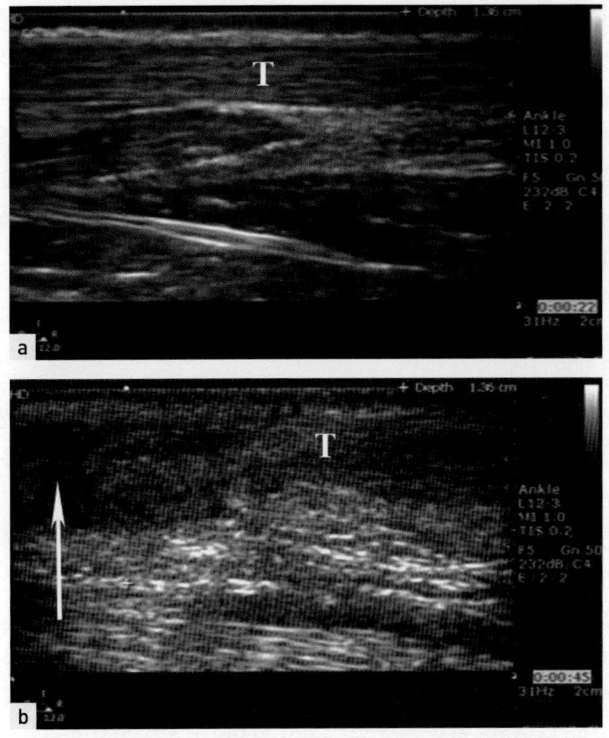


**그림 16-6 (a)**에서 탐색자는 환자의 발목 뒤에 걸쳐 세로축방향에서 정상 아킬레스 건(T)을 보여주고 있다. **(b)**에서 탐색자는 압통이 있는 발목 근위부의 뒤에서 건(T) 파열(화살표)을 나타낸다. 건의 불규칙적인 외양과 저에코성의 구역은 혈액을 나타낼 가능성이 높다는 점에 주목하라.

열보다 건의 부분 파열이 훨씬 더 진단하기 어렵기에 이때에는 초음파가 아주 유용하다. 완전 파열에서는 검사 시 근육 섬유의 전층에 뚜렷한 불연속성이 나타난다. 진단이(그림 16−6A와 b) 지연되면 고에코성 혈전 또는 육아종 조직이 보이게 되고, 최근에 파열이 일어난 경우에는 건의 두 말단 사이에 저에코성의 혈액이 채워져 있다. 건열 골절(bone avulsion)이 동반된 경우 고에코성의 뼛조각과 함께 음향 음영이 확인된다. 불완전한 파열은 규칙적인 섬유 패턴에서 저에코성의 결점으로 보이거나 건이 얇아진 것처럼 나타난다.

## 건염(TENDONITIS) 및 건초염(TENOSYNOVITIS)

급성 건염이란 직업적 활동이나 운동 때문에 흔히 생기는 건의 염증을 말한다. 급성 건초염은 건집(tendon sheath)의 세균 감염이다. 염증성 건염과 세균성 건초염 모두 초음파에서는 비슷하게 보이며, 병력과 임상 양상이 둘을 구분하는 데 도움이 된다. 초음파에서 건염은 불분명한 가장자리를 보이는 저에코성의 두꺼워진 건으로 나타난다. 건 주변에 무에코성의 액체가 보일 수도 있다. 화농성 감염의 진행을 뜻하는 화농성 건초염은 즉시 치료하지 않으면 급속하게 건 파괴로도 이어질 수 있는 심각한 상황이다. 이 상태에서 화농성 파편이 건집 내에 고에코성으로 국소적으로 보일 수도 있다. 건을 평가할 때는 비교를 위해 반대쪽을 확인해야 한다.

## 이물질(FOREIGN BODY)

이물질은 구성, 크기, 길이, 뿐만 아니라 이물질이 조직 안에서 존재했던 기간에 따라 초음파 소견이 다양하다. 금속, 유리, 나무, 플라스틱 등 대부분의 이물질은 에코발생도를 띠지만 그들의 크기나 모양에 따라 각기 다른 음향 음영을 보인다. 나무 재질은 일반적으로 고에코성이며, 후방 음향 음영을 보인다(그림 16-7a 및 B). 바늘 같은 선형 금속 이물질은 밝게 보이면서 원위부로는 규칙적인 간격의 평행한 선이 밝게 나타나는 잔향 허상이 특징적이다. 볼 베어링같이 크기가 작거나 원형인 금속성 물질은 이물질로부터 먼 방향으로 투사되는 밝은 선 모양의 혜성 꼬리 허상을 보인다. 플라스틱은 눈에 띄는 잔향 허상이 보이는 것이 일반적이며, 자갈은 담석과 비슷하게 후방 음향 음영이 두드러진다. 유리는 일관되지는 않지만, 이들 중 일부는 공기 축적으로 인해 발생하는 음향 음영, 잔향 허상 또는 들쭉날쭉 한 가장자리의 주위 미만성 빔 산란을 보인다. 만약 이물질이 24시간 이상 존재했던 경우에는 이물질은 주위의 부종과 더불어 농 또는 육아조직을 의미하는 저에코성의 'halo'로 둘러싸여 있기도 하다.

초음파는 이물질의 시각화에는 효과적이지만, 민감도가 떨어지기 때문에 이물질의 존재를 배제하기 위해 단독으로 사용해서는 안 된다.

## 골절(FRACTURE)

골절은 골 피질의 분절로 보이게 된다(그림 16-8). 만일 골절이 이전에 명백하지는 않았더라도 환자가 두드러지는 압통을 호소하고, 탐색자로 부드러운 압력을 가했을 때 단순 방사선 영상에서 보이지 않았던 분절이 확인되며, 피질의 확장 소견이 나타나기도 한다. 특히 갈비뼈 골절의 경우, 초음파에서는 방사선 사진에 보이지 않으면서 정상적인 호흡 패턴을

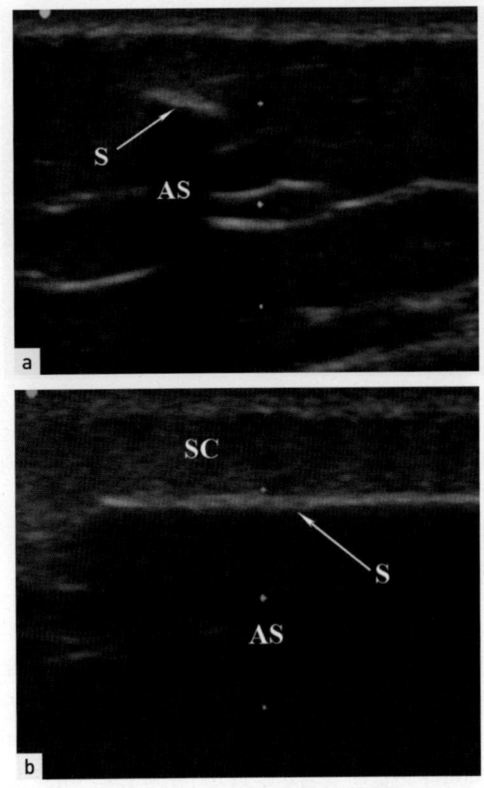


그림 16-7 엉덩이의 피하 조직(SC) 내부에서 단축**(a)**와 장축**(b)** 방향으로 관찰되는 wooden silver(S). 이물질이 후방 음향 음영(AS)을 발생하는 선형의 고에코성 물질로 보인다.

보이는 작은 피질 분절이 보일 수 있다. 골절은 종종 혈액이나 부종을 의미하는 주변의 무에코성 영역과 동반된다. 초음파는 장골 골절에서 정확한 피질 정렬을 유도하는 데 도움이 되어 정복술 시행 시 보조적으로 사용될 수 있다.

## 흔히 저지르는 실수

### 정상 해부체계의 인식 실패

만일 조직이 정상인지 병적인지 확실치 않다면 대조군으로 활용하기 위해 병변이 없는 사지를 확인해보는 것이 좋다. 초음파검사자는 적절한 비교를 위해 같은 탐색자로 반대 쪽을 확인하도록 한다.

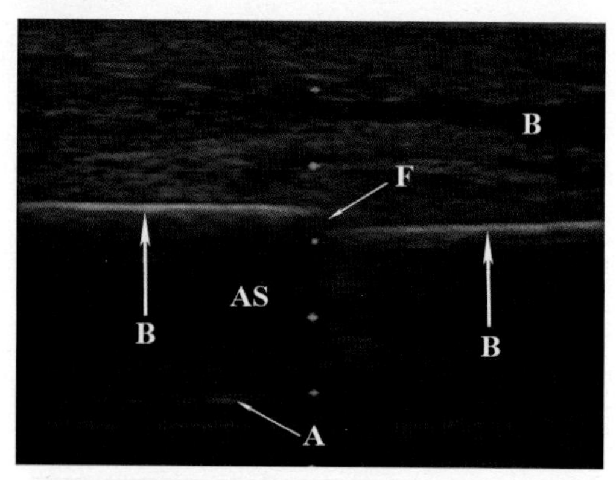


**그림 16-8** 비골 골절. 세로면 영상에서 비골의 정상 피질이 가로 방향의 고에코성 선형 띠(B)모양으로 보인다. 피질의 분절은 골절(F)을 나타낸다. 뼈 주변의 저에코성 영역은 혈액(B)이다. 후방 음향 음영(AS)은 초음파 빔을 방해하는 뼈조직에 의해 발생한다. 잔향 허상 (A)도 후방에서 관찰된다.

## 건으로 오인되는 다른 구조물들

건은 신경, 근육, 뼈같이 비슷한 모습을 보이는 다른 구조물로 오인될 수 있다. 정상적인 건과 병적 소견을 확인하기 위해 한 번 더 양측을 탐색한다. 또한, 이방향성의 독특한 특징과 건의 동적 속성은 이 구분 작업에 도움이 되는 중요한 특징이다. 이방향성의 존재를 확인하기 위해 수직축에서 조금 벗어난 각도로 탐색자를 위치시켜 볼 수도 있다. 환자에게 건 기능을 평가하기 위해 신체 일부분을 움직여 보도록 요청할 수도 있는데 이는 건을 다른 구조물로부터 구별하는 데 유용하다.

## 건의 병적 상태로 오인되는 이방향성

초음파 탐색자는 최적의 평가를 위해 건 섬유에 수직으로 위치되어야 한다. 앞에서 언급한 것처럼, 탐색자가 수직축에서 벗어날 경우 건이 좀 더 저에코성으로 나타난다. 이러한 이방향성은 건 파열이나 찢김으로 오인되기도 한다. 검사자는 진성 파열과 허상을 구분하기 위하여 근위부 및 원위부를 움직이게 한 뒤 탐촉자를 넓게 펼쳐봄으로써 건 전체를 확인할 수 있다. 이방향성은 탐색자가 건에 점점 수직 방향에 위치됨에 따라 사라지게 되지만 진성 파열은 그렇지 않다.

## 위치로 인해 건 발견이 어려운 경우

건 섬유는 고에코성을 띄기 때문에 비교적 저에코성인 근육 섬유와 식별이 비교적 쉽다. 하지만 건이 지방 조직 같은 좀더 고에코성인 구조물 옆에 위치할 경우 구분이 어려울 수도 있다. 이 상황에서는 건의 동적 특성이 도움된다. 초음파검사자는 환자에게 사지를 굽히거나 펴도록 요청할 수 있고 그에 따른 움직임을 실시간으로 확인하게 된다.

### 어려운 환자 또는 심부 구조물

대부분의 연부조직에 대한 검사는 선형 고주파 탐색자를 이용하여 이루어진다. 심부 농양, 근육, 혈종 또는 비만한 환자를 평가하는 특수한 상황에서는 투과력이 탁월한 저주파 탐색자가 사용된다. 부적절한 탐색자를 사용할 경우 최적의 이미지를 얻을 수 없고, 병적 소견을 놓치게 된다.

### 탐색자 압력

봉와직염, 농양, 괴사성 근막염에 너무 많은 압력을 가할 경우 위음성 소견을 얻을 수 있다. 검사자는 매질로 얇게 도포된 초음파 겔을 사용하여 관심 조직 위에 부드럽게 탐색자를 위치시켜야 한다. 이 방법을 이용하면 압박하지 않은 상태에서도 조직 확인이 가능하다. 농양이 의심되는 경우에는 부드러운 압력을 가하면 내강 안에 농양이 소용돌이치는 것을 볼 수 있고 미묘한 액체 저류를 발견하는데 도움이 된다.

### 림프절

림프절은 농양과 비슷하게 보일 수 있으므로 손상을 피하기 위해서 농양과 구분해야 한다. 림프절은 혈관이 많지만, 농양은 그렇지 않기 때문에 컬러-유량 도플러를 사용하여 구분할 수 있다. 또한 림프절을 압박해보면 액체의 특성을 좀 더 가지는 농양과는 달리 림프절은 압박이 되지 않는다.

## 임상진단에서 근골격계 초음파의 활용

현장진단 근골격계 초음파는 급성기 치료 의학의 중요한 부분을 담당하게 되었다. 전통적으로 이러한 상황 대부분은 단순 방사선, CT 스캔 및 MRI 등 기존의 방법을 사용하여 진단되었다. 현장진단 초음파의 사용은 편리하고 진단의 정확도를 더 증가시키는 것으로 나타났다.

초음파검사는 최근 연부조직 감염을 평가하는 데 일상적으로 사용되며 봉와직염으로부터 농양을 정확히 구분할 수 있다. 게다가 괴사성 근막염을 진단하는 데 매우 민감한 방법은 아니지만, 초음파검사에서 의심이 된다면, 치료를 서둘러 사망률을 감소시킬 수 있다.

골절은 일반적인 방사선검사로 가장 흔히 진단되지만, 잠재적인 골절을 진단하는 데 초음파검사가 주목받고 있다. 초음파의 사용은 CT 검사 등 추가 검사의 처방 및 그에 따르는 방사선 노출을 줄인다. 게다가 초음파는 때때로 단순 방사선 영상에서 놓친 늑골이나 흉골 또는 코뼈 골절 같은 특정 형태의 골절을 진단하는 데 민감한 것으로 입증되었다.

건에 대한 초음파적 평가는 사용이 간편하고, 파열을 정확하게 찾아낼 수 있어서 사용 빈도가 증가하고 있다. 이것은 부분 파열이 의심되는 경우, 신체 검사가 불확실한 경우, MRI를 이용할 수 없는 경우에 유용하다.

이물질은 초음파로 쉽게 진단된다. 이는 신속하게, 방사선 노출 없이 병상에서 수행 가능한 믿을만한 방법이다. 초음파는 종종 일반적인 방사선검사에서 놓친 구조물을 식별하고, 체내에 남아 있는 이물질로 인한 합병증을 방지한다.

초음파의 역할은 근골격계 손상의 영역에서 점점 확장되고 있지만, 여전히 한계를 지니고 있다. 질병의 진행이 의심되지만, 초음파에서 발견되지 않은 경우에는 단순 방사선 영상, CT나 MRI와 같은 다른 검사들이 시행되어야 하고 협진이 적절하게 이루어져야 한다.

| 추가로 읽을 자료 |

Blaivas M, Lyon M, Brannam L, Duggal S, Sierzenski P. Water bath evaluation technique for emergency ultrasound of painful superficial structures. *Am J Emerg Med.* 2004;22(7):589–593.

Chau CL, Griffith JF. Musculoskeletal infections: ultrasound appearances. *Clin Radiol*. 2005 Feb;60(suppl 2):149–159.

Dean AJ, Gronczewski CA, Costantino TG. Technique for emergency medicine bedside ultrasound identification of a radiolucent foreign body. *J Emerg Med*. 2003;24(3):303–308.

Tayal VS, Hasan N, Norton J, et al. The effect of soft–tissue ultrasound on the management of cellulitis in the emergency department. *Acad Emerg Med*. 2006;13:384–388.

Yen ZS, Wang HP, Ma HM, et al. Ultrasonographic screening of clinically–suspected necrotizing fasciitis. *Acad Emerg Med.* 2002 Dec;9(suppl 12):1448–1451.

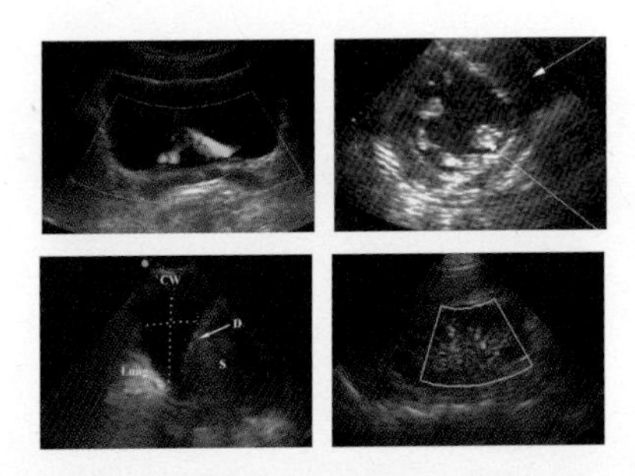


# PART 03 술기편

# 17 정맥 확보

## 배경지식 및 검사의 적응증

신속하고 안전한 정맥 카테터(도관)의 삽입은 급성기 환자 치료에 필수이다. 정맥 확보(venous access)라는 말은 체 표면의 말초 혈관에 대한 삽관에서부터 큰 중심정맥의 삽관까지 모두를 아우른다. 전통적으로 정맥 확보는 혈관을 직접 보지 않고 혈관을 촉진하거나 해부학적 지표를 이용하였다. 최근에 중심 정맥 확보 시 초음파 유도를 흔하게 이용하고 있고, 특히 난이도가 높은 말초혈관확보에 이를 활용함으로써 중심혈관확보의 필요성을 줄일 수도 있다.

환자나 시술자의 특성에 따라서 정맥 확보가 어려울 수도 있다. 비만, 정맥 내 약물 사용, 만성 질환에 의해 여러 번의 정맥 확보 시도가 있었던 경우, 중증의 혈관 내 체액 결핍 상태, 정맥 혈전, 응고병증, 시술자의 경험 부족, 환자의 임상 상황에 따른 시술자의 불안감 등이 원인일 수 있다. 수액이나 약물의 투여, 혈역학적 감시, 정맥을 통한 심박동기 삽입 또는 혈액투석과 같이 신속히 정맥혈관 확보가 필요할 때 초음파를 활용하면 큰 도움이 된다.

중심 정맥 삽관의 합병증으로는 실패, 동맥 출혈, 기흉, 유도 철사의 분실, 카테터를 통한 혈류 감염이 있다. 최근의 연구들에서는 초음파 유도 중심 정맥 확보가 해부학적 지표를 이용한 전통적 방법과 비교했을 때 실패 횟수를 감소시킨다고 기술하고 있다. 또한, 중증 환자에서 정맥 확보에 걸리는 시간 역시 줄일 수 있다. 특정 상황에서의 쇄골하 접근법을 제외하더라도, 중심 정맥 도관 삽관에는 초음파 유도 방법이 추천된다.

임상에서의 초음파-유도 정맥 확보는 다음과 같은 환자들에게 시행되어야 한다:

- 말초 정맥 확보가 어려운 환자
- 중심 정맥 확보가 필요한 환자

## 탐색자 선택과 기술적 고려사항

### 주파수 범위가 7.5~10.0 MHz인 선형 배열 탐색자

주파수 범위가 7.5~10 MHz인 선형 배열 탐색자를 이용한다. 고주파수 탐색자는 체표면에 가까운 구조물들에 대해 해상도가 높은 영상을 제공한다. 선형 탐색자는 바늘의 끝을 쉽게 추적할 수 있도록 직사각형 또는 정사각형 모양의 영상을 만들어 낸다.

### 초점

영상의 외측 해상력을 최대화하기 위해 초점을 혈관 위치에 맞추도록 한다.

### 심도

확인하고자 하는 혈관이 화면의 3/4 정도를 차지하도록 심도를 조절해야 한다. 대부분의 목표 혈관들은 체표면에 인접해 있을 것이다; 이러한 경우 심도를 적절하게 감소시키도록 한다.

### 기계의 프리셋

혈관 확보를 위해서는 초음파 기기의 '혈관' 전용 세팅을 활용한다. 이는 영상의 해상도와 선명도를 최적화시킨다.

### 증폭

혈관 벽에서 되돌아오는 신호를 강화시키기 위해 총 증폭량을 증가시킬 수 있으며 이는 혈관 식별에 도움이 된다. 원거리 증폭이나 시간-증폭 보상(time-gain compensation (TGC))은 깊은 곳에 있는 혈관들로부터 되돌아오는 신호의 강화를 위해 단독으로 증가시킬 수도 있으며, 이는 특히 비만 환자에서 유용하다.

### 컬러-유량 도플러

컬러-유량 도플러는 혈관 내부의 혈류를 식별한다. 혈관의 위치가 불분명한 경우에 이 방법을 사용하면 혈관의 정확한 위치 파악이 가능하며, 컬러 유량이 생기지 않는 다른 주위 구조물로부터 혈관을 감별하는 데도 도움이 된다.

## 멸균적 주의사항

말초 정맥 확보가 멸균적 시술은 아니더라도 환자의 체액이 노출될 수 있어 테가덤(Tegaderm)과 같은 탐색자 덮개를 이용하여 탐색자를 청결히 유지할 수 있다. 반면, 중심 정맥 확보는 무균적 시술이므로 일반적인 주의사항과 더불어 무균 탐색자 덮개와 겔을 이용하도록 한다.

## 정적 대(vs) 동적 접근법

정적 접근법은 초음파를 이용하여 혈관의 주행방향의 두 지점을 약 1 cm 간격으로 표시하여 혈관의 위치를 나타내는 것이다. 삽관용 주사 바늘을 근위부에 먼저 삽입하고 이후 실시간 초음파 유도 없이 원위부를 향해 전진한다. 이 방법은 동적인 접근법에 비해 실패 확률이 높아 추천되지 않는다.

좀 더 흔히 이용되는 동적 접근법은 시술자가 실시간 초음파 유도하에 혈관을 확인하고 삽관하는 것이다. 동적 접근법은 한 명 또는 두 명의 시술자에 의해 시행될 수 있으며 시술자가 두 명인 경우, 한 사람은 탐색자를 쥐고 나머지 사람이 시술을 수행한다. 이는 시술자가 바늘을 삽입하고 카테터를 진입시킬 때 양손을 사용할 수 있다는 장점이 있다. 하지만 그보다는 한 사람의 시술자가 한 손에 탐색자를 쥐고 다른 손으로 바늘을 삽입하는 방법이 일반적이다. 이 방법을 이용하면 시술자가 보조자의 도움 없이 탐색자의 위치를 세밀하게 조절할 수 있다.

## 장축 대 단축

초음파-유도 정맥 확보는 단축(횡단 또는 '단면-외') 또는 장축(시상 또는 '단면-내')으로 시행될 수 있다. 단축 영상에서는 탐색자가 혈관 진행 방향의 수직면에 위치하여 횡단면 영상을 만들어낸다(그림 17-1). 단축을 통한 시술은 혈관 천자가 쉬워 초심자들이 배우는 기본 기술이며, 동맥이나 신경 같은 인접한 구조물들을 동시에 시각화할 수 있다는 점이 장점이다. 이 기술의 단점은 혈관의 내강으로 바늘 끝이 얼마나 깊이 들어갔는지 판단하기가 어렵다는 점이다; 그래서, 간혹 너무 깊이 바늘을 밀어 넣어서 혈관의 후벽을 뚫는 경우도 있다. 이는 혈관의 '침윤'을 일으키고 혈액의 혈관 외 유출을 만들어 연부조직 혈종을 발생시키며, 혈관을 정맥 확보에 부적합한 상태로 만들어 버린다. 특히 중심 정맥 확보 시에는 인접하여 위치한 동맥 등 다른 혈관의 손상을 초래하기도 한다. 이 방법에서는 삽입되는 바늘이 초음파 빔을 지나칠 때만 화면에 고에코성의

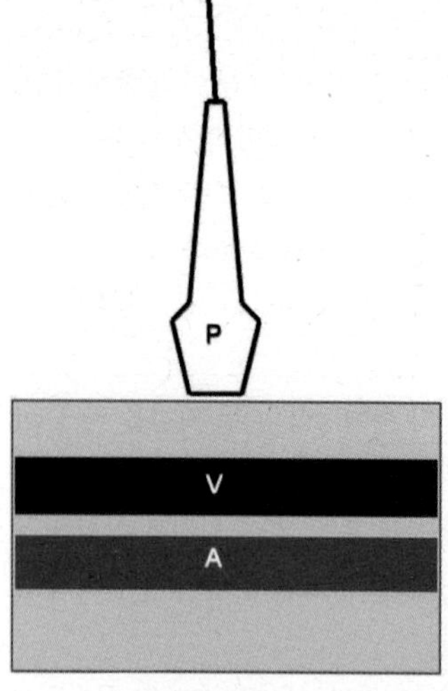


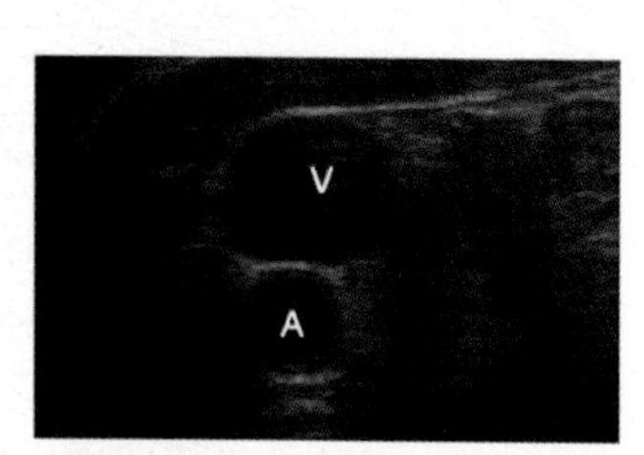


**그림 17-1** 정맥과 동맥의 단축(가로면) 영상. 그림의 왼쪽에서 탐색자가 혈관으로부터 직각 방향에 위치함을 주목하라. 오른쪽 영상은 화면에서 혈관의 단면을 보여준다. V: 정맥, A: 동맥, P: 탐색자.

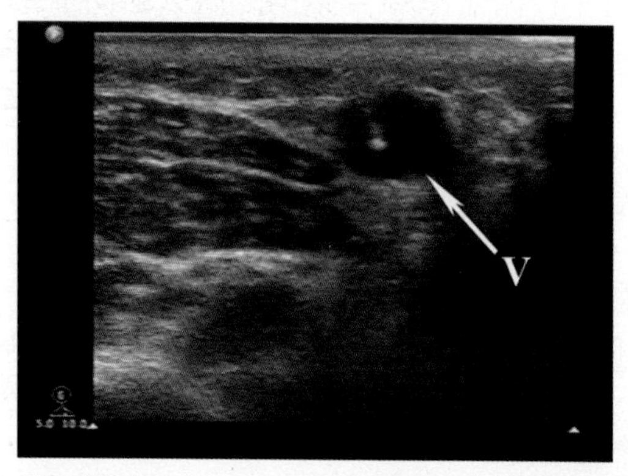


**그림 17-2** 이 영상은 말초 정맥 확보 시 단축 접근법을 나타낸다. 단면 방향에서의 혈관(V)을 주목하라. '과녁 징후'가 내강의 중심부에 밝은 고에코성 구조로 보여 혈관이 바늘 내부에 있음을 알 수 있다.

점으로 보이게 된다. 바늘은 혈관의 가까운 벽을 뚫고 무에코성의 혈관 내강의 중심부에 밝은 흰색의 고에코성의 허상을 만들어내는 데 이를 '표적징후(target sign)'라 부른다(그림 17-2). 이 징후가 확인되면, 바늘은 혈관 안에 위치하여 카테터에 혈액이 비치게 되며 바늘을 더 이상 진입시켜서는 안 된다.

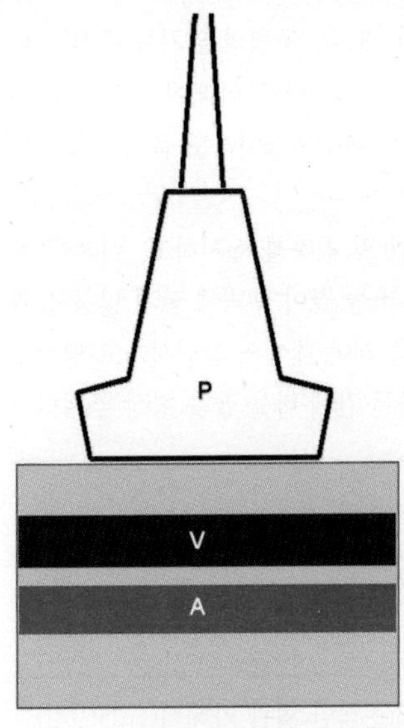


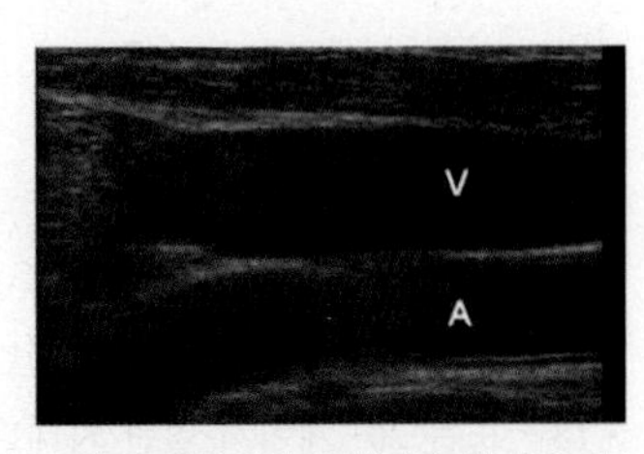


**그림 17-3** 정맥과 동맥의 세로(시상면) 영상. 그림의 왼쪽에서 탐색자가 혈관으로부터 평행 방향에 위치함을 주목하라. 오른쪽 영상은 화면에서 혈관의 장축 영상을 보여준다. V: 정맥, A: 동맥, P: 탐색자.

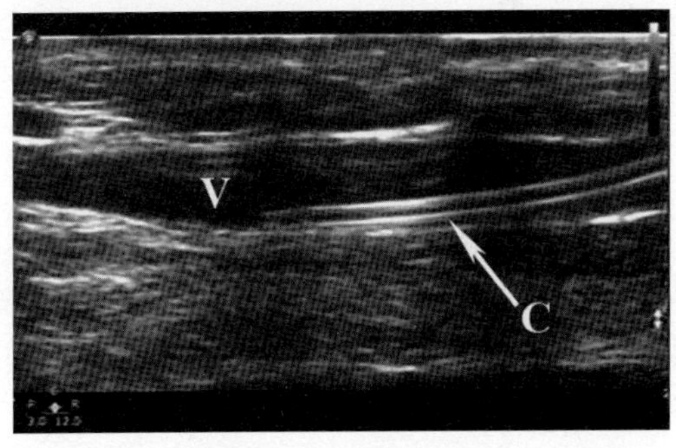


**그림 17-4** 이 영상은 말초 정맥 확보 시 장축 접근법을 나타낸다. 시상 방향에서의 혈관(V)을 주목하라. 내강 안에 두 개의 밝은 고에코성 선이 카테터(C)를 나타낸다.

장축 접근법은 탐색자가 혈관에 평행하게 위치되어 세로방향 단면 영상을 만들어낸다(그림 17-3). 이 방법은 혈관 내강 안에 있는 바늘의 총 길이를 눈으로 확인하여 혈관의 후벽을 관통하는 것을 방지할 수 있다는 점이 장점이다(그림 17-4). 하지만 이 방향에서는 탐색자의 폭이 좁아 바늘이 정확하게 그 아래에 위치해야만 바늘을 완전히 확인할 수 있다는 한계점이 있다. 탐색자가 조금만 움직여도 바늘이 초음파 빔의 폭을 벗어나게 되므로 화면에서 확인이 어렵게 된다. 또한, 동맥의 위치를 동시에 확인하는 것이 어려울 수도 있어서(동맥이 정맥 바로 아래에 있는 경우는 제외) 결과적으로, 초음파 빔 바깥에서 바늘이 조금이라도 움직이게 되면 원치 않는 동맥 천자를 일으킬 수 있다.

보통 단축 시야에서 목표 정맥의 확인 및 천자를 실시하고, 이후에 90도로 탐색자를 회전시켜 장축 시야에서 바늘 끝이 후벽에 닿지 않음을 확인한다. 그 다음에 정맥용 카테터를 장축 시야 내에서 진입시키고 영상을 확인하도록 한다. 어떠한 방법을 선택하든 간에 바늘 끝을 항상 추적하는 것이 중요하다.

## 초음파-유도 말초 정맥 확보

### 준비물

- 18- 또는 20-게이지 혈관 카테터: 표준적인 혈관 카테터(1.25인치)는 체표면 정맥에 적합하고, 길이가 더 긴 카테터(1.88~2.5인치)는 깊은 곳에 있는 혈관에 적합하다. 일반적으로, 초음파는 깊은 곳(>5 mm)을 확인하는 데 도움이 되므로 초음파-유도 말초 혈관 확보에서는 혈관이 체표면에 매우 가까이 있는 것이 아니라면 긴 카테터가 이용된다.
- 지혈대(토니켓)
- 알코올 솜 또는 클로르헥시딘(chlorhexidine) 도포 도구
- 25- 또는 27 게이지 크기 바늘의 리도카인 주사기
- 거즈
- IV 부위를 안전하게 할 드레싱 물품, 진공채혈관, 채혈관, 필요시 IV 연결 및 세척(flush) 도구

### 해부학

팔의 요골측피부정맥(cephalic vein), 척골측피부정맥(basilic vein) 또는 상완정맥(brachial vein)이 정맥 확보에 가장 흔히 이용된다(그림 17-5). 시술자가 시술을 시작하기 전에 우선 상지(upper extremity) 해부학에 친숙해지는 것이 중요하다. 요골 측 피부 정맥은 가장 외측에 위치하여 팔의 요골 면을 따라 주행하며, 위팔의 외측 면에서 손쉽게 접근할 수 있다. 상완정맥은 상완동맥과 함께 주행하며 보통 팔오금(antecubital fossa)에서 삽관이 이루어진다. 보통 상완 정맥과 동맥은 서로 한쪽 면을 맞닿아 짝을 이루어 위치한다. 혈관을 살짝 눌러서 맥박을 촉지하여 상완동맥

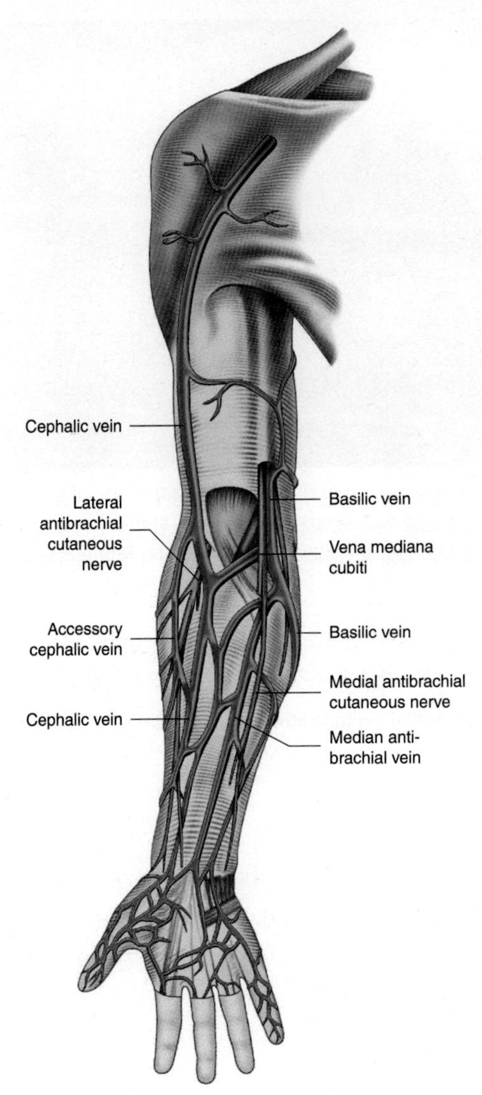


**그림 17-5** 상지 정맥의 해부학.

을 확인해야 한다. 또한, 상완 신경이 인접해 있으므로 이를 찌르지 않도록 한다. 척골 측 피부정맥은 가장 내측에 위치하여 팔의 척골면을 따라 주행하며, 위팔의 안쪽 측면에서 쉽게 접근할 수 있다. 척골 측 피부정맥은 동맥과 짝을 이루어 주행하지 않으며 팔의 안쪽 부위에 위치하여 시각 및 촉각으로 확인할 수 없으므로 지표(landmark)를 통해 찾아내기가 어렵

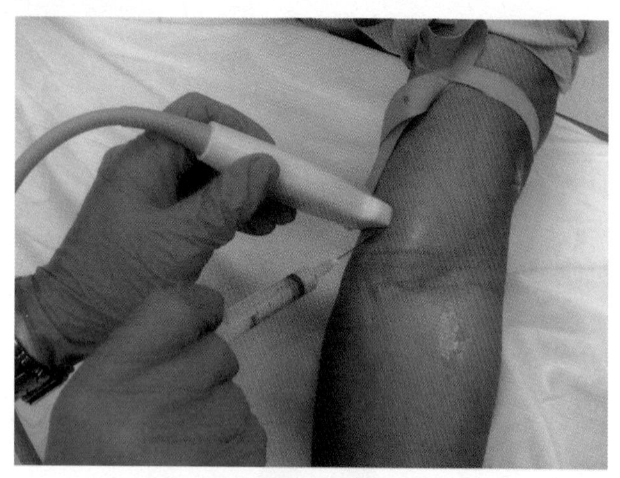

**그림 17-6** 상지 정맥 확보 시 환자 자세 교정. 탐색자는 가로 방향으로 위치한다. 바늘은 피부정맥 확보를 위해 탐색자의 중심부 피부 위치에서 환자 상완의 안쪽을 향해 진입한다. 환자의 팔을 외전시키고 편의를 위해 탁자 위에 올려놓도록 한다.

고, 피하지방 속에 존재한다는 점이 특징이다. 이러한 이유로 상완정맥이 초음파-유도 혈관 확보에 가장 유용한 혈관으로, 말초 접근 중심 도관(peripherally inserted central catheter, PICC)에 흔히 이용된다.

## 환자 자세와 준비

누워 있는 자세에서, 환자의 시술할 팔을 외전(abduction) 후 외회전시켜 팔의 안쪽 면에 시술자의 접근이 쉽도록 해야 한다. 만약 환자가 앉아 있다면, 편의를 위해 팔을 탁자 위에 올려놓도록 한다(그림 17-6). 그리고 시술자는 지혈대를 위팔에 위치시키고 바늘의 진입이 이루어질 부분을 멸균 도구로 깨끗이 닦는다.

## 초음파 유도

초음파-유도 정맥 확보의 첫 번째 단계는 목표 혈관을 확인하는 것이다. 겔을 선형의 고주파 탐색자에 바른다. 탐색자를 표지자가 환자의 오른쪽을 향하도록 가로방향으로 위치시키며 검사를 시작한다. 이 방향에서는 환자의 오른쪽이 초음파 화면의 왼쪽을 가리키게 된다. 시술자는 탐색자를 정확한 방향으로 확실히 쥐는 것이 중요하다. 이런 방법으로 만약 바늘이 왼쪽이나 오른쪽에 새롭게 위치될 때, 그에 상응하는 초음파 영상이 적절한 방향에서 나타날 것이다.

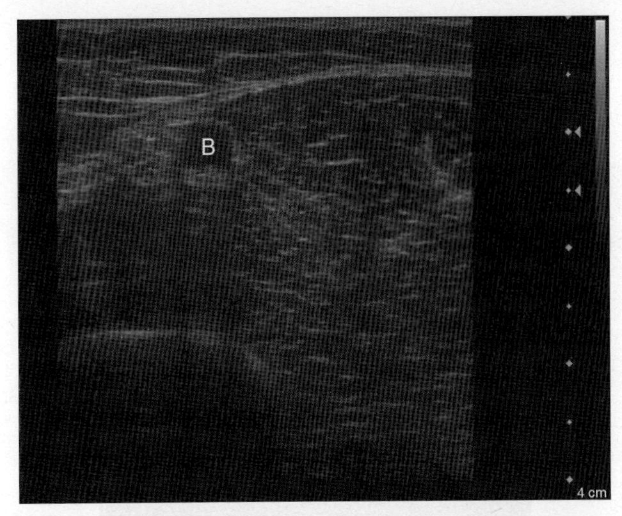


**그림 17-7** 이 영상은 표면 혈관인 피부 정맥(B)을 단축에서 보여준다. 화면의 우측에 있는 거리 표시는 피부 표면으로부터 1 cm 깊이를 의미한다. 상완을 둘러싼 연부조직 및 근육에 비해 무에코성으로 보이는 혈관에 주목하라.

탐색자를 피부 위에 위치시킨 후 시술자는 정맥을 탐색하며 위팔의 먼 부분과 팔오금에 대한 탐색을 시행한다. 가장 직경이 크고, 표면에 가까이 위치한 정맥이 시술에 이상적이다(그림 17-7). 정맥은 내강이 혈액으로 채워져 있어 무에코성으로 나타날 것이다. 체표면 정맥은 단독으로 주행하지만, 상완정맥처럼 심부에 위치한 정맥들은 동맥에 인접해 있다. 동맥 및 다른 주변의 구조물들과 정맥을 구별하는 것은 중요하다. 정맥은 보통 맥박이 없고, 혈관 벽이 얇으며, 잘 눌리는 특징이 있다. 그리고 컬러-유량 도플러를 이용하여 혈관 안쪽의 혈류를 잡아내어 신경, 건, 근육과 같은 다른 해부학적 구조물로부터 정맥을 구별한다. 선택된 정맥은 카테터 삽입에 사용이 가능한 것이어야만 한다. 사용 가능 여부를 확인하는 작업은 혈전을 의미하는 혈관 내부의 반향들(그림 17-8)의 존재 여부와 혈관의 압축성을 확인하면 된다.

단축 시야에서 목표 정맥이 확인되면, 탐색자를 정맥이 초음파 화면 중앙에 오도록 안쪽으로 혹은 바깥쪽으로 이동한다. 또한, 탐색자의 정중앙에 압력을 가해 탐촉자가 혈관의 한가운데에 확실히 놓여 있는지 확인해보는 것이 도움이 된다. 동맥 천자를 피하기 위해서는, 선택된 정맥의 천자 부위가 동맥과 중첩된 곳이 아니어야 한다. 그러기 위해서는 시술자는 동맥으로부터 떨어져 있고, 접근이 용이한 정맥의 위치를 찾기 위

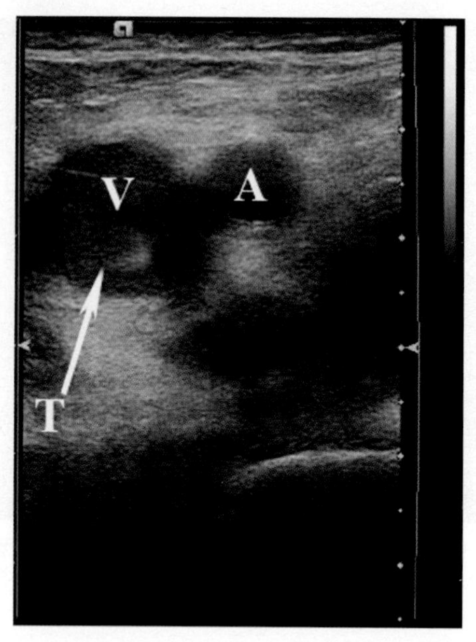


그림 17-8 혈전(T)이 의심되는 총대퇴정맥(V) 내강 내부의 고에코성 영역. 탐색자는 가로 방향으로 환자의 왼쪽 다리의 서혜 주름에 위치되어 동맥 안쪽에 있는 정맥의 단축 영상을 보여준다. A: 총대퇴동맥.

해 환자 팔을 위아래로 천천히 살피도록 한다. 혈관을 화면 가운데에 둔 채 단축에서 근위부와 원위부를 확인하거나, 장축으로 탐색하여 혈관의 방향을 알아낸다.

정맥의 깊이는 초음파 영상의 가장자리에 있는 표식을 이용하여 확인한다. 바늘이 진입하는 부위는 탐색자의 중앙이 되어야 하며 이로부터 혈관까지의 거리가 통상 정맥의 깊이와 같다(그림 17-6과 17-9). 천자 부위는 환자가 편안히 느끼도록 작은 구경의 바늘로 마취되어야 한다. 마취 이후에, 혈관 카테터를 피부에서 45도 각도로 앞서 확인한 혈관 축의 동일선상에서 천자한다. 바늘은 화면에서 에코를 형성하는 밝은 흰색으로 나타날 것이다. 시술자는 바늘이 혈관을 향해 진입하는 동안 모니터를 주시한다. 바늘을 화면에서 놓치면, '탐색자를 비비는 것(jiggling)'이 위치를 다시 잡는 데 도움이 된다. 또한, 부드럽게 탐색자를 위에서 아래로 펼치는 것이 바늘이 진입할 때 정맥에 접근하는 경로 추적에 도움이 될 것이다. 혈관의 앞쪽 벽은 바늘이 닿게 되면 안쪽으로 밀려들어간다. 바늘이 혈관으로 들어가게 되면 앞서 기술했던 것처럼 '과녁' 징후가 확인될

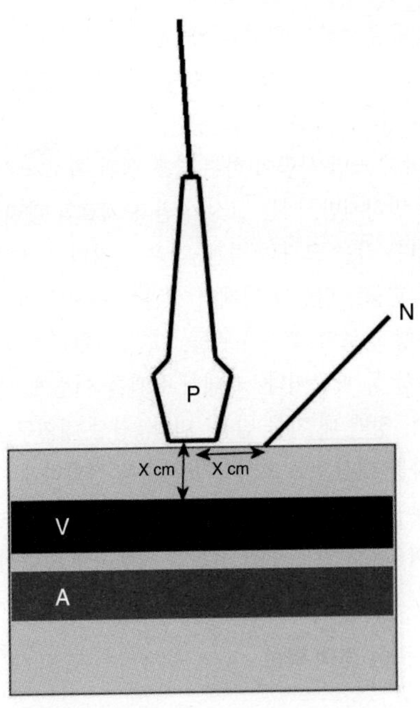


**그림 17-9** 올바른 바늘 진입 부위를 보여주는 영상으로 탐색자의 중앙에서부터의 거리가 혈관의 깊이와 같다. V: 정맥, A: 동맥, N: 바늘, P: 탐색자.

것이다. 때로는 실제 카테터가 혈관 내로 들어가기 전에 바늘의 끝이 정맥 내벽을 안쪽으로 눌러 과녁 징후가 보일 수도 있다. 이러한 경우, 혈액이 비치지 않으며 카테터가 쉽게 진입되지 않는다. 경험적으로, 부드러운 '팝'하는 느낌이 카테터가 혈관 벽을 뚫을 때 느껴지며, 바늘 끝 쪽 시야에서 유지되는 과녁 징후와 함께 내강 안의 바늘 진입부위가 카테터 진입 시 살짝 납작해짐을 확인할 수 있다. 시술자는 바늘 진입 중에 단축 시야로 내강을 부채꼴로 펼쳐보거나 장축 시야로 바늘의 끝을 확인함으로써 내강 속 바늘 끝의 위치를 파악하여 정맥의 '뒷벽'을 천자하지 않도록 해야 한다.

바늘 끝의 위치가 확인되면(피가 맺히는 것이 보임), 카테터는 바늘 위로 진입된다. 표준적인 IV 거치 상황에서 혈관 카테터의 바늘 부분을 제거하고 난 뒤 카테터가 정맥 내에 잘 위치하고 있는지 확인하기 위해 적절한 혈류를 흡인하고, IV를 안전하게 유지하기 위해서 소독을 실시한다. 또한, 카테터가 혈관 내강에 정확히 자리잡고 있는지 파악하기 위해 탐색자를 천자 부위보다 근위부의 정맥 지점에 위치시킨 뒤 생리식염수를 카테터를 통해 주사하여 화면을 확인한다. 카테터의 위치가 적절하다면, 생리식염수를 주사할 때 미세방울들(작은 고에코성의 점들)이 움직이는 모습을 볼 수 있다.

시술이 능숙하다면 한 사람이 하는 말초 혈관 확보가 시술의 성공을 위해 가장 신뢰할 만하지만, 이는 급성기 환자 치료와 관련된 시술 중 까다로운 편에 속한다. 작은 크기의 혈관, 작은 크기의 카테터(초음파로 확인하는 것이 더욱 힘듦), 영상과 카테터 삽관을 동시에 해야 한다는 점, 다양한 크기와 주행 경로의 말초 혈관들, 그리고 혈관 앞쪽 벽의 밀려들어감과 후벽의 손상 등 때문이다. 카테터 삽관을 어렵게 만드는 여러 위험요인(탈수, 투석, 정맥 내 약물 남용, 비만, 겸상 적혈구 빈혈, 소아 환자 등)을 가진 환자를 대상으로 초심자가 시술을 정확하게 수행하기 위해서는 그 전에 수분 상태가 양호하고 혈관에 문제가 없는 수십 명의 환자를 대상으로 초음파-유도 말초 혈관 삽관을 시행하여 보아야 한다.

## 초음파-유도 중심 정맥 확보

### 준비물

- 중심 도관 키트
- 멸균 가운과 장갑
- 안면 마스크와 모자
- 멸균 포
- 멸균된 초음파 탐색자 덮개
- 클로르헥시딘 도포 도구
- 필요시 추가분의 리도카인
- 멸균된 세척도구들
- 나일론 봉합사
- 멸균된 소독 키트

### 내경정맥(internal jugular vein, IJV)

*해부학:* 목에서 내경정맥은 보통 경동맥의 바깥쪽에 위치하지만, 특정 지점에서는 경동맥의 앞쪽으로 주행하기도 한다. 쇄골, 흉골, 흉쇄유돌근의 쇄골측 부분으로 이루어지는 삼각형의 첨부는 IJV의 윗부분에 대한 외부 지표가 된다.

*환자 자세와 준비:* 혈관을 확장시키고, 삽관 시 공기가 들어가는 것을 막기 위해 트렌델렌버그 체위(Trendelenburg position)를 취한다. 환자의 머리를 반대 측으로 15~30도로 돌리는 것이 좋긴 하지만, 머리를 돌리는 행위가 오히려 IJV와 경동맥이 겹치도록 한다는 보고가 있다. 그리고, 머리를 과도하게 돌리면 IJV의 내경을 감소시켜 목표 혈관 설정이 더욱 어려워질 수도 있다. 그러므로, 중립적인 머리 위치가 선호되며, 바늘을 삽입하는 최적의 위치를 찾기 위해 두 가지 자세 모두에서 초음파검사가 이루어져야 한다.

*초음파 유도:* 시술 전에 초음파검사가 이루어져야 하는데 이는 정맥의 위치를 찾고, 경동맥뿐만 아니라 반흔, 판막, 혈전 존재 여부 및 삽관이 이루어질 최적의 위치를 찾기 위해서다. 이 과정이 멸균적으로 시행될 필요는 없다. 탐색자는 목에 있는 혈관 위에서 가로 방향으로 위치되어야 한다(그림 17-10). 검사자는 침상의 머리맡에 서서 탐색자의 표지자가 검사자의 왼쪽을 향하게끔, 환자의 왼쪽과 화면의 왼쪽이 일치되도록 조정한다.

정맥은 경동맥과의 관계에 주의하면서 최대 직경인 지점의 위치를 찾기 위해 위에서부터 아래로 탐색된다. 경동맥이 내경정맥의 뒤쪽에 위치하지 않고 살짝 정맥의 안쪽으로 이동한 지점을 잡아내는 것이 가장 좋다. 이는 바늘이 너무 멀리 진입했을 때 동맥을 찌를 가능성을 줄여 시술의 성공률을 높인다. 또한 IJV를 검사 시 혈관의 압축성(compressibility)을 확인하고 혈관 내부의 에코를 탐색하여 정맥의 개방성을 보장한다. 한쪽의 IJV의 개방성이 확보되지 않는 경우, 반대쪽을 검사하고 평가하도록 한다.

IJV의 위치가 파악되면, 검사자는 시술 전에 멸균적 주의사항을 따른다. 검사자는 손을 씻고, 모자를 쓰고, 마스크, 멸균 가운, 멸균 장갑을 시술 전에 착용한다. 그러고 나서 시술 부위를 중심 정맥 키트 안에 동봉되어 있는 클로르헥시딘 도포 도구를 이용하여 소독한다. 이후 환자의 전신을 천으로 덮고, 필요한 물품들을 맨 위쪽에 놓는다. 초음파 탐색자를 멸균된 덮개로 씌우는데, 이 과정은 보조자가 도와준다면 손쉽게 할 수 있다. 덮개 안쪽에는 겔이 도포되어야 하는데 꼭 멸균상태일 필요는 없다. 덮개가 놓이게 되면 멸균된 겔을 탐색자 위에 도포한다.

그 다음에 IJV를 확인할 수 있는 올바른 위치에 탐색자를 놓는다. 정맥이 화면의 가운데에 오도록 한 뒤 화면 가장자리에 있는 표식을 이용하여 심도를 확인한다(그림 17-10 참고). 횡단면 시야에서, 정맥의 깊이와 같

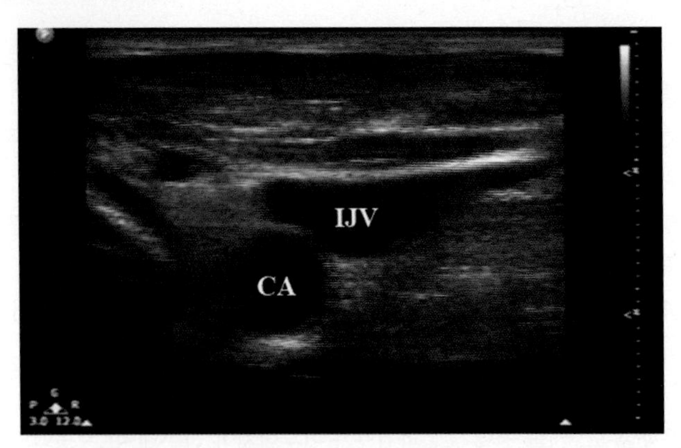


**그림 17-10** 내경정맥(IJV)와 경동맥(CA)의 단축 영상. 탐색자는 환자의 오른쪽 목에서 가로 방향으로 놓여 경동맥의 전외측에 있는 IJV를 보여준다. 이 IJV는 화면의 오른쪽 표시에 따르면 피부 표면으로부터 약 1 cm 떨어져 있다. IJV의 앞 혈관 벽이 탐색자의 부드러운 압력에 의해 천막 모양(tenting)으로 나타남을 주목하라.

은, 탐색자의 중간 지점으로부터 동일한 거리가 바늘의 진입 자리가 된다. 바늘이 너무 멀리 진입했을 때에도 경동맥을 찌르지 않을 진입 지점과 각도를 선택하여야 한다. 만약 IJV가 경동맥의 위에 위치한다면 좀 더 바깥쪽에서 접근하는 것이 좋다.

천자 부위를 키트에 있는 1% 리도카인을 이용하여 마취한다. 마취 부위를 초음파로 확인하는 것은 검사자가 IJV에 대한 영상에서 깊이와 위치에 대한 아이디어를 얻는데 도움이 된다. 주사기가 연결된 바늘을 45~60도의 각도로 진입시킨다. 바늘은 폐를 찌르는 것을 막기 위해 말초혈관 확보 때보다 가파른 각도로 유지되어야 한다. 도입용 바늘의 통과가 가능하도록 능숙하지 않은 쪽의 손을 사용하여 피부를 지지하는 부위에 초음파 탐색자를 놓도록 한다. 도입용 바늘이 피부를 통과하고 난 후, 바늘을 혈관에 접근시킴과 동시에 주사기를 부드럽게 흡인하면 바늘이 혈관에 닿는 장면이 앞쪽 혈관 벽에 톱니 모양으로 보이게 될 것이다.

말초 혈관 확보 때와 같이 바늘 끝의 위치 파악이 중요하다. 이는 바늘 끝이 너무 깊게 들어가 있지 않음을 주시하면서 단축 영상에서 혈관 내강 안의 과녁 징후를 파악하고 바늘의 길이를 따라 탐색자를 부채꼴로 펼쳐 봄으로써 가능하다. 가로방향의 접근이 IJV를 확인하고 혈관 중심으로의 천자를 보장하는 데 좋지만, 장축 또는 바늘의 선 안쪽에서의 접근이 바늘 전체를 확실히 영상화할 수 있으므로 가능하다면 후자를 시도한다.

주사기 안에 혈액이 뿜어져 들어오면, 초음파 탐색자를 옆으로 젖혀두고 일반적인 중심 혈관 확보 때처럼 나머지 시술을 진행하면 된다. 주사기를 제거하고, 유도용 와이어를 진입 바늘을 통해 밀어 넣는다. 바늘을 빼내고 키트에 있는 확장기를 유도용 와이어 위로 피부안쪽을 통과시켜 천자 구멍을 확장한다. 유도용 와이어가 중심 정맥관 구멍 중 한쪽에서 나오면 그것을 뽑고 카테터를 조금 더 진입시킨다. 중심 정맥관의 각각의 구멍은 주사기로 연결 후 흡인하여 혈액이 쉽게 나오는지 확인함으로써 개방성을 시험해볼 수 있다. 이후 중심 도관을 안전하게 피부에 봉합하고, 소독한다.

## 쇄골하 정맥(subclavian vein, SCV) 및 겨드랑이 정맥(AXILLARY VEIN)

쇄골하 정맥은 쇄골의 뒤에 위치하여 초음파로 발견이 쉽지 않다; 따라서, 이쪽의 중심 혈관 확보는 아직까지는 지표를 이용한 방법(landmark technique)으로 시행되고 있다.

만약 초음파 유도를 이용해 삽관을 시행한다면, 바깥쪽에서부터 접근하여 겨드랑이 정맥을 통해 SCV까지 연장하여 시술을 진행한다.

*해부학*: 겨드랑이 정맥은 위팔의 상완 정맥의 연장으로 대원근(teres major muscle)의 아래 경계에서 시작된다. 이는 첫 번째 갈비뼈의 바깥쪽 경계까지 이어져 겨드랑이 주름 안에 위치하며 쇄골 뒤의 SCV로 주행한다.

*환자 자세와 준비*: 환자는 겨드랑이 정맥의 혈류를 증가시키기 위해 트렌델렌버그 자세를 취해야 한다. 해부학적으로 접근의 용이성을 위해 환자의 팔은 90도로 벌린다.

*초음파 유도*: 겨드랑이 정맥은 시술 전에 비 멸균적인 방법으로 한다. 탐색자를 환자의 앞쪽 가슴에서 환자의 머리 쪽을 가리키도록 세로(시상) 방향으로 위치시킨다. 이상적인 위치는 환자 쇄골의 가장 바깥쪽 면의 바로 아래이다. 이 방향에서는 겨드랑이 정맥과 동맥의 단축 영상을 얻을 수 있다. 겨드랑이 정맥은 동맥의 아래쪽에 위치하고 혈관들은 가슴 근육의 밑에서 보인다.

겨드랑이 정맥은 내부 에코의 존재 여부와 그리고 압축성 여부를 파악하여야 한다. 겨드랑이 정맥은 IJV보다 깊은 곳에 있으므로 탐색자를 누르는 것만으로는 압축성을 평가하기가 힘들 수 있다. 만약 한쪽 정맥이 적합하지 않다면 반대쪽을 평가하도록 한다.

겨드랑이 정맥의 위치가 파악되면, IJV 확보 때 이미 언급했던 것과 같이 멸균적 주의사항에 대한 확인이 필요하다. 정맥은 화면 중심에 위치되어야 하고 초음파 영상의 측면에 있는 표식을 이용하여 깊이를 측정한다. 바늘은 탐색자의 중간 지점에서 환자의 바깥쪽으로부터 진입된다. 겨드랑이 혈관들은 폐의 흉막에 인접하여 주행하기 때문에 바늘을 진입할 때 폐를 찌르거나 기흉을 만들지 않도록 주의한다. 진입 부위를 마취시키고 시술의 나머지 부분은 앞서 설명했던 IJV 삽관 때와 비슷하게 시행하면 된다.

### 대퇴정맥

대퇴정맥(femoral vein (FV)) 중심관은 카테터 관련 혈류 감염과 정맥 혈전증의 위험이 IJV와 SCV 카테터에 비해 높다. 그래서 의료진들이 선호하지 않으며 내경정맥이나 쇄골하 정맥 확보에 실패했을 때, 또는 목이나 흉부 정맥확보가 금기일 때만 제한적으로 시행한다. 하지만, 외상이나 심정지와 같이 급박한 상황에서는 FV 중심관이 유일하게 이용 가능한 방법일 수 있다. FV는 대퇴부 박동을 찾음으로써 위치 확인이 쉽지만, 이는 쇼크 상태의 환자에서는 어려울 수 있다. FV 확보 시 초음파를 이용하면 한 번에 시술을 성공시켜 동맥 천자와 동맥 내 카테터 삽관의 위험을 낮춘다.

*해부학*: FV는 위쪽으로는 서혜 인대(inguinal ligament)에, 바깥쪽으로는 봉공근(sartorius muscle)에, 안쪽으로는 장수내전근(adductor longus muscle)에 인접한 대퇴 삼각 내부에 위치한다. 안쪽으로는 대복제정맥(saphenous vein)이 총대퇴정맥에 합류하는 모습이 관찰될 수 있다. 대복제정맥은 영상에서 커다랗게 나타나지만 표면에 위치하고 동맥과 짝을 이루지 않는다는 점이 FV와의 차이점이다. FV는 근위부에서 양쪽 모두 대퇴 동맥과 신경의 안쪽으로 주행하지만, 원위부로 가면 대퇴 동맥의 아래로 들어가게 된다(그림 17-8 참고). FV는 이미 근위부에서 대퇴 동맥 아래로 주행하므로, FV를 원위부에서 접근하게 되면 동맥 천자를 일으키게 된다. 이는 지표 방법(landmark technique) 이용 시 흔히 저지르는 실수이다.

*환자 자세와 준비*: 환자는 누워서 엉덩이를 외전시키는 '개구리-다리' 자

세를 취하여 정맥을 동맥의 안쪽에 위치시킨다.

*초음파 유도*: 멸균 구역을 만들기 전에 FV, 동맥, 신경의 위치를 파악하기 위해 환자의 서혜부를 초음파로 훑어보아야 한다. 탐색자를 서혜 인대 바로 아래에서 가로 방향으로 표지자가 환자의 오른쪽을 향하도록 놓는다. 환자의 오른쪽 다리를 살펴볼 때, 이 위치에서는 FV가 화면의 오른쪽에, 동맥이 왼쪽에 나타나게 된다. 왼쪽 다리를 살펴볼 때도 마찬가지이다(그림 17-8 참고).

허벅지 앞쪽에서 탐색자를 아래로 짧은 거리를 이동시키면 그대로 FV가 따라오게 된다. 이는 내부 에코를 찾고, 압축성을 알아봄으로써 혈관의 개방성을 확인하는 데 도움이 된다(그림 17-8 참고). 한쪽의 FV의 개방성이 여의치 않을 때는 반대쪽을 평가하도록 한다.

FV의 위치가 확인되면 앞서 IJV 확보에서 기술했던 것처럼 멸균적 주의가 요구된다. 정맥을 화면의 중심부에 위치시키고, 초음파 화면의 바깥쪽에 있는 표식을 이용하여 깊이를 측정한다. 시술자는 바늘을 탐색자의 가운데로 진입하게 되는데 횡단면 영상에서 탐색자의 중앙에서부터 정맥의 깊이까지와 동일한 거리인 지점을 진입부위로 정하도록 한다. 원위부에서는 대퇴 혈관들이 다리 아래로 주행하기 때문에 이때 동맥은 더욱 정맥보다 앞쪽에 위치하여 동맥 천자 쉽게 일어날 수 있다. 그러므로, 최적의 진입 지점은 서혜 인대에서 최대한 가까운 곳이 된다. 이 지점을 마취하도록 하고, 나머지 시술은 앞서 기술한 IJV 삽관 때와 유사하게 진행된다.

### 카테터 삽입 완료하기

말초 또는 중심 카테터 삽입 후 카테터가 제대로 위치하고 있는지 확인하기 위해 초음파검사를 시행할 수 있다. 소량의 생리식염수를 주입하면 카테터 근위부의 정맥 내부에 점상의 고에코성 'flush'가 보이게 된다.

중심 도관의 경우 모든 포트로 정맥혈을 흡인해보고 생리식염수를 주입해 개방성을 확인한다. 쇄골하정맥이나 IJV 카테터 설치 시 위치 확인을 위해 일반적으로 흉부엑스선검사를 이용하고 있지만, 중심 도관이 적절하게 위치해 있다면 우심방으로부터 이러한 flush가 늑골하 심장 영상에서 확인되어야 한다. 초음파검사는 또한 IJV나 쇄골하 카테터 설치 후에 기흉을 확인하는데 이용될 수도 있다.

## 흔히 저지르는 실수

### 바늘 끝이 보이지 않을 때

초음파 유도하 정맥 확보 시 바늘 끝의 위치를 놓치는 경우가 있다. 이렇게 되면 바늘 끝이 혈관에 얼마나 가까이에 있는지 검사자가 판단하기 힘들어진다. 결과적으로, 바늘 끝이 혈관의 뒷벽으로 너무 깊이 들어가 버려 혈관의 침윤을 만들 수도 있다. 또한, 바늘의 위치 파악이 안 되면 바늘로 인해 주위 구조물들이 손상될 수도 있다. 가로 방향의 위치에서 바늘 끝은 혈관 내강에 위치하였을 때 밝은 고에코성의 점으로 '과녁' 징후로 보이게 될 것이다(그림 17-2 참고). 바늘의 끝을 놓쳤을 때 주사기를 움직여보면 방향 확인에 도움이 되며, 이후 바늘을 뒤로 당겼다가 혈관 쪽으로 제대로 위치시킬 수 있다. 또한, 바늘 끝을 초점 안으로 가져오게 하기 위해 탐색자를 이동시키거나 부드럽게 앞뒤로 고정해보기도 한다. 대신에 장축 영상을 활용한다면 시술 중에 바늘 끝뿐만 아니라 바늘 전체 길이를 확인할 수가 있다.

### 주변 구조물들의 손상

정맥 확보 시 가장 흔히 저지르는 실수는 인접한 동맥의 의도치 않은 손상이다. 이러한 손상을 피하기 위해서는 해부학적인 지식이 필수적이다. 해부학적인 위치를 확인하고, 가능한 기형들을 파악하기 위해 시술이 시행될 부분은 항상 미리 초음파로 훑어보아야 한다. 또한, 박동성, 압축성, 혈관 벽의 두께와 같은 정맥과 동맥의 일반적인 차이점까지도 확인하도록 한다. 검사자는 항상 바늘을 진입시킬 때 화면을 주시하면서 바늘이 동맥 쪽을 향하지 않는지 주시한다.

다른 주변 구조물들에 대한 손상은 흔하지 않지만, 검사자가 시야에서 바늘을 놓치게 되면 발생할 수도 있다. 신경, 림프절, 근육, 건과 흉막 등이 손상되기도 한다. 만약 어떠한 구조물이 혈관인지 확실치 않을 때는 컬러-유량 도플러가 혈류 확인에 도움이 된다. 신경은 심부의 혈관들과 짝지어서 보이는데 시술 시 접근을 피해야만 한다. 이는 '벌집' 모양으로 나타나는데, 혈관보다 고에코성이고 이질적인 모습으로 컬러 유량이 보이지 않을 것이다. 실시간 유도 초음파검사는 검사자가 근육, 건 등 맹검법시 손상을 입힐 수 있는 다른 구조물들을 통과하지 않고 바늘이 혈관을 향하도록 하는 데 유용하다.

### 혈관으로부터 혈액 흡인의 실패

정맥에서 혈액 흡인이 실패하는 이유는 바늘이 적절한 위치에 있지 않기 때문이다. 검사자는 바늘을 살짝 뒤로 후퇴시킨 뒤 화면을 보면서 혈관 안에 바늘을 재위치 한다.

### 정맥을 놓침

종종 화면에서 혈관이 이동하여 혈관확보 중에 정맥을 놓치게 되는 경우가 있다. 이는 끝까지 탐색자를 쥐고 있지 않아서 생기는 문제로 초심자에게서 보통 일어난다. 시술자가 한 명일 때, 탐색자를 쥐고 있는 손은 확실하게 환자의 피부 위에 위치해야 하며, 시술 중에 움직여서는 안 된다. 검사자의 손을 환자의 피부에 직접 대고 탐색자를 지지하면 바늘의 첫 진입 때 탐색자가 움직이는 것을 막아준다.

또한, 초음파로 정맥 확인 시 시술자는 탐색자를 통해 아주 약한 압력을 피부에 가해야 한다. 압력이 과하면 정맥이 찌그러져 화면에서 작게 나타나 시술이 어려워진다. 이 점은 특히 체액 감소로 인해 발생한 저혈압을 동반한 중증 환자에서 중요하다.

### 목표 혈관에 닿지 않음

말초 정맥 확보에 흔히 이용되는 카테터는 길이가 1.25인치(3.175 cm)이다. 이는 체표면에 위치한 정맥에는 적합하지만, 심부에 있는 혈관에서는 목표한 위치에 카테터가 닿지 않을 수도 있으며, 또는 거치 된 혈관에서 쉽게 카테터가 빠질 수도 있다. 검사자는 화면의 가장자리에 있는 거리 표식을 이용하여 혈관의 깊이를 확인하고 적절한 카테터를 이용하도록 한다. 긴 혈관 카테터(1.88~2.5인치)는 깊은 곳에 있는 말초 혈관에 이용된다. 혈관 확보가 완료되면 카테터를 고정시킨다.

### 감염

중심 혈관 확보로 인해 발생하는 의인성 감염은 급성기 상황에서 환자를 악화시킬 수 있다. 시술자와 보조자 모두 표준 멸균적 예방법을 준수하여야 한다. 멸균된 탐색자 덮개와 겔이 필수적이다. 꼭 필요한 것이 아니라면 대퇴부 혈관 확보를 피하는 것이 감염의 발생률을 낮추는 데 도움이 된다.

## 결론

말초 정맥과 중심 정맥 확보 모두 급성기 치료 상황에서 흔하게 시행되는 술기이다. 말초 정맥 확보는 초음파 없이 촉지 만으로도 시행 가능하다. 정맥 확보가 힘들거나 통상적인 방법으로 불가능한 경우 초음파를 이용하면 시도 횟수를 낮추고 환자의 불안과 불편감을 줄여주는 것으로 알려져 있다.

초음파-유도 중심 혈관 확보는 이제는 표준적인 방법이 되었다. 여러 연구에서 초음파 유도하 중심 혈관 확보가 시술의 성공률을 매우 높이고 부작용들은 줄이는 것으로 보고되었다. 중심 혈관 확보에서의 동맥 손상은 시술의 심각한 부작용일 수 있으므로 가능하다면 항상 초음파를 이용하여야 한다. 초음파는 시술자가 신경 혈관 구조물들을 피하는 것뿐만 아니라 환자의 해부학적 상태를 확인하는 데 도움이 된다. 초음파-유도 혈관 확보는 과거에 이루어졌던 맹검적 지표 접근법을 뛰어넘어 빠르게 일상화되고 있다.

| 추가로 읽을 자료 |

Feller-Kopman D. Ultrasound-guided internal jugular access: a proposed standardized approach and implications for training and practice. *Chest*. 2007;132(1):302-309.

McGee DC, Gould MK. Preventing complications of central venous catheterization. *N Engl J Med*. 2003;348(12):1123-1133.

Miller AH, Roth BA, Mills TJ, Woody JR, Longmoor CE, Foster B. Ultrasound guidance versus the landmark technique for the placement of central venous catheters in the emergency department. *Acad Emerg Med*. 2002;9(8):800-805.

Milling TJ, Jr., Rose J, Briggs WM, et al. Randomized, controlled clinical trial of point-of-care limited ultrasonography assistance of central venous cannulation: the third sonography outcomes assessment program (SOAP-3) trial. *Crit Care Med*. 2005;33(8):1764-1769.

Mills CN, Liebmann O, Stone MB, Frazee BW. Ultrasonographically guided insertion of a 15-cm catheter into the deep brachial or basilic vein in patients with difficult intravenous access. *Ann Emerg Med*. 2007;50(1):68-72.

# 18 흉강천자

## 배경지식 및 검사의 적응증

흉수(pleural effusion)는 악성종양, 감염 등 여러 질환으로 인해 발생하는 것으로 임상에서 흔히 접하게 된다. 환자는 안정 시 또는 운동 시 호흡곤란이 있거나 처음부터 흉막(pleura)성 흉통을 호소하기도 한다. 흉수의 채취와 배액은 적절한 진단과 호흡기 증상 완화에 중요하다. 흉부 초음파검사를 이용하면 안전하게 흉강을 천자하거나 흉수를 배약할 수 있으며 흉수의 양과 질을 파악하는 데 유용하다. 흉부 초음파검사는 벽측흉막(parietal pleura)과 장측흉막(visceral pleura) 표면의 신속한 시각화가 가능하고, 기흉 진단과 폐 실질 평가에도 활용된다.

흉수는 에코가 없는 체액의 특성 때문에 확인이 쉽다. 체액의 작은 낭들은 똑바로 앉은 자세에서 쉽게 관찰된다. 반면에 흉부 방사선의 후전면과 측면 영상에서 흉수가 보이려면 적어도 양이 150 mL는 되어야 한다. 초음파는 특히 급성기 환자의 흉부 방사선검사에서 확인된 폐 실질, 무기폐, 폐 침윤, 상승된 일측 횡격막과 흉수를 감별하는 데 유용하다.

흉강천자(thoracentesis)는 안전하고 간단한 시술이지만, 기흉의 발생빈도가 20~39%까지 보고된다. 흉강천자 시 초음파를 함께 이용하거나 기기의 도움 없이 신체 진찰만으로 흉강천자를 시행하는 것을 비교한 무작위 대조 연구는 아직 없다. 하지만, 일부 연구들은 초음파가 시술의 합병증을 줄인다고 보고하였다.

임상에서 초음파 유도 흉강천자는 다음과 같은 환자들에게 시행한다:

- 흉수가 새로 발생한 환자의 진단적 평가
- 호흡기 이상이나 호흡곤란을 동반한 흉수 환자
- 발열, 흉통 그리고/또는 농흉이 의심되는 환자

## 탐색자 선택과 기술적 고려사항

### 주파수 범위가 3.5~5.0 MHz인 곡선형 탐색자

주파수 범위가 3.5~5.0 MHz인 곡선형 탐색자는 흉강천자에 가장 적합하다. 이는 흉벽에 인접한 표면 구조물보다는 더욱 깊은 곳에 있는 구조물들을 확인하는 데 유용하다. 5.0에서 7.0 MHz 범위의 고주파 탐색자는 벽측 흉막과 흉벽 구조물들을 영상화하는 데 효과적이다.

### 심도

깊은 쪽부터 검사를 시작하여 흉곽, 흉수, 주위 구조물을 확인해 나간다. 이후, 바늘이 지나갈 곳이 화면의 대부분을 차지하도록 심도를 감소시킨다.

### 증폭 또는 시간-증폭 보상(TIME-GAIN COMPENSATION)

필요에 따라 영상을 밝게 하도록 총 증폭량을 키울 수 있다. 영상화가 어려운 비만 환자에서는 초음파 빔이 깊숙한 구조물을 통과함에 따라 발생하는 신호 약화 현상(signal attenuation)을 보상하기 위해 원거리 증폭량을 조정하도록 한다.

### 컬러-유량 도플러

컬러-유량 도플러로 주변의 혈관을 확인할 수 있다. 따라서 시술 시 의도치 않은 혈관의 손상을 피하는 데 도움이 된다.

### 멸균적 주의사항

흉강천자는 침습적인 시술이므로 항상 멸균 주의조치하에 진행하도록 한다. 상 검사자는 멸균 복장을 하고 멸균된 탐색자 덮개, 젤 그리고 키트를 이용한다.

## 초음파-유도 흉강천자

### '맹목(BLIND)' 흉강천자 -신체진찰 단독

초음파 유도 없이 실시하는 흉강천자는 매우 조심해야 하고 철두철미한 사전진찰이 필수적이다. 대량 흉수의 경우 기관(trachea)이 반대 측으로 밀려있을 수도 있다. 청진으로 호흡음이 감소하거나 아예 들리지 않는 부위를 찾아내어 흉수에 대응되는 위치를 판별할 수 있다. 청진음이 감소한 지역을 타진하여 둔탁음을 확인함으로써 청진 소견을 보정할 수 있다. 촉각 진탕음(tactile fremitus)의 감소는 폐 경화로부터 흉수를 감별해내는데 핵심 진찰 소견이다. 복, 소방 형성합 흉수(complicated and loculated effusion) 사례를 제외하고, 호흡음이 감소하고 타진 시 둔탁음이 있는 구역은 중력에 의존적이므로 흉곽의 아래쪽에 위치한다. 진찰에만 의존하여 시행되는 흉강천자에서 범하는 실수들은 다음과 같다:

- 흉수가 소량일 때 적절한 시술 위치를 찾기 어려움.
- 흉수의 시야 안으로 횡격막과 폐가 움직일 수 있음.
- 위쪽으로 올라가있는 일측 횡격막에서 흉수를 감별하는 것은 어려움.
- 소방이 형성된 경우에는 평가 불가.
- 비만 환자에서, 갈비뼈가 지표로서 촉지가 되지 않을 때는 진찰법 단독으로 시술을 수행하는 것은 차선책임.

## 정적 대 동적 초음파 유도

초음파-유도 흉강천자는 정적 또는 동적인 방법으로 시행될 수 있다. 정적 초음파 유도에서는 갈비뼈, 갈비사이공간, 흉막, 그리고 흉수를 확인한다. 흉수의 깊이, 최적의 진입 각도, 그리고 피해야 할 다른 구조물의 파악에 도움이 된다. 최적의 배액 부위를 확인하여 피부에 표시하고, 지표에 기초한 흉강천자와 유사하게 탐색자 없이 시술을 진행한다. 이 방법의 주된 장점은 시술 시 시술자의 두 손이 자유롭다는 점이다. 쉽게 접근 가능할 정도로 흉수의 양이 많다면 정적인 방법으로 충분하다.

동적 초음파 유도는 흉강천자에 실시간 영상을 활용한다. 이 방법의 장점은 흉수를 향해 갈비사이공간으로 들어가는 바늘의 시각화가 가능하고 필요시 바늘의 방향을 바꿀 수 있다는 점이다. 정적 방법으로 접근이 힘든 소량의 흉수에서 유용하다.

## 초음파 해부학과 지표들

초음파 유도 흉강천자를 수행하면서 가장 처음으로 해야 할 것은 갈비뼈, 흉막, 그리고 폐 실질에 대한 정상 초음파 해부학을 이해하는 것이다. 장측과 벽측 흉막은 두 갈비뼈 사이의 표면 아래로 약 0.5 cm 떨어진 곳에서 관찰할 수 있다. 벽측과 장측 흉막으로 구성된 흉막 선은 두께가 0.2~0.4 mm로 흉수가 존재하지 않는 한 초음파상에서 둘로 구분되지 않는다. 그래서 이 두 구조물은 서로 인접한 상태로 밝은 단일 에코발생도의 선으로 나타난다. 정상 흉막에서는 호흡에 따라 위아래로 움직이는 폐와 고정된 흉벽 사이에 폐 미끄러짐(lung sliding)이 확인된다. 심장 박동에 따라 흉막 선이 미세하게 반짝이는 폐 박동(lung pulse)도 나타난다. 갈비뼈는 흉강에 인접하여 고에코성의 구조로 확인되며 초음파 빔의 감쇄 때문에 갈비뼈 뒤쪽으로 음향 음영이 보인다. 폐 실질은 흉막 선 아래쪽으로 반복적인 일련의 수평선들로 확인된다. 이들은 공기 허상(air artifact)에 의해 형성되며 정상소견으로 'A-선(A-line)'이라 불린다(7장 참고).

횡격막, 간, 비장을 탐색하여 흉강의 경계를 결정한다. 간과 비장 모두 횡격막 아래에 균일 에코성인 구조물로 나타나고, 담관은 주로 간 구조물 안쪽에서 확인된다.

## 환자의 자세

환자는 침대나 검사용 탁자 옆에서 검사자와 얼굴을 마주 보지 않게 앉는 것이 이상적이다. 머리와 팔은 환자 앞에 있는 작은 탁자에 편안하게 놓는다. 만약 순응도가 떨어지고, 위중하거나, 기계호흡 중인 환자라면 척추의 중심축을 따라 검사하고자 하는 한쪽 흉곽을 30~45도 위로 회전시키는 반-측와위 자세를 이용하기도 한다. 검사하는 쪽과 같은 방향의 팔은 머리 위로 올리거나 몸통의 앞에 위치시키고 침대의 머리 부분을 30도 들어올린다. 이 자세는 흉곽의 기저부에 흉수가 모이게 하여 검사자가 환자의 정중액와선에 쉽게 접근하여 흉수를 안전하게 채취하는 데 도움이 된다. 이 자세를 유지할 때에는 시술 중 수건을 말아 환자의 등 아래에 받치는 것도 좋은 방법이다.

## 초음파 유도

흉강천자를 하기 전에 초음파로 흉수를 확인해야 한다. 검사자는 탐색자를 환자 등의 시상면 위치에서 표지자가 머리 쪽을 향하도록 둔다(그림 18-1). 이후에 검사자는 탐색자를 뒤쪽 흉곽 표면에서 상-하 축을 따라 체계적으로 움직인다. 탐색은 한쪽 흉곽의 기저부에서부터 시작하여 횡으로, 그리고 횡격막, 흉막과 주변 구조물들을 확인하기 위해 상-하 방향으로 진행된다.

대부분 검사자는 실시간 초음파 유도법을 사용하지 않는 대신, 초음파로 흉수를 파악하고 가장 많은 양의 흉수가 모인 곳의 아래쪽 갈비뼈 바로 위에 갈비사이공간에 표시를 한다(그림 18-1). 초음파 확인과 표시 작

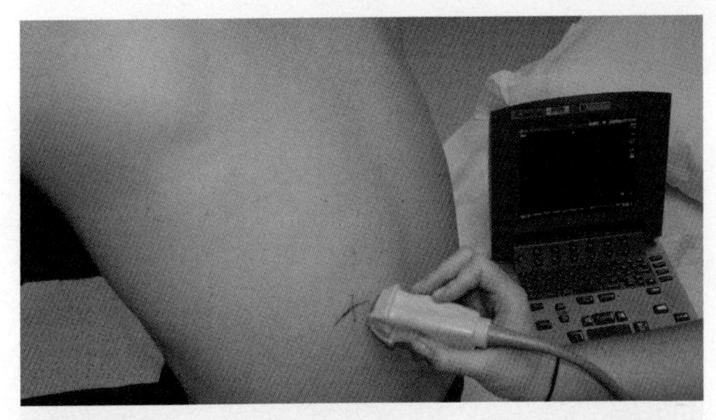

**그림 18-1** 흉강천자 시 적절한 탐색자 위치. 탐촉자가 시상 방향에서 표지자가 환자의 머리 방향을 향하고 있다. 탐색자를 흉곽의 뒤와 바깥쪽 표면을 가로질러 수평 방향과 수직 방향으로 움직여 흉강 전체를 검사한다. 검사자가 흉수를 확인하여 바늘의 진입 부위에 표시를 해놓았다.

업은 멸균적 과정이 들어가기 전에 이루어진다. 선택된 위치는 가능한 아래쪽이고, 호흡 주기 동안에 피부 표면과 흉수 사이에 확실한 통로가 보장된 곳이어야만 한다. 조용히 숨을 쉬더라도 횡격막의 움직임이 상당하므로 시술로 인해 간이나 비장이 열상을 입기도 한다. 그러므로 흉강천자 바늘이 횡격막에 너무 가까이 진입하지 않음을 확인하기 위해 수 차례의 호흡 주기를 관찰한다. 바늘이 진입될 위치로 선택된 부위는 멸균 처리 과정 중에도 지워지지 않을 마커 또는 펜으로 표시한다. 대신, 뭉툭한 기구로 진입 부위의 피부에 움푹 들어간 표시를 만들 수도 있다.

표시가 끝나면, 시술 부위를 다른 침습적 시술에서 시행되는 것과 마찬가지로 준비하고 포로 덮는다. 환자는 흉강천자를 위한 표시 작업 이후에도 같은 자세를 유지해야 하고, 만약 자세가 변경되었을 경우에는 다시 초음파검사를 한다.

## 흉수의 초음파적 특징

똑바로 앉은 자세에서, 흉수는 일측 흉곽의 가장 아래쪽에 모이게 된다: 흉벽의 아래쪽, 폐의 기저부, 그리고 횡격막 사이. 그러나 누워 있는 환자에서 흉수의 위치는 환자의 자세 및 침대의 각도에 따라 매우 다양하다. 대량의 흉수는 누워 있는 환자에서는 주로 바깥쪽에서 관찰되는 반면, 소량의 흉수는 관찰을 위해 반대쪽으로 환자의 몸을 굴리는 것이 필요한 경우도 있다. 이러한 자세에서 흉수는 흉벽과 폐 사이의 아랫부분에 모이게 될 것이다. 소방이 형성된 흉수는 초음파에서 다양한 선들과 격벽들로 이

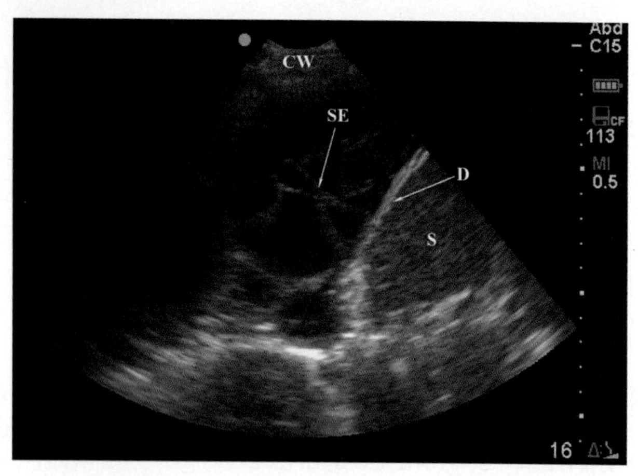


**그림 18-2** 소방형성된 좌측 흉수. 고에코성의 횡격막(D)과 동일에코성의 비장(S) 위에서 격막(SE)이 동반된 흉수가 보인다. CW: 흉벽.

루어진 주머니 모양으로 보이게 된다(그림 18-2).

흉수 검사 시 가장 처음으로 해야 할 것은 흉수의 경계를 파악하는 것이다. 여기에는 횡격막과 횡격막 아래의 기관들, 인접한 폐, 그리고 흉벽의 안쪽 경계가 포함된다. 흉수는 상대적으로 무-에코성이고 앞서 언급했던 지표들로 둘러싸여 있다. 횡격막은 휘어진 구조로 호흡에 따라 움직이며 오른쪽에서는 간의 가장 위쪽에, 왼쪽에서는 비장의 가장 위쪽에 위치한다. 갈비 음영은 흉수 속에 보인다. 흉벽의 안쪽 면은 갈비 음영의 시작점으로부터 5 mm 아래에 있다. 폐는 조직의 환기 상태에 따라서 보통 회색과 흰색(고에코성)으로 균일하게 나타난다. 그러나 폐가 인접한 흉수에 의해 눌리게 되면 짙게 보일 수도 있다. 눌린 폐는 '폐 펄덕임(lung flapping)'으로 알려진, 흉수 안에 기복이 있는 모양으로 나타나기도 한다(그림 18-3). 그리고 찌꺼기나 섬유성 가닥들이 흉수 안에서 심장이나 호흡에 따라 소용돌이치는 것으로 보일 수도 있다.

흉수의 양은 소량, 중등도, 대량으로 나뉜다. 측정된 두께가 흉수의 부피에 상응하는 것으로 알려져 있으나, 이는 탐색자의 위치와 흉강의 크기에 좌우된다.

소용돌이치는 에코와 섬유소들, 격벽의 존재는 삼출액과 소방형성을 나타낸다. 이러한 소견은 흉수의 완벽한 배액이 힘들어서 추가적인 시술들(예를 들어, 흉관, 흉강경이나 개흉술)이 필요할 수도 있음을 가리키기 때문에 중요하다.

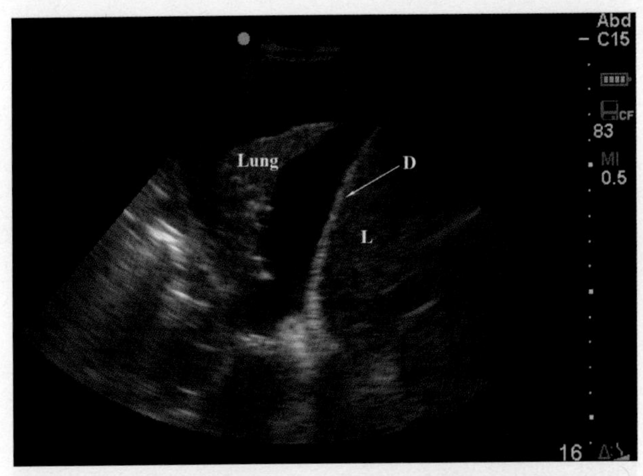


**그림 18-3** 중등도 양의 우측 흉수. 흉수가 고에코성의 횡격막(D) 위에 무에코성의 영역으로 확인된다. 간(L)은 횡격막 아래에 위치한다. 'lung flapping' 징후가 흉수 속에서 나타난다.

피부에서부터 장측 흉막과 흉수에 이르는 깊이를 측정해야 한다. 더불어 피부에서부터 흉수의 중심과 폐실질까지의 깊이도 측정하여야 한다. 벽측 흉막과 횡격막이나 폐실질 사이에 있는 흉수의 두께가 1 cm 미만이라면, 흉수천자를 미루거나 경험이 많은 시술자에게 의뢰하여야 한다. 소량의 흉수를 채취하는 것은 시술과 관련된 합병증의 위험을 높이기 때문이다(그림 18-4).

## 흉강천자를 위한 도구

일반적인 흉강천자 장비는 대부분의 급성기 환자 진료 환경에서 이용할 수 있다. 필요한 물품들은 다음과 같다:

- 1~2% 리도카인
- 마취제 주입을 위한 10-cc 주사기와 25-게이지 바늘
- 약간 긴(예를 들어, 1.5인치) 22-게이지의 진단적 바늘
- 비만 환자에 필요한 6인치, 20-게이지의 요추천자용 바늘
- 18게이지의 흉강천자 카테터, 7.5인치 바늘
- 60-cc 주사기
- 연결 관
- 무균적 채취 튜브와 커다란 채집용 봉지나 병

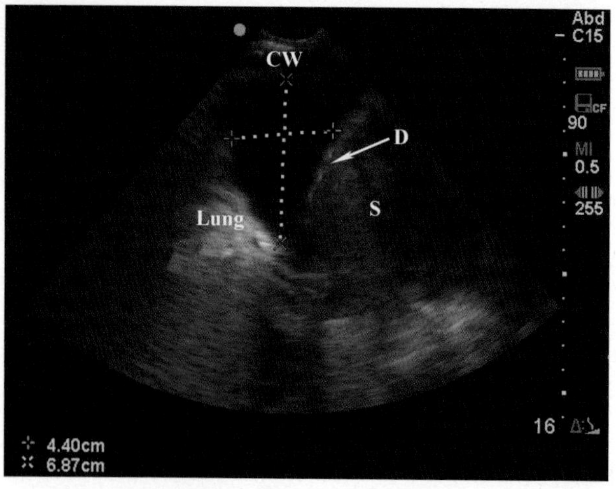


**그림 18-4** 중등도 양의 좌측 흉수. 흉수가 고에코성의 횡격막(D)과 동질에코성의 비장(S) 위에 무에코성의 영역으로 확인된다. 점선은 흉수의 높이와 깊이를 나타낸다. CW: 흉벽.

## 마취

카테터 진입 예정 부위를 1~2%의 리도카인으로 부분 마취한다. 이는 갈비사이공간 혈관들과 신경의 손상을 피하기 위해 갈비뼈의 바로 위쪽 갈비사이공간이 적절하다. 표면부위의 마취를 위해 25-게이지의 바늘로 팽진을 만든다. 이후, 깊은 부위의 마취를 위해 큰-게이지의 바늘을 피부의 팽진을 통해 피하조직으로 진입시킨다. 진입하는 도중에는 혈관의 손상을 피하기 위해 주사기를 뒤로 흡인하고 있어야 하며, 이후 흉강 공간으로 리도카인을 주입한다. 민감한 벽측 흉막과는 달리, 장측 흉막은 감각 신경섬유가 적다.

## 카테터 삽입과 흉강의 배액

적절한 마취 후, 아래쪽 갈비뼈의 바로 위 피부에 평행한 방향으로 작은 절개를 낸다. 흉강천자 바늘과 카테터를 조립하여 작은 주사기에 연결하고 절개창을 통해 밀어 넣는다. 흉수가 저항 없이 주사기 안으로 흘러들어올 때까지 부드럽게 흡인을 한다. 흉강천자 카테터를 바늘 위로 완전히 진입시킨다. 바늘을 제거하고, 카테터에 시료 채취와 배액을 위한 연결관을 부착한다. 세포 수와 분획, pH, LDH, 단백질 함유량, 그람 염색, 배양을 위해, 만약 악성종양이 의심될 경우 세포진검사를 위해 검체를 채취한다. 그리고 임상적 상황에 따라서 알부민 및 아밀레이즈(amylase)나 다른 검사들을 진행할 수 있다.

대량 흉수에서 치료적 흉강천자 시 흉수의 양에 대해서는 일부 논란이 있다. 시술자는 보통 부작용 없이 가능한 한 많은 흉수를 배액하고 싶을 것이다. 압력측정법을 통해서 목표 배액량을 결정하고 흉강 압력이 약 −20 cm $H_2O$에 도달할 때까지 배액(추가로 읽을거리#2에 있는 웹 참고문헌을 참고)한다. 재팽창 폐부종(reexpansion pulmonary edema)은 대량 흉강천자의 부작용으로 보고되지만 드문 것(대량 흉강천자의 $<1\%$)으로 알려져 있다. 원하는 만큼의 양이 배액 되면, 카테터를 제거하고, 압박을 가하고, 절개 부위 위에 드레싱을 시행한다.

초음파 유도 흉강천자는 기계호흡 환자에서도 안전하고 효과적인 시술로 알려져 있다. 시술은 앙와위나 반-측와위 자세에서 이루어진다. 보통 정중액와선 위에서 초음파 탐색이 시행되지만 크기가 작거나 소방형성된 흉수에서는 용이한 접근을 위해 환자를 반대쪽으로 굴릴 수도 있다. 초음파로 흉막을 검사하고, 진입 부위를 소독하고, 카테터 진입과 흉수를 배액하는 과정은 앞서 언급했던 기관 삽관을 하지 않은 환자들에서와 동일하다.

## 흔히 저지르는 실수

### 어려운 환자

다른 시술과 마찬가지로, 특정 상황에서는 초음파 유도 흉강천자를 수행하기가 어려울 수도 있다. 비만 환자에서는 심부 구조물의 영상화가 힘들어서 낮은 주파수의 탐색자를 이용하여 이 문제를 해결한다. 이러한 환자에게 흉강천자를 시도할 때 통상적인 짧은 바늘을 이용하면 흉수까지의 접근이 불가능할 수도 있어서 21-게이지의 긴 바늘(보통 요추천자 바늘)을 이용한다. 피부 표면에서부터 흉수까지의 거리와 인접 구조물들의 위치를 파악하기 위해, 그리고 긴 바늘을 너무 깊이 삽입했을 때 폐나 다른 주변 구조물들을 바늘이 손상하는 것을 막기 위해 바늘의 몸통에 대략적인 거리를 표시한 이후에 사용한다.

### 체액의 오인

복수와 흉수가 동시에 존재할 때 경계를 파악하는 것이 매우 중요하다. 복수는 간이나 비장 위에 존재하기도 해서 흉수와 종종 혼동된다. 그러므로 흉수 채취를 시도할 때는 복수 채취를 막고 복부 장기 손상을 피하기 위해 간, 비장, 그리고 횡격막을 꼼꼼히 파악하도록 한다. 이 상황에서, 횡격막은 간이나 비장 위에서 두 체액 사이에 얇은 고에코성의 조각 모양으로 보인다(그림 18-2와 18-3). 그리고, 흡기 시 횡격막은 꼬리 쪽으로 이동하면서, 간이나 비장에 주변에 있던 복수를 사라지게 하여 검사자가 체액의 정체를 파악하는 데 도움을 준다.

### 올라간 일측 횡격막

일측 횡격막이 올라가 있으면 흉수의 확인이 어렵다. 초음파검사자는 일측 흉곽의 첨부에서 검사를 시작하여 간이나 비장이 보일 때까지(둘 다 균일에코성이지만 간에는 담도가 있는 게 특징이다.) 아래로 탐색해나간다. 탐색자를 안쪽과 바깥쪽으로 움직이고 폐 첨부부터 기저부까지 탐색을 반복하여 흉수의 위치를 파악하거나 흉수를 배제하는 데 도움이 된다.

### 기흉

흉강천자는 의도치 않게 폐 손상과 기흉을 일으킬 수 있는 침습적 시술이다. 시술자는 바늘이 너무 깊이 들어가 폐를 찌르지 않는지 확인하여 이러한 위험을 줄인다. 실시간 초음파 유도법은 흉강으로 들어가는 바늘을 의사가 확인할 수 있고, 바늘이 흉수에 도달했을 때 진입을 멈출 수 있다는 점이 장점이다. 정적 방법에서는 적절한 깊이를 측정하고, 특정 지점 이상으로 바늘과 카테터가 삽입되지 않도록 주의를 기울여 기흉을 예방한다.

### 주위 구조물들의 손상

흉강천자 시에는 혈관, 신경이나 다른 기관들과 같은 주변 구조물이 손상될 위험이 있다. 갈비사이공간 신경과 혈관의 손상을 피하기 위해서는 시술자가 갈비뼈 위로 바늘을 삽입하도록 한다. 그리고, 바늘을 진입시킬 때 컬러-유량 도플러를 사용하여 혈관을 명확하게 확인하는 과정이 이러한 손상을 막는 데 도움이 된다. 갈비사이공간 동맥의 주행 경로는 척추로부터 4~6 cm 이내에서는 더욱 복잡하다. 그래서 진입 부위를 흉벽을 따라 좀 더 바깥쪽에 설정한다. 실시간 초음파 유도법은 간, 비장, 그리고 횡격막과 같은 인접 장기들의 손상을 막고 바늘이 올바른 방향을 향하게 하는 데 유용하다.

### 천자실패

만약 바늘이 올바른 곳에 삽입되지 않으면 실패할 수 있다. 정적 방법 이용 시 바늘을 제거하고, 진입 부위가 적절한지 확인하기 위해 피부 위에 무균 처리된 탐색자를 올려놓는다. 실시간 유도 방법 이용 시 바늘을 뒤로 잡아당긴 채 화면을 보면서 바늘을 목표 위치에 도달하여 흉수가 흡인될 때까지 이동시킨다.

### 감염

가능성은 작지만 침습적 시술에 따르는 감염의 위험은 항상 존재한다. 이러한 합병증을 막기 위해 완벽한 멸균적 주의 조치가 필요하다. 그리고, 임상의가 환자에게 중첩된 감염이 없음을 확인하기 위해 시술 전에 환자의 피부를 자세히 진찰해야 한다.

## 결론

흉강천자는 흉수 평가에 아주 중요한 시술이다. 흉부 초음파검사는 빠르고 정확하게 흉강을 검사하여 흉수를 진단하고, 시술을 유도하여 기흉을 예방할 수 있다. 흉막에 기초한 시술들에 능숙하게 흉부 초음파를 적용하면 진단의 범위가 넓어지고 합병증의 빈도가 줄어든다.

| 추가로 읽을 자료 |


Barnes TW, Morgenthaler TI, Olson EJ, et al. Sonographically guided thoracentesis and rate of pneumothorax. *J Clin Ultrasound*. 2005;33:442–446.

Feller–Kopman D. Ultrasound–guided thoracentesis. *Chest.* 2006;129:1709–1714.http://chestjournal.chestpubs.org/site/misc/videos/diagrams1/index.html

Lichtenstein DA. Ultrasound in the management of thoracic disease. *Crit Care Med*. 2007;35:S250–S261.

Mayo PH, Doelken P. Pleural ultrasonography. *Clin Chest Med*. 2006;27:215–227.

Mayo PH, Goltz HR, Tafreshi M, Doelken P. Safety of ultrasound–guided thoracentesis in patients receiving mechanical ventilation. *Chest*. 2004;125:1059–1062.

# 19 복부천자

## 배경지식 및 검사의 적응증

복수(ascites)는 복막강(peritoneal cavity) 내에 비정상 체액(free fluid)이 축적되는 것으로 보통 간부전(hepatic failure)에 의한 문맥고혈압(portal hypertension)에 의해 발생한다. 다른 흔한 원인으로는 신부전(renal failure), 울혈성 심부전(congestive heart failure), 감염 및 악성종양 등이 있다. 대량의 복수는 환자가 큰 불편감을 느낄 수 있고 복수가 호흡 및 정맥 환류에 영향을 끼치거나, 직접 감염된 경우 환자의 생명을 위협할 수도 있다. 신체 진찰은 복수 평가에 민감한 방법이 아니므로 신체 진찰만으로 최적의 배액 위치를 결정하는 것은 아무래도 신뢰성이 떨어진다. 임상에서 초음파를 활용하면 복수를 찾고 제거하는 데 도움이 된다.

중환자의학 전문의와 응급의학 전문의는 오랫동안 임상에서 복부천자(paracentesis)를 시행해 왔다. 최근 초음파-유도(ultrasound-guided) 방법이 소개되기 전까지는 전통적인 맹목 접근법(blind approach)이 복막강 내(intraperitoneal) 체액을 제거하는 데 주로 이용됐다. 하지만 이제는 초음파-유도 복부천자가 중환자의학과 응급의학 전문의 모두에게 표준적인 방법으로 자리잡혔다. 과거의 맹목 접근법과 비교했을 때, 초음파-유도 복부천자는 시술의 성공률을 높이고, 혈관 손상이나 장 천공(bowel perforation)과 같은 합병증의 위험을 낮출 수 있다.

환자의 상태에 따라서 복부천자는 진단적 또는 치료적 목적으로 시행되지만, 때로는 모두를 목표로 시행되기도 한다. 진단적 복부천자는 감염이나 악성종양을 배제하는 데 필요하다. 복수는 복막염(peritonitis)을 초래하는 세균 감염의 위험이 항상 있다. 치료적 복부천자는 복통이나 호흡곤란을 완화하기 위해 시행된다. 많은 양의 복수는 횡격막(diaphragm)의 움직임을 방해하여 호흡 곤란(respiratory distress)을 일으키거나 하대정맥(inferior vena cava, IVC)을 압박하여 우심으로의 혈액 환류를 막아 혈역학적으로 불안정한 상태를 초래할 수 있다. 이러한 환자에서 복수를 제거하면 심폐 문제를 완화하고 상당한 증상 호전을 가져올 수 있다.

### 진단적 천자

- 새로 발생한 복수, 원인이 명확하지 않은 복수의 평가
- 복수가 있던 환자에서 원발성 세균성 복막염의 평가(복통, 발열, 또는 의식상태의 변화 동반 가능)

### 치료적 천자

증상이 있는 복수의 경감, 특히 심혈관이나 호흡기적 문제가 있을 때

## 탐색자 선택과 기술적 고려사항

### 주파수 범위가 3.5~5.0 MHz인 곡선형 탐색자

복수 탐지를 위해 우선 선택되는 탐색자는 접촉면적이 넓은, 주파수 3.5~5.0 MHz인 곡선형이다. 이 탐색자는 상복부와 하복부에 있는 대량의 복수를 확인하는 데 가장 좋으며, 9장에 자세히 기술되어 있다.

### 주파수 범위가 8~12 MHz인 선형 배열 탐색자

흡인을 위한 최적의 체액 주머니(fluid pocket)를 확인하고, 8~12 MHz 범위의 고주파 선형 탐색자를 시술 유도에 이용할 수 있다. 이는 더 좋은 해상도를 제공하고, 아래 복벽혈관(epigastric vessel)들과 복수 공간으로 진입하는 바늘을 확인하는 데 유용하다.

### 다른 도구

복부천자에는 적절한 부분 마취(1~2% 리도카인, 필요시 에피네프린 동반)와 함께 멸균적 시술을 위한 기본 도구들이 필요하다. 그리고, 가능하다면 멸균 포장된 '복부천자 키트' 또는 다음을 포함한 물품이 필요하다:

- 체액 제거를 위한 18~20 게이지 바늘
- 진단적 복부천자를 위한 60 cc 주사기
- 치료 목적의 대량 복부천자:
  - 진공채혈병
  - 복수를 진공채혈병으로 배액하기 위한 루어락(luer lock)이 연결된 관
  - 복부천자 바늘과 관을 연결하기 위한 루어락
  - 진공채혈병에 삽입할 18-게이지 바늘

## 맹목(BLIND) VS. 초음파-유도(ULTRASOUND-GUIDED) 복부천자

전통적으로 복부천자는 오로지 신체 진찰을 통해서 시행됐다. 복수는 복막(peritoneum) 안에서 중력의 영향을 받아 모인다. 복부 팽만, 체액 파동, 이동 둔탁음(shifting dullness)의 존재는 복수를 의심할 수 있는 일반적인 진찰 소견이다. 제한점은 다음과 같다:

- 장이나 그물막(omentum)의 복막 유착 상태를 평가할 수 없다.
- 피부에서부터 복막까지 또는 복막에서부터 장이나 그물막까지의 거리를 알 수 없다.
- 배액을 위한 최적의 위치를 결정할 수 없다.
- 하부 복벽 혈관(inferior epigastric vessels)을 확인할 수 없다.

초음파-유도 복부천자는 맹목 접근법에서 제시된 제한점들을 보완해준다. 이 방법은 복수를 확실하게 찾아내고 바늘의 진입과 배액을 위한 최적의 위치를 결정하는 데 유용하다. 복부 초음파검사는 골반을 비롯하여 상복부와 하복부를 모두 포함해야 한다. 복수가 가장 많은 위치를 확인하기 위해 여러 부위를 검사하는 것이다. 초음파는 복수의 양이 500 cc가 넘을 때 매우 민감도가 높은 검사이다. 현장진단 초음파(bedside ultrasound)로 임상의는 삽입하고자 하는 부위의 안쪽 깊숙한 곳의 복수를 직접 확인할 수 있다. 그리고 천공, 감염 또는 출혈을 방지하기 위해 검사자가 피해야 하는 인접한 장, 그물막 그리고 혈관들의 위치를 찾는 데 도움이 된다. 시술 중 초음파 영상은 소량의 복수 환자에서 또는 도관 삽입이 예정된 부위 주위에 여러 가지 구조물이 있는 경우에 유용하다.

대량의 체액으로 인해 긴장성의 복수가 있는 환자에서 초음파는 하대정맥(inferior vena cava, IVC)을 영상화하여 구획증후군을 평가하는 데 도움이 된다. 이러한 환자는 IVC가 기본적으로 복수에 의해 눌려 있고, 호흡에 의한 허탈이 있을 가능성이 있다. 이는 의료진의 신속한 개입과 배액이 필요함을 의미한다. 임상 심초음파는 심각한 심폐장애가 있는 환자에서 우심충만(right-sided heart filling)의 결손도 찾아낼 수 있다.

### 동적 대 정적 초음파 유도

초음파-유도 복부천자는 정적이거나 동적인 방법으로 시행될 수 있다. 정적 유도법은 복수가 가장 많이 있는 부분을 확인하여, 환자의 피부에 표시하고, 시술 전에 접근 각도를 인지함으로써 최적의 바늘 진입 지점을 파악하는 데 사용된다. 동적 유도법은 임상의가 복막에 정확히 마취하고 적절한 진입 지점을 확인한 뒤 실시간으로 혈관이나 장 손상을 피할 수 있다. 또한, 시술 중 배액이 중단되는 이유와 배액의 적절성 여부를 평가하는 데 이용되기도 한다. 시술을 혼자 하는 경우, 임상의가 한 손에는 탐색자를 나머지 손에는 바늘을 쥠으로써 최적의 시술을 할 수 있다. 시술자가 두 명인 경우 보조자가 탐색자를 잡고 복막 안으로 진입하는 바늘을 영상화하는 방식으로 초음파를 활용할 수 있다.

## 초음파-유도 복부천자 실시

### 환자의 자세

복부천자 시에 가장 흔히 선택하는 자세는 측와위(lateral decubitus position)이다. 이 자세는 복수를 중력 방향(dependent portion)으로 이동하게 하여 장이나 그물막과 복막 사이의 거리를 확보할 수 있다. 만약 환자가 측와위를 견딜 수 없다면, 앙와위에서 머리를 살짝 들어 중력 방향에 따라 하복부로 복수가 이동하도록 하여 시술을 진행할 수도 있다.

### 복수 여부에 대한 평가

주파수 범위가 3.5~5.0 MHz인 곡선형 탐색자를 이용한다. 초음파검사는 양측 상복부와 양측 하복부, 그리고 골반까지 포함하여야 한다. 복수는 하복부나 골반에 가장 많이 모이는 경향이 있다. 복막은 복벽 근육의 깊은 곳에 있어 고에코성으로 나타난다. 복수는 보통 복막으로부터 깊은 곳에 저에코성의 주머니 모양으로 보인다. 복수는 복막 안에서 자유롭게 움직이며, 복수를 싸고 있는 구조물과 같은 모양으로 나타난다. 또한 복수는 중력 의존 구역(gravity-dependent area), 장의 루프(loop)로 둘러싸인 곳, 그리고 복부 장기들의 바깥쪽에서 보통 관찰된다(그림 19-1). 일단 복막이 확인되면, 화면의 가장자리에서 센티미터 단위로 깊이를 나타내는 표식이나 프로그램 내 측정 도구를 이용하여 피부 표면에서부터 복막까지의 거리를 파악하도록 한다. 검사자는 복막 유착을 확인하면서 수 센티미터에 걸쳐 위, 아래, 안쪽과 바깥쪽으로 탐색을 진행한다. 만약 배꼽 아래 정중앙에서 시술할 계획이라면, 현장진단 초음파로 방광을 확인하고, 소변을 본 후에 다시 한 번 검사를 하여 적절하게 감압이 이루어졌는지를 평가한다.

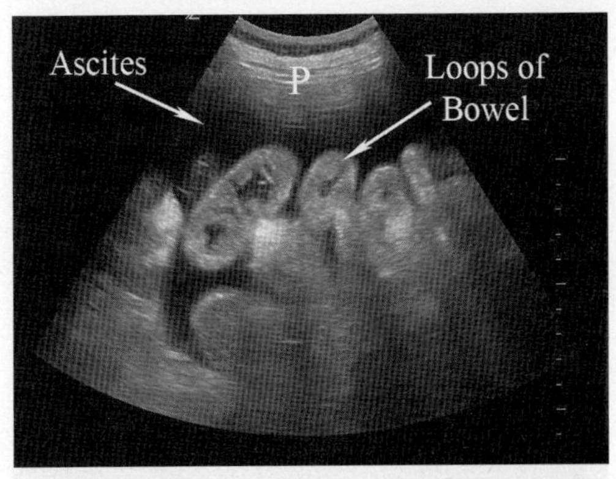


그림 19-1 곡선형 탐색자로 복수와 장을 보여주는 하복부 영상. 바늘과 도관 통과 경로 주위에 장의 고리가 존재하지 않아 바늘이 진입하는 데 최적의 장소이다. P: 복막.

## 하부 복벽 혈관 확인

하부 복벽 혈관은 서혜 인대에서 교차하기 전에 외 장골 혈관(external iliac vessel)들로부터 기시하여 복직근(rectus muscle)의 바깥쪽에서 위쪽 그리고 안쪽을 향해 주행한다. 혈액 응고병증(coagulopathic) 환자에서 의도치 않게 하부 복벽 혈관 손상이 발생하면 심각한 출혈을 초래할 수 있다. 선형, 고주파 탐색자(8~12 MHz)로 교체하여 복벽의 아래쪽, 안쪽을 검사하면 하부 복벽 혈관들의 위치 확인이 가능하다. 해당 혈관들은 앞쪽 복벽의 복막을 따라 이어지고 컬러-유량 도플러나 펄스-파형 도플러를 이용하여 혈류를 확인할 수 있다. 횡단면에서 탐색자를 환자의 오른쪽을 향하게 하면 혈류가 더욱 잘 관찰된다. 탐색자가 혈관과 평행하게 위치해 있을 때는 혈관을 확인하는 것이 힘들어진다(예, 세로 또는 시상 단면)(그림 19-2). 위치를 확인하였다면, 펜으로 피부에 표시해 둔다.

## 진입 부위 선택

시술자는 복수 주머니가 가장 큰 부위를 찾아야 한다. 선택한 진입 부위는 표시된 하부 복벽 혈관들보다 바깥쪽에 위치해야 하며, 정중앙선이 아니라면, 백색선(linea alba)를 통해 배꼽 아래로 접근하는 것이 유용하다. 이 경우 방광의 위치를 확인함과 동시에 방광이 적절하게 비워져 있음을 파악해야 한다. 복수가 있는 환자들은 간비대(hepatomegaly)나 비장비대(splenomegaly)를 동반할 수도 있으므로 최적의 진입 부위를 결정할 때 이들 장기의 아래 끝부분을 확인하기 위해 조심스럽게 탐색을 진행해야

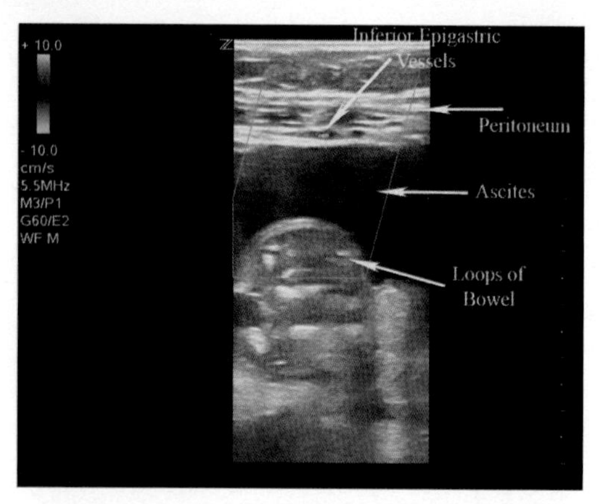


그림 19-2 복수 환자에서 고주파 선형 탐색자를 이용하여 컬러-유량 도플러로 하부 복벽 혈관을 보여주는 횡단면 영상. 이들 혈관은 앞쪽 복벽의 복막을 따라 주행하며 손상을 피하기 위해서는 사전에 혈관 확인이 필수적이다.

한다. 가장 큰 복수 주머니가 확인되면, 다른 복막 내 구조물이 있는지 확인한다. 복부에 수술 흉터가 있으면 장이나 장간막(mesentery) 유착 부위가 천자되는 것을 방지하기 위해 초음파로 자세히 살펴보아야 한다.

## 멸균 시술 프로토콜

복막을 마취하고 초음파로 실시간 유도를 시행하기 위해 초음파 탐색자와 케이블을 먼저 멸균된 덮개에 넣어야 한다. 실시간 초음파 영상을 확인하며 부분 마취와 복막을 통한 바늘 천자를 시행한다.

## 마취

부분 마취는 에피네프린이 섞이거나 섞이지 않은 1~2% 리도카인으로 시행한다. 처음에는 작은 게이지의 바늘(30~25 G)을 사용하고 천자 부위로부터 수 밀리미터 떨어진 곳에 마취를 시행한다. 대략 0.5~1 cc의 리도카인을 환자의 피부에 팽진을 만들며 주사한다. 그 다음, 5 cc의 리도카인이 들어 있는 루어락 주사기가 연결된 중간 게이지의 바늘(22~20 G)을 피하지방을 통해 삽입한다. 혈관이 아닌 복벽 연부조직에 약물 주입을 하기 위해 주사기에 음압을 걸며 흡인한다. 직접적인 초음파 영상하에서 바늘을 다시 복막으로 진입시키고, 음압을 건 이후 복막마취를 위해 리도카인을 주사한다. 실시간 초음파 유도 시 리도카인이 바늘 끝에서 분출되고 복막의 연부조직에 모이는 모습을 확인할 수 있다.

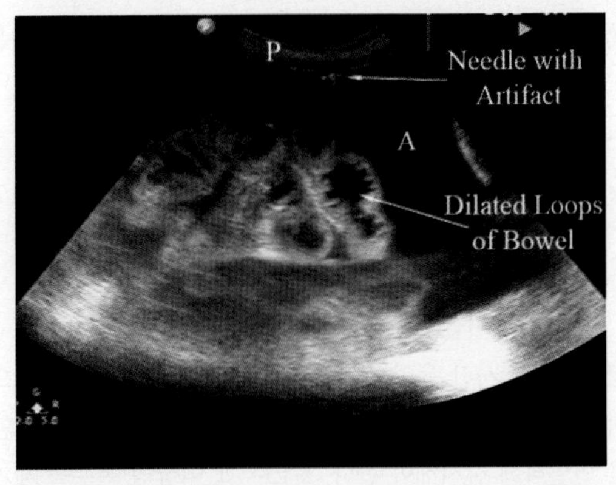


그림 19-3 곡선형 탐색자를 이용하여 체액이 있는 주머니 안을 향해 복막으로 진입하는 바늘을 나타내는 하복부 영상. 고에코성으로 나타나는 바늘과 그 뒤에 형성되는 링-다운 허상에 주목하라. P: 복막, A: 복수.

## 도관 삽입

마취된 천자 예정 부위 피부에 도관이 연부조직으로 쉽게 진입할 수 있도록 작은 절개를 낸다. 약 0.5~1 cm 바깥쪽의 피부표면에 살짝 비스듬하게 장력을 가한다. 바늘이 진피층을 뚫고 나면 가하던 장력을 중지해야 하는 데 이는 'Z-track'이라는 것을 만들어 복막 누수의 가능성을 줄일 수 있다. 그 다음 도관이 연결된 바늘을 주사기에 흡인을 유지하며 음압을 가해 마취된 연부조직으로 삽입한다. 직접 초음파 영상에서는 바늘이 피부에 텐트를 만들면서 복벽 조직을 뚫고, 복막에 접근하는 장면이 보이게 된다. 검사자는 장, 장간막이나 다른 복막강 내 구조물들을 확인하기 위해 화면을 계속 주시해야 한다. 마지막으로 바늘이 복막을 천자하게 된다. 초음파에서는 복수 주머니가 저에코성으로 나타나며, 복수 안으로 들어가게 되면 바늘이 고에코성으로 보이고 특징적인 링다운(ring-down) 허상을 만들어낸다(그림 19-3).

## 복수의 제거

바늘이 복막강 내에 보이고 복수가 일단 흡인되더라도 초음파 탐촉자는 멸균된 상태로 검사 부위에 위치해야 한다. 바늘과 주사기가 피부 표면에서부터 동일한 깊이를 유지하기 위해 고정한 상태에서 복막 도관을 바늘 위로 천천히 진입한다. 도관의 중심부 끝까지는 아니더라도 모든 측구(side-port)들이 피부 표면 바로 아래에 위치하도록 충분히 도관을 밀어 넣어야 한다. 이로써 도관을 통해 복수가 확실하게 흡인된다. 마지막으

로, 바늘을 도관으로부터 완전하게 제거한다. 복수는 다음과 같은 경로로 배액된다:

- Three-way 꼭지를 부착한 60-cc 루어락 주사기
- 일방 밸브(one-way valve)를 연결한 주사기와 채집용기
- 진공채집병으로 배액

체액의 이동이 일어날 수 있으므로 대량(>1.5 L)의 복수를 제거하는 것은 위험하다. 수 시간 동안 세포 안과 혈관 속으로부터 복막으로 체액이 이동하여 환자의 체액 공간의 평형화가 이루어질 수 있어 환자를 이 기간 동안 면밀하게 감시해야 한다. 5 L나 그 이상의 복수를 제거할 때에는 혈관 내 알부민(25%, 8 g/L)의 투여를 고려할 수도 있다.

복수로 흔히 시행하는 검사는 세포 수 및 분획, 알부민, 총 단백량, 그람 염색과 배양, 세포검사가 있다. ㎕당 250개 이상의 호중구는 세균성 복막염을 시사한다. 혈청-복수 알부민 차(SAAG)의 상승(>1.1 g/dL)은 문맥 고혈압에 의한 삼출액을 의미한다. 낮은 SAAG(<1.1 g/dL)은 흔히 악성종양에 의해 발생하는 여출액에 합당한 소견이다.

### 배액 후 평가

초음파는 적절한 양의 복수가 제거되었는지 평가하는 데 쓰이기도 한다. 시술자는 골반뿐만 아니라 상복부와 하복부를 배액이 적절한지 평가하기 위해 다시 살펴보아야 한다. 원하는 만큼 제거되었으면, 도관을 제거한다. 천자 부위에 발생할 수 있는 출혈을 막기 위해 압박을 한다. 마지막으로, 복수의 누수가 있는지 살펴보고, 없다면 상처를 깨끗이 소독한다.

## 흔히 저지르는 실수

### 검사결과 확인하기

대부분의 복수 환자들은 간 부전을 동반하고 있기에 응고장애나 혈소판 감소가 흔하다. 만약 환자의 prothrombin time (PT)의 INR 값이 2를 넘거나 혈소판 수치가 50,000 $mm^3$보다 낮다면, 복막천자 전에 신선동결혈장이나 혈소판 수혈이 필요할 수 있다. 초음파 유도는 이런 환자에서 혈관 손상의 위험성을 최소화하는 데 도움이 된다.

## 복수 부피 파악하기

복막천자를 시행하기에 앞서 적당한 복수가 있는지 초음파로 확인하는 것이 필요하다. 일부 환자에서 트렌델렌부르크 체위(Trendelenburg position), 역방향의 트렌델렌부르크 체위 또는 측와위 자세가 특정 부위에 축적되는 복수의 양을 증가시켜 흡인을 쉽게 하는데 도움이 된다. 모인 복수가 적거나 중요한 구조물들이 주변에 있다면 초음파가 시술에 도움이 될 것이다.

## 천자실패

바늘이 복막강 내로 삽입된 후에도 흡인되는 것이 없을 수도 있다. 이러한 경우는 바늘이 부정확하게 위치하거나, 바늘이 좀 더 진입되어야 하거나, 복수가 아주 소량일 때 일어난다. 천자에 실패할 가능성은 맹목 접근법이나 정적 초음파 유도법(피부에 표시만 한 경우)으로 시술을 진행했을 때 확연히 높아진다. 흡인되는 복수가 없다면, 검사자는 초음파를 이용하여 피부 표시가 적절히 되었는지 확인하거나 복수가 고인 체액 주머니 안쪽으로 바늘을 다시 위치시켜야 한다.

## 삼출액과 여출액

병인에 따라서, 복수는 삼출액 또는 여출액으로 나뉜다. 또한, 수술의 기왕력, 흉터 또는 감염이 동반된 환자에서는 저에코성으로 복수가 보이더라도 자유 이동이 완벽하게 나타나지 않을 수도 있다. 이 상황에서 검사자는 초음파로 복막강 내 체액을 놓칠 수도 있다. 환자의 과거력이 복수 병인의 단서를 제공하며 어떤 식으로 초음파에 나타날 것인지 예측하는데 도움이 되기도 하므로 병력 청취가 무엇보다도 중요하다.

## 다른 액체로 채워진 구조물을 복수로 오인하기

때때로, 장폐색이 복수와 혼동될 수 있다. 액체로 채워진 확장된 장의 고리(loop)와 복수를 혼동해서는 안된다. 확장된 장의 고리 안에 있는 액체는 소장 벽 안쪽에 명확하게 존재하는 반면에 복수는 장관 밖(extraluminal)에서 자유롭게 움직인다. 일부 사례에서, 확장된 방광이 복수로 오인되기도 한다. 검사자는 시술을 시행하기 앞서 방광을 조심스럽게 확인한다. 복수로 오인될 수 있는 액체로 채워진 다른 복부 구조물들로는 췌장, 신장이나 간 낭종이 있다. 검사자는 목표가 되는 복수가 자유롭게 움직이는지, 명확하게 장 벽 안쪽에 있는 것은 아닌지 복부의 모든 사분면을 완벽하게 탐색해야 한다.

### 혈관 손상

하부 복벽 혈관의 위치를 확인하지 못하면 천자로 혈액복막을 일으킬 수도 있다. 이는 말기 간질환을 가진 응고장애 환자에서 생명을 위협한다. 이 혈관들은 보통 안쪽(medial)으로 존재하지만, 다양한 개인차가 있으므로 시술 시작 전에 정확한 위치를 표시하는 것이 중요하다.

### 배꼽 아래 접근

정중앙 배꼽 아래 접근법이 이용되는 경우, 방광의 감압상태를 제대로 평가하지 못해 방광 손상이 일어날 수 있다. 정중앙에서 방광은 꽉 찬 모습으로 보이며, 소변을 본 이후에 완벽한 감압이 이루어졌는지 평가하고 의인성 천공의 위험성을 낮추기 위해 초음파로 재차 확인해야 한다.

### 감염

다른 침습적인 시술과 같이 이 시술 또한 항상 감염의 위험이 있다. 임상의는 시술하는 동안 멸균 주의사항을 지켜 이러한 위험성을 낮출 수 있다.

## 결론

복부천자는 중환자 영역에서 진단, 치료 목적으로 빈번히 시행된다. 초음파는 복막강 내 비정상 체액을 확인하고, 총량을 평가하며, 흡인을 위한 최적의 위치를 파악하는 데 높은 민감도를 가진다. 초음파 유도 복부천자는 시술로 인해 생기는 합병증의 확률을 낮추고 성공률을 높이는 것으로 알려져 있다. 이는 임상의가 장, 혈관, 그리고 다른 복막강 내 구조물들을 피하고 복부와 골반 내의 해부학적 상태를 잘 파악하는 데 도움이 된다. 피부 표시만으로 진입 부위를 단순하게 준비하는 정적 방법과 바늘 끝이 복막강 내로 진입하는 것까지 관찰하는 동적 방법 모두 시술의 안정성과 성공률을 높인다. 급성기 환자 치료 환경에서 다른 침습적 시술들과 마찬가지로 초음파 유도 복부천자는 맹목 접근법에 비해 선호되고 있다.

**| 추가로 읽을 자료 |**

Bard C, Lafortune M, Breton G. Ascites: ultrasound guidance or blind paracentesis? *CMAJ.* 1986;135(3):209–210.

Nazeer SR, Dewbre H, Miller AH. Ultrasound assisted paracentesis performed by emergency physicians vs the traditional technique: a prospective, randomized study. *Am J Emerg Med*. 2005;23(3):363–367.

Runyon BA. Paracentesis of ascitic fluid: a safe procedure. *Arch Intern Med*. 1986;146 (11):2259–2261.

# 20 심막천자

## 초음파 유도 심막천자의 배경지식 및 검사의 적응증

심장 시술은 응급실이나 중환자 치료 현장에서 빈번하게 시행되지는 않더라도, 심장 전문의나 흉부외과의사가 시행함으로써 매우 위중한 환자의 생명을 구할 수 있다. 특히 초음파는 심낭탐폰(cardiac tamponade) 환자에서 심막천자(pericardiocentesis)와 완전방실차단(complete heart block)이나 약물에 반응이 없는 불안정한 서맥 환자에서 심박동조율기(cardiac pacing) 삽입 시 그 가치가 빛을 발한다.

심낭 삼출(pericardial effusion)은 호흡곤란, 빠른맥 또는 저혈압과 같이 비전형적인 상태로 나타난다. 심각한 심낭 삼출액이 있거나 심낭탐폰의 증상 또는 징후가 보이는 환자에게는 심막천자를 신속히 시행해야 한다. 초음파 유도는 심막천자의 성공률을 높이고 합병증 발생률을 낮출 수 있으므로 기본적으로 고려해야 한다.

심낭탐폰은 심막천자의 적응증이다. 심막천자는 보통 흉막심낭개창술(pericardial window procedure) 이전에 신속히 시행되며 덜 침습적이다. 대부분의 심낭탐폰 시술은 심혈관 조영실에서 안전하게 진행되지만, 환자 상태가 매우 불안정하여 중환자 치료 현장에서 응급으로 이루어지는 예도 있다. 의료기관에 심장 전문의가 없을 때는 응급의학과 의사나 중환자 전문의가 불안정한 환자에 시술을 수행해야 할 수도 있다.

외부 압박으로 심장에서 혈액 충만 장애가 생길 때 심낭탐폰이 일어난다. 심낭탐폰은 심낭 삼출액의 양이 많은 경우뿐만 아니라 적을 경우에도 발생한다. 체액이 빠르게 축적될수록 심장을 압박하는 심막의 압력이 더욱 빨리 상승한다. 심낭탐폰은 임상적으로 진단되는(심낭 삼출액에 혈역학적 장애 동반) 병이지만, 검사자는 환자가 심낭탐폰이 임박하였음을 나타내는 징후들을 초음파검사를 통해 확인할 수 있다. 왼쪽 심장은 높은 압력에 비례하여 근육 구조가 크고 두껍다. 따라서 압력이 낮고 심벽이 상대적으로 얇은 오른쪽 심장이 먼저 허탈된다. 우심방의 후기 확장기 허탈(late diastolic collapse)이 먼저 보이게 되고, 우심실벽의 초기 이완기의 허탈이 뒤이어 관찰된다. 이때는 혈액 충만 제한을 의미하는 IVC 확장이 흔히 보인다. Beck의 삼징[Becks triad: 저혈압, 심음 크기 감소, 내경정맥 확장(jugular venous distension)]의 진찰 소견이 심낭탐폰 때에 나타날 수 있지만, 이것은 심낭탐폰에 민감하지 않다.

심낭탐폰의 첫 번째 치료는 혈관 내 결정질용액(crystalloid)을 이용하여 전 부하(preload)를 늘려주는 것이다. 이는 중심정맥압과 우심방압을 증가시켜 심장의 외부 압력을 상쇄시키는 작용을 한다.

심막천자는 심장 외부의 체액을 심낭에서 제거하여 심장의 혈액충만이 가능하도록 한다. 예를 들어, 심낭탐폰 환자의 심낭에서 50 mL의 체액을 제거하면 심장 박동당 50 mL 만큼의 혈액이 효과적으로 심장에 들어오게 되어 심박출량이 3 L/min (50 cc×100×0.6) 만큼 증가한다(분당 심박수를 100회, 심박출율을 60%로 가정했을 때). 성인에서 정상 심박출량은 대략 3~6 L/min이므로 상대적으로 적은 양의 체액을 제거하더라도, 정상 심박출량으로 회복할 수 있다.

## 탐색자 선택과 기술적 고려사항

### 주파수의 범위가 3.0~5.0 MHz의 위상-배열 심장 탐색자

심장 검사 용도로 설정된 위상-배열 탐색자가 이용된다. 검상하법(sub-xiphoid approach)으로 검사를 할 때에는 3.0~5.0 MHz 주파수의 곡선형 복부 탐색자가 이용되기도 한다.

### 조직배음영상(TISSUE HARMONIC IMAGING)

가능하다면 모든 심장 영상에서 조직배음영상(Tissue harmonic imaging (THI))을 이용한다. THI는 심낭(pericardium)에서 되돌아오는 신호를 밝게 하여 혈액으로 찬 심장의 방실과 이를 둘러싼 심낭 삼출 사이의 대조도(contrast)가 향상되므로 영상의 질을 높여 시술을 쉽게 할 수 있다.

### 멸균 주의사항

심정지가 임박한 상황이 아니라면, 통상적인 멸균 주의사항과 멸균 탐색자 덮개가 이용된다.

### 장비

심막 천자 키트나 Seldinger법을 이용하여 도관이나 돼지꼬리모양 도관을

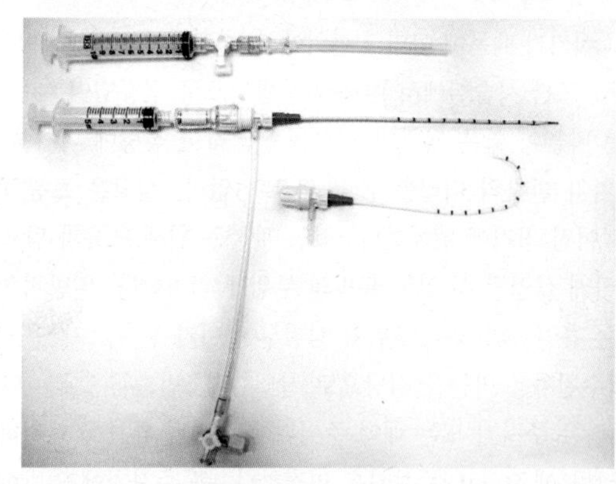

그림 20-1 위: 멈춤꼭지와 주사기가 연결된 표준크기의 3.5인치 척수천자용 바늘. 중간: 배액 시스템과 함께 뭉툭한 바늘에 연결된 돼지꼬리 도관. 아래: 바늘이 제거된 돼지꼬리 도관.

삽입할 적절한 기구들이 포함된 전용 트레이를 사용하는 것이 이상적이다. 이는 체액이 다시 축적될 것으로 예상하는 경우 환자의 심낭 주머니(pericardial sac)에 배액용 도관을 남겨놓을 수 있고, 환자를 다른 기관으로 후송할 때 활용할 수도 있다. 주사기와 배액 주머니가 연결된 멈춤꼭지(stopcock)를 사용한다. 체액을 빼낼 때 주사기를 사용하고, 멈춤꼭지를 돌리면 체액의 이동 경로를 배액 주머니로 변경할 수 있다.

키트를 활용할 수 없고 신속하게 체액 제거가 필요한 경우 척수천자용 바늘이 이용되기도 한다. 일반적인 척수천자용 바늘은 3.5인치 또는 8.9 cm임을 기억한다(그림 20-1). 흉골연 시야에서 심막이 2~3 cm정도로 가까이 있더라도, 검상하에서 진입하는 경우 실제 거리는 바늘의 길이보다 길 수도 있다(8~15 cm). 따라서, 그러한 경로로 진입할 때 대부분의 '무효천자(dry tap)'는 바늘의 길이가 너무 짧아서 발생하게 된다. 또한, 일부 '출혈성 천자(bloody tap)'는 우심실이 아니라 간을 찔러서 생기기도 한다.

## 초음파 유도 심막 천자

심막천자에 이용되는 두 가지 접근법으로 검상하법과 경흉법(transthoracic)이 있다. 전통적 맹목 접근법에서는 큰 주사기가 부착된 척수천자용 바늘을 검상돌기(xiphoid process)의 왼쪽 부위에서 왼쪽 견갑골(scapula)의 아래 끝을 향해 삽입한다. 이때 환자의 머리 쪽을 들어올려 심장을 아래로 이동시켜 바늘 끝을 더욱 가깝게 함으로써 성공률이 올라간다. 이는 뇌 쪽의 혈압을 감소시키기 때문에 이미 저혈압에 빠진 환자에 해로울 수도 있다.

최근 심장 도관 시술실에서 이용되는 방법으로 경흉법이 추천된다. 이 방법에서는 바늘이 짧은 거리의 조직을 통과하여 심낭에 다다를 수 있으므로 시술자가 환자의 머리를 올릴 필요가 없다. 심낭은 보통 피부에서 2~3 cm 떨어진 거리에 위치한다. 직접 관찰을 위해 초음파 탐촉자를 바늘이 안전하게 삽입될 수 있는 흉벽의 부위에 위치한다. 일반적으로 바늘 진입 부위는 흉골연의 장축 부위와 심첨부 사이가 된다. 그다음 멈춤꼭지가 달린 척수천자용 바늘을 심낭으로 삽입한다. 멈춤꼭지에는 바늘의 90도 방향에 작은 주사기 또는 배액 주머니에 연결된 튜브를 연결하고 바늘의 직선 끝부분에 50 mL 주사기를 연결한다. 큰 주사기에 역방향으로 압력을 가하면서 주사기에 체액이 들어올 때까지 바늘을 진입한다. 바늘이 심낭에 위치하는지 확인하기 위해 공기방울이 첨가된 생리식염수를 작은 주사기에 넣고 초음파 감시하에 주입한다. 바늘이 알맞은 위치에 있다면, 주입된 생리식염수는 '눈보라(snowstorm)'처럼 나타난다. 확인이 끝났으면, 생리식염수를 다시 흡인해 제거한다.

초음파 유도 심막 천자는 동적이거나 정적으로 시행할 수 있다. 정적 방법에서는 체액이 가장 많이 모여 있는 부위에 바늘 진입 지점과 각도를 표시한다. 시술은 탐색자 없이 진행한다. 동적 방법에서는 실시간으로 바늘이 심낭으로 진행하는 것을 확인할 수 있다. 이는 바늘 끝이 심낭에 있는지 확인할 수 있다는 장점이 있지만, 기술적으로 탐색자와 바늘을 같은 지점에 위치시키기 어렵다. 따라서, 바늘과 탐색자를 다른 지점에 위치시키게 되지만 이 경우에는 또 시각화와 방향 파악이 힘들어진다(예를 들어, 경흉부 심막천자에서의 검상하 시야).

Mayo Clinic에서는 체액이 가장 많이 모인 지점을 정적인 방법으로 결정하여 진행하기를 권고한다. 이 방법에서는 시술의 85%가 경흉부 접근법으로 시행되었고 다른 지역(특히 유럽에서)에서는 늑골하 접근법으로도로 성공률이 높다고 보고한 때도 있었다. 두 경우 모두 연속적인 초음파검사로 바늘을 확인하거나 배액의 성공을 평가할 수 있었다.

## 흔히 저지르는 실수

### 바늘의 길이가 너무 짧은 경우

이런 실수는 검상하 접근법을 이용했을 때 일어난다. 시술자는 바늘이 정확한 위치에 닿을 수 있도록 더욱 긴 척수천자용 바늘이나 돼지꼬리 도관을 이용하여 이런 문제점을 해결할 수 있다. 이런 상황에서는 심낭에 더욱 가깝게 바늘이 위치할 수 있는 경흉부 접근법이 좋다. 그리고, 실시간으로 심낭 공간에 바늘이 도달하는 것을 확인할 수 있는 동적 방법이 도움된다.

## 간으로 삽입된 바늘

간이 찔리는 것은 검상하 접근법 때 보통 발생한다. 동적 방법은 시술 중에 다른 장기의 손상을 피하고 초음파 감시하에 심낭으로 들어가는 바늘을 확인하는데 유용하다.

## 대동맥 박리

대동맥 박리로 인한 심낭 삼출에서는 동맥혈의 실혈(exsanguinations)이 높은 압력으로 인해 발생할 수 있으므로 심막 천자를 시행해서는 안 된다. 대동맥 뿌리(aortic root) 크기가 4 cm 이상이면 근위부 대동맥 박리를 의심해보아야 한다. 심폐정지 상황이 아니라면 심막 천자를 피하고 흉부외과에 즉시 협진을 의뢰한다(그림 20-2, 20-3).

## 소방을 형성하거나 복잡한 심낭 삼출

악성종양, 혈성 또는 단백질을 동반한 만성적인 심낭 삼출은 소방을 형성할 수도 있다. 혈액 순환 회복의 목적으로 충분한 양의 체액을 제거하기 위해 다양한 방법이 필요하다. 그러므로, 초음파를 이용하여 직접 심장

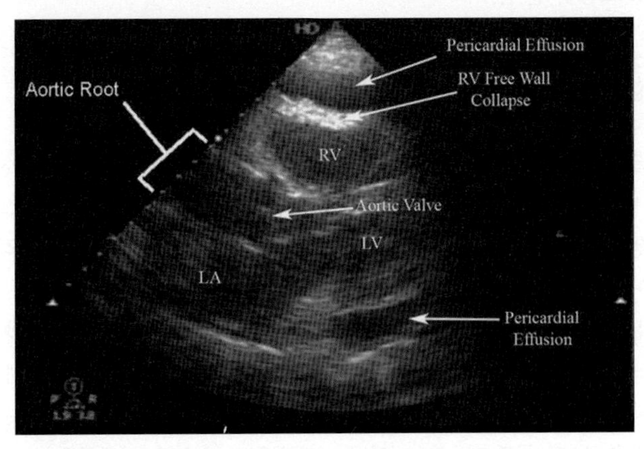


그림 20-2 대동맥 뿌리의 크기가 정상인 심낭탐폰의 흉골연장축도. 체액이 앞 쪽과 뒤 쪽으로 위치해 있음을 주목하라. RV: 우심실, LV: 좌심실, LA: 좌심방.

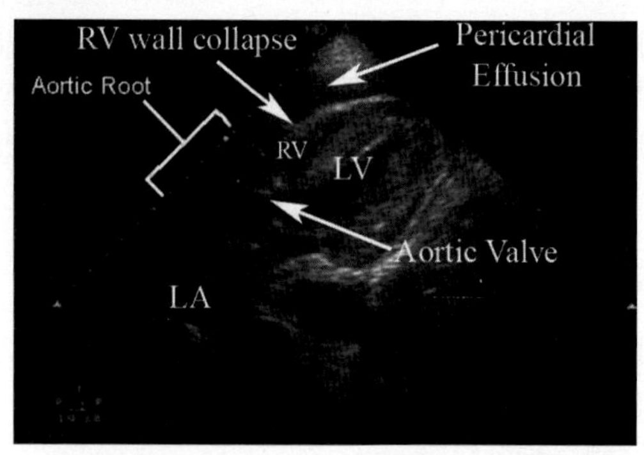


그림 20-3 대동맥 박리를 동반한 심낭탐폰. 이 영상에서 대동맥 뿌리의 크기는 4 cm를 넘는다. 다른 대안이 있다면 심막천자는 피해야 한다. RV: 우심실, LV: 좌심실, LA: 좌심방.

과 심낭을 평가하는 것이 매우 중요하며, 응급 심낭막 개창술(pericardial window)이 필요할 수도 있다.

### 시술에 따르는 합병증들

초음파를 이용하면 비교적 안전하게 심막 천자를 시행할 수 있지만, 기흉, 심실 열상, 속가슴동맥(internal mammary artery)과 심외막혈관(epicardial vessel) 손상과 같은 합병증이 시술 중 발생할 수 있다. 기흉은 경흉부 접근법 때 더욱 잘 일어나지만, 동적 영상을 활용하면 이런 위험이 줄어든다. 또한 동적 영상은 심장 방실과 심외막 혈관의 열상을 방지하는 데도 도움이 된다.

## 초음파 유도 심박동조율의 배경지식 및 검사의 적응증

약물치료에 반응하지 않으며 증상을 동반한 서맥에서 심장조율기를 삽입할 때 초음파 유도가 도움된다. 전통적으로 이 시술은 맹목 접근법으로 시행됐으나, 초음파 유도하에서 박동기의 정확한 위치 확인이 가능하게 되어 시술 성공률이 비약적으로 향상되었다.

심박동조율에는 두 가지 형태가 있다: 경피(transcutaneous, 외부)와 경정맥(transvenous, 내부)법. 경피적 심장조율은 덜 침습적이고 빠르게 시작할 수 있지만, 환자가 매우 불편해하고 제대로 된 박동 포착(capture)이 어려울 수 있다(표 20−1). 경정맥 심장조율은 더 높은 성공률을 보이며, 경피적 방법으로 박동 포착이 효과적이지 않을 때 이용된다.

표 20-1 임시 심박동조율의 적응증(미국심장협회)

| Class I |
| --- |
| · Symptomatic bradycardias unresponsive to atropine. This includes patients with:<br>· Hypotension<br>· Mental status changes<br>· Pulmonary edema<br>· Cardiac ischemia |
| **Class IIa** |
| · Bradycardic escape rhythms unresponsive to pharmacologic therapy<br>· Cardiac arrest with bradycardia or PEA due to overdose, acidosis or electrolyte abnormalities<br>· Standby pacing in specific MI associated rhythms<br>· Symptomatic sinus node dysfunction<br>· Mobitz Type II second degree heart block<br>· Third degree heart block<br>· New LBBB, RBBB, alternating BBB, or bifascicular block<br>· Symptomatic Mobitz Type I second degree heart block associated with inferior MI |
| **Class IIb** |
| · Overdrive pacing of SVT or VT refractory to medications or cardioversion<br>· Early bradyasystolic arrest |

## 탐색자 선택과 기술적 고려사항들

### 주파수 범위가 3.0~5.0 MHz인 위상-배열 심장 탐색자

심장 초음파를 위해 설정된 위상-배열 심장 탐색자가 이용된다. 특히 검상하 접근법으로 심장 영상을 얻을 때는 주파수 범위가 3.0~5.0 MHz인 곡선형 복부 탐색자가 이용되기도 한다.

### 조직 배음 영상

THI는 가능하다면 모든 심장 영상에 이용해야 한다. THI는 심낭에서부터 되돌아오는 신호를 밝게 하여 시술이 좀 더 쉽게 진행되도록 영상의 질을 향상한다.

### 멸균 주의사항

중심 혈관 확보 때와는 달리 경흉부 시야를 통한 심장의 영상화에는 멸균적 주의사항이 불필요하다.

### 장비

외부 박동 패드가 경피적 심장조율에 필요하다. 대부분의 중환자실과 응급실 진료 환경에서는 경정맥 심장조율기(transvenous pacer) 삽입에 필요한 모든 도구가 포함된 박동기 전선 키트(pace wire kit)가 있다. 박동기 전선 키트에는 박동 전선(pacing wire) 이전에 삽입되는 적절한 크기의 덮개(심장의) 도입 도관 [sheath (cordis) introducer catheter]이 해당 키트에 포함되어 있지만 그렇지 않은 때도 있다.

## 초음파-유도 심박동조율기 시술

검상하, 흉골연장축 또는 심첨4방 영상을 이용함으로써 경피적 그리고 경정맥 박동을 위한 심장의 영상화가 가능하다.

경피적 박동이 경정맥 박동과 다른 점은 두 가지다. 첫째, 외부 박동 패드 때문에 초음파 탐색자를 위치시킬 지점을 찾기 힘들다. 탐색자를 영상이 가장 잘 보이는 곳에 위치시킨다. 둘째, 경피적 박동에 동반되는 전기 충격으로 환자가 불편할 수 있다. 그 자극은 흉부 근육을 충분히 수축시킬 만큼 크기 때문에 근육 수축과 이와 연관된 불안감 때문에 약물투여가 필요할 수도 있다.

조율박동으로 박동 복합체(pacing complex)가 넓게 나타나기 때문에 종종 심전도 상에서 심실 박동을 분간하는 것이 어렵다. 검상하 영상이나 흉골연장축과 심첨4방도 사이에 어느 방향의 영상으로도 심장 수축과 심박수를 쉽게 확인할 수 있다. 이는 맥박 측정과 같이 시행되어야 하지만 혈압이 낮을 때는 박동기에 의한 수축을 구분하는데 특히 도움이 된다.

경피적 박동은 비동기 모드(asynchronous mode)로 70회의 심박수로 시작되어야 한다. 밀리암페어(mAmps)는 초음파 화면에 일대일로 박동기 수축이 확인될 때까지 서서히 상승시킨다. 우선 환자의 임상적 상태를 파악하고, 이어서 맥박과 혈압을 측정한다. 적절한 포획박동(capture beat)이 나타나면, 원래 심장의 심박수가 설정된 심박수 아래로 떨어지게 되었을 때 작동하도록 박동기를 감지 또는 동기 모드(synchronous mode)로 설정할 수 있다. 환자에게 충격이 낮은 빈도로 불편함이 덜하게끔 박동기의 심박수를 55나 60으로 설정하는 것이 좋다(그림 20-4).

경정맥 박동을 위해 정맥 도관삽입과 우심실의 격벽에 임시 박동 전선을 삽입하는 것이 필요하다. 정맥은 박동기 전선 키트의 도관 또는 측면 구멍이 있는 Swan-Ganz 도관을 통해 확보될 수 있다. 두 경우 모두 박

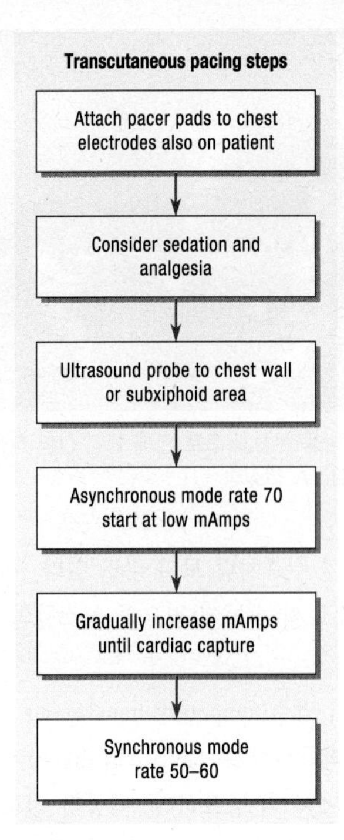


**그림 20-4** 경피적 박동의 흐름도.

동기 전선이 필요에 따라 조작될 수 있도록 멸균 덮개가 부착이 된다.

박동기 전선은 격벽을 쉽게 향하도록 자연스럽게 휘어져 있다. 두 가지 손쉬운 접근법으로 내경정맥(internal jugular vein, IJV, 전선의 휘어지는 지점이 환자의 왼쪽을 향하도록)을 통하는 방법과 왼쪽 쇄골하정맥(subclavian vein, SCV, 휘어지는 지점이 환자의 발을 향하도록)을 통하는 방법이 있다. 초음파를 이용하면 IJV를 확인하는데 도움이 되지만 SCV는 쇄골 때문에 초음파로 확인이 좀 더 힘들 수도 있다.

초음파 유도하에서 박동기 전선이 처음에 우심방으로 진입하고, 그 다음에 삼첨판(tricuspid valve)을 통과하여 우심실을 통해 격벽에 거치되는 모습을 확인하는 것이 이상적이다. 박동기의 끝부분이 보이면 우심실 첨부까지의 거리를 측정하고 cm 표시를 확인해서 진입에 필요한 길이를 결정할 수 있다. 박동기 전선은 초음파에서 무에코성의 혈액으로 가득 찬 공간 안에 고에코성으로 나타나고 종종 ring-down 또는 잔향 허상을 생성한다(그림 20-5). 박동기 전선이 우심실로 진입하는 장면이 보여야 하지만 때로는 우심실 영상이 초음파에서 쉽게 확보되지 않는다. 이 경우에

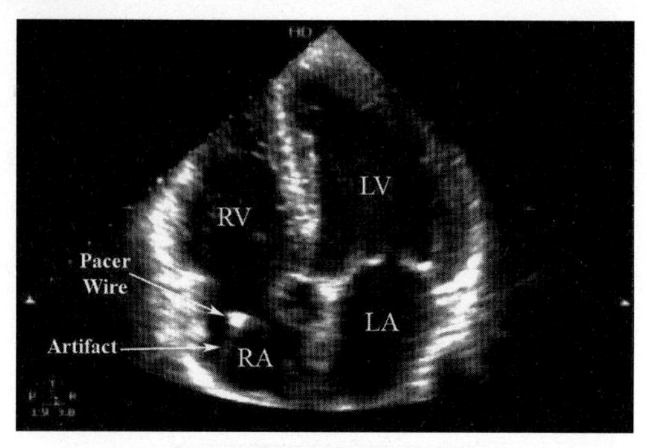


**그림 20-5** 우심방 내의 박동 전선과 그로 인해 생긴 잔향 허상을 보여준다. RV: 우심실, RA: 우심방, LV: 좌심실, LA: 좌심방.

는 기계적 박동이 심실 수축처럼 보일 수도 있다. 시술자는 초음파로 기계적 박동을 관찰함으로써 박동에 필요한 최소한의 암페어를 설정할 수 있다.

임시 경정맥 박동기 박스(temporary transvenous internal pacer box)는 심방과 심실을 모두 박동시킬 수 있다(그림 20-6). 두 능력 중에서 심실의 박동이 응급 상황에서 더 중요하다. 박동기 전선의 전극들을 케이블 안으로 삽입하고 팽팽하게 회전시켜 빠지는 것을 막는다.

박스에 있는 심실 출력부를 최대 25 mA로, 조율박동수를 70이나 80으로 설정하고 나서 비동기 모드로 위치시킨다. 비동기 모드는 항상 박동기가 작동하는 것으로 환자의 자연적인 리듬은 감지하지 않는다. 이때의 박동기 전선은 우측 IJV나 좌측 SCV를 통해 삽입된 후 영상으로 확인하거나 포획이 있을 때까지 진입한다. 심전도 화면에서 박동기와 연관된 뾰족한 표시(spike)는 넓은 QRS복합체와 이에 관련된 T파를 형성할 것이다. 검사자는 박동기 전선을 삽입하기 전에 탐색자를 흉골장축연에 위치시키고 전선이 진입함에 따라 초음파 화면을 보면서 박동기에 설정된 심박수로 심장이 뛰는 모습을 볼 수 있다.

시술자는 박동기 박스에서 전류를 초음파와 심전도에서 연속적인 일대일 심장 박동이 확인되는 가장 낮은 암페어까지(보통 5 mA 아래로) 서서히 낮춰야 한다. 이 암페어를 확인하면 박스에 3배 정도 증폭된 숫자로 설정한다(예를 들어, 박동이 1 mA에서 확인되면 박스에서의 암페어는 3으로 설정). 이제 박동기를 동기 모드로 변환시켜 환자의 본래 심장 박동을 박스가 감지해내도록 한다. 만약 본래 심박수가 박동기의 박스 설정보다 빠르다면 기계에서 뾰족한 표시가 생성되지 않는다. 박동기는 환자 자신

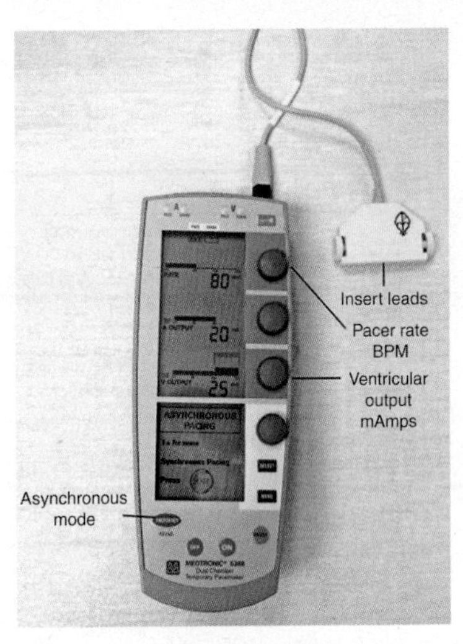


**그림 20-6** 경정맥 박동기 박스. (Photograph courtesy of Dr. P. Krochmal, Yale University School of Medicine, Department of Emergency Medicine.)

의 심장이 뛸 기회를 주기 위해 50~60으로 설정되는 것이 이상적이다.

박동기가 5 mA보다 낮은 상태에서 박동을 보내지 않는다면, 전선을 멸균된 덮개 안에서 5~10 cm가량 뒤로 당긴 뒤 암페어를 25까지 올려 다른 위치를 향해 재진입시킨다. 박동 포획에 필요한 가장 낮은 암페어 값을 얻기 위해 앞서 기술한 순서를 반복한다(그림 20-7).

## 흔히 저지르는 실수

### 박동 복합체(PACING COMPLEX)를 심실의 박동 포획(CAPTURE OF VENTRICLE)으로 오인

이 실수는 경피적 박동 때 더욱 흔하다. 박동 복합체는 대체로 크기가 크고, T파와 연관되어 차이를 보인다. 초음파로 박동기와 같은 심박수로 심실이 수축함을 확인함으로써 이러한 실수를 막는다.

### 포획 후 동기 모드로 변환하지 않는 경우

박동기가 비동기 모드로 지속하게 되면 환자에게 'R on T 현상(미성숙한 심실의 QRS파가 이전 수축의 T파에 간섭하여 발생)'이 발생할 위험이 있으며 이는 심실세동을 일으킬 수 있다. 이를 막기 위해 포획이 이루어지면 박동기를 동기 모드로 전환한다.

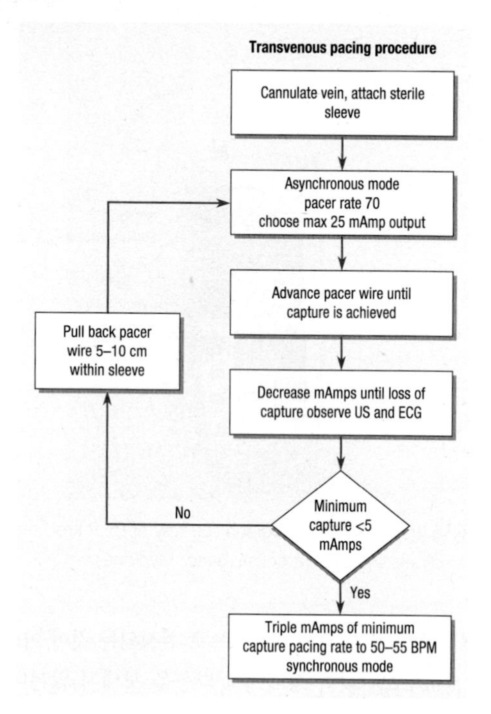


그림 20-7 경정맥 박동의 흐름도.

### 심실의 박동 포획 확인의 실패

경정맥 모드에서 심실은 5 mA 미만에서 포획된다는 것을 알아야 한다. 박동기를 설정할 때 그 숫자의 3배로 하는 것이 적절하다. 경피적이나 경정맥 박동 어느 것을 사용하더라도 임상의는 박동 포획이 적절히 유지됨을 파악하기 위해 환자의 의식상태, 심박수 그리고 혈압을 자주 확인하도록 한다.

## 결론

심장은 역동적인 구조물이므로 관련 시술 시 초음파 활용이 응급의학의사와 중환자 전문의에게 특히 도움이 된다. 이는 시술에서 실시간 유도뿐만 아니라 시술 이후에 환자 상태를 감시하는 데도 유용하다. 심초음파를 심낭 삼출 진단과 신속한 제거에 이용하면 긴박한 상황에서 큰 도움이 된다. 최근에는 초음파가 심장조율에서 정맥을 통한 전선의 위치 및 직접적인 박동 포획 확인에 흔히 이용되고 있다.

| 추가로 읽을 자료 |

Aguilera PA, Durham BA, Reilly DA. Emergency transvenous cardiac pacing placement using ultrasound guidance. *Ann Emerg Med*. 2000;36(3):224–227.

Francis GS, Williams SV, Achord JL, et al. Clinical competence in insertion of a temporary transvenous ventricular pacemaker. A statement for physicians from the ACP/ACC/AHA Task Force on Clinical Privileges in Cardiology. *Circulation*. 1994;89(4):1913–1916.

Ma OJ, Mateer JR, Ogata M, Kefer MP, Wittmann D, Aprahamian C. Prospective analysis of a rapid trauma ultrasound examination performed by emergency physicians. *J Trauma*. 1995;38(6):879–885.

Teresa SM, Barnes ME, Hayes SN, et al. Clinical and echocardiographic characteristics of significant pericardial effusions following cardiothoracic surgery and outcomes of echo–guided pericardiocentesis for management. *Chest*. 1999;116:322–331.

Tsang TS, Barnes ME, Gersh BJ, Bailey KR, Seward JB. Outcomes of clinically significant idiopathic pericardial effusion requiring intervention. *Am J Cardiol*. 2003;91(6):704–707.

Tsang TS, Seward JB. Letter to the editor pericardiocentesis under echocardiographic guidance. *Eur J Echocardiography*. 2001;2(1):68–69.

# 21 관절천자

## 배경지식 및 검사의 적응증

관절의 통증과 부종은 흔한 응급질환이다. 진단적 관절천자(arthrocentesis)는 감염성 질환이나 혈관절증(hemarthrosis)을 배제하기 위해 필요하다. 관절흡인(joint aspiration)은 관절통을 완화하는데 도움이 될 뿐만 아니라 필요한 경우 관절 내로 약물 투여도 가능하다. 초음파 유도 관절천자에 필요한 대부분 기법과 장비들은 지표–기반 접근법(landmark–based approach)과 동일하다. 초음파를 이용하면 관절 삼출액(joint effusion)의 존재를 파악할 수 있고, 합병증은 줄이면서 관절천자의 성공률을 높일 수 있다. 초음파는 삼출이 없어도 바늘의 진입 방향을 결정하는 데 도움이 된다(예를 들어, 외상에서 관절 파열(joint disruption)을 파악하기 위해 염색약을 주입하거나 약물의 주사를 위해).

임상에서 초음파 유도 관절천자는 다음과 같은 경우에 이용한다:

- 비외상성 관절통을 호소하는 환자
- 양이 많거나 통증을 동반한 관절 삼출
- 외상성 관절 절개의 진단
- 관절강 내로 약물의 주사

## 탐색자의 선택과 기술적 고려사항

### 주파수 범위가 5.0~12.0 MHz인 선형–배열 탐색자

높은 해상도와 선형 구성(linear configuration) 때문에 관절천자에는 선형–배열 탐색자가 가장 좋다. 주파수 범위가 3.0~5.0 MHz인 곡면형 복부 탐색자가 고관절과 같은 심부 관절이나 비만 환자에 이용되기도 한다. '하키 스틱' 모양 또는 소아용 선형 탐색자는 좀 더 작은 관절들에 이용된다.

### 프리셋

영상 최적화를 위해 기기 설정에서 표면 전용 또는 뼈 전용 프리셋을 활용한다.

### 초점

초점을 검사하고자 하는 관절 부위에 맞춘다. 영상의 측면 해상력(lateral resolution)을 확보 수 있다.

### 심도

처음에는 관절의 깊은 곳에서부터 시작한 다음 전체에 걸쳐 검사를 진행한다. 그 후 바늘 진입 부위가 화면 대부분을 차지하도록 심도를 줄여야 한다.

### 증폭 또는 시간-증폭 보상(TIME-GAIN COMPENSATION)

영상의 밝기를 확보하기 위해서는 총 증폭량을 조정해야 한다. 일반적으로 검사자는 심부 구조물 영상의 질 개선을 위해 시간-증폭 보상(TGC)을 이용하여 영상의 원거리 증폭량만 높이도록 한다. 무에코성인 혈관 같은 관절 내 다른 중요한 구조물들을 구분하기 어려울 수 있으므로 증폭량을 너무 많이 올리지 않는다.

### 멸균 주의사항

관절천자는 침습적 시술이므로 항상 멸균된 탐색자 덮개와 겔로 멸균 주의사항을 지키도록 한다.

### 동적 VS. 정적 초음파 유도

다른 시술과 마찬가지로 관절천자에서 정적 또는 동적 방법으로 초음파 유도를 활용할 수 있다. 정적 초음파 유도에서는 윤활강(synovial space), 심도, 진입 각도, 혈관/신경이나 다른 장애물을 확인한다. 영상을 확인하고 검사자는 적절한 피부 지점에 표시한다. 이 기법의 주된 장점은 양손을 자유롭게 이용하여 시술할 수 있다는 것이다.

동적 초음파 유도에서는 관절천자를 하면서 실시간 영상을 확인한다. 윤활강으로 바늘이 진입하는 것을 볼 수 있고, 필요하면 바늘의 방향을 재조정할 수 있다는 장점이 있다. 에코를 형성하는 바늘 끝이 관절 내부의 시각화와 유도 작업에 도움이 된다. 이 기법은 초보자가 하기에는 어려울 수 있지만 궁극적으로 선호되는 방법이다. 동적 유도 시에도 중심 정맥 확보 때와 마찬가지로 멸균 탐색자 덮개와 겔을 이용하고 멸균 주의 사항을 지키도록 한다.

두 사람이 시행하는 동적 유도 법도 있는데, 이때에는 한 사람이 탐색자를 들고, 나머지 사람이 시술을 진행한다. 숙달된 단일 시술자에 의한 동적 방법 성공율이 가장 일관되지만, 시술자의 선호도, 가용 자원, 시간 여유에 따라 어떤 방법이든 자유롭게 이용할 수 있다.

## 초음파-유도 관절천자

### 무릎

무릎은 천자를 하게 되는 가장 흔한 신체 부위이다. 일반적으로 해부학적 지표를 이용하여도 시술이 가능하지만 연부조직의 부종이나 골조직의 탈구로 정상 해부 구조가 보이지 않는 경우 초음파가 유용하다. 슬개상낭(suprapatellar bursa)은 무릎 관절에 연결되어 있다. 그러므로, 슬개상낭의 삼출은 무릎 관절의 삼출을 의미한다(그림 21-1). 대부분 이 낭의 안쪽 오목이나 바깥쪽 오목이 관절액 흡인 지점이 된다. 환자는 누워서 무릎을 15~45도가량 굽힌다. 무릎은 슬개골 바로 뒤의 안쪽 면과 바깥쪽 면에서 횡단면과 관상면 방향에서 탐색한다(그림 21-2). 삼출액은

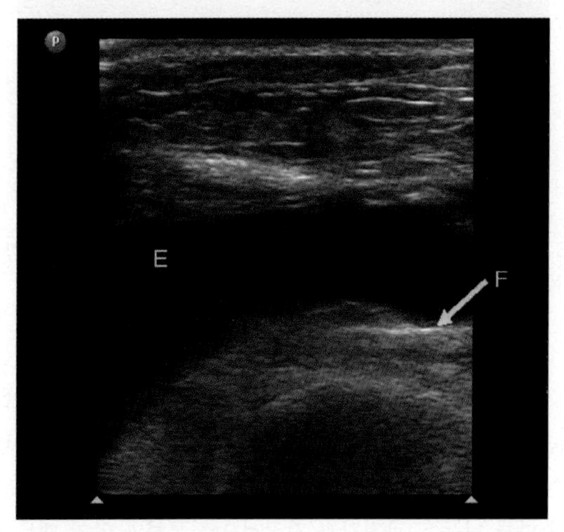


**그림 21-1** 측면 원위부 대퇴의 장축영상. 대퇴골피질(F)은 자체의 에코발생도 때문에 하얗게 나타난다. 슬개골 상방에 대량의 삼출(E)이 원위부 대퇴와 관절강 전체에 걸쳐 존재한다.

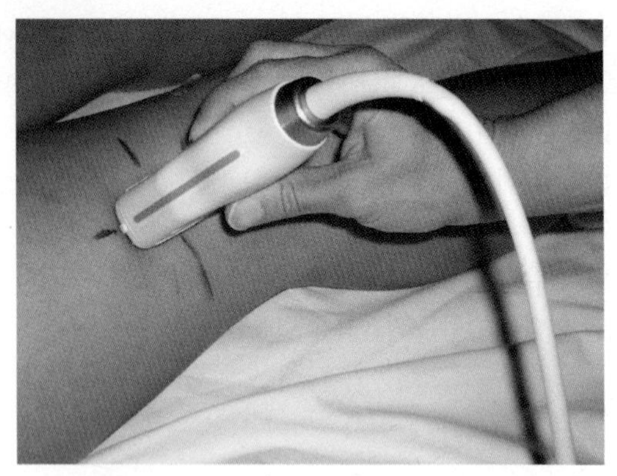

그림 21-2 외측 슬개상낭 흡인시 환자와 탐색자의 위치. 탐색자가 세로방향으로 원위부 측면 대퇴 위에 놓여져 있다.

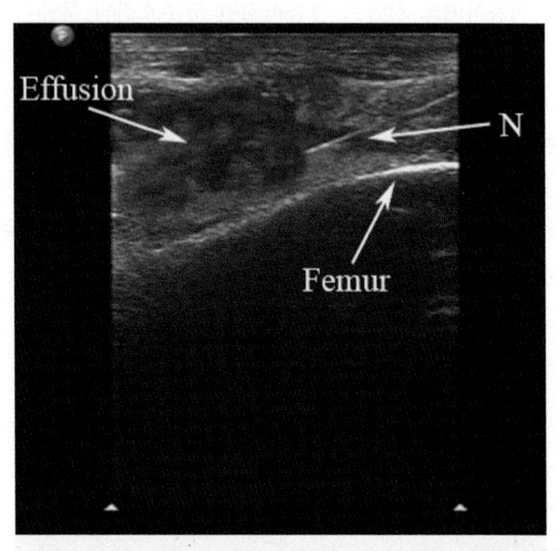


그림 21-3 복합 삼출(내부 에코 존재)이 있는 대퇴의 장축영상. 삼출을 향해 에코를 나타내는 바늘(N)이 장축에서 확인된다.

대퇴골의 원위부에서 무에코성 또는 저에코성으로 나타난다(그림 21-1 참고). 응고된 혈액, 관절 감염, 또는 만성 염증 반응 시에는 내부 에코가 존재할 수도 있다(그림 21-3). 바늘은 가장 큰 체액 낭을 향하도록 하며, 이 부위의 다른 낭들은 관절강과 직접적으로 통하지 않기 때문에 슬개상낭을 감별해내는 것이 중요하다.

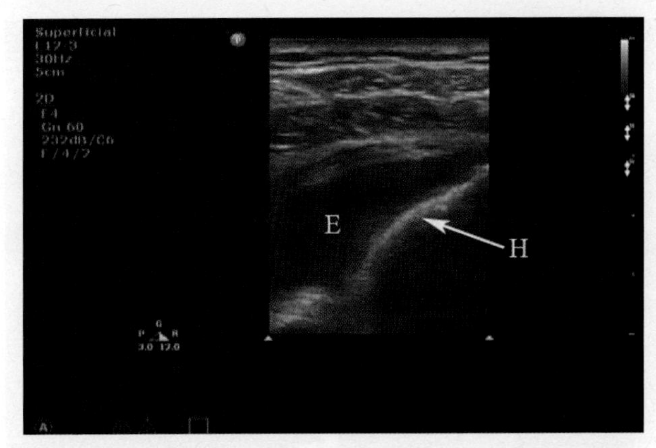


**그림 21-4** 상완골두(H)와 관절오목을 분리시키는 무에코성 삼출(E)을 보여주는 어깨 영상.

## 어깨

오목위팔 관절(glenohumeral joint)이나 어깨의 관절천자 시 전면부 접근법이나 후면부 접근법을 이용할 수 있다. 삼출액은 보통 관절의 뒤쪽부터 차기 때문에 이 방향으로 접근하기가 쉽다.

어깨 관절은 관절오목(glenoid)과 상완골두의 테두리로 이루어져 있다. 이 구조는 섬유성 관절 피막(fibrous joint capsule)으로 둘러싸여 있으며 회전근개로 알려진 근육과 그 건의 집단에 의해 감싸져 있다. 관절오목과 상완골두는 고에코성이고 피질 뒤로 음영 허상(shadowing artifact)이 보인다. 관절 테두리(glenoid labrum)는 관절오목의 뼈부분에 인접하여 저에코성의 띠 모양으로 나타난다. 관절 삼출은 상완골두와 관절오목을 분리하는 무에코성의 공간으로 나타난다(그림 21–4).

환자는 어깨를 중립위치로 유지하고 앉는다. 팔꿈치는 90도로 굽혀 스탠드 위에 걸친다. 어깨 부위에 횡단면으로 초음파검사를 시작한다. 탐촉자를 어깨의 뒤 표면 견봉 돌기(acromion process) 바로 아래에 위치시킨다. 관절 뒤쪽 전체를 확인하기 위해 위 아래로 탐촉자를 펼쳐보고, 이후 시상면 방향으로 관절을 탐색한다. 정적 초음파 유도법을 이용할 계획이라면, 관절 피막의 최대 확장 지점을 파악하고 피부에 표시한다. 만약 동적 초음파 유도법을 이용할 때는 멸균 주의사항을 지키면서 상완골두의 바로 내측으로 바늘을 겨냥한다. 검사자는 화면에서 바늘이 관절강 안으로 진입하는 모습을 실시간으로 확인해야 한다.

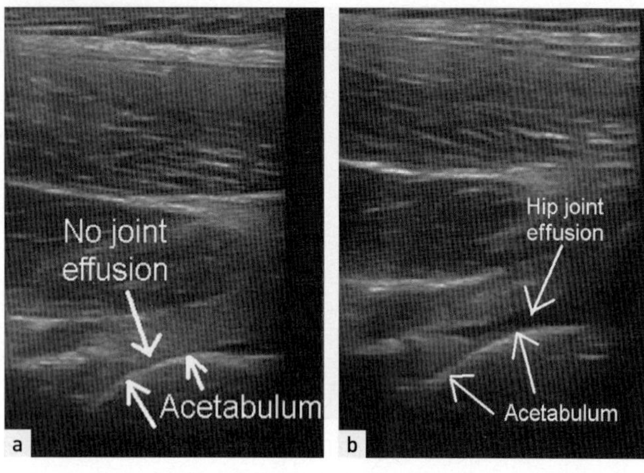


**그림 21-5** 절구에 의해 둘러싸인 대퇴골두**(b)**의 횡단면 영상으로 삼출이 없는 정상 고관절**(a)**을 나타냄.

## 엉덩이

고관절은 깊은 곳에 위치하며 다양한 신경혈관다발들로 둘러싸여 있다; 따라서, 응급으로 맹검 고관절 흡인은 거의 시행하지 않는다. 고관절 흡인은 투시장치나 초음파 유도하에 이루어지지만, 이들을 진료 현장에서 즉각적으로 이용하기 어려울 수도 있다. 초음파 유도법을 이용하여 특히 감염된 관절에서 안전하고 신속하게 진단 및 치료를 할 수 있다.

고주파 선형 탐촉자는 해상도가 뛰어나지만, 일부 환자에서는 엉덩이의 깊은 연부조직을 투과하기 힘들 수도 있다. 이런 환자에서는 투과력이 좋은 주파수의 범위가 3.5~5.0 MHz인 저주파 곡면 배열 탐색자가 필요할 수도 있다.

고관절은 볼-소켓 형태의 관절이다. 대퇴골두 대부분은 절구(acetabulum)에 완전히 둘러싸여 있으며, 이곳에서 삼출이 발생한다(그림 21-5a, b). 바깥쪽으로는 대퇴경부의 큰 부분을 따라 바깥쪽으로 이어지는 섬유성 피막에 의해 고관절이 둘러싸여 있다. 정상 관절에서는 윤활액이 거의 없고 관절 피막이 대퇴 경부 가까이에 위치한다. 그러나 삼출이 존재할 때에는 피막이 확장되어 대퇴 경부가 위로 들려 올라간다(그림 21-6). 대퇴골두의 측면과 전면부가 가장 먼저 삼출이 고이는 부위이다. 대퇴부 역시 시술 시 피해야 할 중요한 신경혈관 구조물들이 존재한다.

환자는 환측 고관절을 약간 신전시키고 외전시킨 상태로 눕도록 한다. 표지자가 배꼽 쪽을 향하게 한 뒤 대퇴경부부터 초음파검사를 시작한다

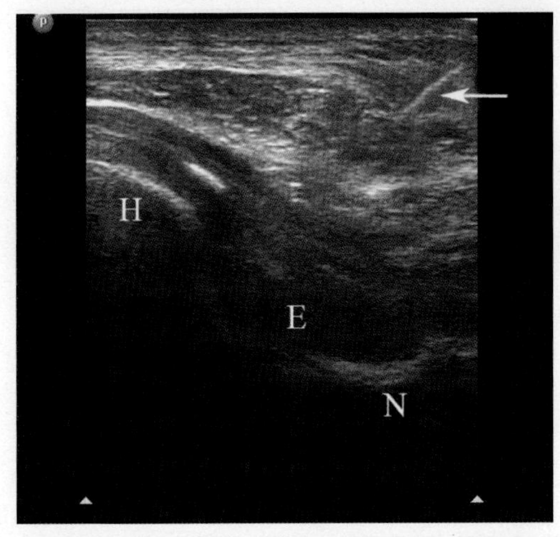


**그림 21-6** 앞 쪽 대퇴 경부의 장축 영상. 대퇴 골두(H)의 비 관절 부분은 영상의 왼쪽에, 대퇴 경부(N)는 영상의 오른쪽에 있다. 골두와 경부 사이의 오목에 위치한 무에코성의 영역은 고관절 삼출(E)을 의미한다. 삼출을 향한 바늘(화살표)이 장축에서 보인다.

(그림 21-7). 대퇴경부를 대퇴골두가 보일 때까지 장축 시야로 탐색한다. 검사자는 이 부위를 지나는 대퇴혈관들과 신경구조물이 있어 주의를 기울여야 한다. 대퇴골두의 원위부는 삼출이 가장 먼저 고이게 되고, 흔히 대퇴 경부를 따라 경부와 둘러싼 연부조직 사이에 무에코성의 띠가 형성된다(그림 21-6). 반대쪽 고관절과 비교하여 보고, 대퇴 경부 피질에서부터 관절 피막(capsule)까지의 거리를 측정한다. 증상이 있는 쪽에서의 2 mm 이상의 차이는 상당한 양의 삼출을 의미한다. 고관절은 다른 관절에 비해 깊숙이 존재하고 눈에 보이는 지표가 부족하므로 관절 천자는 보통 평면적 방법(in-plane approach)을 이용한 실시간 동적 기법으로 진행한다.

## 팔꿈치

팔꿈치 관절의 맹검 흡인은 일반적으로 바늘이 요골두(radial head)와 외측 상과(lateral epicondyle) 사이 공간을 통하게 되는 후측면 접근법으로 시행한다. 선형 탐촉자의 크기가 상당히 넓지만 피부 면적이 좁고 뼈 돌출들이 있어서 요상완 관절(radiohumeral joint)의 후측면의 초음파검사가 어려울 수 있다. 그러므로, 후측면보다 후면 접근법이 초음파 유도 관절 천자에 활용된다.

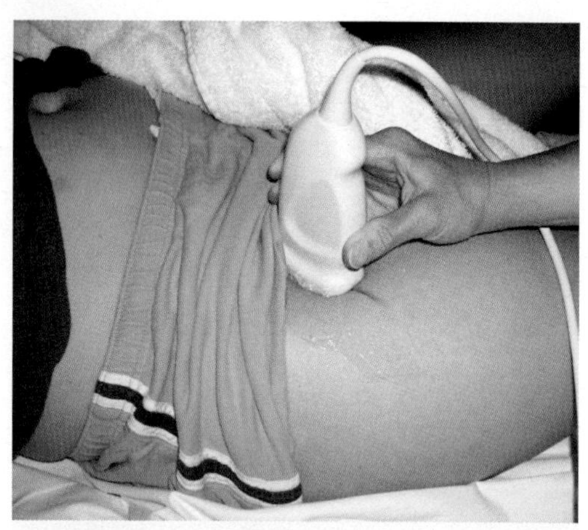

**그림 21-7** 고관절 삼출 흡인 시 환자와 탐색자의 위치. 검사자는 탐색자를 세로 방향으로 위치시켜 대퇴 골두가 확인될 때까지 대퇴경부 위 방향으로 미끄러뜨린다. 그리고 나서 최적의 영상을 위해 탐색자를 배꼽을 향하도록 위치시킨다.

팔꿈치 관절은 요골, 척골 그리고 상완골로 이루어져 있다. 팔꿈치 주변에는 전완부와 손을 지배하는 수많은 신경혈관 구조물들과 건들이 존재한다. 척골신경은 팔꿈치머리(olecranon)의 바로 안쪽과 삼두근 건의 부착부로 주행한다. 이들 구조물들의 바로 바깥쪽이 관절 천자 부위이다.

환자는 앉아서 어깨를 외전시키고 팔꿈치를 굽히도록 한다. 전완부를 받침대에 기댄 채 팔꿈치를 받침대의 가장자리에 놓는 것이 적절하다. 초음파검사는 팔꿈치머리 바로 위에서 횡단면으로 상완골의 뒤쪽에서부터 시작된다(그림 21-8). 탐색자가 꼬리방향으로 고정되면, 팔꿈치오목(olecranon fossa)이 내측 상과와 외측 상과 사이에 중앙이 움푹한 모양으로 나타날 것이다. 관절 삼출이 있는 경우에는 이 오목부 안에서 저에코성으로 나타나게 된다(그림 21-9a와 b).

## 다른 관절

초음파를 이용한 흡인은 앞서 기술한 큰 관절들뿐만 아니라 작은 관절들에도 시행할 수 있다. 발목, 손목, 중수, 중족, 지간 관절들에서도 흡인할 수 있다. 천자 시 신경혈관 구조물들을 피하도록 주의해야 하며 가능하다면 가장 큰 관절낭에서 동적 유도를 하는 것이 효과적이다.

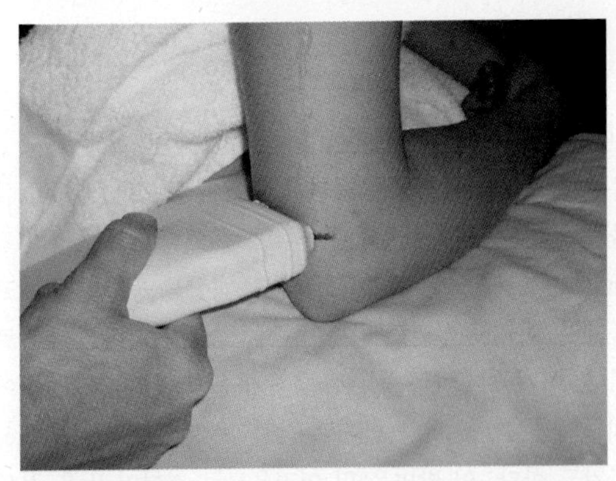

**그림 21-8** 팔꿈치 삼출 흡인 시 환자와 탐색자의 위치. 검사자는 팔꿈치머리 바로 위에서 가로 방향으로 상완골의 뒤에 탐색자를 위치시키면서 검사를 시작한다.

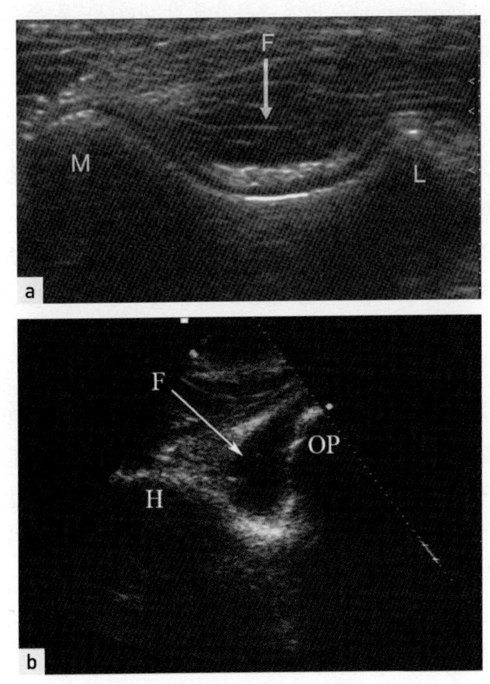


**그림 21-9 (a)** 팔꿈치머리 바로 위의 뒤 쪽 원위부 상완골의 가로면 영상. 외측(L)과 내측(M) 상과(epicondyle)가 보인다. 바늘은 체액이 자주 고이는 팔꿈치 오목(F)의 윗부분을 향해야 한다. 삼출이 존재할 때 오목 안에 약간의 에코가 형성되는 뒤쪽 지방조직이 이동할 것이다 [**(b)**와 비교]. **(b)** 팔꿈치 오목(F)의 삼출을 보여주는 뒤쪽 원위부 상완골(H)의 세로면 영상. 삼출로 오목 안에 있는 뒤쪽 지방 조직이 이동하였다. 팔꿈치 돌기(OP)가 영상의 오른쪽에 나타난다.

## 흔히 저지르는 실수

### 바늘 끝이 화면에 보이지 않음

초음파 유도를 할 때 바늘 끝이 화면에 보이지 않으면 시술의 실패나 주변 구조물들의 의도치 않은 손상이 발행할 수 있다. 단축영상기법(short-axis technique)을 사용하면 바늘 끝은 잔향 허상을 동반한 고에코성의 점으로 나타난다. 음영 허상만 보인다면 바늘의 몸통이 탐색자 바로 아래에 있는 것이다. 이때에는 바늘을 뒤로 당기거나 탐색자를 바늘 끝이 보이도록 재위치시켜야 한다. 이와 반대로 장축영상기법(long-axis technique)을 이용하기도 한다. 이 방법은 더 어려우므로 경험이 많은 검사자가 시도해야만 한다. 바늘이 탐색자의 중앙에 위치하지 않거나 각도에서 벗어나면 바늘이 화면에 보이지 않을 것이다. "에코형성" 바늘(경사면 위에 미세 마모(microabrasion)가 있어 초음파에 잘 나타나도록 특수하게 제작된)을 사용하는 것이 도움되기도 한다.

### 무효 천자

바늘 위치가 부적절할 때 체액 흡인이 실패할 수 있다. 동적 초음파 유도법을 이용할 때는 시술자는 바늘을 살짝 뒤로 당겼다가 화면의 바늘을 보면서 관절강으로 재위치시켜야 한다. 정적 방법에서는 피부 표시가 정확한지 확인하기 위해서 탐촉자를 관절강 위에 다시 놓아 본다.

### 감염

드문 합병증이기는 하지만 의인성 관절 감염이 발생할 가능성이 있다. 초음파 유도를 할 때는 멸균 탐색자 덮개뿐만 아니라 일반적인 멸균 주의사항을 지켜야 한다. 시술 중 기계 조작이 필요할 때에는 비-멸균 조작자가 도와야 한다. 인공 관절에 관절 천자가 필요한 경우에는 의인성 감염률이 높으므로 정형외과와 협진한다.

### 주변 구조물들의 손상

혈관이나 신경 손상이 드물기는 하지만 관절 천자 전후로 신경혈관을 확인해야 한다. 컬러-유량 도플러가 혈관을 확인하는데 도움이 된다. 신경은 단면에서 둥근 벌집 모양으로 심부 혈관들과 짝지어져 존재한다. 외부 이물질, 건, 인대가 검사에 방해될 수도 있다. 실시간 초음파 유도법을 이용하면 이러한 방해물들을 피할 수 있을 뿐만 아니라 시술자가 관절 안으로 바늘을 정확하게 천자할 수 있다.

### 보조 영상 확인 실패

관절 흡인을 준비할 때 시술 전 방사선 사진과 같은 보조 영상을 검토하는 것이 실수의 가능성을 줄인다. 이는 연부조직 부종 때문에 중요한 정보를 놓치게 되는 것을 막는다. 초음파가 일반 방사선 영상에 비해 삼출을 발견하는데는 우월하지만, 방사선 영상은 골절, 탈구, 골수염(osteomyelitis)을 확인하는 경우에 적절하고, 큰 삼출액 낭을 찾는 데 도움이 된다. 방사선 영상과 초음파 영상은 근골격계 문제들을 평가하는 데 상호 보완적이다.

### 관절 삼출을 다른 진단으로 오해하는 경우

관절 위의 연부조직 감염이 관절 삼출로 오인될 수도 있다. 관절을 탐색하는 동안 검사자는 조약돌 모양으로 나타날 수 있는 농양이나 봉와직염과 같은 연부조직 감염의 징후를 찾아야 한다. 상당한 양의 관절 삼출 없이 조약돌 모양만 관찰된다면, 이는 봉와직염만 있다는 것을 의미한다. 이 경우 감염된 피부 위로 관절액 흡인은 시행하지 않는다.

## 결론

관절 천자는 응급 치료 영역에서 가장 흔히 시행하는 시술 중 하나이다. 초음파는 관절 삼출을 찾아내는데 높은 민감도를 가지고 있고, 시술로 인해 생기는 합병증들을 줄이면서 성공률을 높이는 것으로 알려져 왔다. 이는 시술자가 신경혈관 구조물들을 피하고 골격 해부 체계를 잘 확인할 수 있기 때문이다. 해부학적으로 적절한 위치를 피부에 표시하는 정적 방법과 관절강 안으로 진입하는 바늘 끝을 실시간으로 관찰하는 동적 방법 모두 시술의 안전성과 성공률을 개선할 수 있다. 급성기 치료에서 시행되는 다른 침습적인 시술들과 마찬가지로 초음파 유도 관절 천자는 전통적인 맹검법보다 선호된다.

| 추가로 읽을 자료 |

Cardinal E, Chhem R, Beauregard C. Ultrasound-guided interventional procedures in the musculoskeletal system. *Radiol Clin North Am*.

1998;36:597–604.

Fessell D, Jacobsen J, Craig J, et al. Using sonography to reveal and aspirate joint effusions. *Am J Roentgenol*. 2000;174:1353–1362.

Fessell D, Van Holsbeeck M. Ultrasound guided musculoskeletal procedures. *Ultrasound Clin*. 2007;2:737–757.

Sofka C, Collins A, Adler R. Use of ultrasonographic guidance in interventional musculoskeletal procedures: a review from a single institution. *J Ultrasound Med.* 2001;20:21–26.

# 22 기관내삽관

## 배경지식 및 검사의 적응증

기관내삽관은 응급의학이나 중환자의학의 영역에서 다루는 어려운 업무 중 하나이다. 문헌들에 따르면 튜브가 주로 우측 주기관지나 식도 안으로 들어가는 경우가 전체의 8% 정도를 차지한다. 튜브 위치를 확인하는 작업도 시술자에게는 어려운 일이다. 전통적으로는 튜브가 올바르게 위치하였는지 판단하기 위해 기관 내 튜브를 직접 영상으로 보고 여러 번 추가로 확인한다. 흉부와 심와부의 청진뿐만 아니라 호기말비색장치(end-tidal colorimetric devices)가 가장 흔히 이용된다. 기관 내 튜브의 김서림을 시각화하는 식도구 탐지자(Esophageal bulb detectors)와 양측 흉곽 상승 여부도 이용한다. 그러나, 이러한 기법과 도구는 각각 특이한 제한점과 오류가 있다. 하지만 초음파검사를 이용하면 튜브가 기관이나 식도로 들어가는 모습을 직접 시각화하여 삽관을 확인할 수 있다. 성공적인 삽관 후에 초음파를 이용하여 폐 확장을 의미하는 양측성 폐미끄러짐과 혜성-꼬리 허상을 확인할 수 있다.

초음파는 적절한 기관 내 튜브 삽관 여부를 빠르고 정확하게 확인할 수 있는 방법이다. 특히 급성기 치료 환경에서 호기말비색장치와 비교했을 때 민감도와 특이도가 높다.

초음파로 적절한 삽입 여부를 실시간으로 확인할 수 있어 임상의가 수련자를 감독할 수 있다. 초음파를 통해 임상의는 튜브가 식도로 잘못 삽입되었을 경우 배깅(bagging)이 이루어지기 전에 튜브의 위치를 확인할 수 있다. 기관 내 삽관 시 초음파를 이용한 평가는 다음과 같은 상황에서 활용할 수 있다.

- 소아와 외상환자를 포함하여 어려운 기도(difficult airway)가 예상되는 경우
- 임상의가 경험이 적은 시술자를 감독하는 훈련 상황들

## 탐색자 선택과 기술적 고려사항

### 주파수 범위가 6.0~12.0 MHz인 선형 탐색자

기관과 흉부를 확인하기 위해 주파수 범위가 6.0~12.0 MHz인 고주파 선형 탐색자를 이용해야 한다. 비만 환자에서는 낮은 주파수인, 미세볼록(microconvex) 또는 선형 탐색자가 유용하다.

### 프리셋

표면 전용 또는 좁은 부위 세팅으로 설정해야 한다.

### 초점

측면 해상도의 최적화를 위해 초점은 기관이나 흉막선의 깊이에 맞추어야 한다.

### 시간-증폭 보상

화면으로 돌아오는 신호들을 강화하고 밝게 하기 위해 원거리 증폭 또는 시간-증폭 보상을 조정한다. 검사자가 원거리 영역의 기관 연골과 기관 내 튜브에 의해 발생하는 음영을 관찰하는데 도움이 된다.

### 심도

너무 깊거나 얕은 영상은 검사자가 방향의 갈피를 못 잡게 된다. 보통 필요한 영역보다 깊은 곳에서부터 관찰을 시작하는 것이 좋고, 적절한 해부학적 구조를 확인하고 이후 구조물들이 화면 대부분을 채우도록 심도를 조절한다.

기관은 성대부터 가로방향으로 멀리 주행한다. 목에서 기관은 간이나 비장처럼 초음파에서 균일하게 보이는 형태로 갑상선의 뒤쪽에 위치한다. 기관의 연골륜(cartilaginous ring)들은 갑상선의 깊은 곳에서 고에코성의 밝은 흰색을 만들어낸다. 전경부 횡단면 영상에서 탐색자의 표지자를 환자의 오른쪽을 향하게 한 상태에서, 초음파 빔은 피부 및 피하조직과 같은 표면 구조물들을 먼저 만나게 되고, 그 다음 갑상선 조직을, 끝으로 기관에 도달하게 된다(그림 22-1). 세로 또는 시상 방향 영상을 이용할 수 있으나 경험이 적은 검사자라면 가로방향 영상이 해석하기에 더욱 쉬울 것이다. 기관륜의 연골 조직을 초음파가 투과할 수 없으므로 뒤쪽에 허상 효과가 나타난다(그림 22-1). 식도는 식도내강에 기관 내 튜브

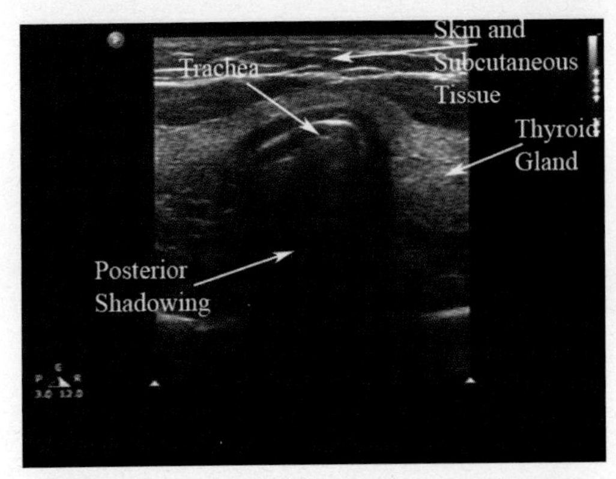


**그림 22-1** 기관을 보여주는 횡단면 영상. 기관 뒤의 무에코성 영역은 밀집된 연골을 통한 초음파 빔의 약화를 나타내는 음영을 보여준다.

가 들어가 있지 않으면 식도가 수축하여 일반적으로 보이지 않는다(그림 22-3).

경부 초음파와 더불어 폐 미끄러짐과 폐 박동 소견이 적절한 환기를 확인하는 데 도움이 될 것이다. 이는 7장에 자세히 기술되어 있다.

## 초음파 유도 기관내삽관

삽관에는 양손이 필요하므로 초음파 영상을 도와줄 사람이 필요하다. 한 임상의가 실제 삽관을 시행하는 동안 다른 한 사람은 실시간으로 기관을 통해 튜브가 들어가는 것을 초음파로 확인한다. 초음파 탐색자로 윤상륜에 압력을 가하여 시술자에게 개선된 영상을 제공하고 위장 내용물의 역류 방지에 도움을 준다.

초음파 장비는 다른 초음파검사들처럼 환자의 우측에 위치하는 것이 이상적이다. 그리고 검사자는 환자의 우측에 서서 삽관을 하는 임상의와 함께 화면을 보도록 자리잡는다. 실제 삽관을 하기 전에, 초음파검사자는 환자의 목을 탐색하여 피하조직, 갑상선 조직, 기관 연골과 같은 중요한 지표들을 확인한다(그림 22-1 참고).

기관의 초음파검사는 흉골상절흔(suprasternal notch) 바로 위의 목 부분에서 표지자가 환자의 오른쪽을 향한 상태로, 가로 방향으로 시작해야 한다. 검사자는 탐색자를 윤상막(cricoids membrane)과 흉골상절흔 사이의 어느 곳에서든 정중선 위에 위치하도록 한다. 삽관을 하는 임상의가 양손을 이용할 계획이라면, 초음파 탐색자는 흉골상절흔의 바로 위에, 목

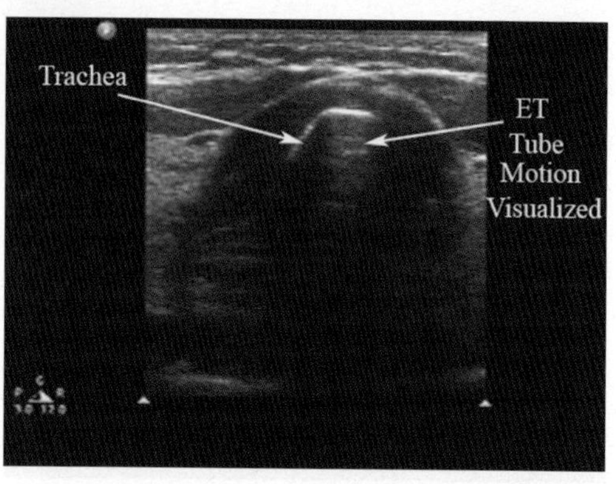


그림 22-2 삽관 중에 탐색자 아래로 튜브가 통과하는 장면을 보여준다. 화살표는 기관 연골보다 약간 원위부에 에코발생도가 증가된 작은 구역을 가리킨다.

의 기저부에서 좀 더 아래쪽에 위치해야 한다. 중요한 해부학적 구조물을 확인할 때는 압력에 주의해야 한다. 과도한 압력은 기관을 바깥쪽으로 밀어내어 삽관이 어려워질 수 있다.

시술 도중에 검사자는 기관 안으로 들어가는 튜브를 관찰해야 한다. 기관의 고에코성 링의 원위부에서 실시간으로 폐 미끄러짐과 유사한 움직임을 관찰함으로써 쉽게 확인할 수 있다. 튜브와 바람이 빠진 풍선이 초음파 빔 아래쪽으로 지나감에 따라 기관 연골의 원위부의 에코발생도가 미세하게 변할 것이다(그림 22-2). 그리고 나면 기관 내 튜브의 안쪽과 바깥쪽 벽을 나타내는 두 개의 밝은 평행선이 보이게 된다(그림 22-3 참고). 튜브가 기관을 통과하면서 평행선 대신에 기관 연골의 바깥쪽에 혜성-꼬리 허상(comet-tail artifact)이 관찰되기도 한다. 이런 일부의 변화들이 처음에는 미세하지만, 잘못해서 튜브가 식도로 들어가는 것을 발견할 때 그 진가가 발휘된다.

초음파를 이용하여 기관 내 삽관을 하는 중에는 튜브 위치의 확인과 함께 양측 폐를 관찰하여야 한다. 기관의 가로 영상은 호기말 비색장치로 확인하는 것과 동등하다고 생각해도 좋다. 양측 폐 미끄러짐 확인은 오른쪽과 왼쪽 폐를 청진하는 것과 같다. 튜브를 삽입한 후 초음파검사자는 폐 미끄러짐을 찾아내어 양 폐의 환기를 확인한다. 이 시점에서 환자는 백 밸브 마스크나 인공호흡기로 환기하고 있는 상태이다. 검사자는 같은 고주파 탐촉자를 이용하여 우측 흉부의 쇄골중간선(midclavicular line) 위에서 시상방향으로 탐색자를 놓고 폐 미끄러짐을 확인한다. 같은 방법으로 환자의 왼쪽에서도 시행하도록 한다. 적절한 폐 미끄러짐이 양쪽에서

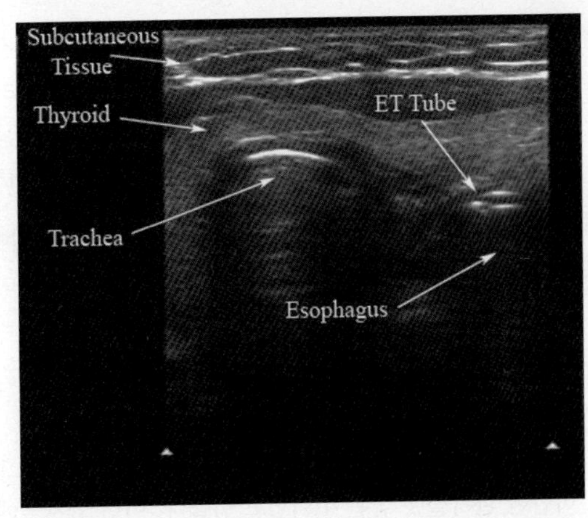


**그림 22-3** 식도 삽관 도중에 기관과 식도를 보여주는 횡단면 영상. 이 영상에서는 식도가 기관의 후측면에 나타남을 주목하라. 두 개의 평행한 에코형성 선이 식도 근위부에 나타나는데 이는 튜브가 식도 내강을 통과함에 따라 보이는 튜브의 안쪽과 바깥쪽 벽을 의미한다.

보이면 튜브가 적절하게 위치된 것이다.

폐 미끄러짐 외에도, 초음파는 횡격막의 움직임을 확인하는 데 사용하기도 한다. 탐색자는 FAST 검사와 비슷하게 관상 방향으로 옆구리에 놓는다. 횡격막은 흡기마다 아래로 움직여야 한다.

초음파에서의 폐 박동 징후는 부적절한 환기를 뜻한다. 이는 기흉이 없음에도 폐 슬라이딩이 존재하지 않을 때 나타난다. 이 징후는 폐 미끄러짐이 없을 때 흉막선을 향해서 미세한 심장 박동이 전달되어 발생한다. 초음파검사자는 흉막선의 약간 앞뒤 방향에서 박동을 관찰한다. 폐 박동 징후가 한쪽에서만 나타나고, 폐 미끄러짐이 다른 쪽에 존재한다면 종양이나 다른 병인에 의한 대엽 무기폐(atelectasis)나 기도 폐색보다 튜브가 주기관지로 삽관되었을 가능성이 크다(보통 우측 주기관지). 만약 임상의가 이러한 상황에 마주치게 되면, 양측 폐 미끄러짐이 나타날 때까지 튜브를 서서히 뒤로 당기도록 한다.

정상적으로 식도는 압축성(compressibility)이 좋아 초음파에서 수축되어 나타난다. 그러므로, 기관과는 다르게 평상시에는 확인하기가 어렵다. 이러한 특성 때문에 식도 삽관이 이루어졌을 때는 실시간으로 식도로 들어간 튜브가 내강을 확장하는 장면이 초음파 영상으로 나타나 인지하기가 쉽다. 식도는 정상적으로 기관의 후측면에 위치한다; 그러므로, 탐색자 표지자가 환자의 오른쪽을 향하게 하면 기관은 식도의 약간 전측면에 나타날 것이다(그림 22-3 참고). 식도 삽관의 사례에서 검사자는 기관 내 튜브를 기관의 바깥쪽에서 확인하게 될 것이며, 이는 원거리 음영을 동반한 고에코성의 선으로 나타나게 된다(그림 22-3 참고). 초음파에서 파악하기 어려운 기관 바로 뒤에서 나타나는 식도 삽관은 매우 드물다.

삽관 이후 흉부 양쪽 모두에서 폐 미끄러짐이 관찰되지 않는다면 식도 삽관이 일어난 것이다. 이때에는 튜브를 제거하고 재삽관을 시도한다.

## 흔히 저지르는 실수

### 환자의 특성

목이 짧고 비만한 환자들은 삽관이 어렵고 힘들다. 이런 환자들에서는 투과도가 좋고, 영상의 질을 높일 수 있는 저주파 탐촉자를 사용한다. 그리고 검사자는 초음파 탐색자의 각도를 바꿔 삽관 상황과는 무관하게 기관을 확인할 수 있다.

### 적절한 지표를 확인할 수 없는 경우

기관과 갑상선은 가로 방향에서 확인이 되어야 하고, 화면의 3/4 정도를 차지하도록 심도를 조정해야 한다.

### 식도 삽관

식도가 기관의 바로 뒤에 있는 경우 식도 삽관이 기관 삽관으로 오인될 수 있다. 앞서 기술했듯이, 식도 삽관의 90% 이상이 기관의 바깥쪽에서 확인될 것이다(그림 22-3 참고). 하지만 드문 경우에 식도가 기관의 바로 뒤쪽에 위치하여 초보 검사자에게 혼란을 줄 수 있다. 이를 막기 위해서 검사자는 삽관 전에 환자를 탐색하여 해부구조에 친숙해져야 한다. 그리고 기관 해부구조는 삽관 이전에, 식도 해부구조는 식도 삽관 이후에 좀 더 쉽게 확인됨을 기억하도록 한다. 검사자는 실시간 초음파 영상에서 튜브의 움직임에 주의를 기울인다. 마지막으로, 식도 삽관은 원위부 영역에서 움직임이 존재할 때 의심해야 한다.

### 기흉

기흉 환자에서 삽관 이후에 폐 미끄러짐의 소실은 우측 주기관지 삽관으로 오인될 수 있다. 7장에서 설명했던 바와 같이, 기흉은 공기가 장측 흉막과 벽측 흉막을 나눌 때 발생하는 것으로 폐 미끄러짐이 보이지 않는다. 우측 주기관지 삽관 이후에 폐 미끄러짐은 왼쪽 흉곽에서만 나타나게 될 것이다. 바깥쪽에서 정중액와선(midaxillary line)으로 탐색함으로써 검사자는 미세한 폐 박동으로부터 소량의 기흉을 구분할 수 있다.

## 외상

기도와 폐 미끄러짐은 외상 상황에서 특히 관찰이 어려울 수 있다. 피하공기, 분비물, 혈액, 그리고 부종으로 일반적인 기도 모양이 달라지기 때문이다. 이러한 상황에서는 경험이 많은 검사자가 시술해야 한다. 목 고정장치가 있는 경우 초음파 탐색자를 이용하는데 방해가 될 수 있다.

### | 추가로 읽을 자료 |


Blaivas M, Tsung JW. Point-of-care sonographic detection of left endobronchial main stem intubation and obstruction versus endotracheal intubation. *J Ultrasound Med*. 2008;27(5):785-789.

Drescher MJ, Conard FU, Schamban NE. Identification and description of esophageal intubation using ultrasound. *Acad Emerg Med*. 2000;7(6):722-725.

Milling TJ, Jones M, Khan T, et al.Transtracheal 2-D ultrasound for identification of esophageal intubation. *J Emerg Med*. 2007;32(4):409-414.

Raphael DT, Conard FU. Ultrasound confirmation of endotracheal tube placement. *J Clin Ultrasound*. 1987;15(7):459-462.

Werner SL, Smith CE, Goldstein JR, Jones RA, Cydulka RK. Pilot study to evaluate the accuracy of ultrasonography in confirming endotracheal tube placement. *Ann Emerg Med*. 2007;49(1):75-80.

# 23 신경 차단술

## 배경지식 및 검사의 적응증

부위 마취(regional anesthesia)는 전신마취, 국소마취, 시술 중 진전 및 비경구적 통증 조절의 대안으로 쓰는 방법이다. 신경 차단술(nerve block) 시 통상적인 해부학적 접근은 정확하지 않기 때문에 시술자에 따라서 성공률 차이가 크다. 신경의 위치 확인을 위해 전기 신경 자극이 흔히 이용되지만, 수술 환경 이외의 상황에서는 이용하기 어렵다. 최근 몇 년간 초음파 유도 부위 마취는 해부학적 접근과 신경 자극술에 대한 대체 또는 부가적인 방법으로서 보편화되었다. 간단한 차단술(예, 손가락 마취(digital block))은 해부학적 접근 기법으로 비-마취통증의학과 전문의들이 오랫동안 시행하여 왔고 최근에는 초음파의 사용이 확대됨에 따라 응급과 중환자 치료에서 신경 차단술이 안전하고 효과적으로 이루어지고 있다.

초음파 유도 신경 차단술은 목표 신경의 확인, 주위 해부학적 구조물들(혈관, 림프절 그리고 다른 중요한 구조물들)의 영상화 그리고 실시간 부분 마취제 주입의 관찰로 이루어진다. 목표 신경과 부분 마취제의 투여를 직접 영상화하여 차단술의 성공률을 높이고 시술과 연관된 합병증을 줄인다.

임상에서 초음파 유도 신경 차단술은 다음과 같은 경우에 시행한다:

- 부위 신경 차단술이 효과적일 것으로 예상하는 통증을 유발하는 시술을 받는 환자
- 비경구 진통제가 통증을 조절하기 어려울 것으로 예상하는 환자(예, 고관절 골절을 가진 노인 환자)
- 부위 신경 차단술로 통증을 경감시킬 수 있고, 기저 의학적 문제에 의해 발생한 만성 통증을 겪는 환자

## 탐색자 선택과 기술적 고려사항

### 주파수 범위가 10~15 MHz인 선형 배열 탐색자

전완부(forearm), 팔신경얼기(brachial plexus), 대퇴신경과 같은 표면 신경들의 평가에는 좋은 해상도를 제공할 수 있는 고주파(10~15 MHz)의 선형 탐촉자가 필요하다. 투과성이 좋은 저주파의 곡선형 탐색자(4~7 MHz)는 목표물이 좌골신경(sciatic nerve)과 같이 심부에 위치하거나 환자가 비만일 때 사용한다. 피부에 닿는 표면이 작은 '하키 스틱' 탐촉자는 소아에서와 같이 좁은 부분을 탐색하고자 할 때 선호된다.

### 초점

초점은 발견된 신경 위치에 조절할 수 있으며, 이렇게 하면 영상의 해상도가 높아진다.

### 심도

검사자는 깊은 곳부터 검사를 시작하여 신경 주위 영역에 대해 가능한 모든 정보를 얻어야 한다. 이렇게 하면 임상의가 바늘을 삽입하고 마취제를 주사할 때 반드시 피해야 할 주변 구조물들을 확인하는 데 도움이 된다. 시술 영역을 완전히 검사하고 나서, 목표 신경이 화면 대부분을 차지하여 잘 보이도록 심도를 줄이도록 한다.

### 증폭 또는 시간-증폭 보상

총 증폭량 또는 원거리 증폭(TGC)량은 심부 구조물로부터 돌아오는 신호를 밝게 할 수 있다. 급성기 치료에서 시행되는 대부분의 신경 차단술은 표면 신경에서 한다. 그러므로, 증폭량을 증가시키는 것은 심부 목표물이나 비만 환자에게서만 제한적으로 시행한다.

### 컬러-유량 도플러

컬러-유량 도플러는 림프절과 혈관들 같이 피해야 할 주변 구조물과 신경을 정확하게 구별하는 데 도움이 된다. 신경에서는 컬러 유량이 나타나지 않지만 림프절과 혈관에서는 나타나므로 신경이 아닌 다른 구조물들에 의도하지 않은 손상을 막고자 할 때 도움이 된다.

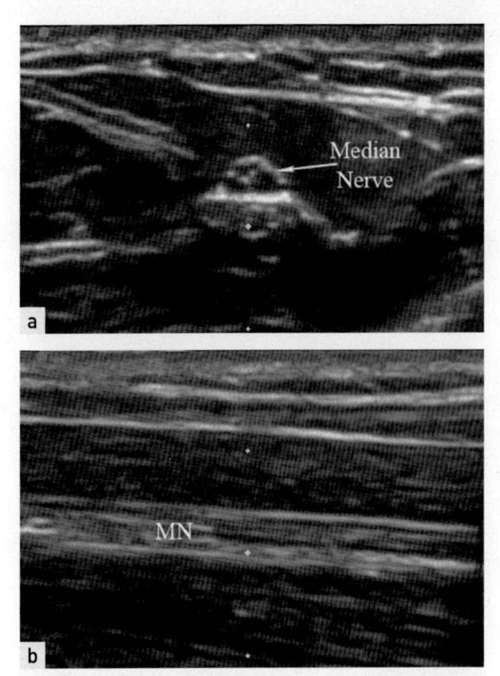


그림 23-1 **(a)** 전완의 중간 높이에서 단축(가로면)으로 확인된 정중신경(MN). 이 신경은 고에코성의 신경외막에 의해 저에코성의 신경 다발이 둘러싸여 '벌집모양'으로 보인다. 척골신경 및 요골신경과는 다르게 전완부의 정중신경은 동맥과 짝지어 있지 않다. **(b)** 전완의 중간 높이에서 장축(시상면)으로 확인된 특징적인 미세 섬유 모양의 정중신경(MN).

## 탐색자의 방향

초음파 유도 신경 차단술은 신경이 잘 보이는 단축 영상에서 흔히 시행한다. 영상은 결체조직으로 이루어진 고에코성의 신경외막에 의해 저에코성의 신경 다발이 둘러싸인 벌집 모양으로 신경이 둥글거나 초승달 모양으로 보인다(그림 23-1a). 이 방법은 임상의가 가장 흔히 사용하고, 신경 주변의 혈관들을 시각화하여 초보자가 쉽게 배울 수 있다.

신경은 탐색자가 신경의 주행 경로를 향하여 특징적인 섬유 모양이 보이도록 세로(시상) 단면으로 시각화할 수도 있다(그림 23-1b). 이 방법은 초음파의 단면이 신경에 직접 일렬로 위치하므로 시행하기가 어렵다.

## 바늘 진입 방법

특정 단면에 신경이 나타나면, 검사자는 바늘을 '단면-내(in-plane, vertical)' 또는 '단면-외(out-plane, horizontal)' 방법을 이용하여 삽입하고

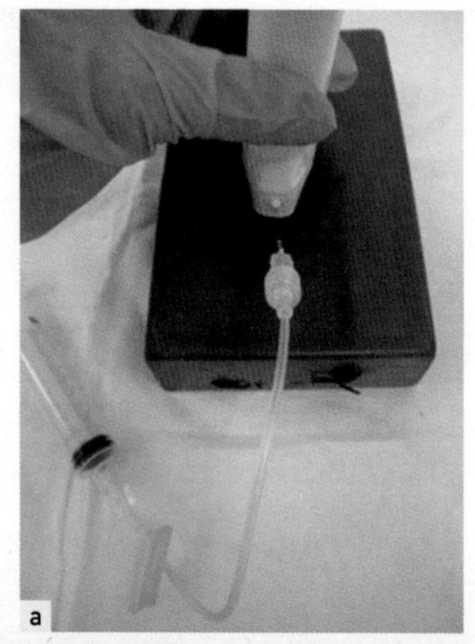


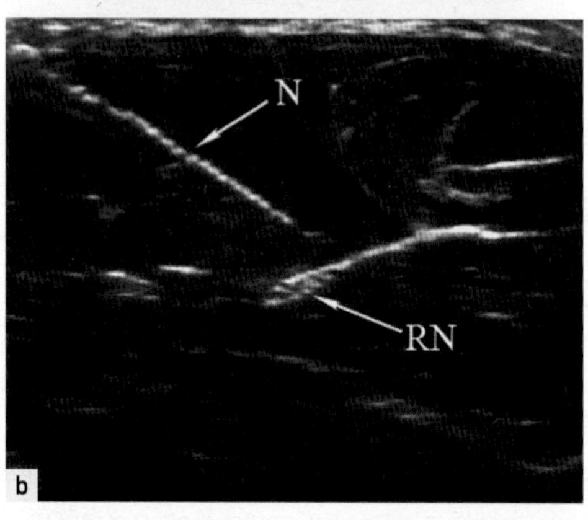


그림 23-2 **(a)** '단면-내' 기법에 적합한 바늘과 탐색자 위치. 바늘은 탐색자 표면의 짧은 쪽에서 삽입되어야 한다. 튜브와 주사기가 연결된 척수 천자 바늘을 이용하는 것을 주목하라. **(b)** 단면-내 기법을 활용하여 요골신경 차단을 시행하는 장면을 보여 주는 장축 영상. 고에코성 바늘(N)이 최대의 길이로 요골신경(RN)에 접근하는 것에 주목하라.

시각화한다. 단면–내 방법에서는 바늘이 탐색자의 가장자리(탐색자 표면의 짧은 쪽)에서부터 들어가고, 초음파 빔의 평면 안에서 완전하게 보이게 된다(그림 23–2a). 초음파 유도 마취에서 단면–내 기법이 추천되며, 이때 바늘 끝만이 아니라 바늘 길이 전체가 눈에 보여 마취제가 정확하게 주입되는지를 확인하는 데 도움이 되기 때문이다(그림 23–2b).

저자는 단면–내 바늘 진입법 및 신경의 단축 시각화 기법을 이용하여 신경 차단술을 설명할 예정이다. 다른 초음파 유도 시술들과는 다르게 신경 차단술이 끝날 때까지 탐색자를 시술 부위에서 떼지 않는다.

## 동적 초음파 유도

초음파 유도 신경 차단술은 실시간 영상화로 진행한다. 이 방법에서는 적절한 차단이 이루어졌는지 확인하기 위해 바늘이 신경으로 접근하고, 그 주위에 마취제를 주사하는 장면을 시술자가 직접 눈으로 볼 수 있다. 더불어 이 동적 영상화 방법은 림프절, 혈관 또는 다른 필수 구조물들과 같은 주변 해부 체계에 손상을 입힐 위험을 줄일 수 있다. 동적 유도를 이용할 때, 검사자는 멸균 탐색자 덮개와 겔 이용을 비롯한 멸균 주의사항을 지키도록 한다.

## 바늘의 선택

표준 주사 바늘(대부분의 응급실에 있는)은 긴 사면(long bevel, 급격한 각도)으로 되어 있다. 신경혈관(neurovascular) 손상에 바늘끝경사면 각(bevel angle)의 역할에 대해서 일부 이견이 있지만, 대부분의 의료 기관에서는 근위부 신경 차단에 짧은 사면(short bevel)의 바늘을 사용하길 권장한다. 마취제 주입을 위한 곁 구멍이 있는 연필–점 바늘(pencil–point needle)을 사용하면 손상을 줄일 수 있다. 일반적으로 척수 바늘은 중간 정도의 사면이거나 연필 점 형태로 신경 차단술에서 적절히 이용할 수 있다. 바늘의 길이는 신경의 깊이에 따라 1.5에서 3인치 정도가, 그리고 게이지는 22와 25 사이가 보통 이용된다.

## 마취제의 선택

마취제는 발현시간, 지속시간, 부작용에 따라 선택한다. 에피네프린을 추가하면 작용 시간을 늘리고 부작용은 낮추는 효과를 얻을 수 있다. 초음파 유도 마취의 장점은 맹검 방법에 비해 적은 양의 마취제가 필요하다는 것이다.

리도카인(Xylocaine)은 발현시간이 빠르고, 지속성이 짧은 마취제로 시술 후 통증이 심하지 않을 것으로 예상되는 짧은 시술에 적절하다. 부작용은 에피네프린을 섞지 않았을 때 4.5 mg/kg 이상에서, 에피네프린을 섞었을 때는 7 mg/kg 이상에서 나타난다. 리도카인의 농도는 일반적으로 1% 또는 2% (10 또는 20 mg/mL)이므로 70 kg의 성인에서는 30 cc 미만의 1% 리도카인이 이용되어야 한다.

부피바카인(Marcaine)은 발현시간이 느리고, 지속성이 길다. 시술 후 통증 조절을 위해서 리도카인과 병합하여 사용할 수도 있다. 독성은 2.5 mg/kg를 넘을 때 발생하지만, 농도는 보통 더욱 낮은 편이다(0.25%). 부피바카인은 혈관 내로 주사되었을 때 리도카인보다 심장 독성이 강하므로 주의가 필요하다. 몇몇 기관에서는 부피바카인이 동맥 내로 주사되었을 때에도 심장 마비와 같은 부작용을 낮추기 위해서 유제(emulsion) 형태로 사용하기를 권장한다.

메피바카인(Polocaine, Carbocaine)은 중등도의 발현시간, 중등도의 지속성을 가지고 7 mg/kg에서 부작용이 나타나며 부위 마취에 추천된다.

## 초음파 유도 신경 차단술

특정 신경에 대한 차단술은 뒤에 설명한다. 다른 초음파 유도 시술들과 마찬가지로 원하는 해부학적 영역을 적절하게 노출하려면 환자의 적절한 자세가 요구된다. 시술 시간 동안 시술자가 화면을 마주할 수 있도록 초음파 기기의 위치를 변경한다. 피부를 소독하고, 멸균된 탐색자 덮개와 겔 그리고 시술자가 입을 멸균 복장과 같은 도구들을 포함하는 멸균 주의사항을 따른다.

목표로 하는 신경을 확인하고 나면 주변의 해부 체계를 확인하기 위해서 인접 영역을 탐색한다. 검사자는 천자를 시행할 연부조직과 근육, 혈관의 위치, 만약 팔신경얼기 차단을 시행할 예정이라면 갈비뼈와 폐 조직, 목표 신경의 근위부와 원위부에 대한 주행방향을 알고 있어야 한다. 그래야만 바늘의 궤도를 계획하고 합병증들을 피할 수 있다. 주변 영역의 검사가 끝나면 신경이 횡축이나 단축 단면으로 화면의 한가운데에 나타나도록 한다.

탐색자의 표면(footprint)이 닿는 피부 부위의 인접한 지점에 부분 마취제를 주사하면 피부 표면 마취가 이루어진다. 바늘 천자가 시행될 곳에 짧은 25 G나 그 이상의 바늘을 이용해 팽진을 형성한다. 단면-내 접근법에서는 탐색자 표면의 짧은 쪽에 인접해 팽진을 만든다. 주사기에 원하는 마취제를 채우고 짧은 연장관을 연결한다. 사용될 마취제의 양은 차단의 종류와 정확도, 마취제의 형태, 환자의 크기에 따라 다양하지만, 일반적인 성인을 대상으로 한다면 5~30 cc가 필요하다. 바늘의 선택도 앞서 설명한 것과 비슷하게 길이와 직경에 따라 다양하다. 짧은 사면이나 컷팅이 들어가지 않은 바늘(척수용 바늘이 이용될 수 있음)이 선호된다(그림

23-2a 참고).

이후 바늘은 마취제 팽진을 통과하여 진입한다. 시술자는 바늘의 주행 경로를 추적하기 위해서 초음파 모니터에 집중해야 한다. 단면-내 접근법으로는 바늘 전체의 길이가 보일 것이다(그림 23-2b 참고). 바늘 끝이 원하는 위치에 진입하게 되면, 약 1~2 mL의 마취제를 천천히 시험 주입한다. 마취제의 주입은 목표 신경과 그를 둘러싼 연부조직을 가로지르면서 저에코성 리본의 띠로 관찰된다. 목표 신경이 잘 보이게 하려면, 각각의 신경이나 신경 다발 주위로 동그랗게 또는 '도넛' 모양으로 약물을 주입해야 한다. 주입되는 지점이 목표 신경으로부터 너무 멀리 떨어져 있다면, 바늘을 뒤로 당긴 뒤 다시 자리를 잡고, 시험 용량 주입을 반복한다. 원하는 주입이 이루어지면 나머지 마취제를 천천히 주사한다. 환자가 주사 도중에 통증을 느끼거나 신경 내부로 마취제 주입이 관찰된다면, 바늘을 몇 밀리미터 정도 뒤로 후퇴시키고 추가 주입을 한다. 원하는 만큼의 양을 주입하면, 바늘은 완전히 제거하고 마취제의 효과를 완전히 확인하기 위해 신경 분포에 대해 검사를 할 수 있다.

신경 차단의 목적에 따라 마취제를 선택한다. 1~2% 리도카인과 같은 짧은 지속기간의 약물(1.5~3시간)은 절개와 배농 또는 합병증이 없는 어깨 관절 탈구와 같은 시술에 적합하다. 0.25~0.5% 부피바카인과 같은 긴 지속기간의 약물(10~14시간)은 좀 더 복잡한 시술에서 긴 마취효과를 제공한다. 또한, 중간 지속성인 1~1.5% 메피바카인(4~5시간)도 흔히 이용할 수 있다.

## 특수한 차단술

### 팔신경얼기

팔신경얼기는 5번에서 8번의 경추 신경 및 1번 흉추 신경의 줄기로 구성되어 있다. 신경 뿌리가 원위부로 횡단하면서 이 신경들은 전사각근과 중사각근 사이에서 위, 중간, 아래 신경줄기를 형성한다. 겨드랑이 주름에서 이 줄기들은 상지의 신경분포를 담당하게 되는 말단 신경이 되기 전에 쇄골 뒤에서 바깥쪽, 뒤쪽, 안쪽 신경 다발을 이룬다.

### 목갈비근사이 차단술(INTERSCALENE BLOCK)

목갈비근사이 접근법은 팔신경얼기 차단술 중 가장 근위부에서 시행되는 것으로 전사각근과 중사각근 사이의 오목에 있는 신경 줄기를 차단하는 것이다. 이 방법으로 대부분의 C5~C7은 차단되고, 어깨, 쇄골과 상완이 마취된다. 급성기 치료에서 이 차단술은 어깨 관절 탈구나 골절 그리고 상완부 손상 환자에 유용하다.

목신경얼기(cervical plexus, C3–C4)도 다양한 수준으로 차단할 수 있다. 목갈비근사이 오목에 횡격막 신경이 인접하므로 이 접근법은 초음파 유도와 사용되는 마취제의 양이 적어 발생 가능성은 낮지만 일시적인 반 횡격막 마비(hemidiaphragmatic paralysis)를 일으킬 수 있다. 그러므로 호흡에 문제가 있는 경우 목갈비근사이 차단술은 금기이다.

환자는 똑바로 누워서 머리를 반대측으로 돌린다. 이 시야는 C6의 윤상 연골 높이에서 목의 바깥 면을 탐색하여 얻는다. 윤상 연골 확인 후 흉쇄유돌근(sternocleidomastoid muscle)의 바깥 경계를 촉지하면 그 경계의 바로 바깥쪽에 목갈비근사이 오목을 확인할 수 있다. 탐색자는 이 높이에서 비스듬하게 가로방향으로 위치되어야 한다(그림 23–3a). 결과 영상에서 표면 쪽으로는 흉쇄유돌근이, 안쪽으로는 IJV와 경동맥이 있는 모습이 보일 것이다. 전사각근과 중사각근은 바깥쪽에 보인다. 팔신경얼기는 목갈비근사이 오목 안에서 수직으로 줄지어 있고, 횡단면에서는 흔히 '신호등' 모양으로 표현되는 3개의 신경이 함께 관찰된다(그림 23–3b).

해부 구조가 확인되면, 바늘은 탐촉자 아래에서 '단면–내' 후측면 접근법으로 삽입된다. 적절한 마취제가 목표 신경 줄기들을 향해 중사각근을 통해 전내측으로 주입되어야 한다.

## 겨드랑 차단마취(AXILLARY BLOCK)

액와 접근법(axillary approach)은 말단 신경들이 전완부로 주행하기 전 시행하는 팔신경얼기 차단술 중 가장 원위부에서 시행되는 방법이다. 이 지점에서 신경 다발이 말단 줄기로 나뉘게 된다. 정중신경, 요골신경, 척골신경 모두 액와초(axillary sheath)속에서 액와 동맥과 인접하여 주행하므로 이때 모두 함께 차단된다. 근피신경(MCN)은 액와 동맥에서부터 좀 더 원위부에 위치하므로 이 방법으로는 적절한 마취제 주입이 힘들다. 이 차단술은 전완부와 손의 마취에 최적이지만, 근피신경의 지배를 받는 부위(바깥쪽 전완부)는 차단되지 않는다는 점에 주의해야 한다. 이 차단술은 콜레스 골절(Colle's fracture)과 같은 원위부 전완부나 수부의 골절이나 탈구에 가장 적합하다. 이는 비경구적 진통제를 투여받기에 용량의 제한이 있거나 기저질환을 동반할 수 있는 노인 환자들에게 유익하다. 더불어 손바닥(palmar) 열상처럼 하나 이상의 신경 지배를 받을 수 있는 부위

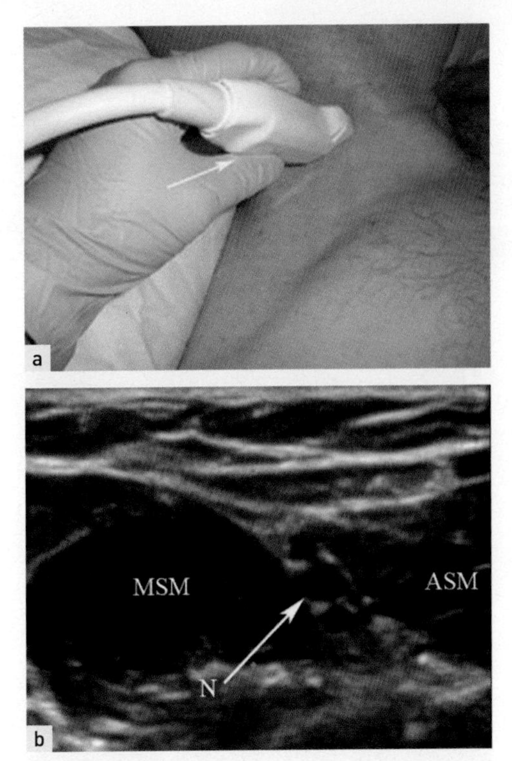


**그림 23-3** 목갈비근사이 차단술 시 적절한 환자와 탐색자 위치. 환자는 누워서 머리를 반대편으로 돌린다. 탐색자는 목갈비근사이 오목 위에 횡사면(단축)으로 위치된다. 바늘은 단면-내 기법으로 탐색자의 후측면에서부터 신경 다발을 향해 전내측으로 진입하게 된다(화살표 참고) **(a)**. 목갈비근사이 신경 차단술의 해부학적 체계 **(b)**. 위팔신경(brachial nerve) 줄기와 뿌리는 세 개의 고에코성의 둥근 구조(N)로 보이며 중사각근(MSM)의 바깥쪽에, 전사각근(ASM)의 안쪽에 위치한다. 이 형태는 신호등을 닮아 있다.

의 심한 열상이나 큰 농양의 배액에도 유용하다. 손상의 범위가 큰 경우에는 척골, 요골, 정중신경 이 세 개의 말단 줄기들이 모두 연관이 있어 부분 마취로는 효과가 없을 것이다.

기흉이나 호흡 장애의 위험이 적고 말초 혈관이 손상되었을 때 지혈이 손쉽다는 점이 이 차단술의 장점이다. 필요한 경우 바깥쪽 전완부에 대한 추가적인 마취가 시행되어야 된다는 것은 단점이다.

환자는 완전히 누운 자세에서 팔을 바깥쪽으로 회전시키고, 90도로 외전 시킨 상태에서 팔꿈치를 90도로 굽혀야 한다. 탐색자는 표지자가 환자의 머리를 향하게 한 채, 대흉근과 이두근 사이에 있는 액와 주름위에 시

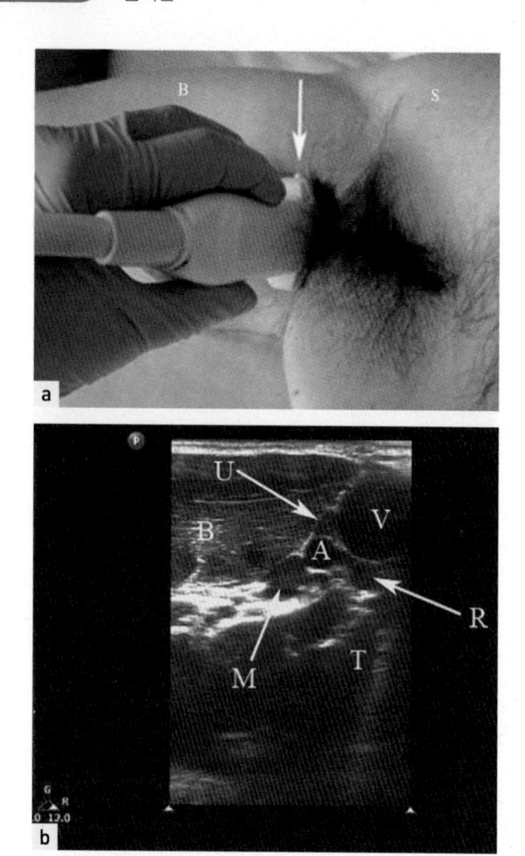


그림 23-4 (a) 겨드랑 차단마취에 적절한 환자와 탐색자 위치. 환자는 누운 자세에서 팔을 외회전시키고, 90도로 외전시킨 상태에서 팔꿈치를 90도로 굽힌다. 탐색자는 대흉근과 이두근 사이의 액와 주름에서 시상 방향으로 위치한다. 바늘은 탐색자의 바깥 모서리에서 단면-내 기법으로 액와 동맥을 향해 안쪽으로 진입된다(화살표 참고). B: 이두근, S: 어깨. (b) 겨드랑 차단마취술의 해부학적 체계. 정중, 척골 그리고 요골신경이 굴근과 신근을 나누는 근막면의 위에서 액와 동맥(A)을 둘러싸고 있다. 정중신경(M)은 머리 쪽에, 척골신경(U)은 꼬리 쪽에, 그리고 요골신경 ®은 동맥으로부터 깊은 곳에 위치한다. V: 액와 정맥, B: 이두근, T: 삼두근.

상 방향으로 위치시킨다(그림 23-4a). 이 단면에서는 신경과 혈관의 단축 영상을 볼 수 있다. 액와 동맥은 컬러 유량 도플러로 확인 후 이를 둘러싸고 있는 정중, 척골, 요골신경과 함께 지표로 사용한다. 정중신경은 표면에, 액와 동맥보다 머리 방향에 위치하고 있고, 요골신경은 액와 동맥보다 깊은 곳에 위치하고 있으며, 척골신경은 액와 동맥보다 꼬리 쪽에 위치하게 된다(그림 23-4b). 시술자는 바늘을 단면-내 접근법으로 탐촉자의 바깥쪽 모서리가 액와 동맥을 향하도록 삽입한다. 바늘 끝이 동맥에 가까이 갔을 때 마취제를 혈관이 아니라 주위의 신경에 주입하도록 주의를 기울인다.

## 근피신경 차단술(MUSCULOCUTANEOUS NERVE BLOCK)

근피신경은 부리위팔근(coracobrachialis muscle)안에서 액와 동맥과는 분리되어 주행하므로 바깥쪽 전완부를 완벽하게 마취하기 위해서는 별도의 차단술이 필요하다. 그리고 바깥쪽 전완부의 열상 같은 경우는 근피신경 차단술 단독만으로도 마취가 가능하다.

환자의 팔은 외전되고, 바깥쪽으로 회전되고, 팔꿈치가 굽혀진 자세로 탐색자를 대흉근과 이두근 사이에 시상방향으로 위치된다. 액와 동맥을 확인하고 탐색자를 근피신경이 시야에 보일 때까지 천천히 이두근 쪽으로 이동시킨다(그림 23-5a). 신경은 정상적으로 이두근과 부리위팔근 사이에 또는 부리위팔근 속에 확인된다(그림 23-5b). 위치 파악 후 단면-내 방법으로 주위 신경에 마취제를 주입한다.

## 팔신경얼기의 말단 줄기들

팔신경얼기의 말단 줄기들은 요골, 정중, 척골신경으로 구성된다. 단일 신경 분포 부위만 침범된 손상이나 작은 시술의 경우 이들 개별 신경에 대한 차단이 적합하다. 하나 이상의 신경 분포가 이루어진 부위에 시술 시 해당 신경들에 대해 차단술을 시행하는 것은 어렵지 않다. 이 신경들은 팔꿈치에서 손목까지, 전완부의 손바닥 쪽(volar aspect)에서 차단된다.

팔꿈치에서 요골신경(radial nerve)은 상완근과 상완요골근(brachioradialis muscle) 사이에 이두건(biceps tendon) 바깥쪽에 위치한다. 이 신경을 차단하면 엄지, 검지, 중지 그리고 약지의 원위지골간관절(DIP joint)까지 바깥쪽 절반을 포함한 손의 후외방에 대한 진통 효과가 있다. 이 차단술은 요골신경의 지배를 받는 손이나 손가락의 골절, 열상, 상처에 적합하다.

요골신경(radial nerve)은 손목의 원위부 지점에서 가장 잘 발견된다. 손목에서 전완부의 바깥쪽에 횡단면으로 선형 탐색자를 놓는다. 요골신경의 지표로 이용할 수 있는 요골 동맥을 따라 주행한다(그림 23-6). 요골 동맥은 처음에는 도플러 신호를 만들어내는 박동성의 둥근 구조로 나타난다. 요골신경은 요골 동맥의 바깥쪽에(또는 요골 측에) 존재한다. 신경혈관 다발의 위치가 확인되면, 좀 더 타원 모양으로 관찰되는 전주와(antecubital fossa) 지점에서 팔꿈치 쪽을 향해 근위부로 따라간다(그림

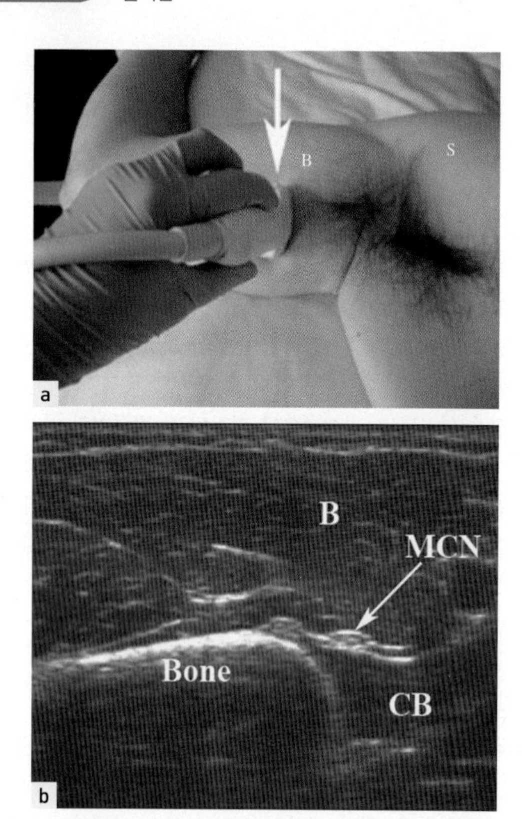


그림 23-5 근피신경(MCN) 차단에 적절한 환자와 탐색자 위치. 환자는 누운 자세에서 팔을 외회전시키고, 90도로 외전시킨 상태에서 팔꿈치를 90도 굽힌다. 탐색자는 액와 주름에서 시상 방향으로 놓이며 신경이 시야에 들어올 때까지 이두근을 향해 팔 아래 쪽으로 이동한다. 바늘은 탐색자의 바깥 모서리에서 단면-내 기법으로 신경을 향해 안쪽으로 진입된다(화살표 참고) **(a)**. B: 이두근, S: 어깨. 근피 신경 차단술의 해부학적 체계 **(b)**. MCN은 이두근(B)과 부리위팔근(CB) 사이에서 확인된다.

23−2b). 전완의 원위부에서 요골신경이 여러 개의 작은 가지들로 나뉘기 때문에 좀 더 근위부 쪽에서 차단술을 시행하는 것이 더욱 효과적이다. 손목 가까이에서는 마취제를 넓은 곳에 주입해야 하므로 차단술을 흔히 시행하지 않는다. 시술자는 탐색자를 전완와에서 가로 방향으로 유지한 상태로 탐색자의 바깥 모서리의 아래쪽으로 바늘을 삽입 후 안쪽으로 진입시켜 단면−내 기법을 활용하여 차단한다. 바늘 끝이 신경에 가까워지면, 마취제를 주입한다.

척골신경(ulnar nerve)의 차단은 새끼손가락과 약지의 안쪽 절반을 포함한 손의 내측 절반에 진통 효과가 있다. 이 차단술은 척골신경의 지배를

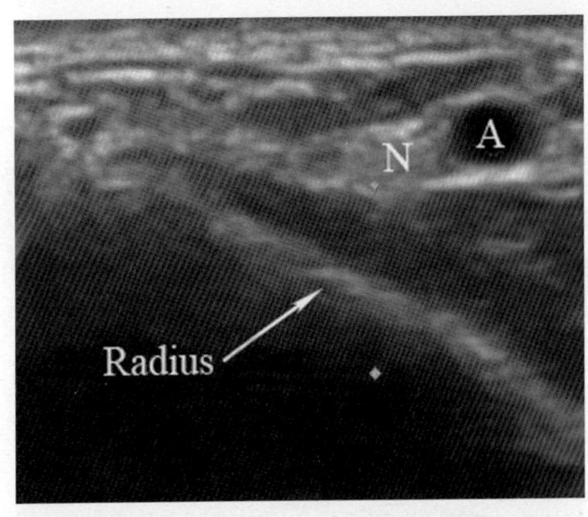


**그림 23-6** 요골신경(N)이 요골 동맥(A)의 바깥쪽에 고에코성의 삼각 구조물로 전완의 중간 높이에서 확인된다.

받는 손이나 손가락 부분의 골절, 열상, 상처에 적합하다. 새끼손가락의 박서골절(Boxers fracture)에서 정복술을 시행할 때 이를 활용할 수 있다.

척골신경은 손목 부위에서 가장 잘 차단된다. 이는 지표인 척골 동맥의 옆에 위치한다. 탐촉자를 가로 방향으로 손목 주름의 안쪽 표면 위에 위치시킨다(그림 23-7). 척골 동맥의 위치는 컬러-유량 도플러를 사용하거나 척골신경이 안쪽(또는 척골 쪽으로)에 고에코성 구조물로 나타나는 것을 확인한다. 차단술은 탐색자의 안쪽 면 아래에 바늘을 삽입하고 신경을 향해 바깥쪽으로 진입시키는 단면-내 기법으로 시행한다.

정중신경(median nerve)의 차단은 엄지에서 중지까지를 포함한 손의 전외측면에 진통 효과를 제공한다. 이 차단술은 정중신경의 지배를 받는 손이나 손가락 부분의 골절, 열상, 상처에 적합하다.

정중신경은 손목의 바로 근위부, 전완의 원위부에서 가장 손쉽게 차단된다. 요골신경과 척골신경과는 다르게, 정중신경은 이 지점에서 짝을 이루는 동맥이 없다. 탐색자를 가로 방향으로 손목의 굽힘 건(flexor tendon) 위에 놓는다(flexor palmaris longus 그리고 flexor carpi radialis) (그림 23-8). 정중신경이 벌집 모양처럼 고에코성으로 밀집된 다발로 나타날 때까지 근위부로 탐색자를 천천히 이동한다(그림 23-1a). 이 구조물이 시야에 들어오면, 바늘을 탐촉자의 바깥 모서리에서 단면-내 기법으로 삽입하고, 마취제가 주입될 신경 인접부까지 안쪽으로 진입한다.

## 하지 차단술

### 대퇴신경 차단술

대퇴신경(femoral nerve)은 허리신경얼기(lumbar plexus)의 가장 큰 가지이다. 대퇴신경과 대퇴 혈관들은 모두 신경혈관다발에 싸여 서혜부(inguinal area)의 표면에 위치한다. 이 신경을 차단하면 앞쪽 대퇴부, 고관

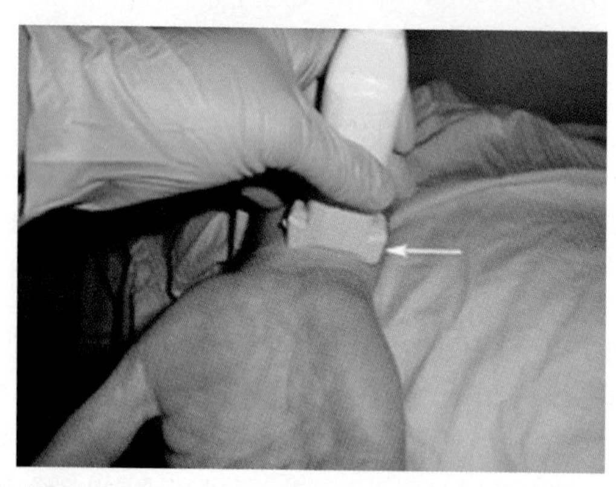

**그림 23-7** 척골신경 차단에 적절한 환자와 탐색자 위치. 환자는 팔을 앞 면이 위를 향하게 뻗어야 하며 탐색자는 안쪽 손목 주름 위에 가로 방향으로 놓인다. 척골 동맥은 지표의 역할을 하며 바로 안쪽에 척골신경이 보이게 된다. 바늘은 탐색자의 안쪽 모서리에서 단면-내 기법으로 신경을 향해 바깥쪽으로 진입한다(화살표 참고).

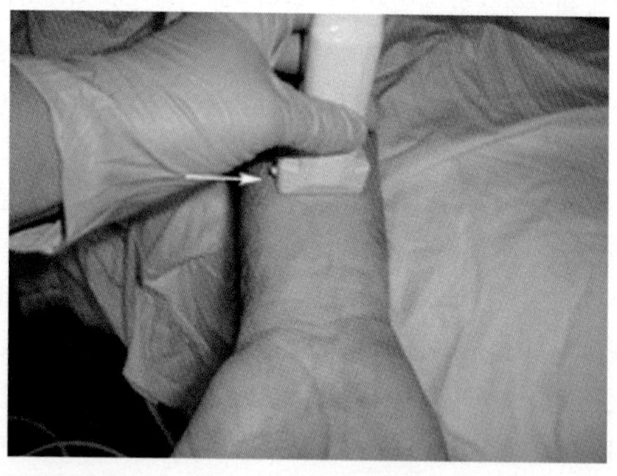

**그림 23-8** 정중신경 차단 시 환자와 탐색자의 적절한 자세와 위치. 환자의 팔은 전면부가 시술자와 마주하도록 신전시키고 탐색자는 굽힘 건(flexor tendon) 위에서 손목 부위까지 가로방향으로 놓여있다. 바늘은 탐색자의 바깥 모서리에서 단면-내 기법으로 신경을 향해 안쪽으로 진입한다(화살표 참고).

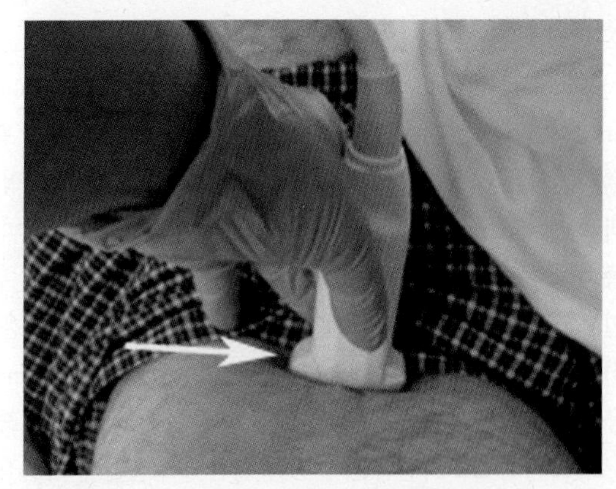

**그림 23-9** 대퇴신경 차단 시 환자와 탐색자의 적절한 자세와 위치. 환자는 다리를 신전시킨 채 똑바로 눕는다. 시술자는 서혜부 주름 위에 비스듬한 횡단면 방향으로 탐색자를 위치시키고 안쪽에서부터 바깥쪽으로 대퇴 정맥, 동맥 및 신경을 확인한다. 대퇴신경은 대퇴 동맥 바로 바깥쪽에 고에코성의 구조물로 확인할 수 있다. 바늘은 탐색자의 바깥 모서리에서 단면-내 기법으로 신경을 향해 안쪽으로 진입한다(화살표 참고).

절과 슬관절의 굽힘 근육, 슬관절의 신전 근육이 마취된다. 급성기 치료에서 이 차단술은 환자의 통증이 심하고 신경혈관 문제들을 피하고자 최대한 빨리 시행되어야 할 시술인 고관절 및 슬관절 정복술에 이상적이다. 또한 노인 환자에서 흔히 일어나는 고관절 골절 시 비경구적 진통제의 금기가 있는 상황에서 유용하다. 그리고, 이 차단술은 국소 마취가 적절하지 않을 광범위한 복합 열상이나 상처에 이용되기도 한다.

환자는 똑바로 누워서 다리를 편다. 시술자는 탐촉자를 서혜부 주름에 비스듬한 가로방향 단면으로 놓고 대퇴초(femoral sheath) 속에 존재하는 대퇴 정맥, 동맥, 신경을 확인하기 위해 안쪽에서부터 바깥쪽으로 탐색해 나간다(그림 23–9). 대퇴신경은 고에코성의 장골 근막(fascia iliaca)의 깊은 곳에, 그리고 장골치골근막(iliopectineal fascia)에 의해 대퇴 혈관들로부터 분리되어 있다. 대퇴신경이 대퇴 동맥의 바로 바깥쪽에 고에코성의 구조물로 나타날 것이다. 적절한 차단술을 시행하기 위해 마취제를 주사하기 전 바늘을 장골치골근막을 통해 천자하고 가능한 대퇴신경에 가깝게 위치한다. 마취제가 주사되면, 근막 단면에 액체가 고이는 모습이 관찰된다.

## 세 가지 신경의 복합 차단(THREE-IN-ONE BLOCK)

폐쇄 가지(obturator branch)와 바깥 대퇴 피부 신경(lateral femoral cutaneous nerves (LFN) 가지는 허리신경얼기의 좀 더 근위부에서 뻗어나가므로 초음파에서는 보통 보이지 않는다. 폐쇄 신경은 안쪽 허벅지의 감각 기능과 하지 내전근들의 운동 기능을 담당한다. 바깥 대퇴 피부 신경은 바깥쪽 허벅지의 감각 기능을 담당한다. 만약 이러한 부위에 부가적인 마취가 필요하다면, 폐쇄 신경, 바깥 대퇴 피부 신경, 대퇴신경을 한꺼번에 마취하는 'three-in-one' 차단술을 시행할 수 있다. Three-in-one 차단술은 응급실 환경에서 특히 고관절 골절이 있는 노인 환자에 적용할 수도 있다. Three-in-one 차단술은 인접한 혈관 구조물들에 직접적으로 주사되지 않는 장점도 있다.

'Three-in-one' 차단술을 시행하기 위해 서혜부 주름이나 그 근위부를 탐색한다. 서혜 인대로부터 2 cm 원위부 지점 바깥쪽에서 바늘을 진입한다. 바늘 진입은 근막층과 대퇴신경 주위에 주입된 마취제를 통해 볼 수 있다. 주사 부위의 원위부에 수 분 동안 압박을 가하여 마취제가 근위부로 퍼져 폐쇄 신경과 LFN이 효과적으로 차단되도록 한다.

## 복재신경 차단술

복재신경(Saphenous nerve)은 대퇴신경의 유일한 곁가지로 무릎 아래에 있다. 이 신경은 무릎에서부터 안쪽 복사(malleolus)까지의 다리의 내측, 전내측, 후내측을 담당한다. 그러므로, 다리와 발목의 완벽한 마취를 위해서는 좌골 신경과 복재신경 모두 다 차단하여야 한다. 복재신경은 대퇴신경을 따라서 차단할 수 있으나, 필요한 경우 단독으로 차단하기도 한다. 이 차단술은 다리의 전내측이나 안쪽 복사의 상처 탐색이나 열상의 정복에 이상적이다. 이는 발목 전체에 대한 차단술 중 하나이기도 하다.

이 시술은 허벅지의 원위부 1/3의 안쪽 면에서 흔히 시행한다. 탐색자를 안쪽 원위부 허벅지에서 가로 방향으로 놓고, 시술자는 표면 대퇴 동맥(superficial femoral artery, SFA)이 보일 때까지 원위부와 근위부를 탐색한다(그림 23-10a). 복재신경은 이 높이에서 SFA에 아주 인접한 고에코성의 구조물로 보인다(그림 23-10b). 신경을 확인하고 바늘을 탐색자의 바깥 면에서 단면-내 방법으로 삽입한다. 바늘을 신경에 가까워질 때까지 안쪽으로 진입시키고 그 주위에 마취제를 주사한다. 복재신경은 또한 발목 높이에서도 차단할 수 있다.

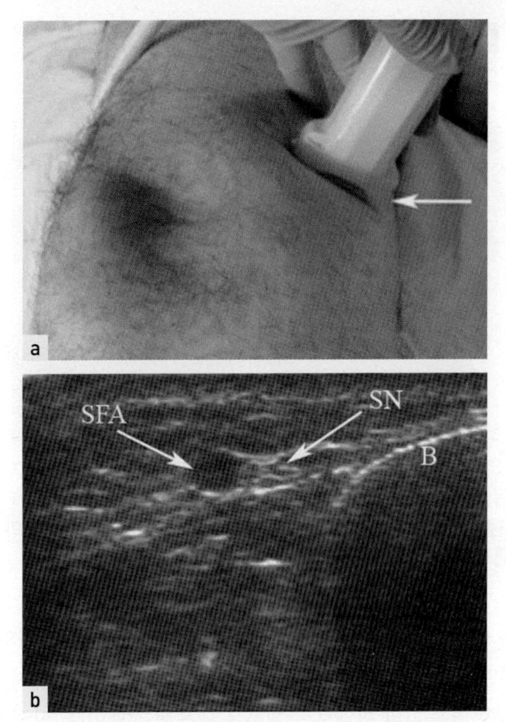


**그림 23-10 (a)** 원위부 허벅지에서 복재신경 차단을 위한 환자와 탐색자의 적절한 자세와 위치. 환자는 다리를 신전시킨 채 똑바로 눕는다. 탐색자는 안쪽 원위부 허벅지에서 가로 방향으로 놓는다. 바늘은 탐색자의 바깥 모서리에서 단면-내 기법으로 신경을 향해 안쪽으로 진입한다(화살표 참고). **(b)** 요골신경(N)이 요골 동맥(A)의 바깥쪽에 고에코성의 삼각 구조물로 전완의 중간 높이에서 보인다. 원위부 허벅지에서의 복재신경 차단 해부학. 표면 대퇴 동맥(SFA)이 지표(landmark) 역할을 하고 복재신경(SN)이 그와 인접하여 고에코성의 구조물로 보인다. B: 뼈.

## 발목 차단술

발목을 완벽하게 차단하기 위해서 다섯 개의 신경을 마취하여야 한다. 대퇴신경의 유일한 곁가지인 복재신경, 좌골신경(sciatic nerve)의 말단 가지인 경골신경(tibial nerve), 깊은종아리신경(deep peroneal nerve), 얕은종아리신경(superficial peroneal nerve) 그리고 장딴지신경(sural nerve)이다. 경골신경과 깊은종아리신경은 발목과 발의 심부 구조물들을 지배하며, 나머지 세 신경은 피부의 감각을 담당한다. 이 높이에서의 완전한 차단술은 발목과 발의 골절, 정복술, 상처 탐색이나 다른 손상들에 적합하다. 환자는 누워서 배게 위에 발목을 올려놓는다.

허벅지의 원위부 높이에서의 복재신경 차단은 앞서 설명하였다. 이 신

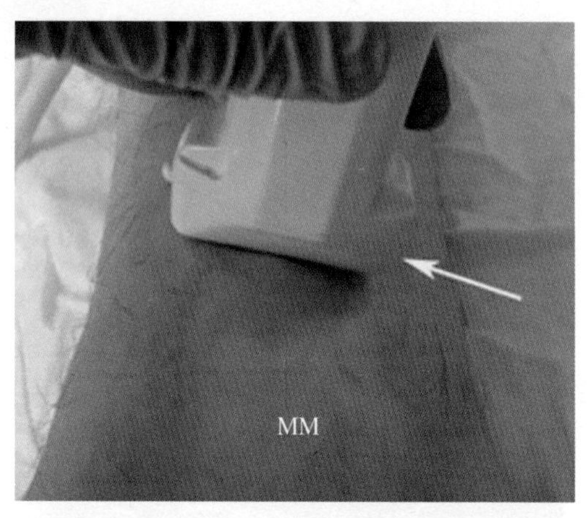


**그림 23-11** 발목에서 복재신경 차단을 위한 환자와 탐색자의 적절한 자세와 위치. 환자는 발목을 바깥으로 외회전시킨 체 똑바로 눕는다. 탐색자는 내측 복사(MM) 바로 윗 지점에서 발의 전내측 위에 가로 방향으로 놓는다. 바늘은 탐색자의 안쪽 모서리에서 단면-내 기법으로 신경을 향해 안쪽으로 진입한다(화살표 참고).

경은 아래 다리의 원위부에서 또는 내측 복사를 담당하는 부위의 발목 높이에서 차단할 수도 있다. 원위부에 위치한 복재신경을 찾는 지표는 아래 다리의 안쪽 면을 따라 아래로 주행하는 대복재 정맥이다. 탐색자를 안쪽 아래 다리에서 가로 방향으로 대고 대복재 정맥을 찾는다. 복재신경은 대복재 정맥 옆에 고에코성의 구조물로 보일 것이다. 바늘을 단면-내 방법으로 탐색자의 바깥에서 신경을 향해 안쪽으로 진입한다. 발목에서 탐색자는 내측 복사 바로 위, 발의 전내측에 가로 방향으로 놓는다(그림 23-11). 이때 대복재 정맥이 다시 한 번 지표가 된다. 내측 복사에서 앞 위쪽으로 약 1~2 cm 지점이 정맥과 신경 확인에 가장 적합하다. 바늘을 단면-내 방법으로 탐색자의 안쪽 모서리 아래로 삽입되어 신경을 향해 바깥쪽으로 진입한다. 이러한 차단술은 초음파로 원위부 허벅지에서 쉽게 지표를 찾을 수 있으며, 탐색자의 이용과 바늘의 조작을 위한 공간 확보가 쉬운 중간-다리 지점에서 시행하는 것이 좋다.

경골신경은 종아리의 뒷부분을 지배하고 발 뒤꿈치 아래로 주행한다. 이 신경은 바깥쪽에서 장딴지신경의 지배를 받는 일부분과 안쪽에서 복재신경의 지배를 받는 일부분을 제외한 발바닥 대부분을 지배한다. 발목에서 경골신경 차단은 발바닥 열상, 관통상 또는 이물질 검사와 같이 발바닥의 손상에 적합하다. 경골신경은 안쪽 복사 높이에서, 앞서 언급했던 복재신경 위치보다 뒤에서 접근하는 것이 좋다. 경골신경에 대한 지표는 뒤 경골 동맥으로 다리를 따라 아래로 주행하며 안쪽 복사 바로 뒤에 위치한다. 탐색자를 안쪽 복사와 뒤 경골 동맥이 위치한 부위의 바로 위에 가로 방향으로 놓는다(그림 23-12a). 신경은 뒤 경골 동맥의 후측면에 위치하게 된다. 이 높이에서 장무지굴근건(flexor hallucis longus tendon)은 경골신경(tibial nerve)의 바깥쪽에 위치하고, 긴발가락굽힘근(flexor digitorum longus)과 뒤 경골근(posterior tibialis)은 경골신경의 안쪽에 위치한다(그림 23-12b). 신경에 대한 위치가 파악되면, 탐색자를 다리를 따라 살짝 위쪽으로 이동시켜 근위부를 확인한다. 이 높이에서는 경골신경이 크게 나타나 마취하기가 쉬울 것이다. 바늘을 단면-내 접근법으로 탐색자의 안쪽 모서리 밑으로 신경을 향해 바깥쪽으로 진입한다.

총 비골 신경은 슬와(popliteal fossa)의 바깥 부분을 통해 다래 아래로 주행하여 아래 다리의 바깥쪽에서 깊은종아리신경과 표재비골신경으로 분지한 뒤 장비골근(peroneus longus muscle) 아래로 진입한다. 표재비골신경은 발등과 첫 번째 지간을 제외한 발가락들의 대부분의 감각을 담당한다. 이 신경에 대한 차단술은 발등의 손상, 열상, 골절 등에 이용되며 발톱 손상에도 도움이 된다. 표재비골신경은 피부 표면에 가까이 위치하므로 일반적으로 초음파 유도로 차단할 수 없다. 부분 마취제를 바깥 복사와 앞 경골의 경계 사이의 피부에 주사한다.

깊은종아리신경은 발등과 첫 번째 지간(web spaace) 그리고 이와 인접한 근위부분을 담당한다. 이 부분에 생긴 골절, 열상 또는 이물 제거와 통풍과 같은 만성 통증에 깊은종아리신경 차단이 적합하다. 깊은종아리신경은 발등 아래로 주행하며 안쪽과 바깥쪽 복사 사이 지점에서 마취가 가장 잘 된다. 탐색자를 복사들 사이에서 가로 방향으로 놓는다(그림 23-13a). 이 높이에서 깊은종아리신경의 지표는 족배동맥(dorsalis pedis artery)과 긴엄지발가락폄근(extensor hallicus longus) 인대로 모두 깊은종아리신경의 안쪽에 위치한다(그림 23-13b). 바늘은 단면-외 방법으로 발목의 앞 표면에서 탐색자의 중간 지점으로 진입한다. 신경 확인 후 마취제를 신경의 양쪽에 주사한다.

발목 차단에 이용되는 마지막 신경은 장딴지신경(sural nerve)이다. 장딴지신경은 바깥 발등면의 작은 부분의 감각을 담당하며 발뒤꿈치의 바깥 면과 새끼발가락이 여기에 포함된다. 장딴지신경 차단은 앞서 설명했던 해당 부분이나 새끼발가락의 국소 손상, 열상 또는 골절에 도움이 된다. 장딴지신경은 슬와에서 기시하여 뒤 종아리를 따라 주행한 후 바깥 복사의 바로 뒤를 통해 소복재정맥(lesser saphenous vein)의 바로 깊은 곳

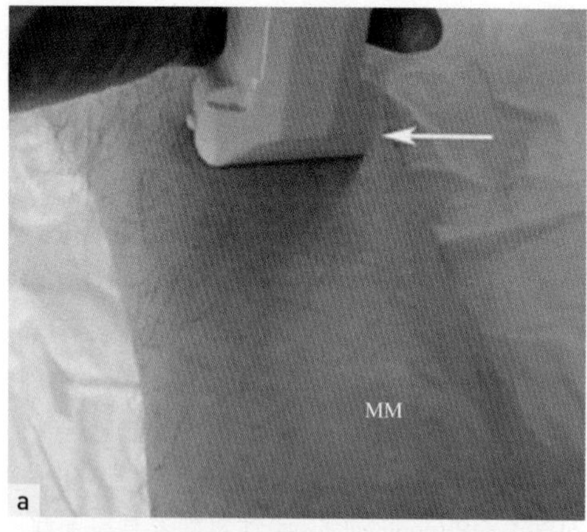


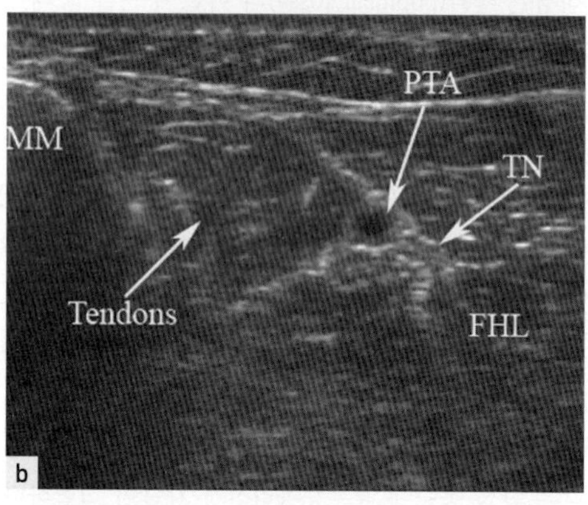


**그림 23-12** 발목에서 경골신경 차단을 위한 환자와 탐색자의 적절한 자세와 위치. 환자는 발목을 바깥으로 외회전시킨 채 똑바로 눕는다. 탐색자는 내측 복사(MM) 바로 위 지점에서 발의 내측 위에 가로 방향으로 둔다. 시술자는 탐색자를 경골신경이 커다랗게 보일 때까지 약간만 근위부로 이동한다. 바늘은 탐색자의 안쪽 모서리에서 단면-내 기법으로 신경을 향해 안쪽으로 진입한다(화살표 참고). **(a)** 발목에서의 경골신경 차단 해부학 **(b)** 후경골동맥(PTA)은 경골신경(TN)이 그에 인접하여 후측면에 위치하므로 지표 역할을 한다. 이 위치에서 장무지굴근건(FHL)는 경골신경보다 바깥쪽에 위치하고 긴발가락굽힘근과 뒤경골근은 경골신경보다 안쪽에 위치한다. MM: 내측 복사.

으로 발 쪽으로 들어간다. 환자는 엎드린 자세로(환자가 견딜 수 있다면) 발목을 외회전한다. 아킬레스건과 바깥쪽 복사의 뒤쪽 경계 사이에 탐색자를 가로 방향으로 놓는다(그림 23-14). 소복재정맥과 장딴지신경을 확인한 후 바늘을 아킬레스건의 바깥 경계에서 바깥 복사를 향해 진입한다. 바늘이 신경에 다다르면 마취제를 주사한다.

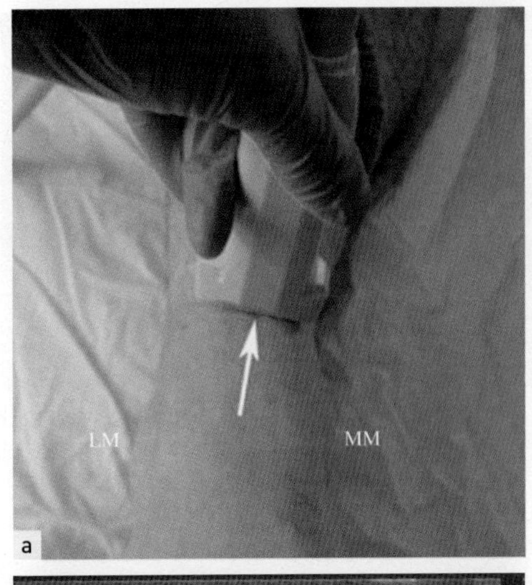


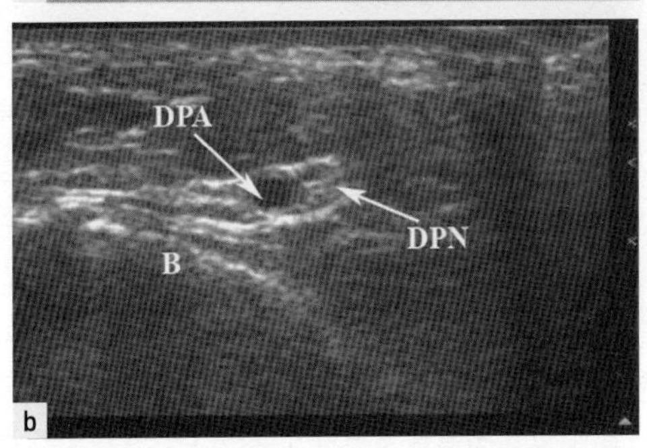


**그림 23-13** 발목 위치에서 깊은종아리신경(DPN) 차단을 위한 환자와 탐색자의 적절한 자세와 위치. 환자는 똑바로 눕고 탐색자는 내측 복사(MM)와 외측 복사(LM) 사이의 앞 발목 위에 가로 방향으로 위치된다. 바늘은 앞 발목 표면의 탐색자 가운데에서 단면-외 기법으로 신경을 향해 진입한다(화살표 참고). **(a)** 발목에서의 깊은종아리신경 해부학 **(b)** 족배동맥(DPA)과 긴엄지발가락폄근 둘 다 깊은종아리신경의 안쪽에 위치하여 지표로서 역할을 한다. B: 뼈.

## 흔히 저지르는 실수

### 근위부 팔신경얼기 차단

목갈비근사이 차단술은 동측의 횡격막을 차단하여 반 횡격막 마비를 일으킬 수 있다. 대부분의 건강한 환자들에서 이러한 부작용은 흔치 않다. 이 차단술은 호흡에 문제가 있거나 폐 기능이 나쁜 환자들에서는 피해야 한다. 마취제가 주입되면 환자의 10~20%에서 되돌이 후두신경의 차단

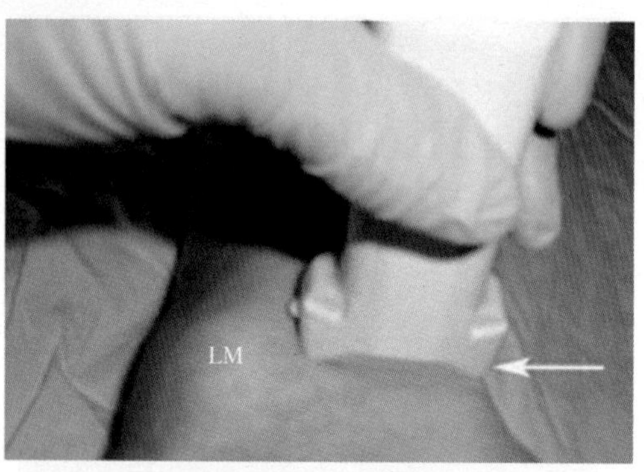


그림 23-14 발목 위치에서 장딴지신경 차단을 위한 환자와 탐색자의 적절한 자세와 위치. 환자는 발목을 외회전시킨 채 엎드린다. 탐색자는 아킬레스건과 외측 복사(LM)의 뒤쪽 경계 사이에서 가로 방향으로 놓는다. 소복재정맥이 지표 역할을 한다. 바늘은 아킬레스건의 경계에서 단면-내 기법으로 외측 복사를 향해 진입한다(화살표 참고).

으로 쉰 목소리가 생길 수 있다. 앞 사각근 주위에 광범위한 마취제 주입으로 인해 경부교감신경절에 영향을 미쳐 호너 증후군(Horner syndrome)이 발생할 수 있다.

## 부적절한 마취

신경 차단술이 부적절하게 시행될 수도 있다. 이런 일은 바늘의 위치가 잘못되어 바늘이 신경 다발을 통과하지 못하거나 마취제를 충분히 주사하지 못해서 발생한다. 검사자는 바늘 끝의 위치를 확인하기 위해 실시간 영상을 이용해야 하며, 필요한 경우 바늘을 뒤로 뺀 뒤 신경을 향해 위치를 바로잡고, 다시 주사하도록 한다. 환자의 반응을 살피기 위해 1~2 mL의 시험 용량을 주사한다. 원하는 반응에 도달했다면, 필요한 만큼 추가적인 양을 주사할 수 있다.

부적절한 마취의 또 다른 원인은 마취의 효과가 나타나기까지 충분한 시간이 지나지 않아서이다. 마취제의 효과 발현 시간은 사용한 약제의 양뿐만 아니라 형태에 따라 다르다. 대부분 환자는 차단술 10~30분 이후에 마취와 마비 효과를 느끼게 된다. 약물이 작용할 시간 동안 관련된 팔이나 다리의 감각과 운동 기능을 적절히 검사한다.

## 마취제의 부작용

이 문제는 성인 환자에는 적절한 양의 마취제를 투여했을 때 나타나지 않지만, 소아 환자에서 특히 주의해야 한다(앞서 기술한 체중에 따른 독성 참고). 체표면 주위에 주입 시, 부분적인 자극('타는 듯함')이 약물의 산성도에 의해 생길 수 있으며 리도카인의 완충작용으로 완화될 수 있다. 심각한 부작용으로는 중추신경과 심장 독성이 있다. 심장 독성은 부피바카인 사용 시에 생길 수 있는 것으로 알려져 있다. 심장 독성은 지질 유화액(lipid emulsion)을 사용하여 예방할 수 있다.

## 주변 구조물의 손상

바늘의 위치가 잘못되면 혈관 천공, 혈관 내 주사, 기흉 또는 다른 구조물들에 손상을 일으킬 수 있다. 시술자는 환자 진찰, 해부 체계의 지식, 바늘의 적절한 위치, 그리고 마취제 투여를 직접 관찰하는 것 등을 포함하는 엄격한 프로토콜을 적용하여야 합병증을 예방할 수 있다. 신경혈관검사를 마취 전에 철저히 시행하여야 한다.

해부 체계를 잘 확인하기 위해서는 해상도를 높이기 위해 주파수를 조절(상승)하고, 심도를 3 cm 이하로 설정(구조물이 깊이 위치하는 비만 환자는 예외)한다. 발목 차단과 같이 좁은 부위에 차단술을 시행하기 위해서 하키스틱이나 작은 표면의 탐색자를 이용하면 피부에서 바늘이 들어갈 공간을 확보할 수 있다.

반대쪽으로 머리를 돌리거나 고관절을 약간 내전시키는 등 자세를 적절히 잡는 것은 '해부 구조를 노출'시키는데 도움이 된다. 근위부 팔신경얼기 차단술을 실시할 때, 초음파검사자는 동맥 손상의 위험성을 낮추기 위해 바늘이 진입할 수 있는 최대한의 깊이를 판단해야 한다. 혈관들을 파악하여 마취제가 부적절하게 혈관 안으로 주사될 위험을 최소화해야 한다. 컬러-유량 도플러의 이용과 압축성 검사가 주위의 혈관 손상을 피하는 데 도움이 된다.

## 신경차단(NEUROPRAXIA)

신경 손상은 바늘을 너무 깊이 찔러 신경에 충격을 가하거나 그 안으로 마취제가 주입되어 일어난다. 주사 전에 신경으로 접근하는 바늘을 실시간 초음파 영상으로 확인하는 것이 이러한 위험성을 낮춘다. 시술을 시행하는 동안 환자는 통증이나 감각 이상을 호소하며, 이때에는 신경 내 주사를 피하고 바늘을 제거한다. 그리고, 항상 마취제를 시험 용량으로 천천히 주입하여 신경 손상을 예방해야 한다.

## 결론

부분 마취는 초음파 유도의 도움으로 중환자 치료에서 영역이 넓어지고 있다. 초음파는 실시간으로 시술을 진행하면서 시행할 수 있으므로 신경 차단술의 성공률을 높인다. 또한, 혈관 손상이나 혈관 주사 또는 부적절한 마취 등 맹검법으로 인해 발생하였던 합병증들을 초음파를 이용하여 예방할 수 있다. 그리고, 전통적인 차단술과 비교했을 때 환자는 더욱 효과적인 마취제를 투여받을 수 있다. 초음파 유도 부분 마취는 중환자 치료 영역에서 바쁜 임상의에게 매우 유용할 수 있다. 초음파 유도 신경 차단술은 시간 관리에 유용하고, 치료 결과를 향상시킨다.

| 추가로 읽을 자료 |

Christos S, Chiampas D, Offman R, et al. Ultrasound–guided three–in–one nerve block for femur fractures. *Western J Emerg Med*. 2010; 11(4):310–313.

Hadzic A. Textbook of Regional Anesthesia and Acute Pain Management. New York, NY: McGraw–Hill Professional; 2006.

Liebmann O, Price D, Mills C, et al. Feasibility of forearm ultrasonography–guided nerve blocks of the radial, ulnar, and median nerves for hand procedures in the emergency department. Ann Emerg Med. 2006;48:558–562.

Sandhu N, Manne JS, Medabalmi PK, et al. Sonographically guided infraclavicular brachial plexus block in adults. J Ultrasound Med. 2006;25:1555–1561.

# 24 급성기 외상

## 배경지식

외상은 응급실에서 가장 흔히 보게 되는 문제이다. 보통 이런 환자들은 불안정한 상태로 병원에 도착하기 때문에 임상의는 손상의 원인을 신속하고 정확하게 파악해야 한다. 복막강 내 출혈(intraperitoneal hemorrhage)을 확인하기 위해서 초음파와 CT 검사가 보편화되기 전에는 진단적복막세척(diagnostic peritoneal lavage, DPL)이 이용되었다. 진단적복막세척의 장점은 불안정한 환자를 응급실 밖으로 이송할 필요 없이 현장에서 신속하게 시행 가능하다는 것이다. 그러나 진단적복막세척은 침습적이며 민감도와 특이도가 낮고, 결과적으로 의인성 손상의 위험성 때문에 최근에는 거의 시행하지 않는다. CT는 복막강 내 손상의 위치와 범위를 확인하고, 후복막까지 평가할 수 있다는 장점이 있다. 하지만, 환자를 소생실 밖으로 이송해야하므로 환자의 상태가 불안정한 경우에 항상 가능한 것은 아니다. 또한 환자가 이온화 방사선에 노출되고, 비용이 많이 들고 판독이 신속하지 않다.

응급의학 전문의와 외상 외과의에 의해 처음으로 시행되었던 초음파 외상 집중 평가(The focused assessment with sonography for trauma (FAST) exam)는 최근 둔상(blunt trauma) 환자에서의 검진 방법으로 널리 받아들여지고 있다. 기흉에서 초음파검사는 확장된(extended) FAST (E-FAST)의 일부이다. E-FAST 검사는 임상에서 신속히 시행될 수 있고, 비침습적이며, 이온화 방사선에 노출 없이 일련의 영상화가 가능하다. FAST 검사가 임상의가 빨리 쉽게 배울 수 있고, 복막강 내와 흉강 내의 비정상 체액 및 기흉에 민감하고 특이적이라는 점을 입증하는 연구들이 여럿 있다. 초음파검사는 특히 흉부의 관통상(penetrating trauma)에서 도움이 되며, 체액 상태의 평가, 기관내 튜브의 위치 확인 그리고 골절들을 확인하는 데도 활용될 수 있다. 또한 초음파는 시술의 유도와 소생술의 진행을 평가하는 데 이용되기도 한다. 숙련된 임상의가 시행하는 E-FAST 검사는 해부 구조의 실시간 영상과 임상 소견을 합치시켜 신체 진찰과 진단적 영상검사

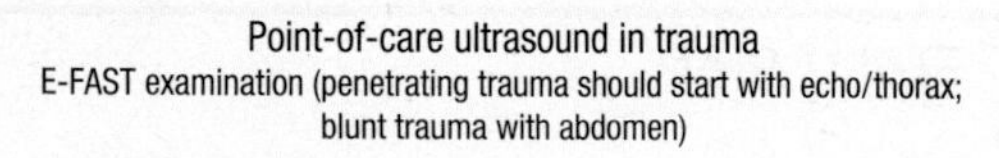


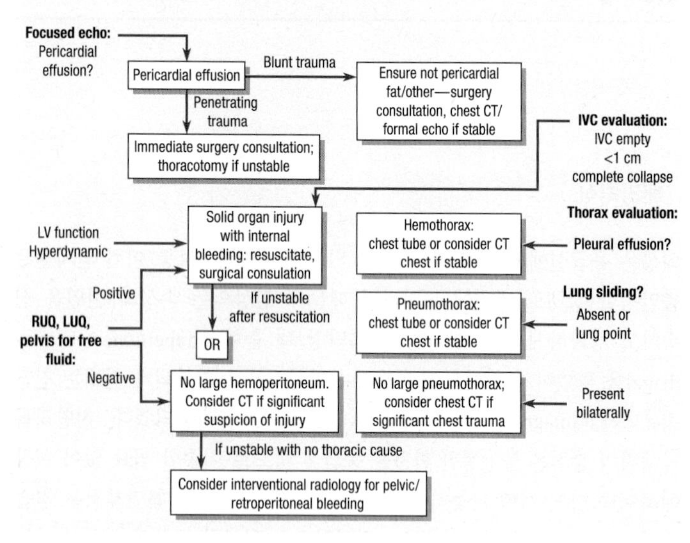


**그림 24-1** 급성기 외상 환자를 위한 초음파 평가 알고리즘.

사이에 중간자적 역할을 할 수 있다.

## 급성기 외상 환자에 대한 초음파적 접근

급성기 외상 환자에서 초음파 접근법은 환자가 호소하는 문제와 원인이 되는 손상의 기전에 따른다. 그림 24-1은 외상 환자에서 초음파를 이용한 알고리즘 접근방식을 보여준다.

### 둔상

손상의 범위를 평가하기 위해 모든 중증 둔상 환자에게 E-FAST 검사를 완벽하게 시행해야 한다. 초음파검사자는 첫 번째로 환자의 복부와 흉부에 비정상 체액이 존재하는지 검사한다. 이때 혈액복막(hemoperitoneum)을 의미하는 복막강 내 체액을 찾기 위해 우상복부(RUQ)와 좌상복부(LUQ) 그리고 골반 영상을 확인하도록 한다. 적절한 영상을 획득하려는 방법은 9장에 자세히 기술되어 있다. RUQ와 LUQ를 평가할 때에 혈흉(hemothorax)을 나타내는 흉수가 있는지 횡격막 위쪽도 확인해보아야 한다. 젊은 여성 환자에서의 골반 영상은 hCG 결과 이전에 확인할 수 있으므로 임신과 연관된 자궁의 문제를 찾아낼 수 있어야 한다. 또한, 초음파는 CT에 의한 방사선의 회피가 선호되는 임산부 외상 환자에 매우 도움이 된다.

비정상 체액이 FAST에서 양성이고 환자가 안정적이라면, 수술실로 들어가기 전에 어느 장기가 손상되었는지 확인할 수 있다는 장점이 있다. 이러한 상황에서 환자는 다른 손상에 관한 좀 더 상세한 검사를 위해 CT를 시행할 수 있다. 만약 FAST에서 양성이고 환자가 불안정한 경우 수술방에서 즉각적인 개복술(laparotomy)을 시행하여야 하고 치료가 지연되지 않도록 추가적인 검사들은 보류해야 한다.

혈흉을 보이지만 안정적인 환자에서는 현장에서 흉관을 삽관할 수 있다. 하지만 환자가 불안정하다면, 즉각적인 수술 치료가 필요할 것이다. 심낭 삼출이나 혈흉을 동반한 관통상 환자에서 상태가 불안정하다면 응급실에서 심막천자나 개흉술이 필요할 수도 있다.

E-FAST 검사에서 기흉 여부를 확인하기 위해 폐를 평가한다. 평가 기법들은 7장에 기술되어 있다. 폐 미끄러짐(lung sliding)이 없는 것은 심각한 기흉의 존재를 민감하게 나타내지만, 이미 흉막 질환이 있는 환자에서는 특이적이지 않을 수 있다는 점을 검사자는 알고 있어야 한다. 폐 포인트 징후(lung point sign)는 기흉에 가장 특이적이다. 만약 환자가 불안정하고 폐 포인트 징후를 동반하면서 폐 미끄러짐이 없는 경우에는 흉관을 삽입해야 한다. 환자가 폐 미끄러짐이 없으면서 안정적이라면, 손상을 더욱 자세히 확인하기 위해서 흉부 엑스레이나 CT를 시행할 수 있다. 환자가 불안정하면서 폐 미끄러짐이 존재한다면, 다른 원인을 찾아보도록 한다. 환자가 안정적이고 폐 미끄러짐이 있다면, 경과를 관찰하면서 나중에 초음파 검사를 재시행한다. 흉막의 미끄러짐이 모호할 때는 확진을 위해 흉부엑스레이나 CT 검사를 시행해야 한다. 초음파에서 전면의 단일 영상으로 생명을 위협할 만한 경우는 배제되지만, 폐 미끄러짐을 찾기 위해 여러 시야창을 활용한다면 작은 기흉에 대한 초음파의 민감도가 높아질 것이다.

심막 영상(검상하 또는 흉골연)도 둔상에서 E-FAST에 포함됐다. 하지만, 둔상에서 심막 영상의 유용성은 제한적이다. 둔상에 따르는 심각한 심막 삼출은 드물고 일반적으로 생존 불가능한 손상으로 나타난다. 만약 심막에 대한 초음파검사를 시행한 경우 심장주위 지방 패드를 심각한 심막 삼출로 오인해서는 안 된다. 둔상에서 소량의 삼출은 보통 우연히 보일 수 있다. 혈역학적으로 불안정한 환자에서 심장 영상은 심장 기능을 평가하는 데 도움이 된다.

E-FAST 검사가 음성이고 환자가 안정적이라면, 임상의는 환자의 경과를 관찰하면서 나중에 초음파검사를 다시 시행하거나, 초음파에서 탐지되지 않은 다른 손상을 배제하기 위해 CT를 선택할 수도 있다. 만약 E-FAST 검사가 음성이고 환자가 불안정하다면, 골반 골절과 같은 다른 진단을 고려해야 한다. 패혈증의 결과로 낙상을 겪은 노인 환자와 같이 외상 자체와 연관이 없는 다른 가능성을 고려한다.

## 관통상

복부 관통상 환자에서의 FAST 검사는 결과와 상관없이 보통 수술적 평가가 필요하므로 그 역할이 제한적이다. 그러나 관통상에서의 FAST 양성은 심각한 장기나 혈관 손상을 나타내며 즉각적인 수술적 처치가 이루어져야 한다. 초음파검사는 흉부 관통상 환자에서 아주 유용하다. 이는 심각한 심막 삼출/탐폰, 혈흉, 또는 기흉을 신속하게 진단하거나 배제할 수 있다. E-FAST 검사는 불안정한 흉부 관통상 환자에서 중재술 시행에 매우 가치가 있다.

## 심장 기능

검상하(subxiphoid) 영상으로 환자의 전체적 심기능과 체액 상태를 알 수 있다. 심박출율(ejection fraction, EF)의 시각적인 계측은 이완기와 수축기의 심실 크기 변화 측정으로 이루어진다. 검사자는 심박출율(EF)이 정상/고활동성(EF > 50%)인지, 중등도로 감소(EF 30~50%)되어 있는지, 또는 심각하게 감소(EF < 30%)되어 있는지 확인할 수 있다. 시간이 허락한다면, 환자의 심장 상태를 더욱 잘 평가하기 위해서 다른 영상들을 얻을 수도 있다.

대부분의 젊은 외상 환자들에서는 심장 기능이 보존되어 있다. 혈량저하증과 저혈압을 일으키는 다량의 출혈이 있는 불안정한 환자에서 심초음파는 고활동성인 좌심실 기능 저하를 보일 것이다. 저활동성의 좌심실은 환자의 불안정성의 원인이 되는 심기능 저하를 의미한다.

## 체액 상태

IVC의 직경과 호흡 허탈성(respiratory collapsibility)은 8장에서 설명된 바와 같이 외상 환자에서 체액 상태의 평가에 이용될 수 있다. 젊은 외상 환자에서의 저혈압은 출혈과 저혈량증에 의해 발생했을 가능성이 있지만,

고령 환자에서 체액 상태가 정상이거나 증가되어 있는 경우에는 신속하게 다른 원인을 찾아야 함을 의미한다. 초기 체액 상태를 판정하기 위해 IVC와 심초음파 소견을 이용하는 것 외에도, 환자의 소생술이 효과적으로 진행되고 있는지 확인하는데 연속적인 IVC 측정이 도움되기도 한다.

## 결론

E-FAST 검사는 중증 외상 환자에서 가장 좋은 영상 도구이다. 초음파로 환자의 주된 증상과 손상 및 외상의 기전을 평가할 수 있다. 횡격막 아래의 둔상 환자에게 비정상 체액의 확인을 위해 RUQ, LUQ, 골반의 평가를 시행해야 한다. 횡격막 위의 관통상에서는 흉막 또는 심막 삼출과 기흉을 확인하기 위해 폐와 심장을 평가해야 한다. 초기 평가에 따라 검사의 범위가 확장되기도 하며 E-FAST 검사는 임상에서 초기 평가를 완료하는 동안 단지 수 분 이내에 이루어질 수도 있다.

초음파는 외상 환자에서 손상을 진단할 뿐만 아니라 심기능과 체액 상태를 결정하고 임상의에게 치료의 올바른 방향을 제시할 수 있다. 심초음파와 IVC 측정은 임상에서 전통적인 FAST 검사에 통합될 수 있으며 외상 환자의 진료 알고리즘에 포함되어야 한다. 이러한 평가는 혈관 내 수액이나 혈액 제제의 필요성과 치료에 대한 환자의 반응을 확인하는 데 도움이 된다.

### | 추가로 읽을 자료 |


Boulanger BR, McLellan BA, Brenneman FD, Ochoa J, Kirkpatrick AW. Prospective evidence of the superiority of a sonography-based algorithm in the assessment of blunt abdominal injury. *J Trauma*. 1999;47:632-637.

Kirkpatrick AW. Clinician-performed focused sonography for the resuscitation of trauma. *Crit Care Med.* 2007;35(5) (suppl):S162-S172.

Lyon M, Blaivas M, Brannam L. Sonographic measurement of the inferior vena cava as a marker of blood loss. Am *J Emerg Med.* 2005;23(1):45-50.

Ma OJ, Mateer JR, Ogata M, et al. Prospective analysis of a rapid trauma ultrasound examination performed by emergency physicians. *J Trauma.* 1995;38: 879-885.

Thomas B, Falcone RE, Vasquez D, et al. Ultrasound evaluation of blunt abdominal trauma: program implementation, initial experience and learning curve. *J Trauma*. March 1997;42(3):384-390.

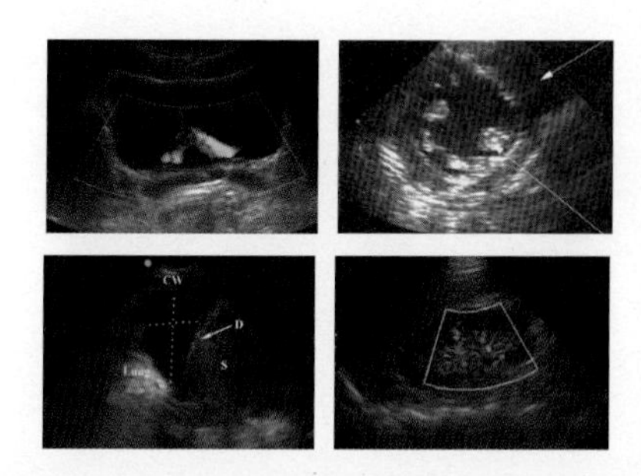


# PART 04 요약 및 실전편

# 25 저혈압 환자에 대한 접근

## 도입 및 배경지식

혈역학적 불안정성은 저혈압과 쇼크로 나타나며 응급 및 중환자 진료 환경에서 흔히 접하게 된다. 저혈압의 원인은 대량 출혈, 심각한 탈수, 패혈증 또는 심각한 부정맥과 같이 손쉽게 확인 가능한 것들이다. 하지만 저혈압의 원인이 모호한 경우도 흔하며, 특히 적절한 병력청취가 어렵거나, 진찰이나 진단검사에서 원인이 밝혀지지 않을 때에 어려움이 있다. 저혈압이 동반되어 있으나 원인이 불명확한 경우 적절한 초기 치료가 지연될 수 있다. 이러한 상황에서 임상의는 쇼크의 다양한 원인에 대해 초음파로 신속하게 환자를 평가하여 즉각적인 소생 치료가 가능하다.

저혈압 환자에서 현장진단 초음파의 유용성은 이전 단원들에서 이미 논의되었다. 환자를 돌보는 임상의는 초음파를 신속히 시행하고, 검사를 하는 동안 즉각 해석해야 한다. 이로써 환자의 진단과 치료를 빠르게 진행할 수 있다. 그리고 혈역학적으로 불안정한 환자가 진료실을 벗어날 수 없는 상황에서 초음파검사는 진료실 밖으로 후송이 필요한 추가적인 검사의 필요성을 배제하는 데 도움이 된다. 협진을 통해 자문의가 시행하는 초음파는 모든 병원에서 항상 가능한 것은 아니며, 검사는 지연될 수도 있다. 그러므로 사용 가능한 초음파 장비를 응급실과 중환자실 임상의가 알맞게 이용할 수 있도록 배치하고 훈련해야 한다. 초음파는 불안정한 환자의 원인을 찾기 위한 과정뿐만 아니라 중심 혈관 확보와 같이 치료에 필요한 시술들에도 유용하다. 마지막으로, 현장진단 초음파는 치료 반응을 평가하고, 병의 악화를 판단하고, 새로운 문제점을 찾기 위해 반복 시행할 수 있다.

## 쇼크의 원인들과 초음파적 접근

감별진단을 위해 쇼크의 원인을 다양한 범주로 나눌 수 있다. 이런 분류는 환자의 주된 증상과 가장 가능성 있는 진단명에 기반을 두고 현장에서 시행하는 초음파 접근법을 설계하는 데 도움이 된다.

## 폐쇄성 쇼크(OBSTRUCTIVE SHOCK)

폐쇄성 쇼크는 내적 요인이나 외적 요인에 의해 발생한다. 심낭 탐폰(pericardialtamponade)과, 긴장성 기흉(tension pneumothorax), 우심실 유출 저항(RV outflow impedance; 폐색전증, 높은 기계 호흡 압력, 자가호기말양압(auto PEEP), 복부 구획증후군(intraabdominal compartment syndrome))과 같은 원인이 흔하다. 반면에 대량의 흉막 삼출에 의한 탐폰과 심장내폐쇄(intracardiac obstruction; 점액종(myxoma) 또는 광범위판막증식(massive valvular vegetation))와 같은 경우는 폐쇄성 쇼크에서는 드물다.

초음파로 폐쇄성 쇼크를 신속하게 평가할 수 있다. 탐폰의 징후인 심낭 삼출과 우심실의 이완기 허탈을 평가하기 위해 심초음파를 시행할 수 있다. 또한, 호흡에 의한 IVC 직경의 변화(respiratory variability)가 감소하거나 없는 것으로 혈액이 충만(plethora)된 상태를 평가할 수 있다.

심초음파는 우심박출 저항의 증거를 찾는 데 이용할 수 있으며, 폐쇄성 쇼크 시에는 급성 폐성심과 폐색전증(pulmonary embolism)에 합당한 방실 확장이 관찰된다. 심초음파에서 RV 긴장 징후가 있는 경우 폐색전증의 진단을 위해 그 원인이 되는 심부정맥혈전(deep venous thrombosis, DVT)을 확인하고자 하지 초음파를 시행할 수 있다.

경흉부 초음파(TTE)가 판막 증식이나 방실의 점액종 판정에 가장 민감한 검사는 아니지만, 만약 현장에서 확인된다면 신속히 치료를 진행할 수 있다.

폐의 병인이 의심되는 경우, 우상복부와 좌상복부의 영상으로 폐쇄성 양상의 원인이 되는 횡격막 상부의 흉수를 확인할 수 있다. 또한, 정밀하게 폐 초음파를 시행하면 기흉을 진단하거나 배제할 수도 있다.

## 저혈량 쇼크(HYPOVOLEMIC SHOCK)

저혈량 쇼크는 혈관 내 체액이 감소하여 발생한다. 이는 절대적인 혈량저하증(혈액 소실, 위장관 체액 소실, 제3 공간으로의 소실) 또는 상대적인 혈량저하증(미주운동 제어 기능의 소실)과 연관되어 있다.

초음파는 저혈량 쇼크의 가능한 원인을 찾아 치료 방향을 잡고, 치료 반응을 살피는 데 큰 도움이 된다. 검사자는 앞서 설명한 것처럼 전통적인 FAST 검사의 영상으로 비정상 체액의 징후를 찾으면서 검사를 시작한다. 이 검사는 저혈압으로 오는 외상 환자에서 항상 첫 번째로 시행하며 환자의 혈흉과 혈액복막 징후를 평가한다. 초음파는 복부 대동맥류 파열의 위험이 있는 노인 환자 그리고 자궁외임신의 가능성이 있는 복통을 동반한 젊은 산모에서 비정상 체액을 찾을 때도 유용하다. 또한, 이 검사는 출혈성 난소 낭종 파열에서 복수나, 복막염의 가능성이 있고 복통을 동반한 패혈성 환자의 복수와 같이 상태가 불안정한 환자의 비정상 체액의 다른 원인을 진단하는 데도 도움이 된다.

저혈량 쇼크의 원인이 될 수 있는 특정 장기 평가에도 초음파검사가 도움 된다. 저혈압과 복통이 동반된 노인환자에서 복부 대동맥류(abdominal aortic aneurysm, AAA)를 확인하기 위해 대동맥에 대한 평가가 필요하다. 대동맥 박리(aortic dissection)에 민감하지는 않지만, 혈관 내 피판(intraluminal flap) 소견이 진단에 특이적이다. 복통을 동반한 산모 환자에서 자궁 내 또는 자궁외임신에 대해 골반과 부속기들을 검사해야 한다. 비록 고형 장기 손상에 민감도가 떨어지기는 하지만 초음파는 출혈이 있는 외상 환자에서 원인을 찾는 데도 도움이 된다.

탈수가 의심되는 환자는 IVC를 살펴봄으로써 체액 상태를 평가한다. 이는 수액 치료로 심박출량이 개선될 수 있는 전부하에 민감한 환자를 확인하는 데 도움이 된다. 저혈량 상태에서는 일반적으로 혈관이 허탈되어 있다. 또한, IVC의 평가는 혈관 내 수액 주입과 승압제의 필요성 판단과 같이 치료에 대한 반응성을 감시하는 데도 이용된다.

마지막으로, 심초음파는 저혈량 환자에서 중요한 정보를 임상의에게 제공하기도 한다. 혈액이 다량 부족한 상태에서 심장이 과활동성을 보이면, 저혈량성 원인이 출혈이나 탈수 등을 의미하며 임상의가 즉시 수액이나 수혈을 하는 확실한 근거가 된다.

## 심장성 쇼크(CARDIOGENIC SHOCK)

광범위한 심근 경색, 비-허혈성 기전에 의한 좌심실 기능의 저하, 부정맥, 그리고 주 판막 기능 부전(특히 대동맥판 또는 승모판)이 심장성 쇼크의 흔한 원인이다.

현장 심초음파로 환자의 저혈압 원인이 심장성 쇼크인지 빠르게 확인할 수 있다. 대부분의 훈련된 임상의들은 좌심실과 우심실의 크기 및 기능 그리고 전반적인 또는 부분적인 운동저하(hypokinesis)를 평가할 수 있으며 심박출을 추정하고 이전 심초음파검사 결과들과 비교하기도 한다. 그리고, 임상의는 컬러-유량 및 분음(spectral) 도플러의 도움으로 판막 병인의 명백한 징후를 포착할 수도 있다. 정상적인 IVC에 심초음파에서 혈액으로 가득 찬 좌심실이 저활동성을 띈다면 이는 심장성 쇼크의 가능성이 크다는 것을 의미한다.

이러한 심초음파 소견과 심전도 및 환자의 이전 심장 검사들을 종합하면, 도착하자마자 승압제나 심근수축제가 필요한 환자를 판별할 수 있을 것이다.

### 분포성 쇼크(DISTRIBUTIVE SHOCK)

분포성 쇼크는 정상적인 미주운동 기능의 장애가 원인이다. 패혈증(sepsis), 아나필락시스(anaphylaxis), 수혈 반응, 또는 약리학적 효과(치료 목적의 진정이나 약물 과용)에 의해 흔히 일어난다. 드물게 코티솔 결핍, 중독, 그리고 척수 쇼크도 원인이 된다.

분포성 쇼크의 특징은 말초 혈관확장(vasodilatation)으로 인한 낮은 전신 혈관저항(vascular resistance)과 증가된 심박출량을 일으키는 일종의 혈관마비(vasoplegia)이다. 특히 후자는 심초음파로 손쉽게 확인할 수 있다. 심장은 패혈증에서 저혈량증과 후부하의 감소 때문에 고운동성으로 나타날 것이며, 체액을 증가시키는 치료가 도움될 것이다. 만약 혈액으로 가득 찬 좌심실이 고운동성이라는 것이 심초음파에 관찰된다면, 분포성 쇼크의 가능성이 있고, IVC의 평가는 이러한 상태에서 흔히 허탈 되어 보여 환자의 체액 상태를 추정할 수 있다.

### 시술에 적용

저혈압과 모든 형태의 쇼크 상황에서 현장에서 신속히 진행해야만 하는 시술들이 있다. 초음파는 이들 시술의 성공률을 향상하고, 합병증과 환자의 불편감을 낮추며, 불안정한 환자에서 치료의 시작을 앞당길 수 있다. 여기에는 말초 혈관 및 중심 혈관 삽관이나 심막천자 또는 심장조율기 삽입과 같이 복잡한 시술들이 포함된다. 이런 기술들은 이전 단원들에서 자세히 설명하였다.

## 알고리즘

그림 25-1은 감별되지 않는 저혈압과 쇼크가 있는 환자의 대응 알고리즘이다. 검사는 현장에서 수 분 안에 시행할 수 있다. 초음파검사는 목적지향적으로 시행되어야 한다. 예를 들어, 외상 후의 환자가 도착하게 되

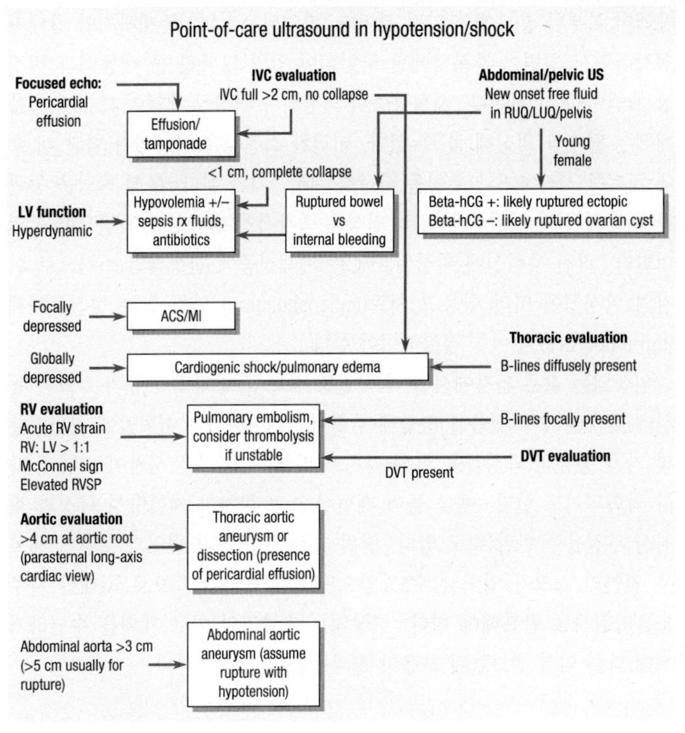


**그림 25-1** 감별되지 않는 저혈압이나 쇼크가 있는 환자에 대한 초음파 접근법을 보여주는 알고리즘.

면 복부, 폐, 심장에 대해 비정상 체액, 삼출 또는 기흉의 징후에 대해 검사가 이루어져야 한다. 고령의 환자가 저혈압과 복통을 동반한다면 처음부터 대동맥이 적절한지 빠르게 확인해야 한다. 그 다음에 임상적 상황에 따라 검사 범위를 확장할 수 있다.

만약 의심되는 진단명이 환자 도착 시 명확하지 않다면 검사자는 쇼크 상태를 분류하기 위해 심장 기능을 평가할 수 있다. 이후 평가한 결과들을 이용하여 치료 전략을 수립하고 향후 방향을 결정한다. 만약 환자가 혈액으로 찬 고운동성의 좌심실과 허탈된 IVC를 나타내면 이는 패혈증에 가장 적합하므로 혈관 내 수액과 항생제 치료를 한다. 만약 좌심실이 혈액으로 차 있는데 저활동성을 보인다면 심장 문제가 원인으로 의심되므로 이런 경우 승압제와 심근수축제가 고려될 것이다. 고운동성의 빈 좌심실에 허탈된 IVC는 저혈량 상태에서 보이므로, 임상 시나리오는 다음 단계로 진행하게 된다. 만약 저혈량증이 출혈에 의한 것이라면 비정상 체액이 복부나 흉부에 확인될 것이다. 파열된 AAA가 존재하지만 상태가 심각하면서 병변이 후복막에만 국한되어 있지 않다면 큰 대동맥과 비정상 체액이 보일 것이다. 저혈량증이 의심되나 비정상 체액이 보이지 않을 때에는 탈수를 의심해 볼 수 있다. 이러한 소견들은 임상의가 혈관 내 수액 치료를 시작하거나 수혈을 시작하는데 근거가 된다. 우심 허탈을 동반한 대량의 심막 삼출과 폐쇄성 영상은 즉각적인 심막천자가 필요함을 의미한다. 커진 우심실에 확장된 IVC는 폐색전증에 전형적인 소견으로 환자의 안정성에 따라 항응고 치료(anticoagulation) 단독 또는 혈전용해제(thrombolytics) 투여를 결정하여야 한다.

임상의는 같은 환자에서 초기와 질병 경과 중에 몇몇 종류의 쇼크가 동시에 나타날 수도 있음을 명심해야 한다. 많은 환자가 저혈압에 기인하는 몇 가지 종류의 과정들을 함께 가지고 있으며, 이들은 시간이 지남에 따라 악화되기도 한다. 예를 들어 패혈성 쇼크 환자가 저혈량성 특징과 좌심실 부전을 동반할 수도 있다. 입원 기간 도중 초기 원인과 무관한 새로운 원인의 쇼크가 일어날 수도 있으므로, 목표 지향적으로 최대한 자주 초음파검사를 반복해야 한다. 임상의는 효과적인 치료 계획을 수립하기 위해 다른 임상 정보들과 초음파 결과들을 종합해야 한다.

**| 추가로 읽을 자료 |**

Atkinson PRT, McAuley DJ, Lewis D, et al. Abdominal and cardiac evaluation with sonography in shock (ACES): an approach by emergency physicians for the use of ultrasound in patients with undifferentiated hypotension. *Emerg Med J.* 2009;26:87−91.

Bahner DP. Trinity: a hypotensive ultrasound protocol. *J Diag Med Sonography.* 2002;18:193−198.

Jones AE, Tayal VS, Sullivan DM, et al. Randomized, controlled trial of immediate versus delayed goal−directed ultrasound to identify the cause of non−traumatic hypotension in emergency department patients. *Crit Care Med.* 2004;32:1703−1708.

Perera P, Mailhot T, Riley D, Mandavia D. The RUSH exam: rapid ultrasound in shock in the evaluation of the critically ill. *Emerg Med Clin N Am.* 2009;28:29−56.

Weekes AJ, Zapata RJ, Napolitano A. Symptomatic hypotension: ED stabilization and the emerging role of sonography. *EM Pract.* 2007;9:1.

# 26 흉통과 호흡곤란 환자에 대한 접근

## 도입 및 배경지식

급성 흉통(chest pain)과 호흡곤란(dyspnea)을 동반한 환자는 응급실과 중환자실에서 흔히 마주하게 된다. 미국에서는 이러한 환자가 해마다 수백만 명 정도 발생한다. 감별진단 목록이 잘 갖춰져 있더라도 환자들이 상대적으로 양호한 것처럼 보여 임상의는 진단을 놓칠 가능성이 있다. 원인으로 심장과 호흡기 질환이 흔하지만, 소화기계나 근골격계 또한 자주 연관되어 있다.

신체 진찰과 문진은 비특이적이고, 혈압, 심박수, 산소포화도와 같은 임상 정보도 항상 정확한 질병 경과와 상태를 반영하지는 않는다. 심전도, 흉부 방사선 영상 그리고 혈액검사와 같은 일반적인 진단 검사들을 초기 평가 과정에서 시행하지만, 그 결과가 항상 유용하거나 병의 원인을 시사하는 것은 아니다. 이런 상황에서 임상의의 주된 목표는 호흡기나 다른 문제들로부터 심장 문제를 감별해내고 가능한 한 빨리 생명을 위협할 수 있는 질병을 확인하는 것이다.

초음파검사는 설명되지 않는 흉통이나 호흡곤란 환자를 평가하는데 필요하다. 초음파검사를 하면 첫 소생 시도 및 다른 의학적 시술과 동시에 현장에서 중요한 임상 정보를 수분 이내에 획득할 수 있다. 초음파는 치료와 환자의 상태 파악에 길잡이 역할을 할 것이다.
이런 환자에서 복부와 혈관에 대한 초음파뿐만 아니라 폐 및 심장 초음파를 검사한다. 이 검사들의 초음파 프로토콜은 이전 단원들에서 이미 설명하였다. 이번 단원에서는 중환자실과 응급실에서 감별되지 않는 흉통이나 호흡곤란을 호소하는 환자의 초음파 평가를 알고리즘으로 통합하는 과정을 설명할 예정이다.

### 호흡기적 병인

흉부 초음파는 기흉, 혈흉, 흉수, 폐 부종, 폐렴 그리고 폐색전증을 진단하는데 아주 효과적으로 알려져 있다. 또한, 급성호흡곤란증후군(acute respiratory distress syndrome, ARDS), 폐섬유증(pulmonary fibrosis), 악성종양(carcinoma)과 같이 임상 상황에서 쉽게 진단할 수 없는 질환들에 대한 폐 초음파의 적용이 중환자 치료 영역에서 현재 연구되고 있다.

**기흉** 기흉과 혈흉에 대한 초음파 평가는 E-FAST와 같이 외상 평가의 일부이기 때문에 임상의들에게 친숙하다. 기흉이 의심되는 환자에서 폐 초음파는 폐 미끄러짐, B-선, 폐 포인트 징후와 같은 초음파적 특징이 동시 다발적으로 관찰되었을 때 흉부 방사선보다 민감하고 특이적이다. 또한, 폐 초음파는 방사선 영상에서 확인되지 않는 기흉을 찾아내는데 매우 민감한 것으로 알려져 특정 상황에서는 CT의 대체 검사로 고려되기도 한다.

지금까지 긴장성 기흉(tension pneumothorax)의 진단에 흉부 초음파의 유용성을 평가한 임상 연구는 아직 없다. 긴장성 기흉은 임상적인 진단이고 임상의가 영상 검사로의 재확인 없이 즉각적인 바늘 흉강삽관을 시행하기 때문이다. 그러나 폐 초음파검사가 심정지 상황에서 폐 청진을 보완 가능한지에 대한 지속적인 논쟁이 있는데, 현장에서 주변 소음 수준이 청진을 방해하여 긴장성기흉과 같은 무맥성전기활동 심정지의 가역적인 원인을 찾지 못할 수 있다.

**흉수/혈흉** 초음파는 또한 호흡곤란과 흉통을 유발하는 체액의 축적을 확인하는데 좋은 도구이다. 흉수는 내과적 질환이나 외상성 혈흉에 의해 발생할 수 있다. 흉수는 흉막 공간에 균일한 무에코성의 구역으로 보통 나타나지만, 두 흉막 층 사이에 균일하지 않게 격막이 있거나 없는 에코형성의 패턴으로 나타나기도 한다. 5 cc 정도의 소량의 흉수는 흉부 방사선 영상에서는 놓치게 되지만, 폐 초음파에서는 확인할 수 있다.

심장과 호흡 주기 동안 흉수 축적 구역 안에서 보이는 컬러 도플러 신호인 '체액 컬러 징후'의 탐지는 아주 적은 양의 흉수나 소방형성된 흉수의 진단에 도움이 되는 것으로 알려져 있다.

초음파는 또한 흉막 여출과 삼출을 감별하는 데 도움이 되고, 흉수 양을 정확히 추정하는 데 이용된다. 흉막 삼출액은 고에코성이고 움직이는 입자들이나 격막을 함유하여 농성 흉수 또는 혈흉을 의미하는 반면에, 흉막 여출액은 보통 에코발생이 없는 깨끗한 형태로 나타난다. 하지만 삼출액 또한 무에코성으로 나타날 수 있음을 알고 있어야 한다.

**폐색전증** 폐색전증이 의심되면 급성 우심 긴장과 급성 폐고혈압의 징후를 평가하기 위해 심장 초음파를 시행할 수 있다. 심실 벽이 얇아져 있는 우심실 확장, 심첨부를 제외한 우심실의 저운동성(McConnell s 징후), 삼첨판 역류(tricuspid regurgitation) 그리고 비정상적인 격벽 움직임과 같은 소견들은 폐색전증의 진단을 시사하지만, 이런 소견들은 다른 질환에도 나타날 수 있다는 것을 알고 있어야 한다. 확실한 대정맥, 우심 또는 근위부 폐동맥 안의 혈전 확인으로 진단을 확정할 수 있다.

말초에 있는 폐색전의 확인을 위한 경흉부 초음파의 이용은 이전에 기술하였다. 둘 또는 그 이상의 전형적인 삼각형이나 둥근 모양의 흉막 기반 병변을 초음파로 확인하는 것은 폐색전증에 높은 특이도를 나타내는 것으로 알려져 있다.

**울혈성 심부전**(congestive heart failure, CHF) **대 만성폐쇄성폐질환**(chronic obstructive pulmonary disease, COPD) 전통적인 신체 진찰과 더불어 초음파검사는 COPD 급성 악화와 울혈성 심부전의 폐부종을 감별하는데 도움이 된다. 심폐질환이 흔히 동반되는 노인 환자와 같은 특정 인구집단에서는 이런 임상적 구분이 특히 어려울 수 있다.

간질성 폐부종(pulmonary edema)에서 확연히 보이는 초음파 허상인 혜성 꼬리 모양의 'B-선'의 탐지는 급성 호흡곤란의 원인으로서 COPD를 배제하고 높은 정확도로 울혈성 심부전을 진단할 수 있게 한다. 울혈성 심부전에서 감소되어 있을 수 있는 전반적인 심장 기능을 평가하기 위한 심장 초음파검사 또한 이런 상황에서 유용하다.

**폐렴**(pneumonia) 폐렴과 같은 폐의 염증성 변화들은 폐 초음파로 진단할 수 있다. 초음파가 흉벽에 가까이 위치한 폐렴으로 인한 폐 경화를 탐지할 수 있는 것으로 알려졌다. 공기와 액체 기관지조영상(air and fluid bronchogram pattern) 또한 경화의 소견이다. 이런 소견의 폐 초음파는 발열, 습성 기침(productive cough), 호흡곤란을 동반한 환자에서 유용하다.

**다른 호흡기적 병인들** ARDS, 폐섬유증, 또는 악성종양 등의 질환에 대한 전문 폐 초음파검사법들이 중환자실 환경에서 보고되고 있지만, 초기 응급실 평가에서의 잠재적인 효과는 아직 알려진 바가 없다.

## 순환기적 병인들

심혈관계의 일부 치명적 상황은 경흉부 심장 초음파에 초점을 맞추어 진단할 수 있다. 현장에서 시행하는 심장 초음파의 장점은 비침습적이고, 재현성이 있으며, 휴대가 쉽고, 심장 초음파 전문 검사자를 기다리지 않고 바로 훈련된 임상의가 높은 정확도로 시행할 수 있다. 흉통과 호흡곤란을 호소하는 환자의 가장 흔한 심장 원인으로는 심낭삼출이나 심낭탐폰, 심근경색, 심근염(myocarditis), 심근병증(cardiomyopathy), 심장막염(pericarditis), 판막 부전, 증식(vegetation)이 있다. 비록 임상에서 초보 검사자가 모든 질환을 이상적으로 진단하는 것은 아니지만, 심장 초음파에 대한 일반적인 지식이 급성기 치료 환경에서 매우 유용할 수 있다.

**심낭삼출 및 심낭탐폰** 심낭삼출과 심낭탐폰은 특히 감별되지 않는 흉통이나 호흡곤란을 호소하는 환자에서 초음파를 이용하여 발결할 수 있는 흔한 원인 중의 하나이다. 심낭삼출은 벽측 심낭과 장측 심낭 사이에 체액의 축적이 특징적이다. 이는 두 층 사이에 무에코성의 띠 모양으로 나타나지만, 삼출액의 경우 좀 더 강한 에코를 형성한다. 임상 심장 초음파는 삼출의 존재뿐만 아니라, 크기와 심낭탐폰으로 이어질 가능성이 있는 혈역학적 합병증들의 평가에도 이용된다. 심낭탐폰의 징후가 있는 환자는 즉각적인 소생술과 응급 심막천자 그리고 흉부외과적 중재가 필요하다.

**급성심근허혈** 급성 심근 허혈에 의한 흉통과 호흡곤란이 있는 환자에서 관상동맥 관류 영역을 따르는 부분 심벽 운동 이상은 심초음파로 발견할 수 있다. 초보 검사자들에게는 어려운 기술이므로, 허혈성 상황을 배제하기 위해 응급의학이나 중환자의학 전문의가 이러한 이상 소견들을 해석하는 것은 추천되지 않는다.

하지만, 심화 훈련을 거친 임상의들은 전반적인 좌심실 수축 기능을 올바르게 추정할 수 있다. 좌심실 기능의 심각한 저하는 중증의 심질환이나 손상을 나타내므로 이는 임상의에게 도움이 된다. 예를 들어, 폐부종을 나타내는 징후가 폐 초음파에서 나타날 때 환자의 호흡곤란의 원인으로 급성 심부전이 있는지 평가할 때 유용하다.

**심근염** 심장 근육 층들의 염증 상황인 심근염 또한 급성기 환자에서 흉통과 호흡곤란으로 나타날 수 있다. 급성기 소견이 나타나지 않더라도 때때로 일부나 전반적인 활동성 저하 또는 울혈성 심부전의 징후들을 심 초음파가 밝혀낼 수 있다.

**심근병증** 급성기 치료 상황에서 심근병증은 보통 대사성 질환, 전신 질환 또는 출산 후에서 생기게 된다. 이러한 환자들에서 현장진단 초음파 소견은 좌심실 기능 저하나 심장 방실의 확장으로 나타난다. 이러한 환자들에게 폐 초음파와 함께 심 초음파를 이용하면, 폐부종에 합당한 소견을 보여주거나 최근에 새로 생긴 심부전을 의심할 수 있다. 심근염과 심근병증은 다양한 연령대에서 발생할 수 있다; 그러므로, 젊거나 산후 환자에서 새로운 흉통과 호흡곤란이 발생하거나 말초 부종이 있는 경우 심초음파가 진단에 도움이 된다.

**심장막염** 심낭에 염증이 생기는 심장막염에는 다양한 원인이 있다. 심근염 및 심근병증과 유사하게 다양한 연령대에서 발생할 수 있다. 심장 초음파는 심낭삼출이나 심낭탐폰에 합당한 소견이 없으면 보통 진단적이지 않다. 이 진단은 급성으로 발생한 흉통이나 호흡곤란을 호소하는 환자들에만 유효하다는 것을 알고 있어야 한다.

**판막부전** 급성 판막 부전은 응급의학이나 중환자의학 전문의가 표준적으로 시행하는 평가는 아니다. 급성 심근 경색은 승모판 역류를 야기하는 유두근 기능부전이나 파열을 일으켜 호흡곤란을 유발한다. 이는 심장 초음파에서 승모판의 판막 탈출이나 비정상적인 컬러-유량 도플러의 역류로 확인할 수 있다.

**증식** 경흉부 초음파는 심내막염을 진단하는데 민감하지 않으며 아직은 경식도 초음파가 표준적인 진단 방법이다. 그리고, 심장 판막의 증식을 평가하는 것은 전문 초음파 기술이다. 하지만, 경흉부 초음파에서 에코를 형성하거나 균질한 에코의 불규칙한 모양의 증식 확인은 감염성 심내막염을 의심할 수 있는 소견이다. 보통, 이러한 증식들은 판막의 움직임에 제한을 가하지 않지만 판막이 부적절하게 닫히게 할 수 있다. 경흉부 심장 초음파 단독으로 확인하기에 충분히 큰 증식들이 존재하는 때도 있다. 그러므로, 흉통이나 발열을 동반한 호흡곤란, 심내막염의 위험 요인을 가진 환자에서 심장 초음파를 실시하는 것이 유용하다. 의심되는 모든 사례는 경식도 초음파를 위해 심장 전문의에게 자문하도록 한다.

### 다른 병인들

어떤 경우에는 심장이나 폐 질환이 아니라도 급성 흉통과 호흡곤란을 호소할 수 있다. 몇 가지 원인은 현장진단 초음파로 찾아낼 수가 있다.

**흉부 대동맥류 또는 박리** 흉부 대동맥류와 박리는 5장에서 설명한 바와 같이 흉골연장축도(parasternal long-axis view)로 진단할 수 있다. 경식도 심장 초음파, CT, 대동맥 조영술 그리고 MRI와 같은 다른 진단법들이 이런 질환의 진단에 좀 더 민감하지만, 경흉부 초음파로 확장된 대동맥 뿌리, 내막판(intimal flap) 또는 심낭 삼출을 확인할 수 있다.

**복부 대동맥류 또는 박리** 복부 대동맥류 또는 대동맥 박리 환자들은 흉통이나 호흡곤란을 비롯하여 다양한 증상을 호소할 수 있다. 마찬가지로, 초음파는 복부 대동맥 박리에 민감한 검사는 아니지만, 증상이 있는 환자에서 내막판이 확인된다면 아주 특이적이다.

**장 파열(viscous rupture)** 급성 장 파열 환자들에서는 복통이나 흉통, 실신 또는 호흡곤란과 같은 증상이 나타날 수 있다. 복부 내 비정상 공기를 초음파로 진단할 수 있다. 급성 흉통의 흔치 않은 원인인 뵈르하베 증후군(Boerhaave syndrome)에서 식도 벽의 파열은 위 내용물이 늑막 공간으로 분출 될 수 있다. 이 늑막 삼출은 흉부 초음파로 진단할 수 있다.

**담도 또는 간 질환** 급성 담도 질환 또는 간염은 환자들이 응급실을 방문하게 되는 흔한 원인이며 흉통으로 나타날 수 있다. 담도와 간 초음파를 이용하면 11장에서 설명한 것처럼 다양한 진단들을 정확하게 확인할 수 있다.

## 알고리즘

감별되지 않는 흉통과 호흡곤란을 호소하는 환자에서 초음파로 평가하는 알고리즘은 그림 26-1에 표시되어 있다. 처음 환자가 오면 첫 소생 노력 및 다른 의학적 진단 검사들과 거의 동시에 초음파를 시행해야 한다. 초음파 평가는 가장 가능성이 큰 감별진단에 따라 폐 또는 심장부터 시작하여 실시간 소견에 따라 검사 도중 수정되거나 확장된다.

흉부 초음파는 폐 미끄러짐과 B-선 허상이 존재하는지 확인함으로써

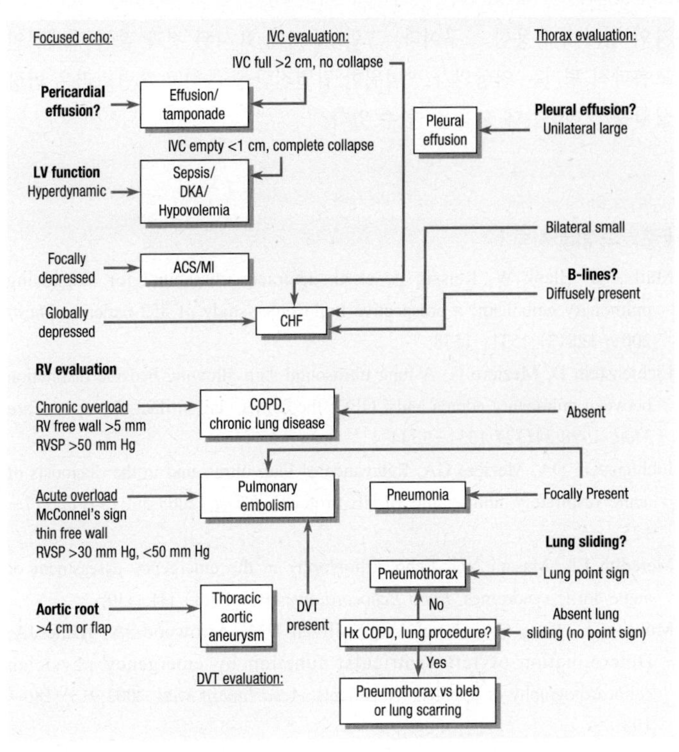


그림 26-1 감별되지 않는 흉통과 호흡곤란을 호소하는 환자에 대해 접근하는 알고리즘.

시작한다. 이들 초음파적 소견들의 양과 질에 대한 특정 정보를 이용하여 특정 진단을 포함하거나 배제한다. 만약 심각한 병적 소견이 발견되지 않는다면, 초음파검사는 심장과 복부로 확장해야 하고, 폐색전증이 의심되는 사례에서는 심부정맥혈전에 대한 검사를 고려한다.

심장에 대한 검사는 좌심실 기능과 심낭삼출 또는 심낭탐폰에 대한 심낭의 전반적인 평가로 시작한다. 특정 위치에서의 벽 기능과 수축 이상, 판막 부전과 증식들 그리고 우심 긴장과 같은 특수한 의문점들에 대해 검사 범위가 확장될 수 있다. 상호보완적으로 만약 심 초음파에서 심각한 병인이 확인되지 않는다면 폐 초음파를 뒤이어 시행할 수 있다.

폐 초음파와 심 초음파 둘 다 감별진단을 좁히지 못한다면 다른 병인들에 대한 평가를 고려한다. 여기에는 현장진단 초음파로 쉽게 진단이 어려운 감별 진단뿐만 아니라 복부와 후복막의 가능한 원인을 고려한다.

폐 초음파와 심 초음파는 설명되지 않는 흉통이나 호흡곤란이 있는 환자의 평가에 유용한 도구이다. 그림 26-1에 표시된 것과 같이 체계적인 초음파적 평가는 임상의가 광범위한 감별진단을 좁히고 혼란스러운 임상 상황을 정리하는데 도움을 줄 수 있다.

| 추가로 읽을 자료 |

Mathis G, Blank W, Reissig A, et al. Thoracic ultrasound for diagnosing pulmonary embolism: a prospective multicenter study of 352 patients. *Chest.* 2005; 128(3):1531–1538.

Lichtenstein D, Mezière G. A lung ultrasound sign allowing bedside distinction between pulmonary edema and COPD: the comet–tail artifact. *Intensive Care Med.* 1998;24(12):1331–1334.

Lichtenstein DA, Mezière GA. Relevance of lung ultrasound in the diagnosis of acute respiratory failure: the BLUE protocol. *Chest.* 2008 Jul;134(1):117–125.

Meredith EL, Masani ND. Echocardiography in the emergency assessment of acute aortic syndromes. *Eur J Echocardiogr*. 2009;10(1):i31–i39.

Moore CL, Rose GA, Tayal VS, Sullivan DM, Arrowood JA, Kline JA. Determination of left ventricular function by emergency physician echocardiography of hypotensive patients. *Acad Emerg Med.* 2002;9(3):186–193.

# 27 복통 환자에 대한 접근

## 도입 및 배경지식

복통은 급성기 치료 환경에서 가장 흔히 접하게 되는 문제이다. 감별되지 않는 복통은 임상의가 일상에서 마주치게 되는 상황 중 가장 복잡한 것으로 어떤 검사를 처방해야 하는지 판단하기 어렵다. 특히 노인환자에서 복잡한 과거력과 함께 정확하지 않고, 변화무쌍한 신체 진찰 소견은 판단 과정을 어렵게 한다.

복통을 유발하는 원인은 다양하지만, 모두 초음파로 적절하게 평가할 수는 없다. 하지만, 현장진단 초음파검사가 적절한 상황이 몇 가지 있다. 감별되지 않는 복통을 호소하고, 혈역학적으로 불안정한 환자에서는 현장에서 신속히 시행하는 초음파검사가 복부대동맥류와 같은 외과적 원인의 복통이나 비정상 공기(free air)를 배제하는데 도움이 된다. 초음파검사가 유용한 다른 병인들에는 담도 산통이나 급성 담낭염(cholecystitis), 신장 산통(renal colic), 창자막힘(bowel obstruction), 충수염과 같은 것들이 있다.

먼저 통증이 미만성인지 또는 국한성인지에 대한 판단을 해야 한다. 이는 임상의가 복부의 어느 부분을 우선적으로 평가해야 하는지 판단하는데 도움이 된다. 가장 통증을 유발할 만한 장기부터 평가를 해야 한다.

### 미만성 복통

복통이 미만성이라면 관련된 장기를 정확히 찾아내기가 쉬운 것이 아니다. 전반적인 복통은 질병의 진행을 의미하기 때문에 보통 임상의의 관심이 높다. 장 천공, 창자막힘, 파열된 구조물로부터 발생한 비정상 공기의 존재, 또는 복수 환자에서의 복막염과 같은 것들이 미만성 복통의 원인이다.

**장 파열** 충수(appendix) 파열, 게실염(diverticulitis), 궤양(ulcer) 천공, 지속되는 창자막힘 또는 과도한 구토로 인한 식도 파열등 장 파열에는 다양한 원인이 있다. 간질환을 가지고 있거나 복수가 없는 환자에서 복부 내 비정상 체액의 존재는 장 천공을 포함한 복부의 심각한 상황을 의심해야 한다. 비정상 공기는 장 천공에 대한 특이 소견으로 초음파검사로 이 비정상 공기를 찾아낼 수 있다. 비정상 공기가 존재한다면 이는 간의 가장자리에서 가장 잘 보이며 장 안에서는 보이지 않는 고에코성의 지저분한 혜성 꼬리 모양으로 보일 것이다. 단순 방사선 촬영으로도 비정상 공기를 찾아낼 수 있지만, 초음파나 단순 방사선 촬영보다는 CT 검사가 더 민감하다.

**비정상 체액** 간경변증인 것처럼 보이는 간(수축되어 있고, 불규칙한 모양)과 더불어 중등도~대량의 체액이 확인된다면, 자발성 세균성 복막염을 생각해보아야 한다. 비정상 체액이 여성의 복부에서 발견된다면 난소낭종 파열, 출혈을 동반한 자궁외임신 또는 광범위한 골반 내 감염과 같은 부인과적 원인을 찾아보도록 한다. 미만성 복통을 동반한 노인 환자에서 초음파상 비정상 체액이 있다면 장 파열이나 창자막힘을 신속히 확인해야 한다. 복부 대동맥은 대동맥류나 대동맥 박리에 대해 장골 동맥의 분지부까지 아래로 탐색한다. 대동맥류 파열은 후복막에서 보통 발생하므로 초음파검사는 민감하지 않다. 가능하다면 복강동맥(celiac artery), 비장동맥 그리고 신동맥들과 같은 분지 동맥들까지 검사해야 한다. 마찬가지로 비장도 비정상 체액의 존재 여부를 평가해야 하는 데 비장은 바이러스성, 울혈성, 악성종양에 의해 비대해졌을 때에는 작은 외상으로도 파열될 수 있기 때문이다.

**작은창자막힘** 작은창자막힘(small bowel obstruction, SBO)은 미만성 복통의 흔한 원인이다. 과거 복부 수술에 의한 것이 가장 흔하지만 탈장이나 장의 악성종양과 연관되기도 한다. 복부 검사는 확장된 장의 징후를 찾으며 시행한다. 초음파에서 직경이 3 cm 이상인 소장 고리(loop)는 소장막힘에 합당한 소견이다. 소장은 대장의 안쪽에 부분적으로 둘러진 팽대(haustra)와는 달리 장의 안쪽에 완전히 둘러져 접힌 윤상 주름이 존재한다는 것으로 대장과 구별된다. 확장된 장과 더불어, 창자막힘은 확장된 고리 주변의 비정상 공기와 함께 특징적인 장 내용물의 전후 운동을 보이게 된다. 초음파는 단순 방사선 촬영에서 공기가 보이지 않는 경우 창자막힘을 발견해내는데 특히 도움이 된다.

## 국한성 복통

국한성 복통에서 임상의는 복통의 가능성이 가장 큰 장기를 신속하게 검사한다. 복부는 다른 구조물들의 위치에 기반을 두어 네 부분으로 나뉜다.

**우상복부 통증** 우상복부 통증에는 여러 가지 원인이 있다. 담도 질환, 간염, 간 낭종, 종괴나 감염, 신장 산통과 같은 것들이 흔한 원인이다.

우상복부 통증 시 검사는 담낭과 간에 대한 평가로 시작한다. 담낭은 돌이나 찌꺼기의 존재 그리고 급성 담낭염이나 총담관결석증(choledocholithiasis)의 부가적인 징후가 있는지 검사해야 한다. 담낭석이 보이면서 담낭 기저부에 걸쳐 가장 심한 압통이 동반되는 '초음파 머피 징후'가 양성이면 통증은 담도계 원인일 가능성이 크다. 확장된 총수담관과 간관(hepatic duct) 또한 초음파에서 보일 수 있으며 이는 담도 폐쇄를 의미한다. 간은 낭종, 종괴 또는 농양 여부를 탐색하면서 전반적으로 검사해야 한다. 그 다음, 급성이나 만성 간염(hepatitis)의 징후를 확인한다. 간은 급성 간염에서 비대하고 부종이 있는 모양으로, 만성 간염에서는 쭈그러들고 불규칙한 모양으로 나타날 수 있다.

우측 복통을 호소하는 환자에서 콩팥에 대한 검사 또한 이루어져야 한다. 신장 산통 환자에서 일측성 수신증(hydronephrosis)은 초음파로 쉽게 진단할 수 있다. 신장 결석 환자에서 완전 막힘을 확인하는데 요로-방광 제트에 대한 평가가 이용되기도 한다.

**심와부 통증** 심와부 통증의 원인은 앞서 기술한 우상복부의 것들과 유사할 수 있다. 소화성 궤양 질환, 췌장염, 복부 대동맥류, 대동맥 박리 또는 꼬인탈장(strangulated hernia)이 흔한 원인이다.

심와부 부위에 대한 평가는 앞서 설명했던 것처럼 담도와 간을 포함한다. 노인 또는 고혈압과 같은 위험요인을 가진 환자에서는 복부 대동맥에 대한 전반적 검사를 시행해야 한다. 혈관은 근위부에서부터 분지 부위까지 아래로 내려가며 탐색하며, 검사자는 대동맥류에 유의한 소견인 직경 3 cm 이상 확장 소견을 찾는다. 초음파는 대동맥류의 누출에는 민감한 검사가 아니지만 상태가 불안정한 복부대동맥류 환자에서는 꽤 민감하다. 대동맥 박리가 강력하게 의심되는 환자에서는 혈관 내 내막판(intimal flap)에 대한 평가를 해야 한다. 초음파검사는 박리에는 민감하지 않지만 특이도가 매우 높은 방법이다.

소화성 궤양은 초음파로 쉽게 진단되지 않으나, 진행된 경우에는 다른 징후들의 존재로 알 수 있다. 천공된 위 또는 십이지장 궤양에서는 Morison pouch에 비정상 체액이 보일 수 있다. 그리고, 환자가 좌측 측와위 상태로 있어서 상복부에 대한 평가가 모호한 경우 초음파로 비정상 공기 허상(air artifact)을 동반한 기복증을 찾아낼 수도 있다. 기복증은 천공된 궤양이나 대장 게실에 주로 보이지만 충수나 담낭의 천공 때에도 관찰할 수 있다.

췌장은 초음파로는 잘 관찰되지는 않는 장기로 급성 췌장염(pancreatitis)은 대부분 임상적 진단명이다. 초음파로 확인되는 경우 췌장은 복부의 횡단면 시야에서 비장 정맥의 앞에 보이게 된다. 췌장이 만성 췌장염에서는 수축한 석회화 구조물로 보이지만, 급성 췌장염에서는 비대한 부종이 있는 모양으로 나타난다. 또한, 초음파는 췌장 가성낭종에도 민감하며 이것이 복통의 원인으로 발견되는 경우도 있다.

꼬인탈장(strangulated hernia)이나 감돈탈장(incarcerated hernia)이 심와부 통증을 유발하기도 한다. 비만인 사람에서 탈장은 촉진만으로 진단하기 어려워 이때 초음파가 도움된다. 만약 검사자가 장의 고리 위에서 초음파 탐색자로 압력을 가했을 때 환자에게 통증이 유발된다면, 그 지점에 불편감을 일으키는 탈장이 존재함을 의미한다. 또한 검사 도중에 압력을 가함으로써 탈장이 정복되는 예도 있다.

**좌상복부 통증** 좌상복부 통증의 원인은 앞서 기술하였듯이 우상복부와 심와부 통증의 것들과 유사하다. 초음파로 평가 가능한 좌상복부 통증의 흔한 원인으로 신장 산통, 탈장, 복부대동맥류, 소화성 궤양이 있으며, 드물게 비장 파열이 있다. 좌상복부의 초음파 평가는 왼쪽 신장에서 수신증과 장의 고리에서 탈장을 의미하는 소견을 찾으며 시작한다. 또한 비정상 체액과 공기를 포함한 진행된 소화성 궤양의 징후에 대해서도 탐색한다. 비장 파열은 외상이 아닌 바이러스나 울혈 상태로 인해 비장이 커져 있을 때 발생할 수도 있다. 이때에는 횡격막 아래 공간, 비-신오목, 또는 모리슨 와(Morison's pouch)에 비정상 체액이 존재할 수 있으며 이 소견은 비장 열상이나 혈종 때에 관찰되기도 한다.

**배꼽 주위 통증** 배꼽 주위 통증은 배꼽 탈장과 같이 통증의 국한 과정(localized process)의 결과일 수 있다. 이 부위는 통증을 일으킬 만한 고리를 찾으면서 탐색해야 한다. 배꼽 주위 통증은 병변 진행의 징후로 미만성으로 나타나기도 한다. 여기에는 작은창자막힘, 충수염 또는 천공을 동반한 게실염이 포함된다. 일반적으로 충수염은 우하복부로 통증이 이동하기 전에 배꼽 주위 통증으로 시작되므로 이 질환군의 징후는 다음에 설명할 내용과 같이 찾아보아야 한다. 요폐(urinary retention) 또한 배꼽 주위나 치골 상부의 통증을 유발할 수 있다. 정중선 위치에 발생하는 하복부 통증은 비정상적으로 커진 방광이 있는지 신속히 확인해보아야 한다.

**우하복부 통증** 우하복부 통증은 일반적으로 급성 충수염과 연관되어 있다. 초음파로 평가할 만한 다른 원인으로 난소 낭종이나 염전, 탈장, 신장 산통이 포함된다. 하복부 통증에서 고환 기원의 통증은 남성 환자에서 고려해야 하며, 이와 같이 여성 환자에서는 난소 병변과 자궁외임신을 가능성이 큰 감별 진단명으로 고려해야 한다.

충수염에서 초음파검사가 아주 민감한 검사는 아니지만, 만약 현장 초음파검사에서 확인이 되면 CT 검사가 불필요할 수도 있다. 이는 임상의가 불필요한 방사선에 노출되기를 원치 않을 젊고, 마른 환자에 이상적이다. 검사는 우하복부에서 6 mm 이상의 관 구조물을 관찰함으로 시작한다. 이러한 소견은 압통('초음파적 맥버니 포인트')과 더불어 충수염을 의미하게 된다.

신장은 수신증의 징후에 대해, 소장은 확장소견 및 가능한 탈장에 대해, 방광은 요폐의 징후에 대해 다시 한 번 검사되어야 한다.

남성 환자에서 고환 검사는 통증을 유발하는 탈장이나 고환 병인을 찾기 위해 시행해야 한다. 고환이 부풀어 오르거나 압통이 있다면, 초음파로 부고환염, 음낭수종, 정계정맥류, 부고환 낭종, 탈장 그리고 가장 중요한 염전의 징후에 대해 검사를 시행한다. 초음파에서 컬러 유량이 감소한 상태로 커져있고 부종성 비균일한 모양의 고환이 있다면 즉시 비뇨기과에 협진을 의뢰하도록 한다.

여성 환자에서는 난소 병인을 고려해야 하며, 가임기의 여성은 임신 검사를 시행해야 한다. 낭종 파열, 출혈 또는 난소꼬임(ovarian torsion)이 통증의 원인일 수 있다. 난소 낭종, 종괴 또는 혈류가 감소된 커다란 부종성의 장기와 같은 꼬임(torsion)의 간접적인 징후들을 탐색하면서 자궁 부속기를 확인한다. 그리고, 낭종이나 종괴가 존재하는 경우에는 파열을 의미하는 비정상 체액이 있는지 골반과 우상복부에 대해 검사를 시행한다.

만약 임신 검사가 양성이라면, 임상의는 자궁을 관찰하여 자궁 내 임신인지 판별하도록 한다. 자궁 내 임신이 명확하지 않다면, 종괴로 의심될만한 소견을 찾아 부속기를 확인하고, 다시 한 번 골반과 우상복부에 대해 비정상 체액을 평가하여 파열된 자궁외임신은 아닌지 검사한다. 부속기가 명확하게 확인되지 않으면, 경질초음파의 적응증이 된다.

**좌하복부 통증** 노인에서의 좌하복부 통증은 대부분 게실에 의해 발생한다. 좌하복부에서 장의 염증 부위를 찾는 시도는 CT를 처방하기 전에 시행할 수 있다. 고에코성을 띄는 두꺼워진 장벽을 동반한 장의 분절은 게실을 진단하는데 합당한 소견이다. 이러한 종류의 질환은 특히 초보자가 초음파로 진단하기 어려우므로 능숙한 기술이 요구된다.

추가로 앞서 언급했던 우하복부 통증의 모든 원인은 좌하복부 통증 환자에서도 고려해야 한다. 환자에게 수신증, 창자막힘, 탈장, 난소와 고환 병인들, 요폐에 대해 평가해야 한다.

## 알고리즘

감별되지 않는 복통을 호소하는 환자에 대한 초음파 접근 알고리즘이 그림 27-1에 있다. 처음 환자를 접함과 동시에 다른 의학적 진단 검사를 수행하면서 초음파검사를 진행한다. 초음파 평가는 환자의 과거력과 신체진찰 그리고 가장 가능성이 큰 진단명에 기초해 특정 복부 부위를 검사하며 시작한다. 만약 통증이 미만성이라면, 초음파검사는 좀 더 광범위한 평가가 필요할 것이다. 가능성이 가장 높은 감별 진단명은 실시간 소견에 따라서 검사 도중에 수정하거나 확장할 필요가 있다.

초음파검사는 감별되지 않는 복통 환자의 평가에서 아주 유용한 초기 검사 방법이다. 그림 27-1에 설명된 바와 같이 체계적인 초음파 평가는 흔히 임상의가 광범위한 감별진단명을 좁히고 환자 관리와 치료를 신속히 하도록 도와준다. 병인이 심각한 것으로 고려되지만 초음파검사가 진단적이지 않을 때는 CT나 다른 진단 기기를 이용하도록 한다.

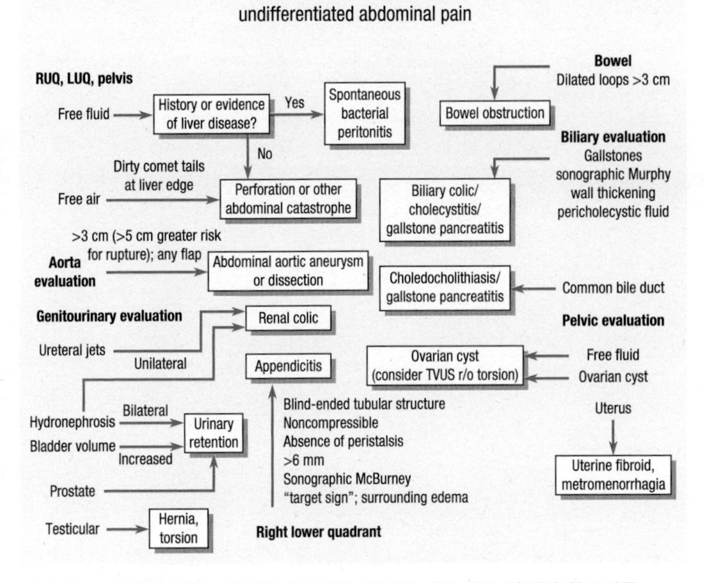


그림 27-1 감별되지 않는 복통을 호소하는 환자에 대한 접근 방법의 알고리즘.

## | 추가로 읽을 자료 |


Chaubal N, Dighe M, Shah M, Chaubal J. Sonography of the gastrointestinal tract. *J Ultrasound Med.* 2006;25:87−97.

Glanc P, Maxwell C. Acute abdomen in pregnancy. *J Ultrasound Med.* 2010;29:1457−1468.

Lameris W, van Randen A, van Es HW, et al. Imaging strategies for detection of urgent conditions in patients with acute abdominal pain: diagnostic accuracy study. *Brit Med J.* 2009;339(b2431):1−8.

Lindelius A, Torngren S, Nilsson L, et al. Randomized clinical trial of bedside ultrasound among patients with abdominal pain in the emergency department: impact on patient satisfaction and health care consumption. *Scand J Trauma Resusc Emerg Med.* 2009;27(17, pt 1):60.

Siegel Y, Grubstein A, Vladislav P, et al. Ultrasonography in patients without trauma in the emergency department: impact on discharge diagnosis. *J Ultrasound Med.* 2005;24:1371−1376.

# INDEX 찾아보기

## | 국문 |

### ㄱ

### ㄴ



### ㄷ

## | 영문 |

### A

D



E

N



O



P

## Q



## R



## S

책에 대한 오류를 발견하시거나 문의점이 있으신 독자분은
zerospin07@koonja.co.kr로 의견 부탁드립니다.